SUPERBESTSELLER

227

Della stessa autrice

INCONTRI
LA TENUTA
RITRATTO DI FAMIGLIA
SVOLTE
MENZOGNE
PALOMINO
PROMESSA D'AMORE
GIRAMONDO
ORA E PER SEMPRE
L'ANELLO
FINE DELL'ESTATE
UNA VOLTA NELLA VITA
UN AMORE COSI RARO
AMARSI
AMARE ANCORA
DUE MONDI DUE AMORI
UNA PERFETTA SCONOSCIUTA
COSE BELLE
IL CERCHIO DELLA VITA
IL CALEIDOSCOPIO
ZOYA
DADDY-BABBO

DANIELLE STEEL

STAGIONE DI PASSIONE

Traduzione di Grazia Maria Griffini
Season of Passion

I edizione Sperling Paperback s.r.l. giugno 1992

ISBN 88-7824-225-X
86-I-96

V EDIZIONE

Con tutto il mio affetto a
Beatrix e Bill,
e con un grazie particolare a
Nancy Bel Weeks

« Come succede che la gioia cada trafitta,
e perché non nasce alcun fiore dalla miglior
speranza che mai sia stata seminata? »

THOMAS HARDY, *Hap*

« Dolci sono i vantaggi dell'avversità
che, come un rospo orrendo e velenoso,
porta un prezioso gioiello sulla testa. »

WILLIAM SHAKESPEARE

Parte prima

1

Erano appena passate le sei quando la sveglia cominciò a suonare. Lei si agitò leggermente, tirò fuori un braccio dalle coperte e la spense. Poteva ancora fingere di non averla udita, e riprendere il sonno interrotto. Non era costretta ad andare... non era come se... come se... E in quel momento squillò il telefono.

« Maledizione. » Kaitlin Harper si mise a sedere sul letto. I lunghi capelli castani le ondeggiarono sulle spalle, ancora raccolti nelle trecce che si era fatta il giorno prima; il volto era abbronzato dal sole. Il telefono squillò di nuovo e lei rispose con un sospiro, soffocando uno sbadiglio. Aveva una bocca delicata, che sorrideva generosamente quando era felice; ma quel giorno i suoi occhi verdi avevano già assunto un'espressione troppo seria. Ormai era completamente sveglia. Era tanto più facile dormire e dimenticare.

« Ciao, Kate », sorrise alla voce familiare. Aveva capito subito che si trattava di Felicia: nessun altro sapeva dove lei si trovasse.

« Che cosa fai, già sveglia a quest'ora? »

« Oh, il solito. »

Kate scoppiò in una risata scrosciante. « Alle sei del mattino? Come faccio a crederci! »

Conosceva infatti troppo bene Licia. Felicia Norman riusciva a strapparsi faticosamente dal letto soltanto alle otto e, in ufficio, la sua segretaria aveva precise istruzioni di proteggerla da qualsiasi choc imprevisto almeno fino alle dieci. Le sei del mattino non erano dunque affatto un'ora a lei congeniale. Salvo quando si trattava di Kate. Per Kate era prontissima perfino ad alzarsi a quell'ora antelucana. « Ma non hai niente di meglio da fare che stare a controllarmi, Licia? »

« No, a quanto pare. E allora, c'è qualche novità? » Le pareva quasi di sentire lo sforzo di Felicia per svegliarsi. I capelli biondi, dall'ottimo taglio, che le scendevano dritti fino alle spalle, in quel momento dovevano essere sparsi sul guanciale mentre una mano ben curata si stava forse già sollevando a coprire gli occhi azzurro-ghiaccio che spiccavano sul volto dai lineamenti cesellati. Come Kate, aveva il viso di una modella; ma aveva dodici anni più di lei.

« Non c'è nessuna novità, sciocchina. E io ti voglio bene. Ma sono in forma, mi sento benissimo. Te lo giuro. »

« Bene. Mi è semplicemente balenato che forse oggi ti avrebbe fatto piacere che ci trovassimo insieme là. » Là. Una parola anonima per un posto anonimo. E Felicia era disposta a farsi un viaggio di due ore, al volante di una macchina, soltanto per trovarsi con l'amica... là. E per che cosa? Kate doveva farlo da sola. E lo sapeva. Non poteva continuare eternamente a cercare l'appoggio del suo prossimo. Lo aveva fatto anche troppo.

« No, Licia, sto benissimo. E poi, finirete per arrivare al divorzio, tu e il tuo grande magazzino, se continuerai a scappar via nel bel mezzo della giornata di lavoro per farmi da baby-sitter. » Felicia Norman dirigeva il settore moda di uno dei più eleganti fra i grandi magazzini di San Francisco e Kate l'aveva conosciuta quando faceva ancora la mannequin.

« Non dire sciocchezze. Non si accorgerebbero neanche della mia mancanza. » Ma sapevano tutt'e due che non era vero. Inoltre, ciò che Kate non sapeva era che Felicia doveva assistere alla sfilata di moda di Norell, quel pomeriggio. L'intera linea invernale. E, tre giorni dopo, ci sarebbe stato Halston. E la settimana successiva, Blass. Qualcosa che andava al di là di qualunque immaginazione, anche di quella della stessa Felicia. Ma Kate era al di fuori di tutto questo. Non pensava più né alle stagioni né alle relative collezioni di moda. Non lo faceva da mesi.

« E come sta il mio piccolo amico? » la voce di Felicia si era fatta più dolce e questo bastò a riportare il sorriso negli occhi di Kate. Un vero sorriso, stavolta, mentre si passava leggermente una mano sul pancione. Ancora tre settimane... tre settimane... e Tom...

« Lui sta bene. »

« Come puoi essere così sicura che sarà un maschio? Sei perfino riuscita a convincere me. » Felicia sorrise al pensiero di quel mucchio di abitini da neonato che aveva ordinato la settimana precedente dal settimo piano del grande magazzino dove lavorava. « Ad ogni modo, sarà meglio per tutti che sia un maschio, vero? » Scoppiarono a ridere insieme.

« Lo sarà. Tom diceva... » poi un silenzio. Quelle parole le erano sfuggite senza che lo volesse. « Comunque sia, tesoro, oggi non ho bisogno di una baby-sitter. Te lo giuro. Puoi restare a San Francisco, farti un bel sonno per un altro paio di ore, e poi andartene a lavorare in santa pace. Se avrò bisogno di te, ti telefonerò. Fidati. »

« Sbaglio, o non è la prima volta che te lo sento dire? » Felicia scoppiò in una risata calda, profonda. « C'è da farsi venire la barba bianca ad aspettare una tua telefonata. A proposito, posso venir giù questo weekend? »

« Di nuovo? Credi che resisterai? » Era andata da lei quasi ogni fine settimana degli ultimi quattro mesi. Ma, a quel punto, ormai Kate l'aspettava; e quindi la domanda di Felicia e la risposta di Kate erano soltanto una formalità.

« Che cosa posso portarti? »

« Niente! Felicia Norman, se hai il coraggio di portarmi ancora uno di quei meravigliosi vestiti da mamme in attesa, ti giuro che mi metto a urlare! Dove vuoi che vada con quella roba addosso? Al supermarket? Qui siamo in campagna, fra le vacche, bella mia! Lo sai anche tu... gli uomini vanno in giro con la maglietta e le donne portano il grembiule. Ecco come stanno le cose! » Kate sembrava divertita.

Felicia, invece, non lo era affatto. « Be', se le cose stanno così è soltanto colpa tua, accidenti! Ti avevo detto... »

« Oh, smettila. Io sono felice qui. » Kate stava sorridendo tra sé.

« Tu sei matta. Questo tuo istinto di fare il nido si spiega soltanto con il fatto che sei incinta. Aspetta che arrivi il bambino e poi riacquisterai tutto il tuo buonsenso. » Felicia ci contava. Stava addirittura guardandosi in giro, alla ricerca di un appartamento disponibile. Ne aveva già adocchiati due o tre, autentici gioielli, nella zona di casa sua, a Telegraph Hill. Kate era pazza a volersene stare in quel buco. Ma ne sarebbe venuta fuori. Lo scalpore stava già placandosi. Un altro paio di mesi e sarebbe potuta tornare indietro in santa pace.

« Ehi, Licia », Kate diede un'occhiata alla sveglia, « sarà meglio che mi metta in movimento. Ho un viaggio in macchina di tre ore che mi aspetta. » Si allungò cautamente fra le lenzuola stiracchiandosi, con la speranza che non le venisse un crampo alle gambe che la costringesse a saltare fuori dal letto... nei limiti in cui, nelle sue condizioni, era possibile saltare!

« E... un'altra cosa! Potresti smetterla di andare laggiù per il prossimo mese, almeno fino alla nascita del bambino. Che senso ha... »

« Licia. Ti voglio bene. Arrivederci. » Con gentilezza, Kate riattaccò. Era un discorso che aveva già sentito, quello. Ma sapeva che cosa stava facendo. Era ciò che doveva fare. Che voleva fare. E poi, che alternativa le rimaneva? Come poteva smettere di andarci proprio allora?

Lentamente, rotolando un po' su se stessa, riuscì a sedersi sull'orlo del letto e respirò a fondo mentre contemplava le montagne che si intravedevano dalla finestra. I suoi pensieri erano lontanissimi da lì. Di anni, di chilometri. Di una vita intera.

« Tom. » Lo disse con dolcezza. Solo quella parola. Non si era neppure accorta di averla pronunciata a voce alta. Tom... come era possibile che non fosse lì con lei? Perché non stava preparandosi il bagno o cantando sotto la doccia, o gridandole qualche frase scherzosa dalla cucina... se n'era proprio andato per sempre? Era passato così poco tempo da quando poteva ancora chiamare il suo nome e sentire la sua voce. Era stato sempre lì con lei. Sempre. Quel Tom alto, biondo, bellissimo, sempre pronto a ridere e ad abbracciarla, con la dote straordinaria di saper creare momenti meravigliosi. Tom, che aveva conosciuto durante il primo anno di college, quando, per un caso, la squadra in cui lui giocava era andata a San Francisco e lei, per caso, aveva assistito alla partita, e poi, sempre per caso, era andata a una festa dove c'era qualcuno che conosceva qualcuno della squadra... follia. E fortuna. Non aveva mai fatto niente di simile, prima. Si era innamorata di lui lì, di colpo, a diciotto anni. Di un giocatore di football? In principio l'idea le era sembrata buffa. Un giocatore di football. Ma Tom non era soltanto questo. Era speciale. Era Tom Harper. Adorabile, pieno di calore umano, premuroso in una infinità di modi. Tom, che aveva avuto per padre un minatore abituato a una vita massacrante nelle miniere di carbone della Pennsylvania, e per madre una donna che aveva fatto la cameriera per aiutarlo a finire gli studi. Tom, che aveva lavorato anche lui notte e giorno, e tutte le estati, per riuscire ad andare al college; e infine ci era riuscito e aveva ottenuto una borsa di studio per perfezionarsi nel gioco del football. Era diventato un campione. E poi un professionista. E infine un autentico divo. Una specie di eroe nazionale. Tom Harper. Ed era stato allora che lei lo aveva conosciuto, quando era una stella di prima grandezza. Tom...

« Salve, principessa. » Gli occhi di Tom l'avevano esaminata da capo a piedi, passando rapidi su di lei come gocce di tiepida pioggia estiva.

« Salve. » Come si era sentita sciocca. Salve... ecco tutto ciò che era riuscita a dire. Anzi, in realtà, non aveva trovato niente da dirgli, ma in fondo allo stomaco aveva sentito un sussulto, una piccola contrazione. Era stata costretta a girare gli occhi dall'altra parte. Non riusciva a sostenere lo sguardo di quei luminosi occhi celesti, il modo in cui le frugavano in faccia, e neanche il modo in cui sorrideva. Incontrare quello sguardo era come cercare di fissare il sole.

« Sei di San Francisco? » le aveva sorriso dall'alto della sua straordinaria statura. Era robusto, possente, con la classica figura che la sua professione richiedeva. Kate aveva cominciato a domandarsi che cosa potesse pensare di lei. Probabilmente la trovava ridicola. Una qualunque in mezzo alla folla, o forse soltanto una ragazzina.

« Sì, sono di San Francisco. E tu? » A quel punto erano scoppiati a ridere perché lei sapeva benissimo da dove veniva Tom Harper. Lo sapevano tutti. E poi, la sua squadra faceva base a Chicago.

« Perché sei così timida? »

« Io... ecco... oh, accidenti! » Si erano messi a ridere, e le cose, dopo, erano andate meglio. Se l'erano squagliata dalla festa per andare a mangiare un hamburger.

« Ci resteranno male i tuoi amici? »

« Probabilmente. » Lei si era seduta al banco, su uno sgabello vicino a Tom, ciondolando una delle sue lunghe gambe e sorridendo beata al disopra del suo hamburger gocciolante di unto. Laggiù, alla festa, aveva anche lasciato un ragazzo, quello che ce l'aveva accompagnata. Il suo ragazzo. Ma adesso non lo era più. Perché era uscita con Tom Harper. Era un po' difficile abituarsi all'idea. Tra l'altro lui non sembrava affatto corrispondere alle storie leggendarie che aveva sentito raccontare sul suo conto. Era semplicemente un uomo. Le piaceva. Ma non perché era famoso. Soltanto perché era simpatico. No... per qualcosa di più, anche... però non sapeva esattamente di che cosa si trattasse. Sapeva soltanto che una piccola strana farfalla stava svolazzando felice in fondo al suo stomaco. Le succedeva ogni volta che lo guardava. Si chiese se lui lo avesse capito.

« Lo fai spesso, principessa? Parlo del tuo ragazzo, che hai piantato in asso alla festa. » La guardò con severità per un attimo e di nuovo scoppiarono a ridere insieme.

« Mai. Lo giuro. »

« Meglio non farlo con me. »

« Nossignore. »

Era stata una sera fatta tutta di risate e di battute scherzose, e Kate si era sentita subito molto vicina a lui e al tempo stesso un po' umiliata. Riusciva a farla sentire una bambina piccola, ma anche a darle un senso di sicurezza, come se per tutta la vita avesse aspettato che arrivasse lui a proteggerla. Era una strana sensazione, ma le piaceva. Dopo gli hamburger erano andati in macchina fino a Carmel e avevano camminato lungo il mare, ma Tom non aveva cercato di fare l'amore con lei. Avevano semplicemente camminato, tenendosi per mano, e chiacchierato fino all'alba, rivelandosi reciprocamente i segreti della loro infanzia e della giovinezza... « e senti un po' quello che ti racconto adesso... »

« Sei una bellissima ragazza, Kate. Che cosa farai da grande? » Lei aveva riso a quella domanda e, con delicatezza, gli aveva fatto scivolare nel collo della camicia una manciata di sabbia. Lui si era ribellato, ricambiando lo scherzo più o meno nello stesso modo, e Kate si era domandata se l'avrebbe baciata; ma lui non lo aveva fatto. Si era accorta di provare una voglia matta di baciarlo. « Smettila. Sto parlando sul serio. Che cosa hai intenzione di fare? »

La domanda la costrinse a mettersi seduta più dritta, con un'alzata di spalle. « Non lo so. Ho appena incominciato il college. Forse mi piacerebbe laurearmi in scienze politiche o magari in letteratura. Lo sai anche tu, roba utile come quella. Ma chi lo sa? Magari dopo il diploma mi metterò a lavorare vendendo cosmetici da Saks. » Oppure sarebbe scappata di casa, o diventata una patita dello sci, o un'insegnante, o un'infermiera, o un pompiere o... diavolo, come faceva a saperlo? Che sciocco era!

Tom le stava sorridendo di nuovo, con quello sguardo di un intenso azzurro che la lasciava smarrita. « Quanti anni hai, Kate? » La bombardava di domande, e continuava a guardarla, insistentemente, come se l'avesse sempre conosciuta. Le domande sembravano soltanto una formalità. Chissà perché, Kate aveva l'impressione che lui sapesse già le risposte.

« Ho compiuto diciotto anni il mese scorso. E tu? »

« Ne ho ventotto, tesoro. Dieci anni più di te. Ormai sono quasi in declino. In questa professione, almeno. » Mentre lo diceva, la sua faccia si indurì.

« E quando ti ritirerai? »

« Verrò anch'io a vendere cosmetici da Saks con te. » Lei rise a quel pensiero. Tom doveva essere alto un metro e ottantacinque o forse di più. L'idea di un Tom Harper che vendeva qualcosa di dimensioni più piccole di una nave da guerra sembrava assurda!

« Che cosa fanno i giocatori di football quando si ritirano dallo sport attivo? »

« Si sposano. Hanno dei figli. Bevono birra, ingrassano. Si mettono a fare gli assicuratori. Le buone cose della vita. » A sentirlo, sembrava un po' ironico, un po' spaventato, e molto serio.

« Magnifico, si direbbe. » Kate stava sorridendo dolcemente e guardava il mare quando lui le mise un braccio intorno alle spalle.

« Non proprio, direi. » Ma stava pensando al fatto di andare in giro a cercare clienti come assicuratore, e poi la guardò. « Ti sembra che il matrimonio e i figli siano una cosa tanto magnifica, Kate? »

Lei si strinse nelle spalle. « Immagino di sì. Ma è tutta roba che mi sembra ancora tanto lontana. »

« Già, tu sei giovane. » Lo disse in un tono così serio che Kate non poté fare a meno di ridere.

« È vero, nonnino. »

« Ma che cosa pensi di fare realmente, una volta finiti gli studi? »

« Vuoi che sia sincera? Voglio andare in Europa. Voglio passarci un paio d'anni, girando senza una meta precisa. Lavorando. Quello che capita. Credo che, per quell'epoca, ne avrò piene le tasche dell'impegno scolastico. » Ad ogni modo, non se ne sarebbe parlato prima di tre anni almeno.

« Allora è così che lo chiami: impegno. » Rise tra sé, pensando al gruppo chiassoso di ragazzini ricchi con i quali l'aveva vista arrivare a quella festa. Andavano tutti a Stanford.

Sguazzavano tutti nei soldi, avevano bei vestiti e accanto al marciapiede aveva notato una *Morgan* e una *Corvette* nuove di zecca. « E dove andresti, in Europa? »

« A Vienna o a Milano. Magari a Bologna. Magari a Monaco. Non ho ancora deciso, però dovrà essere un posto romantico. »

« Ah ah! »

« Oh, smettila. » Adesso la voglia di baciarlo l'aveva ripresa in un modo spasmodico. La fece sorridere in silenzio, nel buio della notte. Era lì, praticamente fra le braccia di Tom Harper. Metà delle donne del Paese avrebbero smaniato per l'invidia a quel pensiero! E invece eccoli lì seduti come due ragazzini, abbracciati, a parlare senza vergogna, disinvolti. Suo padre e sua madre ne sarebbero rimasti sbalorditi. Poco ci mancò che ridesse a quell'idea.

« Che tipi sono, i tuoi? » Sembrava che le avesse letto nel pensiero.

« Rigidi, un po' all'antica. Ma simpatici, suppongo. Sono figlia unica e mi hanno avuto piuttosto tardi. Si aspettano molto. »

« E tu li accontenti? »

« In genere, sì. Però non dovrei. Ho dato delle cattive abitudini a tutti e due. Adesso, da me, si aspettano che righi sempre dritto. Ecco, in parte, perché voglio andar via per un paio d'anni. Chissà, non è escluso che io faccia all'estero il secondo anno di università. Oppure che ci vada l'estate prossima. »

« Sponsorizzata da papà, naturalmente. » Aveva preso un tono da sputasentenze e Kate si voltò di scatto a guardarlo con un lampo di collera negli occhi verdi.

« Non necessariamente! So guadagnare anch'io. Anzi, a dir la verità, credo che preferirei pagarmi il viaggio da sola. E quando sarò laggiù, se potrò, mi troverò un lavoro. »

« Scusami, principessa. Ho sbagliato a dirlo, ma mi sembrava la cosa più logica. Non saprei... tutto il gruppo con il quale sei arrivata stasera mi sembrava piuttosto ben provvisto di quattrini. Conosco quel tipo di gente fin da quando ero all'università statale del Michigan. Venivano tutti da Grosse Pointe, o da Scottsdale o posti simili. Ed era sempre la stessa solfa. »

Kate annuì. Non poteva essere in disaccordo con quello che Tom diceva, però non le garbava di essere messa in un fascio con tutti quegli altri. Capiva però quello che aveva voluto dire. Anche se non si era mai ribellata, era un genere di vita che non attirava molto neppure lei. Sembrava che tutti i suoi amici avessero sempre tanto di ogni cosa! E senza questioni, senza sofferenze, senza domande, senza patemi d'animo. Avevano tutti talmente tanto! E Kate non faceva eccezione. Ma, perlomeno, lo sapeva.

« Che cosa volevi dire quando hai dichiarato che sei capace di guadagnare anche tu? » Sembrava divertito, come prima.

Lei prese l'aria infastidita. « Faccio l'indossatrice. »

« Davvero? Per le riviste o in che senso? » Be', questa era proprio una sorpresa. Certo, l'aspetto ce l'aveva! Però Tom si era convinto che non lavorasse. Ma fare l'indossatrice non era proprio niente male! Non nascose di esserne rimasto discretamente colpito. Si voltò a guardarla e l'aria stizzosa di Kate si addolcì.

« Di ogni genere. L'estate scorsa ho fatto anche un filmetto pubblicitario. In genere mi chiamano per le sfilate di moda da I. Magnin, o da Saks, grandi magazzini così. È una seccatura venire in città solo per questo, ma pagano discretamente e quei quattrini mi danno un po' d'indipendenza. E poi, a volte, è anche abbastanza divertente. » Tom non faceva fatica a vederla camminare avanti e indietro sulla passerella, con quell'aria un po' da puledrina, un po' da cerbiatta, alta e sottile in un vestito che, magari, costava cinquecento dollari. O forse, non la facevano sfilare con roba del genere addosso. Però aveva stile da vendere e non le sarebbe riuscito difficile. Infatti, per quanto ne sapesse molto poco di moda, Tom ci aveva azzeccato.

« E così, è questo che vorresti fare in Europa, finita la scuola? L'indossatrice? » Sembrava stupito e perplesso, mentre continuava a tenerle quel braccio caldo e solido intorno alle spalle. Quanto a Kate, stava benissimo seduta così!

« Solo se l'alternativa dovesse essere quella di morire di fame. Perché, a dire la verità, ho voglia di fare altre cose. »

« Per esempio? » La strinse un poco di più a sé. Sembrava più vecchio e maturo e al tempo stesso giovanissimo. E per la prima volta in vita sua Kate si accorse di avere voglia che un uomo facesse l'amore con lei. Eppure era assurdo, pazzesco! Era vergine, e non lo conosceva neanche. Non ancora. Eppure qualsiasi ragazza avrebbe voluto che il suo primo uomo fosse così. Come lui. Non riusciva a immaginare che non potesse essere gentile e pieno di dolcezza. « Su, Kate, si può sapere quali sarebbero queste 'altre cose' che vorresti fare in Europa? » Sembrava che volesse stuzzicarla un po', e questo la fece sorridere. Aveva sempre desiderato intensamente di avere un fratello maggiore che le parlasse in questo modo.

« Non so. Forse lavorare per un giornale, o per una rivista. Fare la reporter. Magari in qualche posto come Parigi o Roma. » La sua faccia si illuminò tutta; lui le arruffò i capelli.

« Senti un po', piccola, perché non decidi per il lavoro di indossatrice e una vita da signora? Che cosa diavolo ti spinge a voler correre dietro agli assassini o agli incendi e via dicendo? Accidenti, sono tutte cose che puoi fare anche qui. E nella tua lingua. »

« A mio padre verrebbe l'esaurimento nervoso! » scherzò.

« Anche a me. » La strinse più vicino a sé, di nuovo, come per proteggerla da qualche male invisibile.

« Sei un guastafeste, Tom Harper. Io son bravissima a scrivere. Sarei un'ottima reporter. »

« Chi dice che sei bravissima a scrivere? »

« Io. E un giorno scriverò un libro. » Accidenti. Ecco, lo aveva detto. Smise di parlare e girò subito gli occhi da un'altra parte.

« Parli sul serio, vero, Kate? » La voce di Tom era tenera, dolcissima; lei annuì in silenzio. « E allora, chissà che un giorno o l'altro tu non ci riesca davvero! » Avanzava cautamente, in punta di piedi, cercando di non calpestare nessuno dei sogni di Kate. « Anch'io, una volta, volevo scrivere un libro. Ma poi ho rinunciato a quell'idea. »

« E perché lo hai fatto? » Ne rimase inorridita; e Tom cercò di conservare la propria espressione grave. Gli piaceva alla follia quell'impegno, quella serietà così intensa della ragazza.

« Ho rinunciato a quell'idea perché non so scrivere. Ma forse un giorno ne scriverai tu uno per me. »

Restarono in silenzio per un po', guardando il mare, godendosi la brezza notturna sul viso. Lui le aveva prestato una giacca a vento che aveva in macchina e si rannicchiarono, stretti l'uno all'altra, sulla spiaggia. Passò un certo tempo prima che si decidessero a parlare di nuovo.

« Ma i tuoi... che cosa vorrebbero che tu facessi? » domandò Tom.

« Più avanti? » Lui fece segno di sì. « Oh, qualcosa di 'piacevole'. Un lavoro in un museo, o magari in una università, o in una scuola superiore. Oppure, meglio di tutto, che trovassi marito. Una noia! E tu? Che cosa farai quando i giornali smetteranno di raccontarci che sei un fantastico giocatore di football? » Sembrava una bambina, così distesa sulla sabbia. Eppure in fondo ai suoi occhi c'era un'espressione da donna e Tom Harper riuscì a scorgerla.

« Te l'ho detto. Mi ritirerò dallo sport attivo e scriveremo quel famoso libro. » Lei non rispose e restarono in silenzio a guardare il sole che sorgeva; poi risalirono in macchina e tornarono a San Francisco.

« Vuoi che facciamo colazione prima che ti lasci a casa? » Erano a Palo Alto e si stavano avvicinando alla strada dove lei abitava con la piccola macchina sportiva, inglese, che lui aveva noleggiato per il periodo della sua permanenza in città.

« Probabilmente dovrei rientrare. » Se sua madre avesse telefonato a qualcuno e si fosse sentita rispondere che era rimasta fuori tutta la notte, chissà che scuse avrebbe dovuto inventare anche se, con ogni probabilità, le ragazze avrebbero trovato qualche storia da raccontarle per non farle sapere la verità. Del resto, lei faceva la stessa cosa per loro. Due delle sue quattro amiche non erano più vergini da un pezzo. E la terza stava facendo il diavolo a quattro per abbandonare quella condizione. A Kate non importava gran che... o perlomeno non le era importato finora, fino a che non aveva conosciuto Tom.

« Ci vediamo stasera? »

Lei aveva preso un'aria avvilita. « Non posso. Ho promesso ai miei che avrei cenato con loro. Poi hanno i biglietti per il concerto. E più tardi? » Accidenti, accidenti, accidenti. Perché, poi, lui sarebbe partito e non lo avrebbe più rivisto.

Il visetto di Kate prese, d'un tratto, un'espressione triste e Tom provò una gran voglia di baciarla. Non come si bacia una bambina. Come si bacia una donna. Aveva voglia di stringerla forte a sé e di sentire il suo cuore che batteva contro il proprio. Aveva voglia... si impose di scacciare tutti quei pensieri dalla mente. Era troppo giovane, Kate.

« Più tardi non posso, principessa. Domani si gioca. Bisogna che vada a letto al massimo alle dieci. Ma non preoccuparti. Chissà che non si riesca a combinare anche solo per pochi minuti per domani, prima della nostra partenza. Vuoi venire all'aeroporto con me? »

« Certo. » Quell'espressione così disperata cominciava, a poco a poco, a scomparire.

« Vuoi venire alla partita, domani? » Poi scoppiò a ridere. cogliendo qualcosa nel suo sguardo. « Oh, bambina, di' la verità! Tu lo detesti il football, vero? »

« No, assolutamente. » Però stava ridendo. E lui aveva intuito la verità. « Non lo odio affatto. »

« Però non ti piace particolarmente, o sbaglio? » Tom rise scuotendo la testa. Era tutto perfetto! Una ragazzina, una studentessa di college che proveniva da chissà quale famiglia rigida e conformista! Era una pazzia. Una pazzia completa.

« Okay, signor Harper. E con questo? Ha importanza se io non sono una delle più accanite tifose di football? »

Lui la guardò con un sorriso aperto e fece segno di no con la testa.

« Niente affatto. Neanche un po'. » Al contrario, l'idea lo divertiva. Quei branchi di ragazzotti fanatici lo avevano stancato. E poi, all'improvviso, si trovarono davanti alla casa di lei, e tutto finiva così. « Okay, piccola, ti telefono più tardi. » Lei avrebbe voluto che glielo promettesse sul serio, avrebbe voluto chiedergli se era ben sicuro che le avrebbe telefonato, avrebbe voluto gridargli che era pronta a rinunciare a quella cena con il padre e la madre. Ma, diavolo! lui era Tom Harper, e lei una delle tante ragazze... non le avrebbe mai più telefonato. Si chiuse in un sottile guscio di indifferenza, fece segno di sì con la testa, gli rivolse un sorriso disinvolto e sgusciò fuori dalla macchina. Ma dovette fermarsi prima ancora che i suoi piedi avessero toccato il marciapiede. Tom Harper le aveva afferrato un braccio con una mano e glielo stringeva come una morsa. « Ehi, Kate. Non andartene a questo modo. Ti ho detto che ti avrei telefonato e ho tutte le intenzioni di farlo. » Aveva capito anche questo. Capiva ogni cosa. Si voltò a guardarlo con un sorriso di sollievo.

« Okay. Solo che... credevo... » La morsa che le stringeva il braccio si allentò e Tom le passò delicatamente una mano sul viso.

« Lo so quello che pensavi, ma sbagliavi. »

« Credi proprio? » I loro occhi si incrociarono, rimanendo imprigionati per un lungo momento.

« Sì. » Era la parola più dolce, più sommessa, che mai avesse sentito. « E adesso va' a letto e cerca di dormire un po'. Ti telefono più tardi. »

E così aveva fatto. Le aveva telefonato due volte quella mattina e un'altra volta ancora la sera tardi, quando lei era rientrata in casa dopo essere stata fuori con i genitori. Era andato a letto, Tom, ma non era riuscito a prendere sonno. Avevano stabilito di trovarsi il giorno dopo, alla fine della partita. Ma questa volta tutto era stato diverso. Troppo affrettato, carico di tensione. Avevano vinto e Tom aveva ancora i nervi a fior di pelle, e anche Kate era nervosa. Non era più la spiaggia di Carmel, e non era più l'alba. Era quel turbinio che caratterizzava la carriera di Tom Harper... e poi il bar in un aeroporto affollato prima della sua partenza per Dallas e per un'altra partita. Altri giocatori della squadra andavano e venivano, li salutavano con un cenno della mano, due donne vennero a chiedergli l'autografo, il barista continuava a guardarli e a strizzare l'occhio e c'era un costante girarsi di teste, un sussurrio continuo e cenni che indicavano: laggiù... Tom Harper?... dici davvero?... sì, perbacco!... Tom Harper! C'era da smarrirsi.

« Vuoi venire a Dallas? »

« Uhu? » Lei sembrò scandalizzata. « Quando? »

« Adesso. »

« Adesso? »

Lui scoppiò a ridere di fronte all'espressione che le era apparsa sul viso. « Perché no? »

« Sei pazzo... Devo... ho gli esami... » Negli occhi le balenò un'espressione da bambinetta spaventata e, d'un tratto, Tom comprese qualcosa d'altro. Andare a Carmel in macchina con lui era stato un atto di fede, una bravata, qualcosa di diverso dal solito. Fin lì sapeva di poter arrivare. Ma un viaggio a Dallas era qualcos'altro. Okay. Tom capì. Doveva procedere con molta cautela. Quella era una ragazza tutta speciale!

« Calma, principessa. Stavo solo scherzando. Ma cosa ne diresti di trovarci in qualche altro posto, quando hai finito gli esami? » Lo disse con molta dolcezza e, in cuor suo, pregò che nessuno gli venisse davanti in quel momento a domandargli un autografo, oppure a congratularsi per il modo in cui aveva giocato quel giorno. Nessuno lo fece. Tom si accorse di trattenere il fiato mentre la guardava.

« Certo. Questo potrei farlo. » Dentro di sé Kate tremava, ma era una sensazione meravigliosa.

« Okay. Ne parleremo. » Ma non insistette. Così non fece che ridere e prenderla in giro per tutta la strada, fino alla barriera. Si fermarono lì per un attimo e Kate si chiese se l'avrebbe baciata, oppure no. E allora, con un sorriso dolcissimo, Tom si chinò a baciarla, prima a fior di labbra ma poi, quando lei gli buttò le braccia al collo, la strinse forte a sé e il suo bacio fu ardente, profondo. Le fece mancare il fiato, le fece girare la testa. Ed ecco, tutto finì subito, Tom se n'era andato e lei si trovava sola, al di qua della barriera, fra coloro che restavano.

Le telefonò quella sera stessa. E tutte le altre sere, per un mese. La invitò nei vari posti dove si trovava a giocare, ma lei non riuscì mai ad andarci o perché i programmi di lui erano troppo pressanti o perché lei era stata chiamata a sfilare come indossatrice o perché suo padre e sua madre avevano qualche programma in cui era inclusa o... e poi, non era proprio sicurissima di volerlo già fare. Credeva di sì, ma... non glielo spiegò mai. Tuttavia lui aveva capito lo stesso.

« Che cosa vuoi dirmi con questo, principessa? Che non dovrò più rivederti? »

« No, assolutamente. Solo che, fino a questo momento, non posso. Tutto qui. »

« Balle. O ti sbrighi a salire su un aeroplano in partenza per Cleveland questo weekend, oppure vengo lì a prenderti io, in persona! » Ma c'era sempre un sottofondo di riso nella sua voce, c'era sempre quella dolcezza che le faceva capire di non correre alcun pericolo, di potersi sentire sicura. Era l'uomo più dolce e gentile che mai avesse conosciuto. Ma cominciava anche a mostrarsi un po' troppo viziato. Non faceva che insistere dicendo che voleva che fosse Kate ad andare da lui. Però aveva le sue buone ragioni per questo. La voleva lontana dal terreno di casa. Lontana dalle compagne di scuola, dal padre e dalla madre e dal senso di colpa. Voleva offrirle non una notte soltanto, ma una luna di miele.

« Sì, amore, a Cleveland. Non a Milano. Mi spiace. »

« Dovrebbe spiacerti davvero. » Però ci era andata. Cleveland era orribile, ma Tom un sogno. Era ad aspettarla quando era scesa dall'aeroplano, con il sorriso di felicità più bello che gli avesse mai visto. Era rimasto immobile a guardarla mentre si avvicinava e aveva in mano una rosa color corallo, dallo stelo lunghissimo. Si era fatto prestare la casa dal cugino di un suo compagno di squadra. Non era certo un appartamento lussuoso, ma caldo e accogliente. Era come Tom, privo di pretese, affettuoso, innamorato. Come era stato con lei. L'aveva penetrata con tanta delicatezza che era stata lei a chiedergli che la prendesse una seconda volta. Proprio come aveva sperato lui: voleva che fosse lei a desiderarlo. E da quel momento in poi, era stata sua. Lo avevano capito entrambi.

« Ti amo, principessa. »

« Anch'io ti amo. » Aveva alzato gli occhi a guardarlo con aria piena di timidezza e i lunghi capelli castani che le scendevano umidi e soffici su una spalla. Si era stupita di non sentire il minimo imbarazzo quando si trovava con lui, fin dal primo momento.

« Vuoi sposarmi, Kate? »

« Stai scherzando? » Aveva spalancato gli occhi. Erano insieme, distesi sul letto, a guardare il fuoco che moriva lentamente nel camino. Erano quasi le tre del mattino e lui aveva una partita il giorno successivo. Ma quella era stata la prima cosa nella sua vita più importante di una partita.

« No, Kate, parlo sul serio. »

« Non so. » Però c'era stato un lampo nei suoi occhi. Quanto bastava. « Non ho mai pensato a niente di simile. Mi è sempre sembrata una cosa ancora tanto lontana! Ho soltanto diciotto anni e... » aveva alzato gli occhi a guardarlo con una espressione in cui la gravità si univa a un guizzo sbarazzino. « Mio padre e mia madre si farebbero venire un colpo. »

« Per quale motivo? Perché sono io, o per la tua età? » Ma già lo sapeva; lei esitò cercando le parole adatte. « Okay, ti ho letto nel pensiero. » Sorrise, però aveva preso un'aria vagamente offesa e addolorata, e Kate gli buttò subito le braccia al collo.

« Ti amo, Tom. E se dovessimo sposarci, sarebbe soltanto perché ti amo. Ti amo per chi sei e per quello che sei... voglio dire perché sei Tom, e non per tutto il resto. E non me ne fregherebbe niente di quello che la gente potrebbe pensare. È solo che... be', non ci ho mai pensato seriamente. Forse calcolavo di spassarmela un po', andando di qua e di là, senza un impegno fisso. »

« Balle, tesoro mio. Non sei il tipo, tu. » E avevano capito tutt'e due che Tom aveva ragione. Però quella era una follia. A ragion veduta sarebbe dovuta essere Kate a volersi sposare, ed ecco invece che era lui a offrirle il matrimonio su un piatto d'argento. Per un attimo provò una stupenda sensazione di potere. Era una donna adesso. Ed era anche qualcosa di più, la donna di Tom Harper.

« Sai che cosa ti dico, signorino? Che sei meraviglioso. » Si lasciò ricadere sul letto, contro di lui, e sorrise con gli occhi chiusi. Anche lui sorrise contemplando quel viso dai lineamenti fini.

« Anche tu sei una favola, signorina Kaitlin. »

Lei fece una smorfia. « È un nome che odio. »

Ma poi Tom la baciò e lei dimenticò tutto il resto. Poi, d'un tratto, balzò dal letto e andò in cucina a prendersi una birra. Kate restò a guardare quelle sue spalle larghe, i fianchi snelli e le gambe slanciate, mentre attraversava la stanza a lunghi passi, con disinvoltura, in tutto lo splendore della sua nudità. Era un uomo magnifico, dall'aspetto straordinario; ma Kate si scoprì ad arrossire imbarazzata quando Tom si voltò a sorriderle. Girò rapidamente gli occhi verso il fuoco. E non li spostò più da lì, ma continuò a sentirsi le guance in fiamme.

Tom andò a sedersi sul letto, vicino a lei, e la baciò. « Non devi avere paura di guardarmi, principessa. » Lei fece segno di sì e accettò un sorso della sua birra.

« Sei bello. » Lo disse a voce molto bassa e Tom fece scorrere lentamente, come una carezza, una mano lungo le sue spalle, fissandole i seni.

« Figurati! Sei matta! Sai che mi è venuta un'idea magnifica? Tu non hai ancora voglia di sposarti e allora che cosa ne diresti se vivessimo insieme per un po'? » Sembrava molto soddisfatto di quel pensiero e Kate, che in un primo momento era rimasta sorpresa, sorrise.

« Sai una cosa? Sei stupefacente! Mi sento come se tu mi offrissi la luna legata con un nastro di seta celeste! » Non lo abbandonò con lo sguardo, fissandolo a lungo negli occhi.

« Perché? Avresti preferito che fosse di velluto rosso? »

Lei scosse la testa.

« Be', e allora? »

« Non potremmo aspettare un poco? »

« Perché? Kate, abbiamo qualcosa di molto prezioso e lo sappiamo tutt'e due. Ci conosciamo meglio di quanto ciascuno di noi conosca chiunque altro. Abbiamo passato quest'ultimo mese al telefono, dividendo ogni nostro pensiero, ogni sogno, ogni speranza e ogni timore. Sappiamo tutto ciò che c'è da sapere. Non ti sembra? »

Lei fece segno di sì, sentendosi salire le lagrime agli occhi. « E se le cose dovessero cambiare? E se... » Allora Tom comprese che cosa la preoccupava.

« I tuoi? » Lei annuì. Lo avrebbe scoperto anche troppo presto, Tom.

« Risolveremo anche questo, principessa. Non te ne preoccupare. E se tu volessi lasciar maturare le cose ancora un pochino, vuol dire che faremo come vuoi tu. Perché non ce la prendiamo calma, almeno finché tu non finisci il semestre di studi a scuola? » Era un'attesa facile. Sapeva che alla fine del primo anno mancava soltanto un mese e mezzo. Poi c'era l'estate. Tom capì che tutto era sistemato. E, in segreto, lo capì anche Kate. E allora piano piano, con dolcezza, lentamente, Tom cominciò a sfiorarle con le labbra la bocca e di qui a scendere lungo il collo, e poi a giocherellare con i suoi capezzoli, allungando la lingua ad accarezzarli, facendola fremere leggermente sotto le sue mani. Aveva paura di prenderla una terza volta quella notte... non voleva farle del male. Così, con tutta la tenerezza che aveva sempre per lei in ogni occasione, si mise a far scorrere la lingua lungo l'interno delle cosce di Kate, fino a quando lei cominciò a gemere sommessamente. Fu una notte che avrebbe ricordato sempre con commozione e tenerezza.

Pianse durante il volo di ritorno a San Francisco. Si sentiva strappata brutalmente da Tom, lacerata, divelta da quelle che erano le sue vere radici. Aveva bisogno di lui. Era sua, ormai. E quando tornò nella casa di Palo Alto, c'erano delle rose ad aspettarla, mandate da Tom. Aveva per lei certe premure, un modo di manifestare il suo affetto che né suo padre né sua madre avevano mai posseduto. Erano così distaccati, così pieni di superbia, freddi e incapaci di comprendere i suoi sentimenti. Tom non era mai stato così. Le telefonava due o tre volte il giorno e parlavano per ore intere. Sembrava che fosse costantemente lì, con lei. Il weekend successivo a quello di Cleveland tornò a San Francisco in aereo e si fece prestare un altro appartamento da un compagno di squadra. Era sempre molto cauto e pieno di discrezione. Voleva proteggere Kate dai giornalisti. E quando la scuola terminò, lei capì che non poteva più resistere a stare lontana da Tom. Così avevano viaggiato in lungo e in largo per tutto il paese per un mese e mezzo, ma era stato un modo assurdo e pazzesco di vivere. La settimana dopo la fine della scuola, Tom aveva in programma di tornare a San Francisco. Era perfetto. Potevano perfino affittare un appartamento lì in città; poi Kate avrebbe potuto seguirlo nei suoi viaggi, continuamente. Sarebbero stati sempre insieme. Kate non aveva incertezze. Tom era la cosa più importante della sua vita. Avrebbe sempre potuto finire gli studi in seguito... diavolo, chissà, forse di lì a un anno o due sarebbe tornata indietro. Questo era soltanto un intermezzo. Poteva durare, magari, fino a quando Tom non avesse deciso di ritirarsi e di lasciare la squadra. La scuola non era niente di così importante, in fondo.

Tuttavia non era affatto così che suo padre e sua madre vedevano la situazione.

« Sei diventata matta, Kaitlin? » Suo padre la fissò incredulo nel suo atteggiamento abituale, in piedi vicino al camino. Si era messo a camminare in su e in giù ma poi, alla fine, si era fermato lì, come sempre, con un'espressione disperata negli occhi. « Piantare in asso la scuola per che cosa? Per vivere con quest'uomo? Magari avere un bambino senza essere sposata? E di chi potrebbe essere, a ben pensarci, quel bambino? Suo o di qualcun altro? Sono sicuro che, nella sua squadra, ci sono altri uomini che sarebbero ben felici di farti questo piccolo servizio. » I suoi occhi fiammeggiarono mentre dava libero sfogo alla sua amarezza, seguendo il filo segreto dei suoi pensieri, e Kate si accorse che Tom trasaliva, fremente, all'altra estremità della stanza.

« Papà, non è di questo che stiamo parlando. Io non aspetto il bambino di nessuno. » Le tremava la voce.

« No? Come fai a esserne sicura? Hai almeno l'idea di quale sarebbe la tua vita accanto a quest'uomo? Immagini, almeno vagamente, che genere di esistenza miserabile, abbietta, sconclusionata, conducono questi atleti? Ma si può sapere con esattezza a che cosa aspiri? A startene seduta nei bar, guardando una partita di football alla televisione, e poi ad andare al bowling il martedì sera? »

« Oh, santo Dio, papà, tutto quello che ti ho detto è soltanto che avrei intenzione di interrompere gli studi per sei mesi e che sono innamorata di Tom. Come puoi... »

« Semplicissimo. Perché non sai quello che stai per fare. » Era soltanto un tono di condanna, il suo, e la mamma annuì in silenzio, mostrandosi d'accordo con lui, dalla poltrona dove sedeva impettita.

« Posso interloquire con una parola, signore? » Dall'inizio del discorso era la prima volta che Tom apriva bocca. Aveva accompagnato Kate soltanto per offrirle il suo sostegno morale; ma sapeva benissimo che quella era una questione che andava discussa solo fra Kate e i suoi genitori. La sua intenzione era stata quella di darle un appoggio, non di interferire, ma, a quel punto, era impossibile evitarlo. Il padre di Kate stava perdendo il controllo di sé e pareva che questo lo divertisse. Glielo si leggeva negli occhi.

Tom si rivolse al padre di Kate guardandolo con aria pacata, ma non priva di preoccupazione. « Ho l'impressione che lei abbia una visione piuttosto brutta di quello che potrebbe essere la mia vita. D'accordo, io non sono né un avvocato né un agente di borsa e non c'è niente di intellettuale nel giocare a football, ma la mia vita è questa. È un lavoro dove il fisico è molto importante, un lavoro duro, che richiede la dedizione più completa. Quanto alla gente che lo fa, è come tutti gli altri: ci sono uomini buoni e uomini cattivi, uomini stupidi e uomini furbi. Ma la vita di Kate non passerà in compagnia della squadra. La mia esistenza privata è estremamente tranquilla e sarei molto stupito se lei trovasse da ridire su... »

Il padre di Kate lo interruppe lanciandogli un'occhiata furibonda. « È su di lei, signor Harper, che io trovo da ridire. Proprio così. Molto semplice. E quanto a te, Kaitlin, se farai quello che dici, se lascerai la scuola, se avrai il coraggio di svergognarci in questo modo, puoi considerarti finita. Non voglio più rivederti in questa casa. Puoi prendere già fin d'ora tutti gli oggetti che sono una tua proprietà personale e andartene. Non ho nient'altro da dirti, non voglio più avere a che fare con te, e questo vale anche per tua madre. Te lo proibisco. »

Gli occhi di Kate si riempirono di lagrime di dolore e di collera mentre lo guardava.

« Hai capito? » Lei annuì, senza smettere di fissarlo. « E non vuoi cambiare idea? »

« No. Affatto. » Respirò a fondo. « Credo che tu stia sbagliando. Penso che ti stia comportando in modo molto crudele. » La sua voce si spezzò, soffocata da un singhiozzo che le era salito in gola.

« No, invece. Sono giusto. Se tu credi che io abbia aspettato diciotto anni per allontanare mia figlia dalla mia casa, per decidere di non vedere più la mia unica bambina, vuol dire che ti sbagli di grosso. Tua madre e io abbiamo fatto tutto ciò che potevamo per te. Abbiamo desiderato tutto, ti abbiamo dato tutto, ti abbiamo insegnato tutto ciò che sappiamo e in cui crediamo. Ma adesso tu ci hai traditi. Il tuo modo di comportarti ci dice semplicemente che per questi diciotto anni abbiamo avuto, fra noi, una sconosciuta, un'ingrata. È come scoprire che tu non sei nostra, ma che sei la figlia di qualcun altro. » Mentre lo ascoltava con orrore crescente, Tom d'un tratto si trovò d'accordo con lui. Sì, Kate era di qualcun altro. Era sua. E da quel giorno in poi lui l'avrebbe amata, protetta, circondata di affetto ancora più di prima. Che bastardi, erano! « Tu non sei più nostra, Kaitlin. Non possiamo avere una figlia capace di fare cose simili. » Lo disse in tono grave, solenne, e fu a quel punto che dalla gola contratta di Kate uscì uno scoppio di risate isteriche.

« Ma quali cose? Piantare in asso la scuola per un po'?

Ma lo sai quanti ragazzi lo fanno ogni anno? Sarebbe questo, lo scandalo? »

« Penso che ci rendiamo benissimo conto entrambi che non è questo il nocciolo della questione. » Lanciò un'occhiata furiosa a Tom. « Una volta che ti sarai rovinata, come sembri ben decisa a fare, non avrà più importanza che tu vada a scuola oppure no. La scuola non è che una faccia del problema. Importanti sono il tuo atteggiamento, i tuoi fini, le tue ambizioni. Dove vuoi arrivare nella vita... e mi sembra, Kaitlin, che la strada da te presa non abbia più nulla a che vedere con noi. Siamo finiti, noi. E adesso », staccò gli occhi da lei per guardare sua madre, « se vuoi andare a prendere un po' delle cose che ti appartengono, ti prego di farlo rapidamente. Tua madre ha già sopportato abbastanza. » Ma la mamma non aveva per niente l'aria esausta o sconvolta, sembrava indifferente, agghiacciata, seduta in quella poltrona a fissare la sua unica figlia. Per un attimo Tom si chiese se non fosse lo choc a provocare quel comportamento. Ma a un tratto si alzò con espressione glaciale e aprì la porta del soggiorno, che era stata accuratamente chiusa perché la cameriera non sentisse quel violento scambio di opinioni. Dalla soglia della stanza si voltò a guardare Kate, che stava alzandosi lentamente, quasi penosamente, dalla sedia.

« Verrò su con te mentre fai i bagagli, Kate. Voglio vedere che cosa prendi. »

« Perché? Hai paura che porti via l'argenteria? » Kate fissò sua madre, stupefatta.

« Sarebbe difficile, perché è sotto chiave. » Uscì dalla stanza con aria maestosa mentre Kate si accingeva a seguirla. Ma improvvisamente Kate si fermò. Guardò Tom e poi di nuovo suo padre, con un'espressione di disgusto che le si disegnava sulla faccia.

« Dimenticalo. »

« Cosa dovrei dimenticare? » Per un attimo, suo padre parve perplesso e incerto sul da farsi.

« Non voglio niente da voi. Me ne vado subito. Potete tenervi tutto quello che c'è nella mia camera. »

« Molto generoso da parte tua. »

Poi, senza aggiungere una parola, Kate uscì lentamente dalla stanza. Sua madre la stava aspettando in anticamera, con il volto indurito dall'ira.

« Allora, vieni? »

« No, mamma, non vengo. Mi basta così. » Ci fu un lungo silenzio e poi, fermandosi ancora un attimo sulla porta, Kate si voltò a guardarli e pronunciò una sola parola: « Addio ». Subito dopo averla pronunciata uscì, seguita da Tom che le mise un braccio intorno alle spalle. In realtà lui avrebbe voluto tornare indietro, ammazzare quel padre e schiaffeggiare quella madre con tanta violenza da ricacciarle i denti in gola. Mio Dio, ma che cosa era venuto in mente a costoro? Di che pasta erano fatti? Come potevano fare una cosa del genere alla loro unica figlia? Il ricordo dell'amore che sua madre aveva avuto per lui gli fece salire le lagrime agli occhi mentre continuava a pensare che la prova subita da Kate era stata durissima. La strinse ancora di più a sé mentre raggiungevano la sua macchina e continuò a tenerla stretta così a lungo, il più a lungo possibile, il più stretto possibile, perché le sue braccia, il suo cuore e il calore del suo corpo le comunicassero tutto quello che, con le parole, non sarebbe mai riuscito a esprimere altrettanto bene. Non le avrebbe mai più permesso di sopportare un'altra tortura del genere.

« Tu hai ragione, bambina. Tu sei buona, sei bella e io ti amo. » Ma Kate non stava piangendo. Tremava soltanto, leggermente, fra le braccia di Tom e quando alzò gli occhi a guardarlo, l'espressione troppo grave e seria del suo viso lo commosse profondamente, anche se cercava di sorridere.

« Mi spiace che tu abbia dovuto assistere a una cosa simile, Tom. »

« Mi spiace che tu l'abbia dovuta sopportare. »

Lei fece segno di sì, in silenzio, e si sciolse lentamente dal suo abbraccio. Tom aprì lo sportello della macchina e Kate vi scivolò dentro.

« Bene... » era una voce fievole, sottilissima che parlava mentre Tom saliva in macchina al suo fianco. « Adesso credo proprio che questo voglia dire che siamo soli, noi due. Mio padre ha dichiarato che non vuole più vedermi. Ha detto che li ho traditi. » Sospirò profondamente. Traditi. Perché amava Tom? Perché lasciava la scuola? Stanford era una tradizione nella sua famiglia. E così pure il matrimonio. « Andare a vivere con un uomo », come si era espresso papà, era una vergogna. Così pure amare una persona che non era nessuno. Il figlio di un minatore. Kate stava dimenticando chi era lei, chi erano suo padre e sua madre, e i suoi nonni... tutte le scuole giuste, i club giusti, i mariti giusti e le mogli giuste. Sua madre era allora presidentessa della Junior League e suo padre il socio anziano dello studio legale di sua proprietà. E lei, adesso, era lì, seduta in quella macchina vicino a Tom, con l'aria smarrita. Tom le lanciò un'altra occhiata, con angoscia. « Cambierà opinione. » Le diede un colpetto affettuoso su una mano e avviò la macchina.

« Può darsi. Ma può darsi che non la cambi io. »

Tom la baciò con molta dolcezza e le accarezzò i capelli. « Vieni, piccola. Andiamo a casa. »

« Casa » quella settimana era l'appartamento di un altro giocatore della nuova squadra di Tom. Ma c'era una sorpresa per Kate il giorno dopo. Tom aveva avuto un gran da fare per tutta la settimana. Aveva affittato un appartamento in una stupenda casetta vittoriana in cima a una collina, con un ampio panorama sulla baia. La condusse in macchina fino alla porta, le mise le chiavi in mano e poi la prese in braccio e la portò su, senza fatica, per tre rampe di scale e oltre la porta dell'appartamento, mentre Kate rideva e piangeva. Era come giocare alla casa. Solo che era meglio.

Tom era sempre stato buono con lei e lo diventò ancora di più quando si resero conto che Kate non avrebbe mai più avuto notizie né del padre né della madre. Tom, in fondo, non riusciva a capire con esattezza quel che le stavano facendo, o perché. Per lui la famiglia era sempre la famiglia; e questo significava amore, affetto e radici indistruttibili: legami che non potevano essere spezzati, persone che non ti abbandonano mai, per quanto furiose possano essere nei tuoi confronti. Invece Kate capiva. Suo padre e sua madre avevano contato su di lei e sperato che sarebbe diventata tutto ciò che loro erano, e magari qualcosa di più; che sarebbe stata « una di loro ». Invece lei aveva commesso l'errore imperdonabile di innamorarsi di una persona diversa e aveva osato diventare diversa lei stessa: come per sfida, aveva infranto le regole e si era rifiutata di restare prigioniera delle loro restrizioni, o anche solo delle loro tenui speranze. Li aveva feriti e offesi, ed ecco che loro ferivano e offendevano lei. Si sarebbero sentiti giustificati, avrebbero ingigantito e reso dignitose le loro azioni al punto da finire per convincersi che i peccati commessi dalla loro figlia erano irreparabili, al punto da non riuscire più nemmeno ad ammettere, l'uno con l'altro, quanto dolore avesse loro provocato la perdita di Kate. E se per un attimo fossero stati sfiorati dal dubbio, sua madre avrebbe potuto confidarsi con le amiche del bridge e suo padre con i soci in affari e sarebbero stati istantaneamente rassicurati: « È l'unico modo... avete fatto l'unica cosa possibile ». Kate lo sapeva. Così Tom era tutto per lei: mamma, papà, fratello, amico e, nelle sue mani, diventò ancora più radiosa, ancora più bella e felice.

Si mise a viaggiare con Tom, a fare l'indossatrice nelle sfilate, a scrivere poesie, a occuparsi con entusiasmo della sua bella casa, a vedere di quando in quando qualche vecchia amica, anche se questo capitava sempre più di rado, e finì anche per trovare simpatici alcuni compagni di squadra di Tom. Ma in genere lei e Tom erano soli, e la sua vita continuava ad avere come centro, come punto fisso di riferimento, soltanto Tom. Dopo un anno di convivenza, si sposarono. Capitarono due piccoli incidenti che minacciarono di guastare l'avvenimento, anche se, in verità, sarebbe stato impossibile! Il primo fu che i genitori di Kate si rifiutarono di essere presenti al matrimonio, ma quella non fu in realtà una vera e propria sorpresa. E il secondo che Tom, mentre si trovava nel suo bar abituale, si lasciò coinvolgere in un'accanita discussione che finì a pugni: e fu il suo avversario ad avere la peggio. A quell'epoca stava vivendo un periodo molto difficile ed era sempre sotto pressione. La squadra di San Francisco era ben diversa da quella dove aveva giocato in passato, e Tom si sentiva ed era considerato uno dei « vecchi » fra i giocatori. L'incidente del bar non ebbe conseguenze, ma i giornali lo fecero diventare, nei loro resoconti, una faccenda estremamente spiacevole. Kate pensò che fosse soltanto una sciocchezza, Tom cercò di farlo dimenticare con qualche bella risata e il matrimonio finì per avere la precedenza su tutto il resto.

Uno dei compagni di squadra di Tom doveva essere il testimone dello sposo, una delle compagne di stanza di Kate, a Stanford, la sua damigella d'onore. Fu un curioso matrimonio, semplice, in municipio, e *Sports Illustrated* gli dedicò un articolo. Adesso Kate era di Tom. Completamente, per sempre. Era di una bellezza raffinata e squisita nell'abito di organdis bianco, morbido e spumoso, coperto di un delicato ricamo, con il collettino alto, rotondo, da bambinetta, e grandi maniche gonfie, all'antica. Era stato un regalo di Felicia che si stava affezionando sempre di più alla giovane indossatrice dall'aria di cerbiatta, così stranamente accoppiata con un eroe nazionale. Per Kate aveva scelto l'abito più bello della collezione di primavera del grande magazzino per il quale lavorava.

Alla cerimonia nuziale Kate si presentò fresca e stupenda, come una bellissima bambina, con i lunghi capelli raccolti in una elegante acconciatura in stile vittoriano, guarnita di mughetti. In mano stringeva un *bouquet* degli stessi minuscoli fiorellini, candidi e profumati. C'erano lagrime nei suoi occhi, come in quelli di Tom, quando si scambiarono la massiccia fede d'oro e il giudice di pace li dichiarò marito e moglie.

Passarono la luna di miele in Europa e Kate gli fece vedere tutti i suoi posti preferiti. Per lui, era il primo viaggio all'estero; finì per trasformarsi in qualcosa di istruttivo sia per l'uno sia per l'altra. Lui stava diventando sempre più raffinato e lei diveniva più adulta e matura.

Il primo anno di matrimonio fu idilliaco. Kate andava dappertutto con Tom, faceva tutto ciò che Tom faceva e nel tempo libero scriveva poesie e aveva cominciato a tenere un diario. Il suo unico problema era che non le piaceva l'idea di dipendere finanziariamente da Tom. La posizione di Felicia consentiva a Kate di ottenere tutto il lavoro che voleva, ma il fatto di essere continuamente in viaggio le creava delle difficoltà perché non riusciva più a fare l'indossatrice con la frequenza che le sembrava necessaria. C'era anche la piccola rendita che le veniva da un modesto lascito della nonna, ma bastava, praticamente, solo per le spesucce di tutti i giorni e non era sufficiente a consentirle di ricambiare i regali generosi e stupendi che Tom le faceva di continuo. Il giorno del loro primo anniversario Kate annunciò di avere preso una decisione. Avrebbe rinunciato a viaggiare con suo marito per rimanere a casa e diventare indossatrice a tempo pieno. Per lei quella risoluzione era logica e sensata. Ma non per Tom. Infatti era per lui già abbastanza difficile viaggiare con la sua squadra per doverlo fare da solo. Aveva bisogno della presenza di Kate. Lei invece era convinta che a Tom occorresse una moglie economicamente indipendente. Tom cercò di ribellarsi, ma la sua fu una battaglia già perduta in partenza. Kate rimase ferma nelle proprie decisioni. E tre mesi dopo, Tom si fratturò una gamba durante una partita.

« Bene, principessa, si direbbe proprio che questa sia la fine della stagione. » Ne parlò senza arrabbiarsi, anzi parve di buon umore al suo ritorno a casa in aereo. Ma sapevano tutti e due che quella sarebbe potuta essere la fine della sua carriera. Aveva già superato i trent'anni, l'età fatale. E poi, la sua era una brutta frattura: la gamba era in condizioni deplorevoli. Comunque Tom stava cominciando a stancarsi del football, o perlomeno era così che andava dicendo. C'erano altre cose che desiderava maggiormente, come i figli, una vita stabile, un futuro. Il trasferimento alla squadra di San Francisco lo aveva fatto diventare insicuro dal punto di vista professionale; in parte questo dipendeva dall'organizzazione della squadra e dai rapporti fra i giocatori, e, forse, anche dalle continue minacce che, sotto sotto, gli rivolgeva l'allenatore, il quale si era messo a chiamarlo « vecchio ». Il modo di comportarsi di quell'individuo nei suoi confronti rendeva Tom pazzo di rabbia; tuttavia, aveva ingoiato il rospo e aveva cercato di adattarsi a vivere con lui alla meno peggio, anche se, ormai, lo detestava cordialmente.

Non solo, ma era anche preoccupato al pensiero di lasciar sola Kate, quando lui era in viaggio. Kate aveva vent'anni; sarebbe stato necessario che suo marito fosse lì, presente, vicino a lei molto più spesso di quanto Tom potesse permettersi. Ormai, invece, sarebbe rimasto a casa con lei, per colpa di quella gamba. O almeno, così credeva. Andò invece a finire che se lui era a casa, Kate non ci stava mai. Aveva cominciato a ottenere un mucchio di lavoro, sempre come indossatrice, e si era iscritta a un corso universitario sul tema: « Le donne nella letteratura ». Lo frequentava due volte la settimana.

« E poi, il prossimo trimestre ci sarà anche un corso favoloso sulla composizione creativa. »

« Fantastico. » Sembrava una bambina quando si metteva a parlare di questi corsi universitari. E lui si sentiva come lo chiamavano nella squadra: vecchio. Un vecchio stanco e annoiato, nervoso, solo. Sentiva la mancanza della sua professione. Sentiva la mancanza di Kate. Aveva l'impressione di sentire la mancanza della vita stessa. Non era ancora passato un mese ed eccolo prendere a pugni un tizio in un bar e finire in camera di sicurezza e trovare quella storia stampata su tutti i giornali. Si mise a parlarne costantemente, cominciò ad avere degli incubi a quel riguardo. E se lo avessero sospeso? Ma non lo fecero. Le accuse vennero lasciate cadere e Tom mandò a quel tizio un grosso assegno. Però la gamba non era ancora guarita e Kate era fuori per le sfilate la maggior parte del tempo. Niente era cambiato. E un mese dopo, sempre in un bar, venne a parole e a pugni con un altro cliente e gli fratturò una mandibola. Quella volta le accuse non furono accantonate, ma venne condannato a pagare una multa molto salata. L'allenatore della squadra, in quell'occasione, non se la prese ma mostrò una calma addirittura inquietante.

« Forse dovresti dedicarti alla boxe invece che al football, no, tesoro? » Kate continuava a pensare che queste prodezze di Tom fossero divertenti.

« Sta' a sentire, dannazione! A te potrà sembrare divertente, piccola, ma io non mi diverto affatto. Mi sento impazzire a starmene qui seduto aspettando che questa gamba disgraziatissima guarisca. » Kate capì che cosa voleva dire. Era disperato. Forse per molti altri, gravi motivi, non solo per quella gamba. Il giorno dopo tornò a casa con un regalo. A ben pensarci, era proprio per questo che aveva ricominciato a fare l'indossatrice... per potergli offrire dei regali. Aveva comprato due biglietti per andare a Parigi.

Il viaggetto fu proprio quello di cui Tom aveva bisogno. Passarono quindici giorni a Parigi, una settimana a Cannes, cinque giorni a Dakar e un weekend a Londra. Tom si mise a viziarla in un modo addirittura vergognoso e Kate si sentì felice ed eccitata all'idea di avergli regalato quel viaggio. Tornarono indietro tranquilli, rilassati, e finalmente anche la gamba di Tom guarì. La vita riprese ancora meglio di prima, non ci furono più risse nei bar e Tom ricominciò ad allenarsi con la sua squadra. Kate compì ventun anni e Tom le regalò un'automobile. Una *Mercedes*.

Per il loro secondo anniversario Tom la portò a Honolulu. E finì in camera di sicurezza. La solita rissa, in un bar dell'hotel *Kahala Hilton*, ebbe come risultato un pessimo articolo sull'argomento, pubblicato sulla rivista *Time*, e uno, ancora più brutto, su *Newsweek*. E, come se non bastasse, la notizia venne ripresa e stampata da tutti i quotidiani del paese. Un colpo favoloso. Soltanto l'articolo di *Time* fece capire a Kate per quale motivo fosse scoppiata quella rissa: a quanto sembrava, era corsa la voce che il contratto di Tom non sarebbe stato rinnovato. Aveva trentadue anni. E giocava a football, come professionista, da dieci.

« Perché non me l'hai detto? » Non nascose di essere offesa e addolorata. « Lo hai fatto per via del pestaggio? » Ma lui si limitò a scuotere la testa, facendo segno di no, e a girare subito gli occhi dall'altra parte, mentre le rughe ai lati della sua bocca si facevano più dure.

« Niente affatto. Quella carogna che dirige la squadra ha la fissa dell'età! È il peggiore che mi potesse capitare, nel nostro ambiente. I pestaggi nei bar non sono poi una cosa tanto importante. Capita a tutti una volta o l'altra. Rasmussen prende a calci più gente per le strade di quel che non faccia con la palla in campo. L'anno scorso Jonas ha passato un brutto periodo, si drogava. Hilbert è un omosessuale. Ognuno ha la sua. Per me, è la mia età. Sono troppo vecchio, Kate, ecco tutto. Ho trentadue anni e non sono ancora riuscito a capire che cosa diavolo vorrò fare di me stesso, quando avrò finito di giocare a football. Cristo, è tutto quello che so fare! » Aveva le lagrime agli occhi e il pianto nella voce.

« Non potresti farti comprare da un'altra squadra? »

Tom la guardò, finalmente, e la sua espressione era cupa e triste. « Il fatto è che sono troppo vecchio, Kate, tutto qui. Più in là di questa squadra non c'è niente. Sono all'ultimo buco. Loro lo sanno ed è per questo che mi torturano continuamente. Sanno che sono nelle loro mani. »

« Be', allora è il momento di venirne fuori. Potresti fare un sacco di altre cose. Potresti essere annunciatore sportivo alla televisione o alla radio, istruttore, allenatore... » ma lui stava facendo segno di no con la testa.

« Ho già tentato qualche assaggio in queste direzioni. Ma la risposta è sempre stata un bel no. »

« Okay. Vuol dire che troverai qualcos'altro. Non ti occorre un lavoro così, subito, sui due piedi! Potremmo continuare a studiare insieme. » Cercò di sembrargli allegra e serena. Avrebbe voluto che Tom fosse felice, avrebbe voluto dividere la propria giovinezza con lui, ma i suoi sforzi ottennero soltanto lo scopo di farlo sorridere tristemente.

« Oh, bambina, come ti voglio bene. » Se la strinse fra le braccia. Forse non aveva importanza. Forse l'unica cosa importante era ciò che avevano loro due. L'incoraggiamento di Kate gli fu di aiuto, almeno per un po'. Un anno, più o meno. Ma, dopo il terzo anniversario di matrimonio, sembrò che le cose andassero peggiorando. Il rinnovo del contratto di Tom era ancora in discussione quando lui ricominciò a litigare e a fare a pugni. Due risse, una di seguito all'altra, e questa volta finì in galera per due settimane e dovette pagare una multa di mille dollari. E un'altra, di cinquemila, che gli venne imposta dalla squadra. Tom fece causa convinto che fosse una richiesta ingiusta. Ma la perse. Venne sospeso. E Kate abortì. Non si era neppure accorta di essere incinta. Tom si abbandonò alla disperazione. In ospedale, pianse ancora più di lei. Gli sembrava di avere ucciso il loro bambino. Kate era rimasta sconvolta e sbalordita dal susseguirsi degli avvenimenti. La sospensione dal gioco sarebbe durata un anno e ormai capiva che cosa le preparava il futuro... pestaggi nei bar, multe e molto, molto tempo passato in carcere. Eppure Tom era così buono con lei. Così gentile, così dolce. Era tutto ciò che aveva sempre sognato di trovare in un uomo. Tuttavia non si nascondeva che il loro futuro era tutt'altro che roseo.

« Perché non passiamo l'anno di sospensione in Europa? »

Lui aveva alzato le spalle, mostrandosi poco interessato alla proposta. Si era disperato per settimane, senza smettere di pensare al bambino che erano stati lì lì per avere. Ma quello che lo spaventava soprattutto erano le previsioni per la sua carriera. Quando il periodo di sospensione fosse finito, lo sarebbe stata anche la sua carriera. Era troppo anziano per risalire la corrente.

« Be', vuol dire che ci metteremo in affari, lavoreremo in qualche altro modo. » Kate era così paurosamente giovane... e il suo ottimismo servì soltanto a deprimerlo maggiormente. Non sapeva che cosa significasse il terrore di ritrovarsi a un tratto un « nessuno », di doversi magari mettere a guidare un autocarro o, addirittura, di dover scendere in miniera a lavorare, come aveva fatto suo padre. Non aveva investito bene i suoi soldi e non poteva contare su quel reddito. Che cosa accidenti poteva fare? Qualche filmetto pubblicitario di indumenti intimi maschili? L'agente di Kate, per lanciarla ancora più avanti nella sua carriera d'indossatrice? Farle scrivere le sue memorie? Impiccarsi? Soltanto l'amore che aveva per Kate lo trattenne dal mettere in atto i propositi più terribili. Il guaio, e la disgrazia, di quella faccenda era che, in fondo, tutto quello che Tom avrebbe voluto fare era semplicemente giocare a football. Ma nessuno dei college con cui aveva preso contatto lo voleva come istruttore. Si era guadagnato una pessima reputazione con tutti quei pestaggi, e il suo carattere da attaccabrighe.

Così, partirono per l'Europa. Ci restarono una settimana. Tom la trovò insopportabile. Andarono in Messico. E anche lì fu altrettanto malcontento e infelice. Rimasero a casa. Trovò insopportabile anche quello. Più di tutto detestava se stesso. Si mise a bere e a picchiare: ormai i giornalisti lo andavano a scovare dappertutto. Ma che cosa aveva da perdere, a quel punto? Era già stato sospeso e, probabilmente, il suo contratto non sarebbe stato comunque rinnovato. L'unica cosa che sapeva con certezza era di desiderare un figlio. A quel figlio avrebbe dato tutto.

Appena prima di Natale ebbero la conferma che Kate era di nuovo incinta. Quella volta presero ogni precauzione. Tutto si interruppe. Il lavoro d'indossatrice di Kate, le sbronze di Tom, le risse nei bar. Restarono a casa insieme. Fra loro non c'era altro che tenerezza e un senso di pace, salvo qualche occasionale scoppio di collera o di pianto da parte di Kate. Ma nessuno dei due li prese mai molto seriamente; sembrava che facessero parte della gravidanza e, al contrario, Tom si accorse che lo divertivano. Ormai non gliene importava più un accidente della sospensione. Che andassero tutti al diavolo! Sarebbe stato ad aspettare il momento opportuno e poi li avrebbe costretti con la forza a rinnovargli il contratto. Li avrebbe supplicati. Tutto ciò che voleva era un altro anno da professionista, per metter via un po' di soldi che servissero a suo figlio. Il contratto sarebbe stato dedicato completamente al bambino. A Kate comprò una pelliccia di visone a Natale.

« Tom, ma devi essere impazzito! Dove vuoi che la porti? » Se la infilò, con movenze da indossatrice, sulla camicia da notte e sorrise raggiante. Era stupenda. Ma, al tempo stesso, si domandò che cosa Tom stesse cercando di nascondere. Che cosa si rifiutava di affrontare? Di che cosa lei veniva tenuta all'oscuro?

« La porterai per andare in ospedale, quando avrai il bambino. » E aveva acquistato una culla antica, una carrozzina inglese da quattrocento dollari e un anello con uno zaffiro per Kate. Era pazzo, e pazzamente innamorato di lei, proprio come Kate lo era di lui. Ma dentro di sé, Kate era spaventata. Passarono il Natale soli, a San Francisco, e Tom cominciò a parlare di comprare una casa. Non grande. Solo una casa accogliente, in una bella zona, adatta a farci crescere un bambino. Kate fu d'accordo, ma si domandò se potevano effettivamente permettersela. Mentre si avvicinava Capodanno, le venne un'idea. Avrebbero passato un periodo di vacanza a Carmel. Avrebbe fatto bene a tutti e due.

« Per Capodanno? Si può sapere per quale motivo vuoi farlo, tesoro? C'è nebbia e fa freddo. Passi per la pizza, il *tacos*, le fragole. Ma Carmel in dicembre! » Scoppiò a ridere e le sfiorò con la mano il ventre ancora liscio e piatto. Ma presto... presto... quel pensiero bastò a riscaldarlo di dentro. Il loro bambino... suo figlio.

« Voglio andare a Carmel perché è il primo posto dove siamo andati insieme. Non possiamo? » Sembrava di nuovo una bambina, anche se presto avrebbe compiuto ventitré anni. Si conoscevano da cinque. E, naturalmente, Tom cedette di fronte al desiderio di Kate.

« Se la signora vuole andare a Carmel, ebbene, Carmel sia! » E Carmel fu, infatti. La migliore *suite* nell'hotel migliore, e perfino il tempo fu clemente con loro in quei tre giorni. L'unica preoccupazione per Kate era che Tom si era messo a comprare per lei e per il bambino tutto ciò che vedeva durante le loro passeggiate lungo la strada principale, fra le vetrine. Però passarono anche parecchio tempo nella loro camera a bere champagne in abbondanza... e la preoccupazione finì per svanire.

« Te l'ho mai detto quanto ti amo, signor Harper? »

« Adoro sentirtelo dire, principessa. Oh, Kate... » Poi la strinse a sé in un forte abbraccio. « Mi dispiace di aver passato un periodo così schifoso. Ma adesso ti prometto che tornerò di buon umore, mi sentirò in forma. Tutte quelle scemenze sono finite. »

« Purché tu sia contento. » Kate dava la sensazione di essere tranquilla, piena di pace, così stretta fra le sue braccia; Tom non l'aveva mai trovata tanto bella!

« Non sono mai stato così felice! » E finalmente dava proprio l'impressione di esserlo.

« Allora, forse, sarebbe il momento migliore per piantar lì. »

« Che cosa vuoi dire? » Prese un'aria sconvolta.

« Parlo del football, amore mio. Magari, adesso, sarebbe proprio il momento di tirare a casa più soldi che si può e poi di darcela a gambe. Basta con le insinuazioni, basta con tutte quelle fandonie che tu sei vecchio. Noi due soli, e il bambino. »

« Già, per morire di fame. »

« Su, tesoro! Figuriamoci! Mi sembra che non sia un rischio che stiamo per correre, ancora! » Ma era rimasta stupita. Se Tom era tanto preoccupato dei soldi, perché la pelliccia di visone, perché l'anello, allora?

« No, ma non abbiamo un bel gruzzolo sostanzioso. Non basta per offrire al bambino tutto il possibile nei prossimi cinque o dieci anni. Con un'altra annata di buon lavoro con la squadra sarà molto diverso. »

« Potremmo investire i soldi che guadagno facendo l'indossatrice. »

« Quelli sono tuoi. » La sua voce ebbe un'intonazione glaciale. « Hai voluto farlo, e hai guadagnato. Ma sarò io a prendermi cura di te e del bambino. E basta. Non voglio sentirne parlare più! »

« Va bene. »

Allora il suo viso si era addolcito e avevano fatto l'amore nella luce tenue del tramonto. A Kate era venuta in mente la loro prima « luna di miele » a Cleveland. Ma stavolta fu Tom ad addormentarsi stretto fra le sue braccia e lei rimase a guardarlo per ore, immersa nei suoi pensieri, con la speranza che il nuovo anno fosse tutto diverso, che si comportassero decentemente con lui, che le pressioni a cui sarebbe stato sottoposto non fossero crudeli come lo erano state in precedenza. Era tutto ciò che desiderava, ormai. Stava diventando adulta e matura.

Il giorno successivo a quello del loro rientro a San Francisco, i giornali pubblicarono un articolo dal quale risultava che Tom Harper era « finito ». Comparve su tutti i principali quotidiani del paese. Finito. Tom perdette il lume degli occhi mentre lo leggeva e gli bastò qualche piccola indagine discreta per ottenere l'informazione che quell'articolo era stato commissionato dalla squadra... dalla squadra... la squadra... il vecchio... era uscito di casa sbattendosi dietro la porta senza neppure una parola per Kate e lei non lo aveva più rivisto fino alle sei di sera. Al telegiornale.

Era andato a casa del presidente della squadra e lo aveva minacciato di morte, poi si era preso a pugni con l'allenatore, che era arrivato proprio in quel momento. I due uomini avevano capito che Tom era ubriaco, che sragionava e non si rendeva conto di quello che stava facendo; il presidente aveva dichiarato che Tom sembrava impazzito e che si era messo a gridare che questo, a suo figlio, non potevano farlo! Con il solito timbro di voce suadente e monotono l'annunciatore aveva spiegato che Tom Harper non aveva figli; e non era stato necessario che arrivasse a concludere che Harper, evidentemente, era ammattito. Mentre guardava la televisione, Kate si accorse di avere il cuore in gola. Poi l'annunciatore aveva proseguito spiegando che i due uomini avevano cercato di calmare Harper mentre questi vaneggiava e cercava di prenderli a pugni. Ma inaspettatamente Harper aveva tirato fuori dalla tasca una pistola, aveva mirato al presidente della squadra, poi aveva spostato la pistola contro l'allenatore e aveva sparato un colpo. Per un vero miracolo, aveva mancato il bersaglio, ma prima ancora che qualcuno osasse muoversi aveva puntato la pistola contro se stesso, prendendo la mira a caso, e aveva sparato due volte. Questa volta, però, non aveva mancato il bersaglio. L'allenatore e il presidente della squadra erano rimasti tutti e due illesi, mentre Harper era stato subito trasportato in un ospedale e si trovava in condizioni critiche.

L'annunciatore aveva fissato il suo pubblico invisibile con aria grave per un attimo e poi aveva intonato, serio, il canto funebre: « Una tragedia per il football americano ». Per un attimo infinitesimale Kate provò la sensazione assurda che, se si fosse alzata di scatto a cambiare canale, niente di ciò che era stato descritto poteva essere accaduto davvero; bastava compiere quel gesto, cambiare canale e qualcuno avrebbe subito detto che non era vero. Non poteva essere vero. No, non Tom... per piacere... stava piangendo sommessamente, mentre si voltava a fissare la stanza intorno a sé, chiedendosi che cosa doveva fare. Non avevano detto in quale ospedale Tom era stato ricoverato. Che cosa si supponeva che dovesse fare lei? Telefonare alla polizia? Alla squadra? Alla stazione televisiva? E perché nessuno l'aveva chiamata? Ma poi le venne in mente... aveva staccato il telefono per un paio d'ore mentre faceva un pisolino. Oddio... e se... e se fosse già morto? Singhiozzando, spense la televisione e si precipitò al telefono. Felicia... Felicia avrebbe saputo... l'avrebbe aiutata. Senza pensare, compose il numero della linea privata di Felicia nel grande magazzino dove lavorava. Sì, era ancora in ufficio.

Felicia rimase stravolta alla notizia e ordinò a Kate di non muoversi. Mentre chiedeva alla sua assistente di chiamarle un taxi su una linea telefonica, con l'altra chiamò la polizia e ottenne l'informazione che le occorreva. Tom era all'ospedale San Francisco General. Era ancora vivo, gravissimo ma vivo. Felicia uscì correndo dal suo ufficio, chiedendosi, per un attimo, per quale motivo Kate l'avesse chiamata. Possibile che non ci fosse nessun altro? La mamma, un'amica intima, qualcuno? Lei e Kate erano buone amiche per motivi di lavoro ma, al di fuori di questo, non si erano mai frequentate molto. Kate era sempre impegnatissima con Tom. Il centro, il punto focale della vita di quella ragazza era l'uomo che si trovava morente al San Francisco General.

Quando Felicia arrivò da lei, Kate sragionava; però si era vestita. Il taxi stava sempre aspettando davanti alla porta.

« Vieni, mettiti le scarpe. »

« Le mie scarpe. » Kate aveva l'aria smarrita, gli occhi

vuoti. « Le mie scarpe? » Le si riempirono gli occhi di lagrime, di nuovo; era livida. Felicia trovò il ripostiglio e un paio di scarpe nere, basse.

« Eccole. » Kate le infilò e uscì dall'appartamento senza la borsetta e senza cappotto; fu Felicia a buttarle sulle spalle il proprio. La borsetta comunque non le occorreva di certo, perché non era in condizioni di andare in nessun posto da sola. Né del resto, ci fu costretta. Felicia rimase con lei ininterrottamente per quattro giorni, al termine dei quali Tom era ancora vivo. In coma, con prognosi riservata, ma sempre vivo. Ma quando aveva sparato aveva fatto ugualmente un ottimo lavoro: non sarebbe stato mai più in grado di camminare e non c'era ancora modo di capire quanto grave fosse il danno che aveva ricevuto il suo cervello.

Quando Felicia tornò al lavoro, Kate continuò a tirare avanti meccanicamente, come un automa, spostandosi dal letto di Tom al corridoio, dal corridoio al letto di Tom e di qui, ancora, al corridoio, per piangere in solitudine. La sua esistenza aveva preso un ritmo spaventosamente monotono, lo stesso che seguiva anche Felicia non appena poteva raggiungerla, perché non c'era stato modo di persuadere Kate a lasciare l'ospedale. Stava piangendo Tom come se ormai fosse morto. Non faceva che star lì seduta a fissare il vuoto, o a piangere o a fumare, ma in realtà non era lì con lo spirito o con il cervello, e il medico aveva paura di darle qualche medicina per timore che potesse nuocere al bambino. Felicia continuava a meravigliarsi che non lo avesse addirittura perduto.

Mentre i giornali distruggevano fino in fondo la personalità di Tom, mettendola crudelmente a nudo, Kate eseguiva la stessa opera su se stessa. Perché non era stata capace di scorgerne i segni? Perché non aveva capito? Avrebbe potuto aiutarlo? Aveva considerato con la dovuta serietà le preoccupazioni di Tom sul futuro... che facevano seguito a quelle smanie paurose di spendere e spandere? Era tutta colpa sua. Non poteva che essere così. Con l'egoismo classico di chi soffre, si tormentava un giorno dopo l'altro. Il football. Era stato tutta la sua vita e invece lo aveva ucciso. Il pensiero che Tom fosse stato lì lì per ammazzare altri due uomini era ancor più terrificante, per quanto Kate non riuscisse a credere che ne sarebbe stato capace. Tom, no! Però quel che aveva fatto era già terribile in se stesso. Si era distrutto. Povero, dolce Tom, che aveva perduto la testa all'idea che non gli venisse più offerto quell'ultimo anno di lavoro sicuro che desiderava tanto per suo figlio. Kate non si permetteva di pensare al bambino, ma solo a Tom. Un incubo che era durato per sette settimane, mentre camminava avanti e indietro piangendo in quell'ospedale, continuamente assediata dai giornalisti. Poi Tom si era ripreso.

Era debole, esausto, privo di forze, ma a poco a poco aveva recuperato qualcosa. Sarebbe vissuto... perlomeno sarebbe vissuta quella parte che restava di lui. Ne avevano la certezza. Non avrebbe più camminato, anche se poteva muoversi. Poteva parlare. E pensare. Ma come un bambino. Le lunghe settimane di coma lo avevano fatto tornare indietro nel tempo e ce lo avevano lasciato, con tutta la sua dolcezza, la sua tenerezza e il suo amore, intatti. Era di nuovo un bambino. Un bambino piccolo. Non ricordava niente della sparatoria, però riconosceva Kate. Le piangeva fra le braccia mentre lei soffocava singhiozzi silenziosi che scuotevano da capo a piedi la sua figura alta, paurosamente scarna. L'unica cosa che Tom capiva realmente era di appartenere a lei. Per quanto non sembrasse più così sicuro della sua identità. Talvolta credeva che lei fosse sua madre, talvolta un'amica. La chiamava Katie. Non l'avrebbe chiamata mai più principessa... Katie... ecco ciò che lei era adesso!

« Non mi lascerai? »

Gravemente, lei scosse la testa. « No, Tom. »

« Mai? »

« Mai. Ti amo troppo per poter pensare di lasciarti. » I suoi occhi si riempirono di lagrime, di nuovo, e fu costretta a imporsi di tornare con il pensiero alle cose banali, di tutti i giorni. Non se la sentiva di pensare a lui così com'era diventato realmente, quando pronunciava queste parole, altrimenti ciò l'avrebbe uccisa. Non doveva abbandonarsi al pianto. Non poteva fargli una cosa simile.

« Anch'io ti voglio bene. E poi sei carina. » La guardava con gli occhi scintillanti, splendenti, di un bambino di sette anni, mentre il suo viso esangue, affaticato, era quello di un uomo con la barba lunga, ancora gravissimo.

Dopo qualche settimana, cominciò ad avere un aspetto migliore, più sano, più robusto. Era strano vederlo così, ridotto a una specie di surrogato di Tom. Come se Tom se ne fosse andato e le avesse mandato, al suo posto, un bambino piccolo che gli somigliava. Sarebbe stato così per sempre. Tuttavia le condizioni di Tom servirono a risolvere definitivamente gli aspetti legali del caso. Non ci sarebbe stata nessuna causa. Tom Harper non esisteva più.

Tre mesi dopo quello che Kate e Felicia continuavano a chiamare « la disgrazia », Tom venne trasferito in una casa di cura a Carmel. I fotografi si erano precipitati a nugoli intorno all'ambulanza mentre ce lo spingevano dentro su una sedia a rotelle. Tom avrebbe voluto salutarli con grandi cenni, ma Kate era riuscita a distrarlo mentre si aggrappava convulsamente alla sua mano. Era abituata ad averli intorno, i giornalisti. Alcune delle loro facce le erano perfino familiari. Per tre mesi l'avevano fatta letteralmente a brani in un articolo dopo l'altro, l'avevano abbagliata facendole esplodere i flash in faccia, erano addirittura strisciati sul tetto della loro casa per ottenere una migliore visuale dell'appartamento in cui abitavano. Non aveva nessuno a cui rivolgersi che la potesse difendere. Né una famiglia, né un uomo. E i giornalisti lo sapevano. Riuscirono persino a scrivere del modo in cui la famiglia l'aveva diseredata anni prima, a causa di Tom, e di come la considerassero morta. E lei, la sera, si lasciava cadere sul letto a singhiozzare e a pregare che quei giornalisti se ne andassero e la lasciassero tranquilla. Invece niente. Neanche un solo giorno. Fino a quando Tom era stato trasferito a Carmel. Allora, come per magia, sembrò che li avessero dimenticati di colpo. Come se Tom non esistesse più, né tantomeno Kate, sua moglie. Sia l'uno sia l'altro erano usciti dal cerchio magico. Finalmente. Quando Tom partì da San Francisco, Kate lo imitò. La casa stava già aspettandola. Felicia aveva visto l'annuncio sul giornale e quel posto era risultato la soluzione perfetta. Il proprietario viveva nell'Est; sua madre era morta lasciandogli una casa che a lui non occorreva ma, al tempo stesso, non desiderava vendere. Un giorno ci si sarebbe ritirato a vivere ma, nel frattempo, quel posto poteva costituire un ottimo nascondiglio per Kate, annidato com'era fra le montagne a nord di Santa Barbara. Per raggiungere la casa di cura dove si trovava Tom, a Carmel, ci voleva un viaggio in automobile di tre ore, ma Felicia aveva creduto di intuire che Kate sarebbe tornata a San Francisco non appena le acque si fossero un po' calmate, subito dopo la nascita del bambino. La casa era graziosa, circondata da prati e alberi, con un ruscelletto che scendeva dalla collina proprio dietro di essa. Sarebbe stato un buon posto per guarire, per riprendersi. Un posto stupendo da dividere con Tom. Kate aveva cercato di non pensare a questo, mentre firmava il contratto di affitto.

Dopo quattro mesi, ci aveva ormai fatto l'abitudine; per lei, era « la casa ». Si svegliò all'alba, con il bambino che si muoveva e scalciava, avido di uno spazio maggiore di quello che lei poteva dargli. Era rimasta distesa, tranquillamente, a sentirlo agitarsi dentro di lei, chiedendosi che cosa gli avrebbe raccontato un giorno. Aveva pensato di cambiare nome, ma poi aveva deciso di non farlo. Era Kate Harper, lei. Non voleva più il nome di suo padre. E il bambino di Tom sarebbe stato un Harper. Tom non capiva niente di quel suo pancione, oppure, semplicemente, non ci badava. I bambini non ci badano mai, così rammentò Kate a se stessa, fintanto che niente cambia per loro. E niente, infatti, era cambiato. Lei aveva continuato ad andare a trovarlo, spesso in principio e con una frequenza solo di poco minore man mano che la gravidanza progrediva. Adesso ci andava due volte la settimana. Era sempre là. E ci sarebbe sempre stata, perché anche Tom era sempre stato vicino a lei. Su questo, non c'era nemmeno da discutere. Quella era la sua vita, ormai. E l'accettava. La capiva, per quanto era possibile. Sempre, per quel che la parola valeva. Eternamente, per quel che poteva essere. Significava che ogni volta che Kate lo avesse visto, Tom sarebbe stato lo stesso, per sempre. Finché, un giorno, sarebbe morto senza soffrire. Non era possibile sapere quando, però. Il medico diceva che avrebbe potuto vivere fino a raggiungere « un'età considerevolmente anziana », anche se non proprio quella che normalmente si considera la tarda età. Oppure tutto poteva anche finire in un anno, o meno. A un certo momento, il corpo di Tom si sarebbe semplicemente consumato e spento. Tom avrebbe mollato la sua presa sulla vita. Inconsciamente, ma sarebbe stato così. E Kate sarebbe sempre stata lì, per tutto il tempo necessario, fino a quel giorno, volendogli sempre bene. Aveva ancora lo stesso aspetto del suo Tom di una volta e, di tanto in tanto, gli appariva quel magico guizzo di luce negli occhi. Le permetteva di fingere che... ma era un gioco futile. Lo abbracciava e lo stringeva a sé come, una volta, aveva fatto Tom con lei. E non piangeva neppure più.

Kate si alzò, dopo la telefonata di Felicia, spalancò la finestra e respirò a fondo l'aria estiva. Sorrise tra sé. C'era qualche fiore nuovo nel giardino. Gliene avrebbe portati un po'. Poteva amarlo ancora. Poteva amarlo sempre. Niente .vrebbe cambiato tutto questo.

L'orologio sul tavolino da notte segnava le sei e venticinque. Aveva mezz'ora per mettersi in strada se voleva arrivare là prima delle dieci. Era un accidenti di viaggio! E un modo tragico e orribile di diventare adulta e di maturare, ma, ormai, questo Kate lo aveva già fatto. Non era più una bambina. Il piccolo si mosse ancora nel suo ventre mentre si toglieva la camicia da notte ed entrava sotto la doccia. Aveva davanti a sé una lunga giornata.

2

La giardinetta azzurro cupo si mise in movimento dolcemente, senza bruschi sobbalzi, e Kate imboccò rapidamente la strada, uscendo dal viale coperto di ghiaia. La piccola *Mercedes* che Tom le aveva regalato non c'era più. Non le occorreva più. Era quella la macchina che si adattava alla sua nuova vita. Davanti a lei, fino all'orizzonte, non si vedeva altro che una serie sterminata di dolci colline; erano ancora coperte da una vegetazione verdissima, benché ormai l'estate fosse quasi sul finire. Qua e là notò qualche chiazza bruna, per quanto, durante l'estate, ci fosse stata pioggia a sufficienza per neutralizzare la calura. Lo scenario che le si apriva davanti possedeva una tale maestosità da lasciarla sempre quasi senza fiato, man mano che le montagne le restavano alle spalle, lasciando il posto a ondulate colline, tempestate di fiori selvatici e interrotte, qua e là, da macchie di alberi. Poteva vedere, a distanza, il bestiame che pascolava. Era proprio quel genere di paesaggio che si trova descritto nei libri di fiabe; sarebbe stato un posto magnifico dove allevare il suo bambino. Lì sarebbe cresciuto forte, si sarebbe sentito libero, avrebbe giocato con i figli dei contadini e dei proprietari di ranch del circondario. Sarebbe stato sano e vivace, non complicato come il padre e la madre di Kate, o tormentato come Tom. Avrebbe attraversato di corsa, scalzo, il prato vicino alla casa; si sarebbe seduto sull'orlo del ruscello con i piedi penzoloni nell'acqua. Gli avrebbe fatto costruire un'altalena e gli avrebbe acquistato qualche animale; chissà, forse, un giorno, anche un cavallo. Era ciò che Tom avrebbe desiderato per suo figlio. E se, invece, fosse nata una bambina, anche lei avrebbe potuto godere la stessa vita. E quando fosse diventata grande, sarebbe potuta tornare nel mondo, se lo voleva; ma Kate non aveva nessuna intenzione di tornarci. Che dimenticassero. Non avrebbero più potuto toccarla. Né la stampa né i suoi genitori, nessuno. Quella ormai era la sua casa. Si era trovata faticosamente un posto che le andava bene, si era scelta un ruolo. Quello della « vedova Harper ». Sembrava quasi una storia da brutto film western, e finì per farla ridere con amarezza mentre accendeva la radio e allungava le dita per prendere una sigaretta. Era una magnifica mattina di fine estate e lei si sentiva incredibilmente bene. La gravidanza non era faticosa o difficile come si era aspettata ma, d'altra parte, aveva avuto talmente tante altre cose in testa, talmente tante decisioni da prendere e cambiamenti a cui pensare... Chi avrebbe avuto il tempo di agitarsi per il bruciore di stomaco, i crampi alle gambe o qualche doloretto? Con tutto ciò, anche di questi disturbi Kate ne aveva avuti stranamente pochi. Forse il motivo era la vita così serena e distensiva che conduceva in campagna. Niente era complicato, all'infuori di quei lunghi viaggi in macchina per vedere Tom. E di come si sentiva, dopo.

Dalla radio le arrivò la melodia lenta ma ben ritmata delle ballate popolari, che si alternavano a pezzi di rock and roll; poi l'annunciatore del primo notiziario del mattino fece sentire la sua voce mielata, diramando qualche commento alle notizie del giorno. Tutti erano in vacanza, viaggiavano, erano in visita dai parenti, andavano alla spiaggia. Era duro ricordare quella vita, adesso. L'esistenza di Kate consisteva nei viaggi per andare a trovare Tom e poi nei ritorni a casa, dove si metteva a scrivere. Talvolta andava in quella che sarebbe stata la camera del bambino e si sedeva su una poltrona a dondolo, chiedendosi che cosa avrebbe provato quando avesse stretto fra le braccia suo figlio. Sarebbe stata una sensazione strana, oppure gli avrebbe voluto bene immediatamente? Era difficile immaginarsi mamma, anche se sentiva il bambino così vicino al cuore, dentro di sé. Questo riusciva a capirlo, ma vederlo sarebbe stato diverso... e tenerlo fra le braccia... Si chiese se sarebbe assomigliato a Tom. Le avrebbe fatto un grande piacere. Si sarebbe chiamato Tygue se fosse stato un maschietto e Blaire nel caso di una bambina. Voleva un nome poco comune. E aveva cercato di scegliere qualcosa di bello, qualcosa di speciale. Tom avrebbe... le sfuggì un lieve sospiro mentre spegneva la sigaretta e alzava il volume della radio. Ne aveva abbastanza di continuare a tormentarsi con i propri pensieri! Abbassò il finestrino e lasciò che la brezza del primo mattino giocasse con i suoi capelli. Non aveva avuto né il tempo né la voglia di farsi le trecce, quel giorno. A Tom era sempre piaciuta con i capelli sciolti. Lo scamiciato di tela le era diventato ormai troppo stretto, ma lui non se ne sarebbe accorto. Le cuciture erano tese all'estremo, sembrava che le chiedessero di essere allentate, proprio come succedeva per la sua pelle! E invece non c'era proprio più niente da allargare, né in lei né nel vestito. Si accarezzò dolcemente il pancione mentre imboccava l'autostrada e premeva il piede sull'acceleratore. Il bambino si stava muovendo di nuovo, quasi come un cucciolo che le si agitasse in grembo. La fece sorridere mentre accelerava e lanciava la giardinetta sino ai centoventi l'ora. Voleva che il viaggio fosse più rapido. Voleva vederlo subito.

Dopo altre due ore e mezzo di autostrada capì che stava avvicinandosi il momento di uscirne. Tutti i punti di riferimento le erano familiari. Un grande cartellone verde che faceva pubblicità a un ristorante una quindicina di chilometri più avanti. Una casa bianca, di legno, con le persiane azzurre. Un piccolo motel, dall'aspetto triste e squallido, e poi l'uscita dall'autostrada. Automaticamente si spostò nella corsia giusta e diminuì la velocità. Con gesti innervositi spense rapidamente la radio e accese un'altra sigaretta. Un'altra ventina di chilometri e sarebbe arrivata a Carmel. Questa zona era più rustica, ma anche più graziosa, a modo suo. Era l'interno della campagna alle spalle della città, ma si potevano vedere ugualmente i gabbiani sopra la testa, alla perenne ricerca di cibo.

Kate accelerò e imboccò una stradina alla sua destra, e infine un'altra, poco più di un viottolo, seminascosta da cespugli e alberelli. Qua e là poteva scorgere le bacche mature sui rami di quei cespugli, tanto che provò una gran voglia di scendere dall'automobile a raccoglierne qualcuna; quante volte lo aveva fatto, da bambina! Ma non ne aveva il tempo; doveva assolutamente arrivare laggiù. Guardò l'orologio. Erano già le nove e mezzo. Lui sarebbe stato seduto fuori oppure, forse, disteso sull'amaca, a pensare. Lo faceva molto spesso. Kate si domandava a che cosa pensasse. Tom non glielo diceva mai. Rideva soltanto quando glielo domandava e talvolta assumeva di nuovo l'aspetto del Tom di una volta, come se avesse ancora tante cose a cui pensare. Era strano vederlo così, come se volesse prenderla in giro, come se da un momento all'altro fosse pronto a smettere quel giochetto. Glielo faceva amare ancora di più... c'era un tale scintillio gioioso nei suoi occhi, una tale felicità sulla sua faccia. Era un bellissimo bambino.

La costruzione principale aveva l'aspetto di una casa qualsiasi, molto ben tenuta. Era dipinta di un bianco abbagliante, con le rifiniture in legno verniciate di fresco di un giallo vivo; c'erano cassette piene di fiori a quasi tutte le finestre e altri fiori bellissimi piantati sul ciglio dei prati. Un vialetto tortuoso si distaccava dal portone d'ingresso della costruzione centrale, sulla quale era infissa una piccola targa di ottone, elegantemente incisa. MEAD HOUSE. Due parole soltanto. Non dicevano niente di più e non ce n'era bisogno; chiunque ci andasse sapeva di che cosa si trattava. Nelle vicinanze si intravedevano altre costruzioni più piccole, tutte dipinte nelle stesse tonalità di giallo e di bianco e, un po' più lontano, c'era una dozzina di cottage dall'aspetto allegro e accogliente, sempre gialli, circondati di fiori e adorni di rifiniture in legno bianco. I cottage erano gli alloggi più esclusivi. Alcuni erano attrezzati per ospitare due persone, altri una sola. E ogni cottage aveva un infermiere fisso che si occupava esclusivamente della persona che gli era stata affidata. Tom viveva in uno di quei cottage con un uomo tranquillo, più anziano di lui, che lo assisteva, il signor Erhard, che scompariva sempre, con molta discrezione, quando Kate arrivava in visita. La fortissima assicurazione di Tom, in qualità di giocatore della squadra, per un autentico miracolo copriva la sua permanenza a Mead e avrebbe continuato a farlo per dieci o dodici anni ancora. Dopo di che, Kate avrebbe dovuto trovare altre soluzioni, ma allora... chi poteva saperlo... i medici dicevano che sarebbe potuto andare avanti per anni, nelle stesse condizioni in cui si trovava in quel momento.

L'erba era un po' umida sotto i suoi sandali mentre si avviava a piedi verso il cottage di Tom. Non occorreva più che passasse a farsi vedere dalla casa-madre. I pazienti venivano protetti dai curiosi con estrema sollecitudine, ma Kate era ormai una persona familiare in quel posto. La vedevano arrivare dalle finestre della casa-madre, dove la sorveglianza era continua, e poteva andare e venire a suo piacimento. In genere entrava e, molto semplicemente, andava a cercare Tom. Era abbastanza facile trovarlo. Quel giorno, invece, quando arrivò al cottage non lo trovò.

« Tom? » quando bussò, non ebbe risposta. « Signor Erhard? » ma sembrava che anche il suo infermiere fosse sparito. Con cautela aprì la porta e si guardò intorno. La stanza era ordinatissima, allegra e accogliente, come tutte le altre stanze. Ecco perché aveva scelto Mead House per Tom. Era stata a vedere un certo numero di posti simili, tutti raggiungibili in automobile da San Francisco, e tutti le erano sembrati squallidi e pieni di desolazione. Mead aveva un'atmosfera serena, di speranza. Sembrava che fosse uno di quei posti che il tempo non poteva neppure sfiorare, così come non sfiorava più Tom. Era un posto sicuro, nascosto. Sembrava più una scuola che una casa di cura. Kate si aspettava sempre di sentire dei bambini che cantavano oppure di vederli correre giocando al pallone.

« Tom? » si domandò dove potesse essere andato mentre

si lasciava cadere su una sedia per un minuto per riprendere fiato. Quel giorno le mancava un po', più del solito. Il bambino diventava sempre più pesante e sembrava che invadesse continuamente uno spazio maggiore. Poi, aveva guidato per tre ore consecutive, senza fermarsi un momento, malgrado le raccomandazioni del suo dottore. Ma, a fermarsi, perdeva troppo tempo. Faceva sempre conto di sgranchirsi un po' le gambe quando arrivava a Mead. Le allungò per un minuto, godendosi il piacere che le dava quella poltrona a dondolo così comoda. Era imbottita di una stoffa vivace, a fiorellini rossi, la stessa delle trapunte che coprivano i due letti. Le tende erano trasparenti, ariose, di una candida stoffa a pois, e sul tavolo vicino alla finestra c'era un vasetto pieno di fiori di un bel giallo vivo. Capì che era stato Tom a raccoglierli. Alle pareti erano attaccati con le puntine alcuni quadretti fatti da lui; la sua mano possedeva ancora quella maturità che il suo cervello non aveva più. Si trattava di delicati acquarelli di fiori e di uccellini. Fino a quando Tom non era andato a Mead, Kate non aveva mai saputo che sapesse dipingere. Non aveva mai fatto niente di simile, prima. Aveva solo giocato a football. Ormai non ricordava neppure di essere stato uno sportivo o un professionista di quel gioco. Era come se avesse dovuto percorrere a ritroso tutta la strada fino all'infanzia per liberarsi da quell'ossessione. E, finalmente, ci era riuscito.

A dir la verità, quella poteva essere la dimora perfetta per qualsiasi persona, malata o sana, adulta o ancora bambina, e a Kate faceva piacere sapere che Tom lì si sentiva felice. Tra l'altro poteva girare senza difficoltà fra quelle stanze con la sedia a rotelle. Fuori c'era un'amaca dove il signor Erhard lo aiutava a distendersi quando Tom sentiva il bisogno di starsene semplicemente lì tranquillo senza fare nulla, osservando gli uccelli. Talvolta lo lasciava star lì anche la notte, ben coperto, a guardare le stelle. Il signor Erhard era molto buono con Tom. Era stato uno dei suoi tifosi per anni e non aveva nascosto la propria soddisfazione quando Tom, al suo arrivo a Mead, era stato assegnato proprio a lui.

Si udì un fruscio fuori, mentre Kate si rialzava dalla poltrona a dondolo, e poi la voce calda, baritonale, del signor Erhard, che raccontava una storia a Tom. Ma ci fu subito una pausa di un attimo: doveva essersi accorto che la porta del cottage era socchiusa. Udì il suo passo sul vialetto lastricato di pietra e un attimo dopo la folta capigliatura bianca dell'infermiere di suo marito fece capolino dalla porta.

« Sì? » Era una domanda severa; subito aveva preso l'espressione di chi non gradiva né interferenze né scherzi. Ma la sua faccia si addolcì immediatamente non appena vide Kate. « Bene, buongiorno! Come si sente? »

« Bene. Grassa. » Scoppiarono a ridere. « Come sta il nostro amico? »

Il signor Erhard annuì, con aria soddisfatta. « Discretamente. Ieri ha fatto un'intera serie di disegni nuovi e stamattina abbiamo raccolto un po' di fiori. Ma sarà lui stesso a parlarle di tutto questo... »

« Ehi, Andy! » era la voce di Tom che arrivava da fuori. La sua poltrona a rotelle si era inceppata fra l'erba. « Ehi! »

« Arrivo, figliolo. » Erhard uscì rapidamente dal cottage e Kate gli corse dietro. Era assurdo quel sorriso che le nasceva sulle labbra e le illuminava gli occhi. Perché doveva sentirsi così ancora in quel momento? Come se lui fosse sempre il vecchio Tom, come se... eppure Kate provava ancora la stessa eccitazione di un tempo, lo stesso brivido di gioia, lo stesso piacere anche solo a guardarlo, a toccarlo, a stringerlo a sé, anche solo a sapere che stava bene ed era tutto suo.

« Katie! » fu un grido prorompente di gioia non appena Tom la vide andargli incontro. I suoi occhi si illuminarono, il suo sorriso si prolungò mentre le tendeva le braccia.

« Ciao, tesoro. Come stai oggi? »

« Magnificamente! Aspetta e ti faccio vedere che cosa abbiamo trovato! »

Gli occhi saggi del signor Erhard ebbero un guizzo di gioia mentre sospingeva piano Tom verso il cottage e ve lo faceva entrare. Quando Kate si guardò di nuovo in giro, era già scomparso.

« I tuoi nuovi disegni sono proprio belli, amore. » Ma

non stava guardando i disegni, stava guardando lui. Aveva un aspetto forte, felice, abbronzato. In quel momento Tom spinse dritto verso di lei la sua poltrona a rotelle e Kate si chinò rapidamente a prenderlo fra le braccia. Fu un caldo abbraccio confortante, innocente. Era tutto ciò che Tom poteva capire, ma esprimeva ugualmente la forza e l'intensità dei sentimenti che provava per lui.

« Sei carina, Katie. » Sembrava quasi imbarazzato quando si tirò indietro; poi spostò rapidamente la sedia a rotelle verso il tavolo. Afferrò il vasetto con i fiori gialli e tornò rapidamente indietro, spostandosi da solo. « Ho raccolto questi per te. » Le salirono le lagrime agli occhi mentre gli sorrideva e accettava il vasetto di fiori. Ma erano lacrime di gioia, non di dolore.

« Sono magnifici. » Avrebbe voluto stringerlo di nuovo fra le braccia, ma sapeva che era meglio aspettare. Se avesse esagerato in affettuosità, lo avrebbe messo in imbarazzo. Al momento opportuno sarebbe stato Tom stesso a cercare le sue effusioni. « Vuoi andare a passeggio? »

« Bene. »

Kate buttò da parte la borsetta e cominciò a spingergli la carrozzella. Era più pesante di quel che si aspettasse; o forse era solo più stanca del solito. Quel giorno sembrava che il bambino pesasse una tonnellata. Ma non appena raggiunsero il vialetto, anche Tom si mise ad aiutarla. Guidava le ruote con le mani e ben presto trovarono un viale dalla pavimentazione più liscia.

« Vuoi che andiamo a sederci vicino al lago? » Si voltò a guardarla e annuì felice; poi cominciò a fischiettare tra sé.

Il lago era piccolo ma molto bello, come ogni cosa a Mead. Kate gli aveva portato un modellino di barca a vela perché la facesse galleggiare sull'acqua, e Tom ci andava spesso a giocare. Il signor Erhard confermava che era uno dei suoi passatempi preferiti. Ma quel giorno avevano lasciato la barchetta al cottage. Con gentilezza, Kate girò la sedia a rotelle e si mise a sedere pesantemente sull'erba.

« E allora, che cosa abbiamo fatto di bello questa settimana? »

« Come mai non sei venuta a trovarmi? »

« Perché ero troppo impegnata a diventare grassa. » Provava ancora quella sciocca necessità di parlargliene, come se ciò potesse servire a stimolargli la memoria, come se Tom potesse capire che quel bambino era suo, o addirittura che lì, dentro di lei, c'era un bambino.

« Scommetto che devi fare una gran fatica a correre. » Lo disse soffocando una silenziosa risata, che fece ridere anche lei. Kate gli prese una mano e il limpido suono di quel riso riecheggiò sulle sponde del laghetto.

« Certo! Sembro una vecchia papera che viene avanti ancheggiando. » Tom scoppiò a ridere di nuovo e continuò a tenerle stretta la mano. Rimasero lì seduti, con il sorriso sulle labbra, a lungo; poi lui si fece serio.

« Come mai non posso venire a casa con te, Katie? Con questa seggiola, me la cavo da solo. Oppure potremmo prendere il signor Erhard. No? » Ancora quella storia! Accidenti!

Kate scosse lentamente il capo, facendo segno di no, ma continuò a tenere stretta fra le sue quella grossa mano robusta. « Non ti piace qui, Tom? »

« Voglio venire a casa con te. » Aveva preso un'aria così malinconica che lei dovette farsi forza per ricacciare in gola le lagrime. Non poteva discutere di quell'argomento con Tom. No, non se la sentiva di farlo di nuovo. Non avrebbe capito. A parlare così, finiva per farla sentire una traditrice, come se lo stesse abbandonando.

« In questo momento sarebbe piuttosto difficile. Perché non lasciamo che le cose vadano avanti per un po'? Possiamo sempre parlarne un'altra volta, non ti sembra? »

« Un'altra volta non mi lascerai farlo di nuovo. Ti prometto che sarò buono. » Adesso aveva gli occhi pieni di lacrime e Kate non poté fare altro che mettersi in ginocchio sull'erba, buttargli le braccia al collo e stringerlo a sé.

« Sei buono, e io ti voglio bene. E ti prometto, tesoro, se mai sarà possibile, che un giorno ti porterò a casa. » Ci fu un lungo silenzio, mentre ognuno dei due restava disperatamente aggrappato alla propria visione delle cose, come se si fossero trovati in due mondi completamente diversi, oppure non fossero mai stati più vicini di così. « Ma nel frattempo io verrò a trovarti e giocheremo, e il signor Erhard si prenderà tanta cura di te, e... » era impossibile continuare: si sentiva la gola chiusa dalle lacrime. Ma Tom aveva già perduto il filo della conversazione.

« Okay. Oh guarda! » Tutto eccitato, le indicò qualcosa in alto nel cielo e lei si piegò all'indietro per guardare, abbagliata, contro il sole, e ne approfittò per asciugarsi gli occhi umidi. « Non è carino? Mi dimentico sempre come si chiama. Il signor Erhard me l'ha detto ieri. » Era un uccello verde-azzurro con la coda gialla e le ali variopinte. Kate rivolse un sorriso stanco a Tom, mentre tornava a sedersi nell'erba.

« Ho preparato un picnic. Che cosa ne dici? »

« Un vero picnic? »

Lei alzò solennemente una mano. « Proprio vero. Lo giuro. » Era divertente fare tutte quelle cose per lui, anche se si trattava soltanto di preparare uno spuntino per il pasto di mezzogiorno. Aveva portato con sé panini con il salame, grosse e gustose patatine fritte, freschissime, uova sode, formaggio, delle bellissime pesche e un cestino di ciliegie. Poi c'era anche un thermos di limonata e una fetta di torta al cioccolato. Anche il suo modo di mangiare era quello di un bambino.

« Che cosa hai portato? » I suoi occhi erano di nuovo splendenti di gioia. Il desiderio di tornare a casa con Kate già dimenticato. Almeno per il momento.

« Vedrai che cosa c'è nella cesta del picnic quando avrai abbastanza fame per pranzare. » Glielo disse con aria seria, ammonendolo con un dito, e Tom glielo acchiappò. Era un giochetto che facevano sempre, fin dal giorno in cui si erano conosciuti. E continuavano ancora a farlo. Era una delle cose che le permettevano di fingere, per un momento, per un minuto, per un battito di ciglia, che ogni cosa fosse ancora come un tempo.

« Ho fame. »

« Non è vero. Vuoi soltanto vedere quello che c'è nel cesto del picnic. » Si distese supina sull'erba sentendosi come una specie di balena rovesciata e gli sorrise.

« Lo giuro, ho fame! » Ma si era messo a ridere di nuovo; ridevano tutti e due.

« Come puoi avere fame? Sono le dieci e mezzo del mattino! »

« Il signor Erhard mi ha fatto saltare la colazione. » Ma gli occhi di Tom erano ridenti, e non riusciva a stare serio.

« Balle! Racconti delle frottole. »

« Su, Katie, sii buona. Sto morendo di fame. »

« Sei impossibile! » Tuttavia si mise faticosamente seduta e pensò che forse era meglio andare a prendere la cesta. In fondo, se aveva fame, perché no? « A proposito, ti ho portato un regalo. »

« Davvero? Che cos'è? »

« Vedrai. »

« Oh, sei proprio cattiva, sai! » Lo disse con il tono offeso dell'infanzia e una evidente impazienza di avere davanti la cesta del picnic e il regalo. Allora, con un altro sorriso, Kate si alzò in piedi e si chinò su di lui per baciarlo sulla punta del naso. « No, non farlo! » Con dolcezza, fece il gesto di scacciarla.

« Perché no? »

« Perché sei una brutta sgarbata, ecco perché! » Ma intanto le aveva circondato la vita con un braccio e per un attimo restarono così, Tom nella sua carrozzella e Katie in piedi, vicino a lui. Stavolta fu lei a staccarsi per prima.

« Vado a prendere tutta quella roba. » Aveva la voce un po' roca... e c'era ancora tutta la giornata davanti.

« Vuoi che ti aiuti? »

« Va bene. Puoi portare la cesta. » Tom si spinse da solo verso l'automobile e Kate gli si incamminò di fianco, lentamente, sotto il sole. Ricominciarono a chiacchierare e Tom le raccontò quello che faceva, le parlò dei suoi disegni e del nuovo gioco che lei gli aveva portato la settimana precedente, di un'infermiera che detestava e che lavorava nella casa-madre, e del pranzo migliore che avesse mai fatto, mentre Kate lo ascoltava come se tutte quelle cose fossero vere, come se avessero una grande importanza.

Quando arrivarono all'automobile, Kate gli depose cautamente il cesto da picnic sulle ginocchia, poi ci mise dentro una mano per estrarne un pacchetto avvolto in una carta a strisce bianche e rosse e con un grande nastro.

« Per te, amore mio. » Richiuse l'automobile e lo spinse di nuovo lentamente verso il laghetto, sul viale.

« Presto, presto! »

« Abbiamo un problema? » Per quello avrebbe avuto bisogno del signor Erhard. Tom era troppo pesante perché lei potesse aiutarlo quando aveva bisogno di andare al gabinetto.

« No, stupidella, voglio aprire il mio regalo. » Se lo teneva stretto, ma aveva già cacciato una mano nel cesto da picnic e ne aveva tirato fuori prima una manciata di ciliegie e poi un pezzettino di torta.

« Guai a te, Tom Harper, se non tieni le mani a posto; io ti... »

« No, tu non mi farai niente, Katie, perché mi vuoi troppo bene. »

« Hai ragione. » Allora sorrisero insieme e Katie lo fece fermare sotto un albero appena fuori del cottage. Il parco della casa di cura era fresco, curato, pieno di colori vivaci. Col tempo Tom avrebbe anche potuto stancarsene. Ma non ancora.

« Posso aprirlo, adesso? » La guardò per vedere se glielo permetteva e Kate fece segno di sì; allora si affrettò a strappare la carta. Era stata una sciocchezza comprarglielo, ma quando l'aveva visto, Kate non aveva saputo resistere. Ne aveva preso uno anche per la camera del bambino. « Oh, come mi piace! Come si chiama? » Tom si strinse al cuore, con tutta la sua forza, il grosso orsacchiotto bruno. Kate restò sorpresa e felice davanti a quella gioia così sincera.

« Non so come si chiama. Dimmi tu qual è il suo nome. Secondo me ha un po' l'aspetto di un George. »

« Già, forse. » Tom lo esaminò con aria pensosa.

« Lucius? » Kate stava sorridendo di nuovo. Dopo tutto, non rimpiangeva di averglielo portato. Che cosa importava se poteva sembrare una stupidaggine? Che differenza faceva, adesso, se lo rendeva felice?

« No, Lucius no, è orribile. Ecco, ho trovato: Willie! »

« Willie? »

« Willie! » Si sporse verso di lei, tendendole le braccia, e Kate lo strinse forte al cuore e gli diede un bacio lieve sulla fronte. « Grazie, Katie, è bellissimo. »

« Ti assomiglia un po'. »

Lui tentò allora di picchiarla con l'orso e scoppiarono a ridere insieme.

« Vuoi sederti sulla tua amaca? Se lo desideri, vado a chiamare il signor Erhard. »

« No, sto bene così. » Aveva già affondato le mani, anzi le braccia fino al gomito nel cesto del picnic, e continuò così, senza smettere un attimo, per tutta la mezz'ora successiva, con Willie seduto tranquillamente sulle ginocchia.

Dopo aver mangiato si riposarono in silenzio per un po' e Kate si addormentò, quasi, nel tepore dell'aria estiva. Una brezza leggerissima le arruffava leggermente i capelli mentre stava distesa vicino alla sedia a rotelle di Tom; e per la prima volta in tutto il giorno anche il bambino rimase finalmente fermo. Si passarono avanti e indietro il cestino di ciliegie, sputando i noccioli in direzione degli alberi e mettendosi poi a ridere.

« Un giorno qui ci sarà un prato tutto coperto di alberi di ciliegio e nessuno capirà mai perché. »

« Noi sì. Giusto, Katie? »

« Giusto. »

La voce di Tom era così sommessa, quasi triste che Kate, per un attimo, pensò che avesse capito. Ma a che cosa poteva servire, se anche avesse capito? Era l'unica cosa che la bloccava sempre quando pensava di tentare di fargli ricordare il passato. Se mai Tom fosse tornato a essere ciò che era stato, avrebbe dovuto subire un processo per aggressione o tentato omicidio, o comunque avessero deciso di chiamare le azioni che aveva commesso. Meglio che restasse qui, a Mead House, come adesso, piuttosto che in un diverso genere di prigione. A ogni modo, non c'era da illudersi che fosse possibile costringerlo a ricordare. Il dottore glielo aveva spiegato fin troppe volte. Ma la tentazione c'era sempre. Qualche volta, solo per un attimo, a sentirlo sembrava talmente simile al vecchio Tom del passato, che si faceva fatica a convincersi che quella pallottola avesse distrutto, nel suo cervello, tutto ciò che dicevano i medici. Era stato duro rinunciare alla speranza, smettere di tentare.

« Katie? »

« Uhm? » Alzò gli occhi a guardarlo, con due ciliegie unite dal picciolo fra le dita; per un attimo se le era dimenticate.

« Che cosa stai pensando? »

« Oh, niente di particolare. Me ne sto semplicemente qui distesa, a fare la pigrona. »

« Sei carina quando pensi. » Poi gli occhi di Tom si spostarono, ma senza curiosità morbosa, verso il ventre di Kate. Gli spiaceva che fosse così grassa, ma non aveva molta importanza. Le voleva bene, indipendentemente da tutto il resto.

« Grazie, Tom. » Gli versò un altro bicchiere di limonata e tornò a distendersi sull'erba. Sopra di loro c'era un albero svettante che li proteggeva dal sole troppo forte e, nell'aria, lo splendido silenzio di un pomeriggio estivo. L'unica cosa che mancava era il cigolio di una porta, là, dietro, a distanza, e poi il tonfo di questa che si richiudeva, come se un bambino fosse entrato in casa a prendersi un bicchiere di acqua fresca. « È carino qui, vero? » Lui rispose facendo segno di sì con entusiasmo e sputò un altro nocciolo di ciliegia in direzione del cottage.

« Mi ci vorrebbe una fionda. »

« Te la sogni! »

« Non per far male a qualcuno... » aveva preso l'aria offesa, « ma solo per le cose come queste, i noccioli di ciliegia. Oppure le graffette per la carta. Lo sai anche tu... per tirarle contro gli alberi. » Ma stava sorridendo di nuovo, quel suo solito sorriso irrefrenabile, da monello.

« E poi... come fai a sapere tutte queste cose? Sono anni che non usano più, sono fuori moda! »

« Ne ho vista una alla TV. »

« Incredibile! »

« Chissà, forse potrei fabbricarmela. » Ma Kate non lo stava ascoltando. Il bambino le aveva appena sferrato un calcio violentissimo contro le costole. Respirò a fondo, lasciò uscire il fiato lentamente e si chiese se non fosse venuto il momento di ripartire. Il viaggio di ritorno a casa era lungo ed erano quasi le due. Si trovava lì con Tom da quattro ore. Non era molto, ma per il momento era tutto quello che si sentiva di fare. Guardò Tom che stava prendendo attentamente la mira con un altro nocciolo di ciliegia. Aveva un baffo di cioccolata su una guancia. Kate si mise a sedere più dritta e lo ripulì, delicatamente; poi guardò in direzione del cottage. Circa un'ora prima aveva visto entrare il signor Erhard.

« Faccio un salto dentro, amore. Vuoi qualcosa? »

« No, niente. » E scosse la testa, felice e contento.

Il signor Erhard stava aspettando; fumava la pipa e leggeva il giornale. Sembrava un modo molto invernale di passare il tempo in una giornata così calda e piena di sole.

« È pronta ad andare? »

« Penso che sia meglio. »

« Mi stupisce che il suo dottore la lasci venire! » Poi le rivolse un sorriso paterno. « Oppure non glielo domanda? »

« Be', diciamo che siamo arrivati a un compromesso. »

« Vede, forse dovrebbe proprio fare a meno di venire per una quindicina di giorni. Ci penserò io a tenerlo impegnato. Magari poi si lamenterà, quando tornerà a fargli visita, ma fintanto che lei sarà via, non se ne accorgerà. » Era molto triste dover ammettere che il signor Erhard aveva ragione.

« Non so. Vedrò come mi sento la settimana prossima. »

« Mi sembra una risposta abbastanza saggia. »

Dopo essere andata ancora un attimo in bagno, Kate tornò fuori e il signor Erhard la seguì, incamminandosi verso Tom e agitando la pipa in cenno di saluto.

« E così, saresti tu quello che ha bombardato la casa di

noccioli di ciliegie tutto il giorno, vero? » Gli stava facendo un largo sorriso e Tom scoppiò a ridere, deliziato. « Scommetto che non sei capace di colpire quell'albero. » Ma sbagliava. Tom lo colpì, facendo centro in pieno.

« Farà bene a stare attento, signor Erhard: vuole una fionda! »

« Si ricorda? Come quella che abbiamo visto in quel programma dell'altra sera; quella, quando il bambino... » La storia era lunga e confusa, ma il signor Erhard si lasciò coinvolgere facilmente nel racconto, mentre Kate lo osservava. Odiava sempre il momento di lasciarlo. Sarebbe dovuto essere un sollievo e invece non lo era. Il sollievo lo provava quando arrivava lì e lo vedeva, mentre lasciarlo era come sentire un piccolo strappo al cuore.

« Okay, tesoro, adesso me ne vado, ma tornerò presto. »

« Okay, Katie, a presto. » La salutò distrattamente con un cenno della mano; ormai la discussione del mattino era già stata dimenticata. Quella era ormai per lui la casa, la vera casa, più di qualsiasi altra. Rimase impassibile al vederla partire. Katie si chinò a baciarlo su una guancia e a scrollargli una spalla leggermente.

« Mi raccomando, amore mio, prenditi cura di Willie. » Si allontanò con un cenno della mano e un sorriso mentre le sembrava che una pietra prendesse il posto del suo cuore guardandolo seduto su quella sedia a rotelle con l'orsacchiotto stretto fra le braccia. Riuscì ancora a vederlo mentre faceva marcia indietro con la macchina per uscire dal parcheggio. Abbassò il finestrino per un ultimo gesto di saluto, ma ormai Tom era tutto preso dalla sua conversazione con il signor Erhard. « Ciao, Tom, ti amo. » Ma lo disse a se stessa, in un bisbiglio, mentre si allontanava al volante della macchina.

3

Il viaggio di ritorno a casa le sembrò ancora più lungo dell'andata. Continuava ad avere davanti agli occhi Tom con quell'orsacchiotto e a pensare a tutto quanto le aveva detto. Alla fine si impose di cancellare dalla propria mente il ricordo di quella visita e accese la radio. Aveva i crampi alle gambe e, a un tratto, si accorse che l'unico suo desiderio era quello di tornare a casa. Era stata una giornata troppo lunga e si sentì travolgere da una stanchezza così improvvisa e profonda che credette quasi di non avere più neppure la forza di muoversi. Forse il signor Erhard aveva ragione. Forse avrebbe dovuto fare a meno di andare da Tom nei quindici giorni successivi. Ormai mancavano soltanto tre settimane alla nascita del bambino. Ma non si concesse di indugiare neppure su quel pensiero. Non riusciva a pensare né al bambino né a Tom. Tutto quello che aveva in mente in quel momento era il suo letto e il desiderio di liberarsi da quei vestiti che le comprimevano tutto il corpo come una specie di morsa. Le sembrò di metterci un secolo a imboccare, finalmente, il viale di casa. Era talmente stanca che non vide neppure la piccola *Alfa Romeo* parcheggiata da un lato. Scese dalla macchina, si fermò vicino allo sportello per un attimo, appoggiandosi per massaggiarsi le caviglie, e poi cominciò a incamminarsi lentamente, ancora anchilosata, verso la porta.

« A vederti, si direbbe che sei proprio in gran forma! » Era la voce profonda e cinica di Felicia Norman e Kate trasalì violentemente. « Ehi, bella signora, non spaventarti! Prenditela con calma! Come levatrice, non valgo niente! » A questo punto Kate alzò gli occhi verso di lei e scoppiò a ridere. « Mi hai spaventata da morire, Licia. »

« Mi stupisce che tu abbia ancora tanta energia da riuscire a spaventarti. Ma non ti accorgi di quello che stai facendo a te stessa? » Tolse la cesta da picnic dalle mani dell'amica e insieme si avviarono lentamente verso la casa.

« Non pensarci. Tu, piuttosto, che cosa fai qui, così in anticipo? »

« Ho deciso che avevo bisogno di una vacanza e tu di un'ospite. »

« Una vacanza? »

« Be', un lungo weekend. Mi sono presa quattro giorni. » E com'era contenta di essere lì! Kate le sembrava letteralmente distrutta e, se quello era il risultato delle sue visite a Tom, forse avrebbe fatto bene a impedirle di andarci per un po', o almeno l'avrebbe accompagnata lei con la macchina. Perché era assolutamente una pazzia fare quello che Kate faceva.

« Ti rendi conto che è un miracolo se non ti hanno ancora licenziata, grazie a me? » Tuttavia Kate stava sorridendo. Le faceva piacere vederla.

« Sono maledettamente fortunati che non sia io ad andarmene! Se dovessimo mettere insieme un'altra presentazione di modelli questa settimana, mi verrebbe un esaurimento nervoso. » E anche alla sua assistente: per poter restare con Kate, Felicia le aveva scaricato addosso tutte le sfilate della settimana successiva. Il che le sarebbe costato un'altra borsa di Gucci, un pranzo squisito da *Trader Vic's* ma, a un certo momento, si era sentita di dover assolutamente correre da Kate a vedere come stava. Ed era contenta di aver seguito quell'ispirazione. Depose la cesta da picnic sul ripiano della credenza in cucina e si guardò intorno. Sì, era proprio una casa simpatica. Una buona scelta. « E così, come sta, Tom? »

« Bene. Contento. Niente di nuovo. » Felicia annuì con aria grave e si lasciò cadere su una seggiola. Kate la imitò.

« Sai una cosa, Licia? Hai un aspetto molto peggiore del mio. D'altra parte, il tuo viaggio in macchina è stato più lungo. Vuoi quello che è rimasto della limonata? »

Felicia fece una smorfia. « Tesoro, io ti voglio un gran bene, ma la limonata non è fatta per me. Dio, che idea orrenda! »

Kate la guardò con un sorriso di scusa. « Temo di non avere niente di più interessante da offrirti. »

« Certo che ce l'hai, perbacco! » Felicia le rivolse un sorrisino malizioso e si precipitò verso uno degli armadietti della cucina. « La settimana scorsa io ho lasciato qui dentro del gin e un po' di vermouth. Poi ho portato con me cipolline e olive. » E tirò fuori un barattolino dalla borsa, con un ampio sorriso.

« Come girl scout, sei favolosa! »

« Già, non te lo immaginavi, vero? » Recuperate le bottiglie, si preparò un Martini che sembrava uscito dalle mani di un professionista e Kate si raddrizzò sulla sedia. « Hai di nuovo il bruciore di stomaco? » Felicia lo capì subito dall'espressione della sua faccia. Ormai la frequentava da tanto tempo che ne conosceva ogni più lieve cambiamento di espressione, quasi meglio di Kate stessa. Conosceva tutto, dal bruciore di stomaco alla crisi isterica. Quello le era sembrato bruciore di stomaco.

« Ho paura di avere mangiato troppe ciliegie a pranzo. Più che bruciore di stomaco, penso che sia un po' di indigestione. » E crampi. Gesù benedetto, ci mancava anche quella... oltre a quel pancione che già aveva. Povero bambino, come aveva potuto giocargli un brutto scherzo del genere, o giocarlo a se stessa? Quel pensiero la fece sorridere con ironia. « Forse ho soltanto bisogno di un Martini. » Ma tutt'e due capirono che non parlava sul serio. Erano mesi che non toccava una goccia di alcool.

« Perché non vai a distenderti un po'? Mi faccio una doccia e poi vedo di mettere insieme qualcosa per la cena. » Felicia dava l'impressione di essere molto pratica e di trovarsi, lì da Kate, come a casa propria.

« Già, sei venuta da me per farmi da mangiare! »

« Sì. Adesso togliti quel vestito e vai a distenderti sul letto. »

« Sì, mamma. »

Però, quando ebbe ubbidito si sentì meglio. E dopo una doccia, addirittura benissimo. Sentiva Felicia che aveva cominciato a trafficare in cucina; si fermò un attimo nella camera del bambino ed eccolo lì. Willie. Lo stesso orsacchiotto che aveva portato a Tom. Si chiese che cosa stesse facendo in quel momento il suo Willie: se Tom lo teneva in braccio, gli voleva bene, o lo aveva già dimenticato. Sfiorò con una lieve carezza l'orsacchiotto e poi uscì dalla stanza.

« Si può sapere che cosa stai combinando? »

« Ti vanno bene gli spaghetti? » Una delle tre cose che Felicia sapeva cucinare. Le altre due erano le uova fritte e la bistecca. Kate fece segno di sì.

« Magnifico! Gli spaghetti mi faranno ingrassare di almeno altri due chili e mezzo, ma a questo punto... che cosa diavolo importa! »

Cenarono a lume di candela, contemplando il paesaggio; fu piacevole avere qualcuno con cui parlare. Kate si stava abituando troppo al silenzio e a vedere soltanto Tom. Aveva bisogno di Felicia per aggiungere un po' di pepe a quella minestrina scipita che era diventata la sua vita. E Felicia ce ne aggiungeva un mucchio. Diventava pepatissima. Adesso si era lanciata a descrivere a Kate tutto ciò che era successo quella settimana nel grande magazzino dove lavorava, mettendola al corrente dei pettegolezzi... chi andava a letto con chi, chi veniva promosso di grado e chi licenziato, oppure chi, alla fine, si era rivelato per quello che era, cioè un buono a niente. Ma Kate non stava ascoltando con la sua abituale attenzione e non rideva come avrebbe fatto in un'altra occasione.

« Si può sapere che cosa c'è, tesoro? Sei verde! I miei spaghetti, forse? »

« No. Credo che siano di nuovo quelle dannate ciliegie. »

Era lo stesso dolore sordo, che talvolta si trasformava in fitte lancinanti, già provato prima di cena, solo che adesso era diventato un po' peggio.

« Ciliegie, un corno! Ti sei stancata da morire. Perché non vai a sdraiarti un po' sul divano? Oppure preferisci andare a letto? »

« A dir la verità, non mi sento affatto stanca. » Anzi, si sentiva tesa, eccitata, ma questo le era già successo in passato, e sempre dopo avere visto Tom. Ma acconsentì ugualmente ad andare sul divano; poi cominciò a scherzare di nuovo con Felicia. « Magari saranno proprio quei tuoi schifosi spaghetti. »

« Vai a... bella signora! Se non lo sai ancora, i miei spaghetti sono i migliori dell'Ovest. »

« Già, come al ristorante, da *Mamma Felicia.* »

Felicia si preparò un altro Martini e le due donne continuarono a prendersi in giro e a ridere. Ma l'indigestione peggiorò invece di migliorare.

« Forse è meglio che me ne vada a letto. »

« Okay. Ci vediamo dopo. » Felicia sorrise mentre Kate usciva dalla stanza. I piatti erano già stati rigovernati. Kate avrebbe voluto dire qualcosa all'amica, confessarle che era felice di averla lì, ma glielo aveva già detto talmente tante volte in passato che non sapeva più trovare altre parole adatte.

Kate alle nove era già addormentata; Felicia andò a sistemarsi comodamente sul divano con un libro. Non era stanca, per quanto quella settimana, in ufficio, fosse stata durissima. Ma era piacevole anche solo starsene lì seduta a rilassarsi, piacevole trovarsi lì, lontano dalla città. Cominciò a lasciarsi prendere dalla trama del romanzo che stava leggendo e fu soltanto verso la una che sentì Kate muoversi in camera sua. Tese l'orecchio per un minuto, per esserne ben sicura, e poi vide un po' di luce che filtrava sotto la porta.

« Ti senti bene? » Felicia aveva aggrottato le sopracciglia mentre le gridava queste parole. Ma Kate le rispose subito.

« Sì. » Sembrava la solita voce.

« Hai sempre quel mal di stomaco? »

« Uh-uhu. »

Passarono un paio di minuti e poi Kate uscì dalla sua camera e si fermò sulla soglia, avvolta in una camicia da notte lunga, rosa e bianca. Aveva uno strano aspetto, da bambina un po' gonfia, ma la sua faccia era illuminata dal sorriso.

« Felicia... » il sorriso si accentuò.

« Sì? Che cosa c'è? » Felicia non sapeva come interpretare quell'espressione. Kate aveva un'aria radiosa che Felicia non le aveva mai visto prima.

« Non credo che sia un male di stomaco. Penso che possa... essere il bambino. » Kate scoppiò quasi a ridere. Si sentiva al settimo cielo. Era assurdo... aveva un po' di paura, ed era troppo presto, ma come si sentiva eccitata. Il bambino! Finalmente stava per nascere!

« Vuoi dire che stai per avere il bambino? » Felicia, di colpo, diventò livida.

Kate annuì. « Già, potrebbe essere. Ma non sono sicura. »

« Non è presto? »

Kate annuì di nuovo, ma non sembrava affatto preoccupata. « Credo che otto mesi siano più che sufficienti. E ormai ne sono passati quasi otto e mezzo. »

« Hai telefonato al dottore? »

Kate annuì di nuovo, solennemente, con un'espressione di vittoria. Ecco, stava per succedere. Stava per avere il bambino. Magari quella notte stessa. Non avrebbe più dovuto aspettare. Era finita. Ed era anche l'inizio! « Ha detto di ritelefonargli fra un'ora, se le doglie si facessero più forti. »

« Hai le doglie? » Felicia chiuse di botto, stringendolo fra le mani, il libro che aveva in grembo e fissò l'amica.

« Credo di sì. Pensavo che fosse semplicemente un'indigestione, ma sono dolori che si fanno sempre più forti e poi ritornano con un certo ritmo, sempre uguale... » E poi, come se non avesse più la pazienza di spiegarlo a parole, si mise a sedere di scatto e allungò una mano per prendere quella di Felicia. « Ecco, qui puoi sentire. »

Senza pensarci, Felicia lasciò che Kate le facesse appoggiare la mano sul ventre rigonfio. Ne tastò la superficie, dura e tesa. Non sembrava neanche più il pancione di prima. Ma piuttosto sembrava una parete, un pavimento, qualcosa che avrebbe dovuto essere spaccato, per farsi aprire, e non schiacciato.

« Mio Dio, ma è terribile. Ti fa male? »

Kate scosse la testa con quella stessa espressione esaltata nello sguardo; però adesso aveva la fronte bagnata da un velo di sudore. « No, non fa male. Però ho come la sensazione che sia molto, molto teso. »

« Posso andare a prenderti qualcosa, tesoro? » le mani di Felicia stavano tremando e Kate si mise a ridere.

« No, ma se adesso perdi la testa e ti spaventi, ti prendo a calci. Sono contenta che tu sia qui. »

« Anch'io. » Ma non sembrava affatto, a guardarla, e Kate scoppiò di nuovo a ridere.

« Rilassati! »

« Certo. » Felicia respirò a fondo e si lasciò ricadere contro i cuscini del divano. « Credo di essere in grado di fronteggiare e risolvere situazioni di ogni genere. Ma i bambini non sono mai stati il mio forte. Non ho mai assistito a una nascita. Voglio dire... oh accidenti, devo bere qualcosa. » L'imperturbabile Felicia Norman stava diventando incredibilmente turbata; Kate, invece, era stranamente calma. Era quello che aveva atteso per quasi nove mesi.

« Non hai bisogno di bere qualcosa, Licia. Sono io ad avere bisogno di te. » Bastò quel pensiero a far tornare sobria e seria Felicia, che guardò Kate. A dire la verità non sembrava che avesse bisogno di qualcuno.

« Dici sul serio? »

« Sì. » La sua voce era tesa di nuovo e Felicia la guardò con attenzione. E capì che cosa doveva provare adesso.

« Kate, ancora le doglie? »

Kate annuì, con un'espressione distratta, incerta: sembrava che stesse pensando a qualcosa d'altro; e Felicia, silenziosamente, le allungò una mano. Kate l'afferrò e la strinse forte. Le doglie avevano cominciato a farla soffrire.

4

Le doglie stavano aumentando in un rapido crescendo e non c'era quasi più un momento per tirare il fiato fra l'una e l'altra. Felicia, tesa e contratta, era seduta su una sedia vicino al letto nella piccola, nuda, stanza di ospedale. Teneva una mano di Kate stretta nella sua. Il sole stava appena facendo capolino al disopra delle colline, circondato da un alone d'oro.

« Vuoi un altro pezzettino di ghiaccio? » La voce di Felicia risuonò rauca nella stanza silenziosa, ma Kate si limitò a fare segno di no con la testa. Non se la sentiva di parlare. Aveva soltanto la forza di restare lì distesa, concentrandosi nella respirazione, come le avevano insegnato ai corsi che aveva seguito negli ultimi due mesi. « Ma non sei ancora stanca di farlo? » Kate fece di nuovo segno di no con la testa, chiuse gli occhi e per dieci secondi quel suo respiro così affannoso si fermò. Aveva appena avuto tempo di tirare il fiato normalmente che un'altra fitta di dolore le penetrò, lancinante, nel cervello. Aveva i capelli sparsi intorno alla faccia, fradici di sudore, appiccicati, e per quella che le parve la millesima volta in quella notte, Felicia si alzò ad asciugarle la fronte con un panno umido. Qualsiasi gioia, qualsiasi espressione esilarata era sparita dalla faccia di Kate. L'unica cosa visibile era la sofferenza.

« Stringi i denti, tesoro, non manca ancora molto, ormai. »

Ma sembrò che Kate non la sentisse neppure. Si era messa a respirare rumorosamente come prima; poi, d'un tratto, si interruppe e si lasciò sfuggire un gemito sommesso che si trasformò in un breve grido improvviso. Felicia sussultò per la sorpresa, mentre Kate cominciava ad agitarsi nel letto sbattendo la testa di qua e di là.

« Licia, non posso... non posso... più... » Ma non ebbe neppure il tempo di finire quelle parole, perché il dolore tornò di nuovo a farsi sentire, straziante; le sfuggì un altro gemito, che subito si trasformò in urlo.

« Kate... ehi, piccola... su, coraggio! » Gesù benedetto! Non era preparata a tutto questo. Era peggio di quanto avesse visto al cinema! Disperata, Felicia suonò per chiamare l'infermiera e Kate si mise a piangere.

Meno di un minuto dopo l'infermiera aprì la porta e mise dentro la testa. « Come andiamo, ragazze? » Felicia la guardò con gelida rabbia.

« Come le sembra che stia andando? » Come aveva voglia di ucciderla! Perché, accidenti, non faceva qualcosa per Kate? Dio santo, questa povera figliola soffriva le pene dell'inferno. C'era gente che ne moriva... sì o no?

« A me sembra che vada bene. » Sembrò che gli occhi dell'infermiera scintillassero stranamente mentre guardavano Felicia. Si avviò con passo rapido verso il letto di Kate e le prese una mano. « Ci sei quasi, Kate. Questa è la parte più dura. Sei in un momento di passaggio. Dopo, tutto diventa molto più facile e presto potrai cominciare a spingere. » Kate continuava a sbattere la testa di qua e di là in un movimento frenetico, mentre le lagrime e il sudore le bagnavano i capelli.

« Non posso... non posso. » Fece una smorfia, come se fosse stata colta dalla nausea e volesse vomitare, ma dalla bocca non venne fuori niente.

« Sì, che puoi. Andiamo! Adesso mi metto a respirare anch'io con te. » E subito l'infermiera cominciò a respirare in quel modo ritmato, rumoroso, stringendo saldamente la mano di Kate. « Su, adesso, Kate... adesso... » Si accorse che il dolore ricominciava a renderla stravolta. « Adesso... ecco... »

Quel respiro così ritmato faceva impazzire Felicia e invece Kate, a poco a poco, aveva preso un'aria meno spaventata. Forse, dopo tutto, ce l'avrebbe fatta! Dio, però era terribile. Gesù benedetto, perché bisognava passare attraverso tutto ciò? Un altro gemito sommesso e poi un grido acuto le penetrò nel cervello, confondendola; intanto il respiro regolare, sommesso, dell'infermiera continuava. Si chiese come facesse Kate a resistere; era sempre sembrata tanto fragile! Nessun bambino meritava tutto ciò. Nessun uomo. Nessuno. Felicia si sentì salire le lagrime agli occhi mentre si voltava a guardare in direzione del sole che sorgeva. Non se la sentiva più di vedere l'amica soffrire a quel modo. Aveva già passato momenti così terribili... e ora anche questo! Quando Felicia tornò a voltarsi verso la stanza, dalla finestra, si accorse che gli occhi dell'infermiera la fissavano, con maggiore dolcezza questa volta. « Perché non va a prendersi una tazza di caffè? Il bar, a quest'ora, dovrebbe essere aperto. »

« No, va bene così. Io... »

« Vada pure. Noi ce la caviamo bene. » E aveva ragione, sembrava che Kate stesse meglio. Non aveva più quell'espressione così sofferente negli occhi; aveva ricominciato a combattere. Era talmente impegnata che probabilmente non si sarebbe neppure accorta che Felicia la lasciava per qualche minuto. Quelle erano ormai le vere e proprie doglie.

« Okay. Ma torno subito. »

« Saremo ancora qui. » L'infermiera le rivolse un sorriso incoraggiante e continuò a respirare con Kate mentre controllava il ritmo delle contrazioni. E, per la prima volta, Felicia si sentì tagliata fuori. Si domandò se era quello che provano i padri mentre osservano le loro mogli dibattersi in preda alle contrazioni, lottando per raggiungere una meta che ogni uomo può vedere, senza mai provare che cosa sia. Felicia capiva che lei stessa non avrebbe mai subito tutte quelle sofferenze. Non sarebbe mai stata capace di amare nessuno tanto da arrivare fino a quel punto. O, perlomeno, non nel modo in cui Kate aveva amato Tom. Il pensiero di ciò che era successo la colpì ancora, dolorosamente, mentre si avviava a passi lenti verso il bar. Non provava neppure la voglia di bere qualcosa di alcolico. Quello che desiderava davvero era sapere che tutto era finito, andare a casa a farsi una doccia e poi dormire. Il lungo viaggio in macchina del giorno prima e la lunga nottata insonne stavano cominciando a farsi sentire.

« Come va la signora Harper? » Un'infermiera seduta alla scrivania, grassa e dall'aria matronale, alzò gli occhi verso Felicia. La città era molto piccola. Felicia si chiese se quella donna fosse in grado di ricordare il nome di ogni paziente.

« Non so. A me sembra che stia malissimo. »

« Mai avuto un bambino? » Felicia scosse la testa con aria inespressiva. Buffo, rispondere a queste domande da parte di un'estranea. La donna assentì col capo. « Nel giro di un paio di giorni si dimenticherà tutto. Forse ne parlerà ancora un po', ma se ne dimenticherà. Sarà lei, signora, a ricordarsene molto più a lungo della signora Harper. »

« Può darsi. » Senza nessun motivo apparente si fermò per un attimo alla scrivania, come se si aspettasse che l'infermiera le dicesse ancora qualcosa. Il solo fatto di parlare con qualcuno era già un conforto. « Spero che non ci vorrà ancora molto. »

« Può darsi di sì. Ma può anche darsi di no. Difficile a dirsi. È il suo primo bambino, vero? » Felicia annuì. Questo voleva dire che avrebbe sofferto di più, forse? Il primo. E forse l'ultimo. Povera Kate... « Non prenda quell'aria così depressa. Se la caverà bene. Vedrà. Non appena il bambino sarà nato, si metterà a ridere e a piangere, e telefonerà ai suoi e lo racconterà a tutti quelli che conosce. » Per un attimo la faccia della donna si oscurò mentre guardava Felicia. « Però è vedova, o sbaglio? »

« Sì. »

« Che peccato. In un momento come questo! Di che cosa è morto, lui? »

« È stato... è stato un incidente. » Sulla faccia di Felicia era calata un'ombra. Come se una porta si fosse richiusa. Avevano già detto abbastanza.

« Mi spiace. » L'infermiera lo aveva intuito, così rimase

seduta in silenzio per un attimo e Felicia, dopo averle rivolto meccanicamente un lieve sorriso, si allontanò. Un caffè le avrebbe fatto bene.

Rimase solo cinque minuti nel bar. Se avesse potuto, ci sarebbe rimasta per giorni interi, ma non voleva lasciare Kate. Ingollò il caffè bollente il più in fretta possibile, per quanto le riuscì senza scottarsi la bocca, e pensò per un attimo di ordinare un po' di pane tostato. Ma subito le sembrò un'esagerazione. Kate soffriva atrocemente e lei se ne stava lì a mangiare pane tostato? Bastò quel pensiero a farle venire la nausea. E poi, d'un tratto, mentre aspettava lo scontrino, si accorse che i suoi pensieri si erano concentrati su Tom. Si chiese se, per caso, anche Kate stesse pensando a lui, oppure se fosse totalmente immersa nella propria sofferenza. Tom. Sarebbe dovuto essere presente lui, in quel momento. Era incredibile l'idea che non avrebbe mai visto suo figlio. Né avrebbe mai capito di averne uno. La ragazza dietro il banco fece scivolare lo scontrino sotto la tazza vuota di Felicia, lei lo guardò e posò sul banco distrattamente due quarti di dollaro. Doveva tornare da Kate. Non aveva tempo per pensieri di quel genere.

Le scarpe senza tacco, nere, che aveva messo il giorno prima risuonarono sommessamente lungo il corridoio; abbassò lo sguardo e si accorse di quanto fosse stazzonato tutto ciò che portava addosso. Il completo, giacca e pantaloni, di cotone nero che aveva scelto al terzo piano del grande magazzino all'inizio della settimana era spiegazzato come se ci avesse dormito dentro, e il massiccio braccialetto indiano, d'argento, le aveva lasciato un'impronta rossa sul braccio. Si chiese quanto sarebbe durata ancora quell'attesa e fino a quando Kate avrebbe saputo resistere. Le doglie erano cominciate poco dopo mezzanotte e ormai erano le sette del mattino appena passate. Ma quando Felicia aprì senza far rumore la porta, qualcosa era cambiato nella stanza. La faccia di Kate, non era soltanto madida, era completamente bagnata di sudore. Sembrava appena uscita da una doccia. La camicia azzurra da ospedale le era incollata al corpo; con la mano stringeva convulsamente quella dell'infermiera. Però i suoi occhi erano più vivi, il viso aveva un'espressione meno contratta e il ritmo dei suoi movimenti era cambiato: come se da un trotterellare penoso e doloroso fosse passata a un galoppo lanciato. Era difficile dire se il dolore fosse diminuito e perfino l'infermiera non aveva più il tempo di scambiare qualche parola con Felicia. Stava parlando a Kate di « respiri profondi » e le dava ordini con precisione militaresca, mentre Kate sembrava completamente assorta nell'ascolto. Poi Felicia si accorse che l'infermiera, con la mano libera, aveva cercato il bottone del campanello e lo aveva schiacciato rapidamente tre volte.

Felicia restò vicina alla porta, sentendosi inutile, senza capire se le cose stessero andando male o bene, timorosa di interrompere la concentrazione di Kate con qualche domanda. Ma qualcosa era cambiato. Il viso di Kate aveva una luce che Felicia non aveva mai visto su quello di nessuno. Le fece venire un gran desiderio di darsi da fare anche lei, di aiutare, di mettersi al suo fianco e di affrontare quella prova con lei e di sentirsi il nastro che cedeva sotto il petto mentre varcava vittoriosa il traguardo. Perché stava vincendo. Lo si sentiva nella stanza. Riuscì perfino a sorridere, a un certo punto, fra due doglie fortissime. Il sorriso sparì, ma l'atmosfera che aveva creato rimase.

L'infermiera premette di nuovo il bottone del campanello e finalmente la porta si spalancò; due infermiere che portavano quello che sembrava una specie di pigiama azzurro si presentarono con una lettiga. « Il dottore ci aspetta nella due. Come va? » Avevano un'aria tranquilla, per nulla preoccupata, tanto che per un attimo il loro atteggiamento rassicurò Felicia; Kate non sembrò neppure accorgersi di loro. L'infermiera che era rimasta al suo fianco aspettò l'intervallo fra una doglia e l'altra per guardare le due infermiere vestite di azzurro e poi rivolse loro un largo sorriso placido.

« Siamo pronte. Prontissime. Vero, Kate? » Kate annuì e per la prima volta da un po' di tempo i suoi occhi cercarono Felicia. La trovò subito e cominciò a parlare. Ma prima di riuscirci dovette aspettare che passasse un'altra ondata di dolore; le due infermiere approfittarono di quei pochi attimi per trasferirla sulla lettiga. Però Kate mostrava ansiosamente di volere Felicia, la quale si affrettò ad accostarsi al suo fianco.

« Vieni con me... ti prego, Licia... »

« Adesso? »

« Ti voglio... » D'un tratto parlare le riuscì terribilmente faticoso. Come se le doglie le avessero mozzato il fiato. Rivoli di sudore le bagnarono la faccia, le corsero giù per il collo, tuttavia non mollò la presa su Felicia. « Ti prego, per piacere, quando arriverà il bambino... anche tu! » Felicia capì. Ma oddio, perché lei? C'erano le infermiere con Kate, sapevano quello che facevano. Avrebbero potuto aiutarla molto più di lei. Tuttavia era inutile fingere di non vedere l'occhiata supplichevole di Kate.

« Certo, tesoro. Tu continua a non distrarti, pensa a quello che stai facendo e io sarò subito lì con te, a tenerti la mano. » Si era già incamminata vicino alla lettiga, che era stata spinta in corridoio. L'infermiera, mettendosi a camminare di buon passo vicino a Kate, alzò un sopracciglio in direzione di Felicia.

« Ha intenzione di venire in sala parto? »

Ci fu solo un attimo infinitesimale di esitazione e poi la risposta fu decisa. « Sì. » Oh, per amor del cielo! Si sentiva rivoltare lo stomaco, ma non poteva deludere Kate.

« Allora dovrà disinfettarsi e cambiarsi d'abito. »

« Dove? »

« Qui dentro. » L'infermiera le indicò una porta. « L'infermiera di servizio l'aiuterà. Venga a raggiungerci nella sala parto numero due. »

« Due? »

L'infermiera assentì con aria distratta mentre Kate inarcava la schiena in preda a un'altra contrazione e dimenticava la presenza di Felicia. « Coraggio, tesoro, ci siamo quasi. Non ancora. Non ancora. Appena ti mettiamo sul lettino. » Poi scomparve e Felicia si infilò nella stanza che le era stata indicata per disinfettarsi e cambiarsi.

Ne uscì meno di tre minuti dopo portando un pigiama blu

sterilizzato e scarpe con la suola di gomma e si mise a correre, piena di ansia, lungo il corridoio verso la sala parto numero due. L'infermiera le aveva spiegato come poteva trovarla. Schiacciò un bottone e una porta si aprì automaticamente. Aveva badato a tenere braccia e mani lontano dal contatto con qualsiasi oggetto, come le era stato raccomandato. Una volta entrata in sala parto avrebbe potuto tenere la mano di Kate, ma prima non doveva assolutamente toccare nulla, altrimenti sarebbe dovuta tornare a lavarsi e a disinfettarsi, e non voleva far aspettare Kate così a lungo. Le sembrava già di averla lasciata da ore e ore! Colse la propria immagine in una sottile lastra di vetro e le venne quasi da ridere. Sembrava uno di quei personaggi della televisione, in quei programmi di medicina, con i capelli tirati indietro e chiusi strettamente in una crocchia, coperti da un berrettino azzurro che sembrava quasi una cuffia da doccia. Portava perfino una piccola maschera. Gesù, e se qualcuno l'avesse presa per un'infermiera? Fu con quel pensiero terrificante che entrò in sala parto; ma subito si accorse che, lì dentro, nessuno avrebbe potuto prenderla per qualcosa di diverso da una che ci era capitata assolutamente per caso. Le persone che ci lavoravano, i veri professionisti, stavano organizzandosi e Kate era già distesa sul lettino e coperta di candide lenzuola. Aveva le gambe infilate nelle staffe, legate in alto, sospese in aria. Una posizione che a Felicia parve primitiva e crudele per quanto però non le sembrò che Kate ci badasse. Continuava ad alzare la testa come se ci fosse qualcosa da vedere. E per un momento Felicia si sentì percorrere da capo a piedi da un leggero brivido, perché si era accorta anche lei che, forse, c'era davvero. Questo non era più soltanto una dura prova per Kate. Era un evento, un avvenimento importante, una nascita. Nel giro di pochi minuti un bambino sarebbe nato e tutto l'orrore di prima sarebbe finito. Anche se Felicia fu costretta ad ammettere tra sé che, perfino in quel momento, non sembrava proprio che si potesse definire « orrore » ciò che stava succedendo alla sua amica. Per la prima volta da quando era in sala parto girò la testa verso di lei e Felicia ebbe l'impressione che i suoi occhi fossero ridenti.

« Ehi, piccolina. » Felicia cercò con tutte le sue forze di avere un tono molto più tranquillo e disinvolto di quello che in realtà sentisse.

« Che aria ridicola hai, Licia! » Poteva parlare di nuovo. Felicia si sentì talmente sollevata che le venne una gran voglia di abbracciarla, pur sapendo che non poteva farlo. Tentò invece di allungare una mano per cercare quella di Kate, ma si accorse che le sue mani erano impegnate, essendo aggrappate a due cinghie che le fornivano un punto su cui fare leva ogni volta che doveva spingere. Il dottore era ai piedi del lettino, con il camice e la mascherina, e i suoi occhi avevano un'espressione gentile dietro gli occhiali cerchiati di corno.

« Okay, Kate, una bella spinta adesso... bene... ancora... avanti così... un poco di più... su, figliola, spingi un po' più forte... ecco... okay. Riposati per un minuto adesso. » Per un attimo la faccia di Kate si era contorta per lo sforzo e quel suo viso pallidissimo si era acceso in una vampata di rossore. Era senza fiato per la fatica e lasciò ricadere subito la testa sul cuscino, lanciando una rapida occhiata all'amica.

« Oh, Licia, non posso... aiutami. » Felicia assunse una espressione spaventata, sentendosi impotente, e un'infermiera si avvicinò subito alla parte superiore del lettino, dove lei si trovava.

« Forse, se volesse sostenerle le spalle mentre spinge, le sarebbe di grande aiuto. »

« Io? » Fu l'unica parola che le venne in mente, ma Kate aveva ripreso quell'aria da bambina stanca... l'espressione di gioia, di attesa, era sparita. Sembrava esausta. Poi fu squassata da un'altra doglia e tutti sembrarono tesi e pieni di aspettativa mentre il dottore le faceva qualcosa fra le gambe.

« Licia... » Senza pensarci, Felicia circondò delicatamente le spalle di Kate con le braccia e la sorresse mentre Kate era letteralmente spossata dagli sforzi. Mai aveva faticato tanto in vita sua! « Non posso... non vuole... »

« Più forte, Kate! Su, adesso! » La voce del dottore aveva

preso un tono fermo, di urgenza, le infermiere cominciarono a darsi un gran da fare e a correre di qua e di là, così almeno sembrò a Felicia, mentre Kate ricominciava a piangere.

« Non posso... io... » Felicia si sentiva la faccia madida di sudore mentre continuava a sorreggere Kate per le spalle. Perfino quello le sembrava uno sforzo enorme; eppure sapeva che non era niente a confronto di ciò che doveva sentire e provare l'amica. Accidenti, perché non le davano qualcosa per affrettare la nascita, non usavano il forcipe o qualcos'altro... dannazione?

« Spingi più forte! » Il dottore sembrava spietato e Felicia si accorse di odiarlo mentre guardava la faccia di Kate, contorta da quella che in un primo momento credette fosse sofferenza. In realtà era più lo sforzo fatto per spingere che non il dolore, ma Felicia non poteva saperlo. Poi, tutto d'un tratto, ecco le infermiere tornare affaccendate intorno a loro.

« Andiamo, Kate. Avanti! Adesso ce la puoi fare. Un'altra spinta ancora, ma che sia bella forte. Ecco... proprio così... » Non c'era tregua, ma d'un tratto Felicia si accorse che la tensione nella stanza si era acuita. Lanciando un'occhiata al dottore gli scorse un'espressione diversa negli occhi e un'infermiera cominciò a controllare un sistema di monitor che avevano collegato, chissà come e dove, a Kate. Poi Felicia lo udì, pianissimo, all'altra estremità del lettino. Pregò in cuor suo che Kate fosse troppo presa da quello che stava facendo per sentire. « Registrazione dei battiti del cuore del feto. »

« Sta rallentando? »

« Irregolare. »

Il dottore annuì per tutta risposta e Kate fu travolta da un'altra ondata di dolore.

« Okay, Kate, ci siamo. Voglio un'altra bella spinta forte da te. Ecco! » Ma questa volta Kate ebbe soltanto un lieve movimento a quel comando e lottò contro le braccia di Felicia che la sorreggevano da dietro. Lasciò cadere indietro la testa e dalle labbra le uscì un lungo singhiozzo.

« Oh, Licia... Tom... Tom! Oh Tom!... per piacere! »

« Kate. Per piacere, piccola. Per piacere, fallo per noi. Per

Tom. Prova soltanto un'altra volta ancora. » Le lacrime avevano cominciato a scendere sulle guance di Felicia, a quel punto, e imbevevano la mascherina. Ne rimase accecata, mentre stringeva fra le braccia tremanti quelle fragili spalle, e pregò che la dura prova finisse. Doveva finire. Kate non avrebbe potuto resistere a lungo. Felicia lo sapeva. Ma chissà, per Tom... « Per piacere, bambina, lo so che puoi farcela. Spingi più forte che puoi! » Poi ci fu un gran frastuono, un tintinnio di strumenti, una specie di grugnito del dottore, un gridolino sfuggito a un'infermiera, un improvviso silenzio da parte di Kate e un lungo, fragile, stridulo lamento.

« È un maschio! » Il dottore sculacciò con fermezza un sederino e Kate si lasciò ricadere indietro con le lacrime che le uscivano a fiotti dagli occhi. Li alzò per sorridere all'amica.

« Ce l'abbiamo fatta. »

« Tu ce l'hai fatta, bravissima! » Anche dagli occhi di Felicia sgorgavano lacrime. « Oh... e come è bello! » Era piccolo, rotondo e, mentre continuava a piangere, il suo faccino aveva preso un colore rosso acceso. Poi improvvisamente si cacciò un minuscolo pollice in bocca e tutti quei pianti cessarono mentre Kate scoppiava a ridere, guardando suo figlio. Felicia non aveva mai visto niente di più bello al mondo dell'espressione di Kate. Le pareva di non riuscire più a smettere di piangere mentre Kate, silenziosa e fiera, si accontentava di sorridere. Poi, senza un'altra parola, lo avvolsero delicatamente in una coperta e lo consegnarono alla madre. Il cordone ombelicale era stato tagliato. Era libero ed era suo.

Kate rimase distesa con il bambino fra le braccia, le lacrime che continuavano a scenderle; guardò di nuovo Felicia che aveva capito. Se ne era accorta anche lei. Per quanto fosse così piccolo, assomigliava soltanto a Tom.

« Come si chiama? » L'infermiera che aveva assistito Kate più a lungo delle altre accorse a dare un'occhiata a quel faccino rosso appoggiato nell'incavo del braccio di sua madre. Era un bambinone, pesava poco meno di quattro chili.

« Il suo nome è Tygue. » Poi, mentre l'attività frenetica di prima si andava calmando e il dottore la osservava con un sorriso, Kate scoppiò in una risata lunga e felice. Sembrava tornata una ragazzina mentre, alzando la testa, si guardava intorno per la stanza. « Ehi, gente, sono mamma! » Risero tutti con lei e anche Felicia non poté trattenere un sorriso malgrado i suoi occhi fossero sempre lucidi di pianto.

5

« SEI sicura che andrà tutto bene? »

Kate sorrise all'amica dall'altro capo della stanza. « No, mi lascerò prendere dal panico e chiamerò la Croce Rossa prima di mezzogiorno. »

« Saccentona. » Felicia scoppiò a ridere e finì di bere il caffè. Era una pacifica mattina di domenica e Tygue aveva quasi nove giorni. Felicia era rientrata a San Francisco ed era poi tornata in campagna per il weekend. Si mise a guardare Kate che allattava il bambino. « Fa male? »

Kate fece segno di no con un tenue sorriso e poi abbassò di nuovo gli occhi su suo figlio, bianco, roseo, con il faccino lucido, dopo la prima settimana di vita. « No, non fa male. Può sembrare assurdo, ma ho quasi l'impressione di essere stata fatta proprio per questo. E pensare che non ero per niente convinta che mi sarebbe piaciuto. »

« La stessa cosa vale per me! Ma lo sai che stai cominciando a farmi mettere di nuovo in discussione un sacco di cose? Ho sempre pensato che avere un bambino fosse la cosa più spaventosa del mondo. Fino al momento in cui non è arrivato il nostro Puccettino. » Felicia guardò di nuovo, sorridendo, il piccolo; non era ancora riuscita a superare lo stupore e la meraviglia di un'esperienza così bella. « So che mi mancherete tutti e due in un modo tremendo. »

« Ti farà bene. È talmente tanto tempo che manco dall'Europa che ho perfino dimenticato com'è fatta. » Felicia ci sarebbe rimasta un mese, per motivi di lavoro.

« Perché non vieni con me, la prossima volta? »

« Con Tygue? » Kate parve stupita e Felicia sorrise.

« In un modo o nell'altro. Dovrebbe essere divertente. »

« Può darsi. » Ma girò la testa dall'altra parte e la sua faccia assunse un'espressione chiusa, assorta.

« Kate, non penserai sul serio di restare quaggiù, vero? » Era una faccenda che cominciava a preoccuparla.

« Certo che lo sto pensando sul serio! Ho appena firmato il nuovo contratto della casa. »

« Per quanti anni? »

« Cinque. » Felicia restò sconvolta. « Non potresti rescinderlo? »

« Non saprei, tesoro, ma non ho alcuna intenzione di farlo. Licia, so che non lo capisci, ma questa, adesso, è la mia casa. Non credo che avrò mai voglia di tornare indietro, indipendentemente da qualsiasi cosa. Ma con Tygue sono pronta a cominciare una nuova vita. Dovevo pur decidermi ad andare in qualche posto, no? E questo è il posto dove desidero stare. È un buon posto per un bambino. Avrà una vita semplice, sana. Io, poi, posso andare a trovare Tom e, in una cittadina piccola come questa, Tygue non avrà mai occasione di sapere quello che è successo a suo padre. Harper è un nome molto comune. Nessuno farà domande. Se tornassimo a San Francisco, un giorno... tutta quella storia tornerebbe fuori di nuovo. » Sospirò profondamente e guardò Felicia dritto in faccia. « Impazzirei, se dovessi tornare. » Il solo pensiero di quei giornalisti le faceva ancora accapponare la pelle.

« Benissimo. E allora, perché non Los Angeles? Un posto qualsiasi, ma civilizzato, per amor di Dio! » Kate scoppiò a ridere di fronte a quel tono enfatico da parte di Felicia; d'altra parte sapeva che l'amica era animata dalle migliori intenzioni. E poi, da quando era nato Tygue, il legame che le univa si era fatto ancora più forte. Avevano diviso uno dei momenti più rari e preziosi della vita.

« E perché Los Angeles, Licia? Non ho niente laggiù. È soltanto un'altra città. Stai a sentire, cara: non ho una famiglia, non ho un posto dove andare, non ho niente da fare. Ho un bambino che qui crescerà bene, pieno di salute, e questo è un buon posto per me, per scrivere. Qui sono felice. »

« Però, di tanto in tanto, tornerai in città, vero? » Ci fu una lunga pausa e Felicia cominciò, finalmente, a vedere tutto con chiarezza. « Vero? » La sua voce era sommessa, triste. Era triste per Kate, che se ne era andata per sempre. Quello non era posto per lei ma, quando se ne fosse accorta, sarebbe stato ormai troppo tardi. Forse se ne sarebbe resa conto soltanto quando il bambino fosse cresciuto e se ne fosse andato per conto proprio. « Verrai in città qualche volta, eh? » Stava insistendo, ma la faccia di Kate era ferma, decisa, quando alzò gli occhi dal visetto di Tygue addormentato contro il suo petto. Si abbottonò la camicetta.

« Vedremo, Licia. Non so. »

« Ma non l'hai messo fra i tuoi progetti, non è vero? » Accidenti. Come poteva commettere un'azione del genere contro se stessa?

« E va bene. È vero, non ho nessun progetto di venirci. E adesso che lo sai, ti senti meglio? »

« No, stupidona, mi fa sentire maledettamente depressa. Kate, non puoi fare una cosa del genere a te stessa! Non puoi chiuderti qui fra i campi e le erbacce! È una follia! Sei giovane, sei bella. Non fare una cosa simile! »

« Laggiù non ho più niente, Licia. Non più. Né famiglia né ricordi da conservare, niente. All'infuori di te, ma continuerò a vederti qui, ogni volta che tu potrai venire. »

« Ma... e la vita, e la gente? Il teatro, l'opera, il balletto, il lavoro di indossatrice, le feste? Gesù benedetto, Kate, ma ti rendi conto di che cosa stai buttando via? »

« Non butto via niente. Mi sono lasciata tutto dietro le spalle. E qualora cambiassi idea, sarà sempre tutto lì ad aspettarmi. »

« Ma adesso hai ventitré anni. È questo il momento in cui

trovarsi là, in città, a divertirsi, a sfruttare tutto ciò che la vita butta ai tuoi piedi. »

Kate sorrise a quelle parole e abbassò di nuovo lo sguardo sul suo bambino; poi riportò gli occhi su Felicia con l'aria ostinata. Non c'era più niente da dire: Felicia aveva perduto.

Chiuse gli occhi per un attimo e poi si alzò in piedi. « Non so che cosa dire. »

« Dimmi semplicemente che verrai a trovarci quando ne avrai il tempo e che ti divertirai il più possibile in Europa. » Kate aveva tirato fuori un sorrisetto gelido che non invitava a ulteriori discussioni.

« E tu, che cosa farai? »

« Ho intenzione di mettermi a lavorare a un libro. »

« Un libro? » Gesù, sembrava di essere tornati all'adolescenza. Kate si stava rovinando la vita, accidenti, e solo perché a suo marito aveva dato di volta il cervello ed era finito in un manicomio. Ma non era stata colpa sua! E allora, doveva proprio seppellirsi viva in quel posto, perché lui si era ridotto così? I braccialetti ai polsi di Felicia tintinnarono mentre andava a posare la tazza del caffè nell'acquaio con movimenti nervosi. Sarebbe voluta riuscire a convincere quella testarda, a farla ragionare, ma, ormai, non le restava che riprovarci al suo ritorno dall'Europa. Tuttavia qualcosa le diceva che la vittoria non sarebbe mai stata sua. Kate era cambiata enormemente in quei pochi giorni trascorsi dalla nascita del bambino. Sembrava molto più sicura di sé. E maledettamente testarda.

« Perché ti meravigli tanto che io voglia scrivere un libro? »

« Be', solo perché sembra una cosa buffa. E poi, francamente, la trovo un'occupazione terribilmente solitaria. »

« Vedremo. Comunque adesso ho Tygue che mi tiene compagnia. »

« A modo suo. » Felicia aveva l'aria smarrita. « E che cosa te ne farai di lui quando andrai a trovare Tom? »

« Non lo so ancora. Una delle infermiere dell'ospedale mi ha detto di conoscere una baby-sitter di cui potrei fidarmi, una donna non più giovane che è bravissima con i bambini. Oppure lo potrei portare con me. Il viaggio non è poi così lungo e... be', non lo so ancora. » Tom non avrebbe potuto capire. Forse era meglio lasciarlo a casa.

« Questa donna di cui parli mi sembra una buona idea. »

« Sì, mammina. »

« Ma vai a... signora Harper, sai che ti dico? Finirai per farmi venire più capelli bianchi tu di quanto non riesca il mio ufficio! »

« Su di te staranno benissimo. »

« E non hai neanche rimorso! » Però Felicia aveva ricominciato a sorridere. « Be', vedi di ricordarti di me in uno dei tuoi libri. » Kate rise a quell'idea e andò a mettere il bambino nella raffinatissima culla di vimini, bianca e azzurra, che Felicia le aveva portato. Nel giro di un mesetto avrebbe cominciato a usare quella comprata da Tom, un vero pezzo di antiquariato, ma per ora era ancora un po' troppo grande. Ci sarebbe sparito dentro! Felicia si avvicinò alla culla e restò a osservarlo a lungo. « Va tutto bene, Kate? » Nei suoi occhi c'era un'infinita tenerezza.

« È ancora meglio di quello che sognavo. È proprio perfetto. Fino alla poppata delle quattro del mattino. » Scoppiò a ridere guardando Felicia. « Allora, comincio ad avere dei dubbi! »

« Non farlo! Goditi anche quella! » Ma Felicia non riuscì più a scuotersi di dosso quella sensazione di tristezza. Le pareva di dover dire addio a Kate per sempre. Tuttavia Kate le aveva già letto nel pensiero.

« Non prendertela, cara. »

« Continuo a essere del parere che sei una stupida a rimanere qui. Comunque verrò giù il primo weekend dopo il mio ritorno. E ogni volta che potrò, anche dopo. » Ma sapevano tutt'e due che quelle visite non si sarebbero più ripetute con la stessa frequenza. Ciascuna aveva la propria vita. Non sarebbe più stato così. Felicia aveva gli occhi pieni di lacrime quando andò a prendere la borsa e Kate le parve più triste e seria quando le aprì la porta. Si incamminarono lentamente verso la piccola macchina rossa di Felicia e lì Kate, in silenzio, strinse l'amica in un forte abbraccio.

« Mi spiace, Licia. » Aveva anche lei gli occhi pieni di lacrime. « Ma, insomma, non me la sento di tornare indietro. »

« Lo so. Non pensarci. » Rise fra le lacrime e strinse di nuovo Kate forte forte. « E bada bene di avere tutte le cure possibili per il mio figlioccio, bambina. »

« E tu, abbi cura di te stessa! »

Poi Felicia le fece un cenno di saluto, buttò la borsa in macchina e si sedette al volante con un sorriso. Si fermò ancora un momento a guardare l'amica. Le due donne si scambiarono un lungo, silenzioso sorriso, pieno di affetto e di comprensione. Le loro navi avevano alzato le vele. Continuarono a farsi grandi cenni di saluto fin quando Felicia scomparve in lontananza.

Kate diede un'occhiata all'orologio e rientrò in casa. Aveva due ore e mezzo prima che Tygue si svegliasse per la poppata successiva. Era un tempo sufficiente per mettersi a lavorare al suo libro. Ne aveva già scritte trenta pagine, ma non aveva trovato il coraggio di confessarlo a Felicia. Quel libro era il suo segreto. E un giorno, sorrise tra sé a quel pensiero, un giorno... ma già lo sapeva.

Parte seconda

6

« KATE? Kate! » Kate, seduta alla scrivania, scalza, con una vecchia camicia da uomo e un paio di jeans consunti, trasalì nel sentirsi chiamare.

« Ehi, bella signora, sei diventata anche sorda? »

« Licia! » Era apparsa sulla soglia, con l'aria elegante e curata di sempre, nel tailleur di camoscio color rosso vino. « Non mi avevi detto che saresti arrivata! »

« Volevo dare un'occhiata al negozio di Santa Barbara e così ho pensato di farti una sorpresa. Ehi, come ti sei conciata! La situazione è così tragica? » Kate arrossì imbarazzata e si tirò su in fretta la cerniera dei pantaloni.

« Scusami, stavo lavorando. Non aspettavo ospiti. »

« Come viene? » Felicia la abbracciò e lanciò un'occhiata verso la macchina per scrivere.

« Bene, credo. Ma è difficile dirlo. » Alzò le spalle e seguì Felicia nel soggiorno. Non l'aveva più vista da Natale, due mesi prima, quando Felicia era andata a passare una settimana con loro e aveva coccolato e viziato Tygue in un modo vergognoso.

« Non essere troppo severa con te stessa. Se ne hai venduto uno, puoi venderne anche un altro. »

« Prova un po' a dirlo al mio editore, Licia. »

« Quando vuoi! Ne sarò felice. Hai voglia di un Martini? »

Kate sorrise, ma fece segno di no con la testa. Felicia non cambiava mai. Il suo modo di vestire seguiva la moda del momento; gli uomini andavano e venivano nella sua vita; ogni tanto, piuttosto spesso, cambiava casa e affittava un appartamento sempre un po' più caro, ma, fondamentalmente, non era assolutamente cambiata con il passare degli anni. Era rassicurante. Il Martini, la voce roca, la gran classe, la lealtà, il senso di sicurezza, le belle gambe, niente di tutto questo cambiava, neanche di poco.

« Non so, Licia. Parlo sul serio. Il primo libro non mi convinceva in pieno, anche se è stato pubblicato. L'ultimo non volevano neppure prenderlo. Sto cominciando a innervosirmi. »

« Per carità, non farlo. Tre è un numero che porta buono. E poi non è vero che il tuo primo libro fosse poco convincente. Se non sbaglio ha avuto un buon successo di vendita. »

« Balle. » Kate aveva preso un'aria cupa.

« Non essere così insicura. Quante donne della tua età hanno già scritto due libri? »

« Centinaia, probabilmente. » Però a Kate faceva piacere essere rassicurata a quel modo; non aveva nessun altro che le desse quell'incoraggiamento, anzi, in realtà non aveva nessun altro con cui parlare. Stava sempre attenta a evitare qualsiasi rapporto che andasse oltre lo stadio del « Ciao, come stai? » con chiunque, lì in città. Aveva Tygue, e Felicia, e il suo lavoro, e le visite a Tom. Non c'era posto per nient'altro. « Sto semplicemente cominciando a chiedermi se ho quello che ci vuole per scrivere un romanzo di successo. »

« Magari non ti interessa. » Felicia la guardò girando appena la testa sulla spalla mentre si versava con mano esperta un Martini nel bicchiere dallo shaker che teneva nella credenza di Kate. Ogni volta che Felicia arrivava, a tutte e due sembrava che fosse stata lì appena il giorno prima. Era questo che Kate amava di più nel loro rapporto. « Magari non ti piace la febbre del successo. Non ti costringerebbe forse a una serie di scelte che non ti interessano? » Era una domanda che Felicia si era posta più di una volta.

« Quali scelte? Se Tygue andrà, o no, all'università? »

« Quello è un vantaggio, tesoro, non una scelta. Sto parlando di ciò che succederebbe a te se il tuo libro facesse colpo. Potresti continuare ad abitare qui? Non finiresti per esporti alla pubblicità? Accetteresti di 'fare un salto in città' per le interviste? Queste sono le scelte, cara mia. »

« Le affronterò quando ci sarò costretta. »

« Può darsi che succeda molto presto. » Felicia le fece un brindisi con il suo bicchiere di Martini e Kate scoppiò a ridere.

« Tu non rinunci mai! »

« No, naturalmente. » Ormai erano passati tre anni e mezzo ma Felicia voleva ancora che Kate tornasse. Ammetteva che Tygue era un bambino felice e robusto, una stupenda creatura, con due belle guance rosse e gli occhi grandissimi, azzurri come fiordalisi, come quelli di suo padre. Non si accorgeva ancora delle privazioni culturali che la vita che sua madre aveva scelto imponeva, ma col tempo ne avrebbe sofferto. Quello era stato l'ultimo argomento che Felicia aveva tirato in ballo, ma non aveva funzionato, né più né meno degli altri. « Sei la donna più testarda che io abbia mai conosciuto. »

« Grazie. » Kate non sembrava affatto dispiaciuta di questo.

« A proposito, dov'è il mio figlioccio? Gli ho portato un regalo. »

« Se non ci fossi tu, Licia, quel bambino non avrebbe niente con cui giocare. Invece grazie a te... » e Kate sorrise all'amica « ... ha più giochi di qualsiasi altro bambino del posto. Il treno è arrivato qui la settimana scorsa. »

« Oh, davvero? » Felicia cercò di prendere un'aria ingenua. Magari era ancora un po' troppo piccolo, ma non aveva saputo resistere; aveva pensato che dovesse assolutamente averne uno. « Dopo tutto, vivendo in questo deserto, quella povera creatura ha bisogno di qualcosa con cui divertirsi. E allora, dove sarebbe adesso? »

« Alla scuola materna. »

« Di già? È troppo piccolo. »

« Ha cominciato subito dopo Natale e gli piace moltissimo. »

« Prenderà i germi e i bacilli di tutti gli altri bambini. » Ma Kate si limitò a ridere guardando Felicia che finiva di scolarsi il Martini. Era un assolato pomeriggio di venerdì, verso la fine di febbraio, e dove viveva Kate sembrava già di essere in primavera.

« Dovrebbe tornare a casa fra mezz'ora. Ci va dalle due alle cinque, dopo il sonnellino. Vuoi dare un'occhiata al nuovo dattiloscritto, mentre aspetti? » Felicia accettò con un cenno della testa e un sorriso di soddisfazione. « Si può sapere che cosa stai guardando? »

« Stavo cercando di ricordare se io avevo un aspetto così bello a ventisei anni. Ma adesso mi è venuto in mente. No, non l'avevo. »

« Solo perché io vivo qui e non in qualche orribile città. »

« Frottole. » Ma forse era vero. Ad ogni modo, Kate dava l'impressione di stare benissimo e di essere fiorente. Perfino le visite a Tom non sembravano deprimerla più come una volta. Laggiù, niente era cambiato; era soltanto lei che aveva finito per adattarsi.

Tom era ancora a Mead e c'era sempre il signor Erhard a occuparsi di lui con tante premure. Tom continuava a giocare agli stessi giochi, a leggere gli stessi libri, a cercare di risolvere gli stessi indovinelli... la sua vita era qualcosa di immutabile, come l'eternità. Da quando Kate aveva Tygue con cui fare confronti, il ritmo stagnante dell'esistenza di Tom appariva sempre più evidente. Tuttavia lui continuava a essere gentile e affettuoso. Kate andava sempre a trovarlo due volte la settimana. Tygue era convinto che la mamma andasse fuori di casa a lavorare, come se si trattasse semplicemente di un impegno che lei si era presa.

Kate diede un'occhiata all'orologio mentre allungava il dattiloscritto a Felicia. Aveva ancora un po' di tempo prima che Tygue tornasse a casa ed era ansiosa di sapere che cosa Felicia pensava del nuovo libro. Felicia faceva sempre certi commenti singolarmente acuti sul suo lavoro. Circa una ventina di minuti dopo Felicia alzò la testa dai fogli con un'espressione sorpresa.

« Come hai fatto a cavartela così bene con questa scena tutta sesso? »

« Cosa vuoi dire? »

« Devo cominciare a pensare che qui tu te la spassi molto meglio di quello che credevo? » Felicia la guardò con un sorrisetto malizioso e Kate ne rimase impermalita.

« Non dire cose ridicole. L'ho semplicemente scritta, niente altro. È una storia, non la realtà. »

« Straordinario. » Felicia non nascose di esserne rimasta colpita; tuttavia c'era sempre quel lampo sbarazzino nei suoi occhi.

« Perché? È così brutta? » Sembrava preoccupata.

« No. È straordinariamente buona. Sono semplicemente stupita che tu riesca a ricordare, tornando indietro con il pensiero a cose tanto lontane. Vedi, con la vita così normale, sana, meravigliosa che conduci qui, con tutti gli uomini che vedi... »

« Felicia Norman, vai a... » Ma scoppiò a ridere mentre Felicia abbassava di nuovo gli occhi sul dattiloscritto. Per un attimo era riuscita a prenderla in contropiede. Felicia non faceva che punzecchiarla sulla sua vita sessuale, o meglio sulla sua mancanza di questa. Felicia non aveva forse mai avuto in tutta la sua vita un'autentica passione, o un amore folle, però si era sempre trovata qualcuno sottomano che le permettesse di vivere una normale vita sessuale. Kate non faceva più l'amore con un uomo da quattro anni. Non si consentiva neppure più di pensarci. Tutto ciò non faceva più parte della sua vita. Aveva riversato tutte le sue energie su Tygue e sui libri. Chissà, forse serviva a rendere migliori i suoi libri. Talvolta se lo chiedeva. I libri erano i suoi amanti. E Tom e Tygue i suoi bambini. Un'ora dopo Felicia posò il manoscritto con un'espressione molto grave sul viso. Kate si sentì tremare, guardandola.

« Lo trovi orribile. »

Per un attimo Felicia si limitò a scuotere la testa. « No, mi piace enormemente. Però, piccola, stai marciando dritta

dritta proprio verso quella cosa che ti rifiuti di prendere in considerazione. »

« Di che si tratta? » Evidentemente c'era qualcosa che non funzionava nella trama. Accidenti, eppure era stata così attenta!

« Si tratta esattamente di quello su cui ti avevo messa in guardia... il successo. » La faccia di Felicia rimase molto seria e Kate sorrise.

« Dici davvero? »

« Come, no! Ma... hai intenzione anche tu di fare sul serio? »

« Oh, piantala di tormentarti a questo modo! Quando ci arriverò, penserò al da farsi. »

« Lo spero proprio. »

Poi la conversazione venne bruscamente interrotta perché era arrivato l'autobus della scuola con Tygue. Il bambino entrò in casa correndo: aveva un paio di jeans azzurri, una camicia di flanellina rossa, piccoli stivali di pelle, da cowboy, e una giacca a vento giallo vivo. « Zia Licia! Zia Licia! » Le saltò sulle ginocchia senza accorgersi che metteva quegli stivaloni da cowboy sulla gonna del completo di camoscio e Kate si sentì fremere al pensiero di quello che sarebbe successo; invece sembrò che Felicia non ci badasse affatto.

« Adesso vedrai che cosa ti ho portato! »

« Un *alto teno*? » Il suo faccino si illuminò subito e le due donne risero.

« Niente affatto. Vai un po' a vedere. C'è uno scatolone in macchina. Riuscirai a prenderlo da solo? »

« *Celto*, zia Licia », e uscì sempre al galoppo; Kate lo seguì con gli occhi. Come cresceva in fretta... ma poi colse una curiosa espressione sulla faccia dell'amica.

« Okay, senti un po' tu... sarà meglio che me lo dica subito... che cosa gli hai portato? Un cobra vivo? Topolini bianchi? Dimmi la verità. »

« Niente di simile, Kate. Sul serio. » Ma già si potevano sentire dei gridolini di gioia e degli strani squittii provenienti da fuori. Felicia era nervosa fin dal momento in cui era arrivata. Aveva perfino fatto un salto fuori, quatta quatta, con una tazzina piena d'acqua. Ma era addormentato. Però ormai non dormiva più, teneramente stretto fra le braccia del signorino Tygue.

« È *veo*! »

« Naturale che è *veo*! » Felicia scoppiò a ridere di fronte all'aria estatica del bambino e Kate, per un attimo, alzò gli occhi al cielo con aria disperata, ma subito dopo si mise a sorridere anche lei. « È tuo, zia Licia? » Era un cucciolo di basset hound, con gli occhi più tristi e avviliti che Kate avesse mai visto; bastava guardarlo e le veniva una gran voglia di ridere. Tygue lo mise a terra, ma sembrava che il cagnolino non riuscisse a stare in piedi... pareva che le gambe, scivolando sul pavimento, non lo reggessero. Agitò le orecchie, guardò tristemente il bambino e mosse piano piano la coda.

« Ti piace, Tygue? »

Tygue fece segno di sì con entusiasmo e poi si accucciò vicino al cagnolino bianco e nero. « Come sei fortunata. Mi piacerebbe averne uno anche per noi. Mammina, ne voglio uno. »

« Ce l'hai, Tygue. » Zia Licia adesso si era messa in ginocchio vicino al suo figlioccio prendendo fra le braccia bambino e cagnolino insieme.

« Ne ho uno anch'io? » Tygue sembrava confuso.

« Questo è tuo. Proprio tuo. » Gli diede un bacio, piano piano, sulla testolina bionda.

« *Pemme?* »

« Per te. »

« Oh! Oh! » Non riuscì a dire altro per parecchi minuti; poi si buttò sul cagnolino, estasiato, al settimo cielo dalla gioia. « Come si chiama? »

« Sta a te dirlo. »

« Devo *chiedello* a Willie. » Willie, l'adorato orsacchiotto, era diventato il suo migliore amico. Anche Tom aveva ancora il suo, ed era difficile stabilire quale fosse più amato e più malconcio tra quello di Tygue e quello di suo padre. Un minuto dopo Tygue uscì di corsa dalla stanza e Kate si chinò ad accarezzare il bassottino.

« Sei arrabbiata, Kate? » Ma Felicia non sembrava affatto rosa dal rimorso.

« Come potrei esserlo, sciocchina? Ti prego soltanto di non portare un'automobile al bambino, la prossima volta! Aspetta almeno che abbia compiuto sei anni! » Però bisognava ammettere che il cagnolino era adorabile; e Kate finì per metterselo sulle ginocchia, tutta felice. Tygue tornò dopo un attimo con Willie.

« Willie dice che il suo nome è *Bett.* »

« E allora vuol dire che si chiamerà Bert. »

Tygue lo afferrò di nuovo, stringendolo a sé, e Bert mosse la coda. La famiglia era al completo. Per di più, a Felicia era piaciuto l'inizio del suo nuovo libro. Kate ebbe l'impressione che il futuro si profilasse roseo. Ma Licia era ridicola con tutte quelle sue storie a proposito del successo. Accidenti, le sarebbe bastato che l'editore accettasse il nuovo romanzo! Non occorreva che fosse un best-seller. Erano cose, quelle, che non capitavano spesso, e poi sapeva che non erano fatte per lei. Se lo sentiva. La sua vita era quella.

7

« VAI a fare scuola oggi, mamma? » Kate fece segno di sì e diede a Tygue un'altra fettina di pane tostato. « Lo pensavo. Lo capisco sempre. » Sembrava molto soddisfatto di se stesso e Kate guardò suo figlio, sentendosi il cuore pieno di gioia. Aveva una figurina slanciata, ma robusta, ed era intelligente, brillante e anche molto carino, pur senza avere nulla di femmineo. Ormai assomigliava un po' meno a Tom. E aveva quasi sei anni.

« Come fai a capire sempre quando vado a insegnare? » Da molto tempo si erano creati questa abitudine di chiacchierare mentre facevano la prima colazione; in quella stupenda giornata di primavera, poi, Kate si sentiva di ottimo umore e aveva voglia di scherzare. Tygue era la persona con la quale chiacchierava di più. Di tanto in tanto si sentiva obbligata a rispondergli mettendosi al suo livello infantile, ma per la maggior parte del tempo avevano trovato un buon equilibrio, una via di mezzo, accettabile per tutti e due.

« Lo capisco perché metti i tuoi vestiti più migliori. »

« Ah, è così? » Gli stava sorridendo; negli occhi di Tygue c'era un lampo malizioso, non molto diverso da quello che illuminava i suoi. « A proposito, si dice solo 'migliori', non 'più migliori'. »

« Va bene. E poi ti metti quella strana roba sulla faccia. »

« Quale strana roba? » Stava ridendo con la bocca piena di pane tostato.

« Lo sai anche tu... quella roba verde. »

« Non è verde, è azzurra. Si chiama ombretto. Lo porta anche la zia Licia. » Come se bastasse a chiudergli la bocca e a non suscitare altre critiche!

« Già, però lei se lo mette sempre; e poi il suo è marrone. » Le rivolse un ampio sorriso. « Tu invece lo metti soltanto quando vai a fare scuola. Perché? »

« Perché tu non sei grande abbastanza per apprezzarlo, saccentino. » Neppure Tom lo apprezzava. Non più. Si metteva l'ombretto, indossava i suoi vestiti « più migliori », come li chiamava Tygue, perché sentiva di doverlo fare, quando andava in visita, laggiù a Mead. Sembrava che fosse la cosa più conveniente. Laggiù lei era la « signora Harper ». Qui era chiamata soltanto « mamma » e, occasionalmente, « signora », al supermercato.

Già molto tempo prima aveva spiegato a Tygue che andava a insegnare a scrivere a un gruppo di bambini handicappati in una scuola di Carmel. Ciò le permetteva di parlare di Tom qualche volta, oppure di qualcuno degli altri malati che vedeva. Spesso gli aveva raccontato qualche aneddoto che riguardava Tom, i suoi disegni, il signor Erhard... quei racconti erano naturalmente ritoccati quel tanto che bastava perché potessero essere riferiti a un bambino come Tygue e, al tempo stesso, le dessero un po' di sollievo. Oppure, quando Tom aveva ottenuto una grande vittoria, facendo un disegno bellissimo, imparando un gioco, completando un *puzzle* che le era sembrato troppo al disopra delle sue capacità... allora sentiva di dover dividere quella sensazione di trionfo con Tygue, anche se non avrebbe dovuto farlo. E poi, raccontandogli che insegnava in una scuola per bambini subnormali aveva sempre un'ottima scusa per ritirarsi nella sua camera e chiudere la porta dopo una brutta giornata. Tygue lo capiva. E provava un certo dispiacere per i bambini di cui lei parlava. Non solo, ma pensava che la mamma fosse molto brava a occuparsi di loro. Qualche volta Kate si domandava se era per quel motivo che gli aveva raccontato quella storia... povera mammina... fa tutta quella strada per andare a lavorare con i bambini handicappati. Ma poi con una scrollata di spalle cercava di dimenticare quei pensieri. Era assurdo sentire il bisogno dell'affetto e delle carezze di un bambino di sei anni.

« Come mai non hanno mai una vacanza? » Stava divorando rumorosamente la sua scodella di fiocchi d'avena, ma i pensieri di Kate erano già rivolti a Tom.

« Uhm? »

« Come mai non hanno mai una vacanza? »

« Be', è così. Non ce l'hanno. Vuoi che si fermi qui Joey con te, quando torni a casa da scuola? Troverai Tillie. » Ma non c'era bisogno di dirglielo. Il bambino lo sapeva già. « Potrebbe accompagnarvi a vedere quei nuovi cavalli al ranch degli Adams, se volete. »

« No. »

« No? » Kate lo guardò sbalordita, mentre il bambino continuava metodicamente a demolire il suo mucchietto di fiocchi d'avena con un'aria vissuta e quel luccichio malizioso negli occhi. Chissà che cosa aveva in mente. « Si può sapere che cosa c'è? Hai altri progetti? »

Lui alzò gli occhi a guardarla con un rapido sorriso, arrossendo leggermente; tuttavia fece segno di no, con vigore. « No. »

« Stammi a sentire, cerca di essere buono con Tillie quest'oggi. Me lo prometti? » Tillie aveva il numero di telefono di Mead, ma il viaggio era talmente lungo che Kate per buona parte del tempo si trovava in macchina, sull'autostrada, così anche dopo tutti quegli anni, non poteva mai essere completamente tranquilla. « Mi raccomando di stare buono e di non combinare disastri mentre io sono via. Parlo sul serio, Tygue. » La sua voce si era fatta improvvisamente severa e gli occhi di Tygue si fissarono in quelli della mamma, assumendo un'espressione rassicurante.

« Okay, mamma », disse con un tono da vecchio saggio. Poi, all'improvviso, si sentì lo strombettare dell'automobile che passava a prendere i bambini quella settimana e Kate riuscì a intravedere, sul viale di casa, una grossa jeep gialla.

« Sono loro! »

« Devo andare. Ciao! » Buttò sul tavolo il cucchiaio, afferrò un ultimo pezzetto di pane tostato, acchiappò il cappello da cowboy, il suo preferito, e un libro che pareva dimenticato sul tavolo, poi le fece un gran gesto di saluto mentre Kate gli mandava un bacio... e sparì. Mentre beveva un altro sorso di caffè, Kate non poté fare a meno di chiedersi che cosa stesse macchinando suo figlio, ma di qualsiasi cosa si trattasse, Tillie sarebbe stata in grado di affrontarlo e risolverlo. Vedova ormai da molti anni, Tillie era una donna imponente, ma con l'aria amorevole della nonna, ed era in grado di far rigare dritto Tygue senza troppo assecondare i suoi capricci. Aveva cresciuto cinque figli e una figlia e aveva mandato avanti una fattoria da sola, per anni, prima di poterla affidare al figlio maggiore; faceva la baby-sitter per Tygue da quando era nato. Era una persona semplice, schietta, insieme si divertivano enormemente. Tillie era un'autentica donna di campagna, non un'« immigrata » come Kate. Questo creava una grossa differenza, che probabilmente sarebbe rimasta per sempre. Per di più, Kate scriveva, non era nata per la cucina o per l'orto. Le piaceva avere la campagna intorno a sé, le piaceva viverci, ma ne sapeva ancora molto poco.

Si guardò in giro per la cucina per un minuto prima di afferrare frettolosamente la giacca e la borsetta, chiedendosi che cosa avesse dimenticato. Provava una strana stretta al cuore quella mattina, come se fosse meglio non andare. Del resto era abituata anche a quello: non ascoltava più sensazioni del genere. Si faceva forza e partiva. Tillie era una donna di cui ci si poteva fidare ciecamente. Infilò la giacca e si guardò da capo a piedi. I pantaloni le andavano ancora bene, esattamente come otto anni prima, quando se li era comprati dopo una sfilata in cui li aveva mostrati al pubblico, in veste di indossatrice. Erano stati bellissimi, allora, ed erano ancora belli, di gabardine dal morbido color caramello; la giacca era invece di tweed, e molti anni prima la portava per andare a cavallo. L'unica cosa nuova era un maglioncino azzurro chiaro che aveva comprato in città. Sorrise di nuovo pensando a ciò che Tygue aveva detto a proposito di quello che indossava quel giorno. Le piaceva avere un'aria elegante e ben curata per Tom. Fu lì lì per chiedersi se non sarebbe stato opportuno fare uno sforzo e cercare di vestirsi un po' meglio anche per Tygue. Cosa... a sei anni? Era assurdo. Che cosa ne capiva, il bambino? O forse, invece... Il pensiero di vestirsi con eleganza e di aver cura del proprio abbigliamento per un bambinetto di sei anni la fece scoppiare a ridere mentre usciva, avviandosi verso la macchina.

Si costrinse a guidare automaticamente per tutta la strada fino a Carmel e, del resto, la giornata finì per essere una serie di azioni compiute automaticamente. La strada le sembrò noiosa e fin troppo familiare. Tom, quel giorno, si mostrò poco vivace, ma irrequieto, la giornata si fece nebbiosa. Perfino il pranzo fu uno dei soliti, ne aveva consumati altri uguali, prima. C'erano giornate con Tom che avevano lo splendore di gemme rare, piene di sfaccettature scintillanti e dai colori vivaci, gemme che sprigionavano un arcobaleno di luci mutevoli. Altri giorni erano cupi e freddi e avevano un sapore di cenere. In altri giorni ancora le pareva di non sentire assolutamente nulla. Quel giorno, andandosene, si accorse di sentire soltanto la stanchezza. Era ansiosa di raggiungere l'autostrada il più presto possibile, di tornare alla casetta fra le colline, da Tygue, dal bassottino con gli occhi tristi che era diventato uno della famiglia. Le erano mancati tutto il giorno. Forse avrebbe fatto meglio a restarsene a casa. Quando riprese il viaggio di ritorno il contachilometri toccò ben presto i centoquaranta. Lo faceva spesso, ma le capitava di rado di essere sorpresa dalla stradale. Le era successo soltanto due volte in sei anni. Il viaggio era così noioso! E soltanto il fatto di poterlo accorciare un po', viaggiando a velocità maggiore, lo rendeva tollerabile. Di tanto in tanto il pensiero di Tygue la faceva rallentare. Ma non capitava spesso. Viaggiare a novanta l'ora era intollerabile. Per la maggior parte del tempo andava a più di centotrenta.

Erano quasi le cinque quando imboccò, viaggiando sempre

troppo forte, le strade secondarie che portavano a casa. Per quale motivo si era sentita addosso quella strana inquietudine tutto il giorno? A quell'andatura, fece schizzare sassolini da tutte le parti, imboccando il viale ghiaioso di accesso alla casa, ma si guardò subito intorno per il timore che comparisse il cagnolino. Poi i suoi occhi frugarono subito ansiosamente tutta la zona attorno alla casa alla ricerca di Tygue. Infine lo vide e sorrise mentre schiacciava il pedale del freno e fermava la macchina. Era sporco, sorridente, bellissimo e lei era stata una sciocca a preoccuparsi tanto. Insomma, che cosa diavolo non andava in lei? Era un viaggio che faceva spessissimo! Per quale motivo aveva pensato che, quel giorno, qualcosa non dovesse funzionare, oppure che Tillie, per qualche ragione, si fosse trovata davanti a un problema insolubile? A dir la verità Tillie le sembrò non meno sporca di Tygue e perfino Bert dava l'impressione di avere bisogno di un buon bagno. Erano letteralmente coperti di fango da capo a piedi. Tillie ne aveva un grosso baffo su una guancia e Tygue perfino fra i capelli. Tuttavia sembravano felici e molto soddisfatti di sé.

Tygue stava agitando freneticamente le braccia e gridava qualcosa. Era venuto il momento di muoversi, di scendere dalla macchina. Di tornare a essere la mamma. Tillie si stava togliendo i pantaloni da lavoro, a *salopette*, facendoli scivolare giù dalle spalle. Quel che portava sotto era appena poco più elegante e, come sempre quando tornava da Carmel, Kate si sentì immediatamente vestita in modo troppo lussuoso. Afferrò la borsetta e scese dalla macchina. La sua giornata, nelle vesti della Kate di Tom, era finita. Era il turno di Tygue. Respirò a pieni polmoni una boccata della fresca aria di campagna e poi sospirò mentre si chinava ad accarezzare Bert, il quale era venuto ad annusarle festante il risvolto dei pantaloni.

« Salve, gente. Che cosa avete combinato? »

« Vieni subito a vedere, mamma! È una cosa meravigliosa! Sono stato io a fare tutto! Io, solo io! Tillie non ha fatto niente. »

« Davvero lei non ha fatto niente? Bene, si può sapere di che si tratta? » Lo aveva già preso fra le braccia, così coperto di fango com'era, ma lui stava divincolandosi per essere lasciato libero.

« Vieni, mamma, vieni a vedere. »

« Non posso avere un bacio prima? » Ma gliene aveva già dato uno, e se lo teneva stretto, mentre Tygue, alzando gli occhi, la guardava con quel sorriso da bambino di sei anni che intenerisce il cuore.

« Allora, vieni a vedere? »

« Allora vengo a vedere. » Lui le diede un bacio distratto e si mise a tirarla disperatamente per un braccio. « Aspetta un momento, che cosa devo venire a vedere? Non altre bisce, vero, Tillie? » Lanciò una rapida occhiata in direzione della donna che non aveva ancora detto niente. Era di poche parole, soprattutto con le altre donne; aveva più cose da dire a Tygue che non a Kate. Ma fra loro esisteva un rapporto fatto di rispetto e di un certo affetto. Tillie non riusciva a capire realmente ciò che Kate faceva seduta alla macchina per scrivere, ma quell'unico libro che era stato pubblicato e di cui aveva parlato alle sue amiche l'aveva profondamente colpita. Non era gran che come libro, una specie di strano romanzo su gente ancora più strana di San Francisco, tuttavia era stato pubblicato e questo voleva sempre dire qualcosa. Poi Kate le aveva detto che, nel giro di un mese, ne sarebbe uscito un altro. Chissà, forse un giorno sarebbe diventata famosa. Ad ogni modo, era una buona mamma. Ed era anche vedova. Quella era una cosa che avevano in comune. Tuttavia in lei c'era qualcosa di diverso che la costringeva a tenere le distanze. Non era una snob e aveva tutto ciò che avevano anche gli altri. Solo che, nei suoi confronti, si provava qualcosa di un po' difficile da spiegare. Raffinata. Ecco, forse si trattava di questo. Una parola che adoperava la madre di Tillie. Lei avrebbe detto che Kate era raffinata. Ed elegante. E forse anche carina, ma troppo magra. E poi aveva sempre qualcosa di triste, qualcosa di segreto negli occhi. Però Tillie capiva: se lo era visto nello specchio per anni dopo che il suo uomo era morto. Però non così a lungo come in quelli di Kate, dove lo si scorgeva ancora. Quell'espressione c'era, ancora fresca, ancora dolente, esattamente come quando l'aveva appena conosciuta, subito dopo la nascita di Tygue. Qualche volta Tillie si chiedeva se fosse lo scrivere i libri che alimentava il suo dolore. Magari era proprio di quello che parlava, quando li scriveva. Ma, in fondo, non lo sapeva con sicurezza.

Tillie continuò a osservare Kate mentre girava l'angolo della casa, trascinata dal suo bambino impaziente. Poi si fermarono tutt'e due e Tygue fece un largo sorriso, stringendo forte la mano della mamma. Era ancora così piccolo, eppure, di tanto in tanto, sembrava molto cresciuto, molto maturo, forse perché sua madre spesso parlava con lui come se fosse già un uomo. Del resto non gli avrebbe certo fatto male! Tillie si era comportata così con i suoi ragazzi, dopo la morte del padre. E mentre guardava il bambino che alzava gli occhi verso la mamma davanti a un pezzetto di terreno, nell'orto, dove avevano lavorato tutto il giorno, da quando lei era partita, i ricordi le si affollarono alla memoria.

« Lo abbiamo fatto per te. Metà sono fiori e metà verdura. Tillie ha detto che dovevamo piantare la verdura così tu potevi fare le insalate. Lo sai anche tu, peperoncino rosso e roba del genere. La settimana prossima ci occuperemo delle erbe. Ti piacciono le erbe aromatiche? » La guardò, colto da un dubbio improvviso. Le erbe aromatiche gli sembravano roba da bambine. « Io voglio piantare le zucche. E le noci di cocco. » Kate scoppiò a ridere e si chinò a baciarlo di nuovo.

« È bellissimo, Tygue. »

« No, non è vero. Ma lo diventerà. Pianteremo fiori di ogni genere. Abbiamo comprato tutte le sementi la settimana scorsa. E io le ho nascoste. » Ecco il perché di quell'aria misteriosa che aveva avuto al mattino. Era il suo primo giardino.

« E poi ha fatto lui tutto il lavoro più duro. » Tillie gli si avvicinò e gli diede un colpetto affettuoso sulla spalla. « Chissà come sarà orgoglioso quando vedrà spuntare i primi germogli! Non ci vorrà molto. »

« E anche i pomodori. »

Per un attimo Kate si accorse che stava sforzandosi di ricacciare indietro le lacrime; poi, all'improvviso, le venne una gran voglia di ridere. Si era preoccupata per lui tutto il giorno e invece Tygue le stava preparando un orticello. Che mondo meraviglioso era quello! Anche se lei correva come una pazza in macchina sull'autostrada.

« Sai una cosa, Tygue? Questo è il regalo più bello che io abbia mai ricevuto. »

« Dici davvero? E come mai? »

« Perché tu ci hai lavorato così sodo e poi perché è qualcosa di vivo. E perché lo vedremo crescere e ne avremo tante buone cose da mangiare e dei bei fiori. È proprio un regalo stupendo, tesoro mio. »

« Già. » Si guardò in giro, lui stesso colpito dal suo lavoro, e infine strinse gravemente la mano a Tillie. Le due donne cercarono di non mettersi a ridere. Fu un momento molto bello; poi Tillie alzò gli occhi di scatto come se avesse ricordato di colpo qualcosa.

« C'è stata una telefonata per lei. » Felicia, evidentemente. Kate annuì, contenta ma non particolarmente interessata. « Da New York. »

« New York? » Per un attimo restò con il fiato sospeso. New York? Impossibile. Probabilmente una telefonata senza importanza, magari dalla sede centrale della sua compagnia di assicurazioni. Qualcosa di simile. Una volta si agitava per niente. Ma ormai era diverso, aveva imparato. Dopo sei anni, aveva capito.

« Vogliono che lei li richiami. »

« Ormai è troppo tardi. » Lì all'Ovest erano le cinque e mezzo e nell'Est erano tre ore più avanti. Tuttavia Kate non sembrò particolarmente agitata.

Tillie annuì, con un gesto pacifico, da gente di campagna che non se la prende mai. « È vero. Lui ha detto che forse sarebbe stato troppo tardi. Però ha lasciato un numero di Los Angeles. Lei deve chiamare lì. »

Di nuovo quel tremito al cuore. Più forte, stavolta. Era ridicolo. Stava scherzando? Per quale motivo per tutta la giornata si era sentita così nervosa?

« Ho scritto tutto, dentro in casa. »

« Sarà meglio che vada a dare un'occhiata. » Poi guardò di nuovo Tygue con un sorriso tenerissimo e la sua voce si addolcì.

« Grazie per il mio meraviglioso giardino, tesoro. Mi piace moltissimo... e ti voglio tanto bene. » Si chinò un momento per stringerlo forte al cuore e poi, mano nella mano, si incamminarono verso casa mentre Bert cercava di seguirli cavandosela come meglio poteva su quelle sue zampette corte. « Vuole una tazza di caffè, Tillie? » Ma la donna fece segno di no con la testa.

« Devo scappare a casa. Stasera vengono a cena i ragazzi di Jake e ho qualcosa da fare. » Già, minimizzava sempre tutto, Tillie. Jake aveva nove figli. Così avrebbe dovuto preparare la cena per dodici persone. E anche di più se, come capitava spesso, si fossero uniti alla compagnia anche gli innamorati di qualcuna delle sue nipoti. Ma Tillie era sempre preparata!

Salì sul suo furgoncino facendo un segno di saluto con la mano; poi cacciò fuori la testa dal finestrino. « Ha intenzione di andare di nuovo a insegnare in quella scuola questa settimana, Kate? » Curioso che lo domandasse e Kate la guardò aggrottando impercettibilmente le sopracciglia. Ci andava sempre due volte, ma lei stessa, durante il ritorno a casa, si era posta la stessa domanda. Quella settimana non se la sentiva proprio di andare laggiù una seconda volta.

« Potrei farglielo sapere domani? » Tanto, non sarebbe cambiato il compenso che pagava a Tillie. Ogni mese le dava una cifra fissa per occuparsi del bambino due volte la settimana. Quella combinazione era più semplice e andava benissimo a tutte e due. Se le fosse venuto in mente di uscire una sera per recarsi a un cinema, bastava che lasciasse Tygue a casa di Tillie lungo la strada, per riprenderlo al suo ritorno. Tillie non le faceva pagare niente per quel favore: considerava Tygue come uno dei suoi nipotini. Tuttavia capitava molto raramente che Kate lo facesse. Di solito passava le sue serate seduta davanti alla macchina per scrivere. E poi, uscire di sera la faceva ancora spasimare di nostalgia per Tom. Era più semplice rimanere a casa.

« Certo, mi chiami domani, o anche dopodomani, Kate. Come vuole. In ogni caso, in un modo o nell'altro, quella giornata è tutta sua. »

« Grazie. » Kate sorrise e la salutò con la mano, mentre sospingeva con dolcezza Tygue davanti a lei, verso casa. Forse non sarebbe stato male prendersi una giornata di libertà e saltare la seconda visita a Tom di quella settimana. Chissà, avrebbe potuto seminare ancora qualcosa in giardino con Tygue. Che idea fantastica aveva avuto Tillie! Come mai a lei non capitava di inventare niente del genere?

« Che cosa si mangia, stasera? » Tygue si era buttato sul pavimento della cucina con Bert, sporcando di fango l'immacolata superficie intorno a lui. Sua madre fece una smorfia.

« Caro il mio bambino, ti farò mangiare focaccine di fango, se non ti alzi e non corri in bagno a lavarti nel giro di quattordici secondi. E porta anche Bert con te. »

« Su, mamma, sii buona... voglio vedere... »

« Sarà meglio che tu vada a vedere un po' di acqua e sapone, signorino, e parlo sul serio! » Con aria decisa, puntò un dito in direzione della stanza da bagno, ma fu in quel momento che i suoi occhi si posarono sul messaggio scarabocchiato da Tillie e le tornò in mente la telefonata da New York. Si trattava dell'ufficio newyorkese dell'agenzia letteraria di cui si serviva, lì a Los Angeles, per i suoi libri. Tutti gli editori erano a New York; di conseguenza il suo agente si limitava a spedire in quella città i suoi manoscritti e a lasciare che se ne occupasse l'ufficio dell'Est. Qui, il suo agente di Los Angeles si accontentava di incoraggiarla, di insegnarle a pazientare, pronto a mettersi in movimento soltanto nel caso in cui le arrivasse un'offerta di vendere i diritti del libro per fare un film, ma a quel solo pensiero a Kate veniva una gran voglia di ridere. Erano le classiche fantasie a cui andavano soggetti gli scrittori! Soltanto i novizi in quel campo erano convinti che, un giorno, avrebbero avuto sul serio quella possibilità! Kate, ormai, aveva accantonato illusioni del genere;

si accontentava di vendere un libro di tanto in tanto, anche se il risultato era quello di guadagnare duemila miserabili dollari ogni tre anni. In ogni modo quei soldi le servivano a rimpolpare un poco la cifra modesta che riceveva ancora dagli investimenti finanziari fatti, a suo tempo, da Tom.

Di conseguenza lei aveva scritto il libro e lo aveva mandato all'agente di Los Angeles il quale a sua volta lo aveva spedito a New York. Ma a New York ci mettevano due mesi, come minimo, perfino a risponderle per confermarle il fatto che erano al corrente della sua esistenza; dopo di che... se aveva un po' di fortuna... riuscivano a venderle il libro. Successivamente riceveva un assegno e, due volte l'anno, una discreta sommetta per i diritti d'autore, che le venivano mandati dagli editori. Niente di particolarmente eccitante. La prima volta ci avevano messo quasi un anno a vendere il suo libro; la seconda volta era stato necessario lo stesso tempo prima che la informassero che il dattiloscritto non li convinceva e che non se la sentivano di trovargli un editore. Quest'ultima volta, invece, le avevano scritto che avevano « qualche speranza ». Però ci avevano messo quasi due anni per venderlo. Tutto ciò era successo un anno prima. Da lì a un mese sarebbe finalmente comparso nelle librerie. Tempi più che ragionevoli per quelli che erano i ritmi di lavorazione delle case editrici. Kate sapeva benissimo che, a volte, un editore si teneva nel cassetto un libro per due o tre anni, prima di pubblicarlo. Questa volta, aveva ricevuto un anticipo di tremila dollari e, per il momento, doveva bastare. Riusciva perfino a non restare neppure più delusa. Di solito, del libro si tiravano cinquemila copie e, caso mai le fosse venuta voglia di andare nella libreria locale, avrebbe potuto vederlo esposto. Un anno dopo, il libro sarebbe risultato esaurito. Scomparso, in silenzio come era arrivato. Però, se non altro, lei lo aveva scritto. L'ultimo l'aveva soddisfatta. Anzi tremava un po' al pensiero che, forse, sarebbe addirittura riuscita a venderlo a un editore. Trattava un argomento che la toccava un po' troppo da vicino. Tanto che, quasi quasi, aveva avuto la speranza che l'agente non riuscisse a venderlo, nel timore che qualcuno la potesse ricordare. Ma com'era possibile? Gli editori, in genere, non facevano una grande pubblicità al libro di un autore relativamente sconosciuto. E chi era, in fondo, Kaitlin Harper? Nessuno. Poteva stare tranquilla. Si trattava di un romanzo, però buona parte di esso era dedicata al football e alle pressioni alle quali sono sottoposti i giocatori professionisti e le loro mogli. Scriverlo le aveva fatto bene. Era servito a liberarla da qualcuno degli antichi fantasmi. E poi, nel romanzo c'era molto di Tom, il Tom che lei aveva amato, non il Tom che aveva perduto il controllo dei propri nervi.

« Mamma, hai già cominciato a preparare? » Quella voce la strappò dalle sue fantasticherie. Era rimasta lì in piedi, vicino al telefono, per quasi cinque minuti, a pensare al libro e a domandarsi che cosa potesse volere il suo agente. Magari era sorto qualche ostacolo. Un ritardo. Forse, in conclusione, non sarebbe uscito un mese dopo. Chissà, erano capaci di farla aspettare un altro anno. Bene, e con questo? L'anticipo l'aveva già avuto. E stava comunque già giocherellando con lo spunto di un altro romanzo. Inoltre la sua vera vita era ormai tutta assorbita da problemi come l'organizzazione dei trasporti avanti e indietro per accompagnare Tygue a scuola e il fango sul pavimento della cucina. Che differenza faceva se era una scrittrice? Nessuna, salvo che per lei.

« No, non ho ancora cominciato a cucinare. »

« Ma io ho fame! » D'un tratto le comparve davanti, tutto sporco e piagnucolante... un bambino piccolo e stanco. Aveva lavorato sodo tutto il giorno e la stanchezza si faceva sentire. Anche lei era stanca.

« Tygue... » e la parola le salì alle labbra come un sospiro. « ... vuoi andare a fare il bagno, per favore? Poi preparerò da mangiare. Adesso devo fare una telefonata. »

« Perché? » Eccolo trasformato in una bestiolina capricciosa da un minuto all'altro. D'altra parte aveva soltanto sei anni. In certi momenti, Kate doveva imporsi di non dimenticarlo.

« È una questione d'affari. Su, sii bravo, tesoro. Vai! »

« Oh... va bene... » Se ne andò borbottando, con Bert che

gli trotterellava dietro, scivolando e mordicchiandogli i calcagni. « Però io ho fame! »

« Lo so. Anch'io! » Accidenti! Non aveva voluto rispondergli in modo così aspro! Le sei meno venti. Provò a fare il numero dell'agenzia letteraria di Los Angeles, chiedendosi se ci avrebbe ancora trovato qualcuno. In caso contrario, poteva chiamare New York la mattina dopo. Ma risposero subito al telefono. E la centralinista passò la telefonata alla persona con la quale trattava abitualmente: Stuart Weinberg. Non lo aveva mai conosciuto di persona, ma dopo essersi parlati per anni al telefono si consideravano vecchi amici.

« Stu? Sono Kate Harper. Come stai? »

« Bene. » Se lo immaginava sempre come un uomo giovane, non molto alto, magro, nervoso, probabilmente piuttosto bello, con i capelli molto scuri, vestito da uomo d'affari di Los Angeles, con capi eleganti e costosi. Quella sera, dalla voce, le sembrò che fosse di ottimo umore. « E tu, come te la passi, lì in quelle regioni inospitali e selvagge? »

« Be', non siamo poi così lontani da Los Angeles! Regioni inospitali e selvagge... che cose, da dire! » Ma stavano ridendo tutti e due. Era un giochetto abituale fra loro, quando si parlavano.

« Senti un momento », continuò Kate, « ho avuto una telefonata da Bill Parsons, da New York. Il messaggio che mi è stato lasciato mi sembra un po' confuso, però dice di telefonare a lui, oppure a te, nel caso fossi rientrata troppo tardi, e così ho fatto. Non credevo neppure di trovarti a quest'ora! »

« Lo vede, cara signora, come lavoriamo duro per lei? Arde la lampada fino a notte fonda, ci consumiamo le dita, riducendole a mozziconi... »

« Basta. Mi fai venire la nausea. »

« Spiacente. Pensavo di meritare un po' di comprensione! »

« Mamma! Ho fame! » tuonò la voce dalla stanza da bagno, accompagnata da un forte sciacquio; e Bert si mise ad abbaiare. Per amor del cielo!

« Ehi, un po' di calma, là dentro! »

« Cosa? » Weinberg parve confuso per un attimo e Kate scoppiò a ridere.

« È un'ora di fuoco da queste parti, purtroppo. Comincio a pensare che il mio bambino voglia annegare il cane. »

« Ottima idea », approvò lui e Kate, a tentoni, cercò una sigaretta. Non sapeva per quale motivo, ma si sentiva nervosissima parlando con Weinberg.

« Stu? »

« Sissignora? » C'era qualcosa di strano nella sua voce. La stessa sfumatura che aveva notato in quella di Tygue a colazione, prima che lui si mettesse a seminare quel suo giardinetto che doveva essere una sorpresa.

« Sai per quale motivo Parsons voleva che ti telefonassi? »

« Sì. »

« E allora? » Perché faceva così? La stava uccidendo lentamente.

« Sei seduta? »

« Non hanno più intenzione di pubblicare il libro? » Si sentì il cuore di pietra. E già si accorse che le salivano le lacrime agli occhi. Un altro fiasco. Aveva fatto fiasco un'altra volta. Non le avrebbero pubblicato mai più niente. Eppure questo le era sembrato così buono!

« Kate... » Una pausa interminabile mentre lei chiudeva gli occhi di scatto e cercava di imporsi di ascoltarlo. « Oggi è stata una giornata quasi incredibile, tesoro! Parsons ha concluso un affare a New York. E io ne ho concluso uno qui. Il tuo editore ha venduto i diritti perché il tuo libro venga pubblicato in edizione economica e io ho venduto quelli per farne un film. » Kate spalancò la bocca, con gli occhi ancora lucidi, ma non riuscì a pronunciare una sola parola. Poi, d'un tratto, tutto accadde contemporaneamente. Lacrime, parole, confusione, caos. Il cuore le batteva a colpi sordi e si sentiva battere forte anche le tempie.

« Kate, so che non ricorderai neanche una delle cose che adesso ti dirò, però domani ci risentiamo. Anzi, nelle prossime settimane e nei mesi che verranno ci dovremo sentire moltissimo. Ci sarà da parlare. Contratti, progetti, pubblicità. Ci saranno molte cose di cui parlare. E poi penso che dovresti venire a Los Angeles a festeggiare il tuo successo. »

« Non si potrebbe fare per telefono? » In tutta quella esaltazione, si stava insinuando a poco a poco un senso di panico. Che cosa le succedeva?

« Discuteremo in seguito ogni cosa. Comunque, i diritti d'autore per l'edizione economica che verrà fatta del tuo libro ammontano a quattrocentocinquantamila dollari. E... » una pausa che le sembrò interminabile... « Io ho venduto i diritti per il film per centoventicinquemila. Quanto all'edizione economica, dovrai dividere a metà quella somma con il tuo editore, ma resta ugualmente una bella cifra. »

« Buon Dio, Stu, con questo diventerebbero... duecentoventicinquemila? » Era attonita, incredula. Che cosa significava tutto ciò?

« Tutto sommato, stai per guadagnare trecentocinquantamila dollari. Per non parlare dei diritti d'autore e di quello che tutto questo significa per la tua carriera futura. Bambina, potrebbe essere il lancio per il vero, grande successo. Anzi, direi che lo hai già ottenuto. Parsons ha parlato oggi con l'editore che ha pubblicato il tuo libro nell'edizione rilegata: hanno intenzione di ristampare tirando venticinquemila copie. E, per una edizione non economica, è un colpo mai visto. »

« Davvero? Dici sul serio? »

« Mamma, ho bisogno di un asciugamano! »

« Taci! »

« Ehi, Kate, prenditela con calma. »

« Certo, non so che cosa dire. Non avrei mai e poi mai pensato che succedesse una cosa simile. »

« E non è che il principio. »

Oh Dio, e poi... se a qualcuno fosse tornata in mente la storia di Tom? Che cosa sarebbe successo se avessero collegato la sua persona con quello che era accaduto sei anni e mezzo prima? E se...

« Kate? »

« Scusami, Stu. Sono semplicemente qui, seduta, a cercare di assorbire tutto quello che mi hai detto! »

« Non ci riuscirai. Resta lì seduta e calmati; domani ci parliamo di nuovo. Okay? »

« Okay. E, Stu... non so che cosa dire. Sono... sono sbalordita... mi hai lasciata senza fiato... è... sei... »

« Congratulazioni, Kate. »

Lei proruppe in un lungo sospiro e sorrise al telefono. « Grazie. » Le ci volle un altro minuto per rialzarsi, dopo aver riattaccato. E per cominciare a raccogliere le idee. Trecentocinquantamila dollari? Gesù benedetto. E poi, non c'era anche dell'altro? E che cosa aveva voluto dire affermando che quello era solo il principio? Che cosa...

« Mamma! » Oh Dio.

« Arrivo. »

Ed ecco, lì nella stanza da bagno, la sua vera vita, la vita reale. Tygue Harper seduto nella vasca con il cane e un cappello da cowboy in testa, mentre sul pavimento c'erano venti centimetri d'acqua che man mano invadeva anche il corridoio.

« Si può sapere che cosa diavolo stai facendo? » Non riusciva quasi a stare in piedi in mezzo a tutta quell'acqua e sapone che la faceva scivolare sulle piastrelle della stanza da bagno. « Per amor di Dio, Tygue! » Aveva gli occhi scintillanti di collera e il bambino assunse d'un tratto l'aria offesa.

« Ma io ti ho fatto un giardino! »

« E io ho venduto i diritti per un film! Io... oh, Tygue... » Si mise a sedere in mezzo a quella fiumana d'acqua, sul pavimento del bagno, rivolgendo al suo bambino un sorriso radioso, mentre le lacrime continuavano a scenderle a fiotti giù per le guance. « Ho venduto i diritti per un film! »

« Davvero? » Tygue la guardò serio serio per un momento, mentre lei gli faceva segno di sì con la testa, ridendo e piangendo. « Perché? »

8

« COME sarebbe, che ti sembra logico? » Ormai erano passati tre giorni da quando aveva avuto la notizia ed era al telefono con Felicia per la settima volta, come minimo.

« Kate, per amor di Dio, stai parlando di far fortuna e guadagnare un sacco di soldi. Quel disgraziato non può semplicemente spedirti i contratti per posta, vuole spiegarteli! » Felicia stava cercando di calmarla e di darle un po' di conforto, ma si accorse di fare fiasco ancora una volta. Era troppo eccitata e non riusciva a togliere dalla propria voce un'intonazione estasiata, piena di felicità e forse un po' insistente.

« Ma perché proprio qui? Per tutti questi anni le nostre trattative sono andate alla perfezione e si sono sempre risolte nel migliore dei modi pur restando a distanza. E... oh, cavoli, Licia. Non avrei mai dovuto scrivere quel maledetto libro. » Sembrava angosciata.

« Sei matta? »

« E se qualcuno scoprisse qualcosa? E se si ripetessero tutte quelle chiassate che mi hanno quasi fatto impazzire sei anni fa? Ma lo sai, tu, che cosa vuol dire sentirsi dare continuamente la caccia dai giornalisti? Si erano accampati fuori di casa mia, riuscivano a infilarsi in macchina con me, mi facevano praticamente fare le scale a rotoloni. Perché diavolo credi che sia venuta a stare qui? »

« So tutto, Kate. Però è successo molto tempo fa. Adesso sono faccende che non fanno più notizia. »

« Come fai a saperlo? Come fa chiunque a saperlo? Magari quei fissati sono capaci di andare a ripescare tutta quella storia. E se scoprissero dove si trova Tom? Credi che sarebbe bello per Tygue? Ma pensaci un momento, Licia! » Era impallidita a quel pensiero, ma nel suo ufficio di San Francisco Felicia stava scuotendo la testa senza mostrare un briciolo di comprensione.

« Avresti dovuto pensarci quando hai scritto il libro. La verità è che si tratta di un libro maledettamente buono e, per di più, di un romanzo, Kate. Nessuno potrà sapere che è la verità. E poi, per Dio, vuoi calmarti sì o no? Ti stai agitando proprio per niente. »

« Non voglio vedere Weinberg. »

« Ti comporti in un modo impossibile, dannazione! » Ma Kate aveva già riattaccato. Stava già componendo freneticamente all'apparecchio il numero dell'agenzia letteraria di Los Angeles. Forse non era ancora uscito. Aveva detto che sarebbe arrivato verso le tre e non era ancora mezzogiorno. Ma la sua segretaria le riferì che era già partito da più di un'ora.

« Dannazione. »

« Come dice? »

« Niente. »

Ritelefonò a Felicia a San Francisco, ma stavolta l'amica le rispose in tono brusco. « Cerca di controllarti, Kate. Sarà meglio. Non lasciarti prendere la mano dagli avvenimenti in questo modo. Quando ho letto il libro, ti avevo detto che poteva succedere tutto questo. »

« Ma credevo che tu lo dicessi così, tanto per dire. E poi, a chi vuoi che capiti mai di farsi conoscere e diventar famoso per un libro, accidenti? A chi è mai capitato di vendere i diritti per l'edizione economica e anche per un film? Santo cielo, conosco certi scrittori... i loro libri sono cacciati negli scaffali più nascosti dei negozietti più modesti e si vendono soltanto lì, e per pochi soldi, sempre. »

« Be', e tu ti disperi perché non è capitato a te? » Felicia era esasperata e Kate sospirò di nuovo.

« No, non sto disperandomi perché non è toccata a me quella sorte! La verità è che non so che cosa fare, Licia. Sono sei anni che non vedo praticamente nessuno e adesso questo tizio arriva qui da Los Angeles per discutere con me una questione che riguarda centinaia di migliaia di dollari. Sono talmente spaventata che ci vedo doppio, addirittura! »

« Coraggio, bambina, sei capacissima di affrontare una discussione del genere. » La sua voce si addolcì mentre pensava a Kate. « Sei una professionista. Sei una scrittrice in gamba, una bella ragazza, hai ventinove anni e ti trovi sulla soglia del successo. Accidenti, potresti ricevere quel tizio vestita di tela di sacco e con una maschera di bellezza sulla faccia e andrebbe bene ugualmente! »

« Be', più o meno sarà proprio quello che mi metterò addosso. Non ho altro. »

« Colpa tua! Sono anni che non mi permetti di mandarti più niente! »

« Vuol dire che mi vestirò come mi vesto sempre. Comunque il problema non è quello del vestito. Piuttosto che cosa dire... che cosa fare... Vuole parlare della questione della pubblicità. Per carità, Licia, non mi sento di affrontarla! » Aveva le lacrime agli occhi e fumava, in preda al nervosismo, una sigaretta dopo l'altra.

« Si può sapere che cosa ha detto con precisione sulla pubblicità? » Felicia sembrava perplessa.

« Niente di preciso. Ha soltanto accennato alla possibilità di farla. Ma non mi ha spiegato come. »

« E aveva perfettamente ragione, poveretto! » Nelle orecchie di Kate risuonò di nuovo quella risata profonda, un po' roca. « Non ti è passato per il cervello che quel pover'uomo non sa come sei fatta? Potresti avere due o tre teste, oppure andare in chiesa alla domenica con i bigodini e un paio di scarpe di camoscio rosa. »

« Questo significa che ho più o meno due ore e mezzo per agghindarmi con i bigodini e le scarpe di camoscio rosa. Aspetta, ho un'idea. » Adesso anche Kate si era messa a ridere. « Dirò a Tillie di prendere il mio posto. » Felicia sghignazzò.

« Niente affatto. Tocca a te: sei in ballo e devi ballare. Devi assolutamente conoscere quel tizio. Dopo tutto è il tuo agente. Non ha nessuna intenzione di buttarti in pasto alle belve e non può neppure costringerti a fare qualcosa. »

« Che cosa gli devo dire? » Erano sei anni e mezzo che non si trovava più a quattr'occhi con un uomo.

« Non ha nessuna intenzione di violentarti, Kate. A meno che tu non abbia un vero e proprio colpo di fortuna. »

« Spiritosa! Accidenti, come ho fatto a cacciarmi in questo pasticcio? »

« La tua lingua lunga, il tuo cervellino intelligente, la tua macchina per scrivere. Perbacco, che trio insuperabile! » Kate sospirò di nuovo per tutta risposta e Felicia, sorridendo, scrollò il capo. Il terremoto era soltanto agli inizi. Ma i movimenti sussultori si sarebbero sentiti ancora per mesi. Magari per anni.

« In ogni modo, sarà meglio che smetta di telefonare e vada a cercare qualcosa da mettermi addosso. »

« Proprio così. E... Kate? »

« Sì, cosa? »

« Tirati su la lampo dei pantaloni. »

« Oh, smettila. » Stava sorridendo, quando riattaccò, però aveva il palmo delle mani madido di sudore. E se fosse stata una di quelle persone insistenti? Se avesse voluto forzarle la mano? E se... andò a sedersi fuori, al sole, per una mezz'ora, cercando di calmarsi, di pensare. Al libro, a Tom, a Felicia, a Tygue. Perché lo aveva scritto? Perché ci si era sentita costretta. Perché quella storia l'aveva fatta soffrire, dentro, profondamente; così, aveva sentito il bisogno di tirarla fuori e ci era riuscita. Era un bel libro, lo sapeva benissimo. Però non si era aspettata niente di simile. Il suo desiderio era stato quello di venderlo, ma non si era immaginata che potesse influire tanto sulla sua vita. Perché, che cosa sarebbe successo? Una volta spalancata la porta alla pubblicità la sua vita ritirata sarebbe finita e tutti i suoi sforzi per proteggere Tygue sarebbero risultati inutili. Ma ormai era troppo tardi, lo sapeva.

Aveva appena finito di vestirsi quando Stu Weinberg suonò il campanello. Kate respirò a fondo, spense la sigaretta, diede un'occhiata circolare al soggiorno e andò alla porta. Si era messa un paio di pantaloni neri, un maglione dello stesso colore e un paio di costosissimi mocassini di camoscio, di fabbricazione italiana, sopravvissuti al passare degli anni. Appariva molto alta e magra, e anche molto seria, quando spalancò la porta.

« Kate Harper? » Pareva un po' incerto e completamente diverso da come lei se lo era immaginato. Era alto più o meno come lei, con i capelli rosso vivo. Portava un paio di jeans e un maglione di cashmere beige. Ma le scarpe erano di Gucci, la cartella di cuoio firmata Vuitton, l'orologio un Cartier e la giacca buttata su un braccio un capo classico di Bill Blass. Tutto l'apparato che a Los Angeles era necessario per dimostrare di appartenere a un determinato ceto sociale. Però la faccia era quella di un ragazzino, punteggiata da migliaia di lentiggini. Le fece venir voglia di sorridere e, anzi, scoppiò quasi a ridere al pensiero che, per sei anni, era stato a un tipo simile che aveva affidato la propria carriera. Chissà, forse se lo avesse visto prima non lo avrebbe fatto. Dimostrava ventidue anni, invece ne aveva quarantuno, la stessa età di Felicia.

« Stu? » gli sorrise, ferma sulla soglia.

« Lo so. Lo so. Adesso pretenderai i documenti e poi ti verrà voglia di fare a pezzi il contratto. Giusto? »

« Niente affatto. Entra. » Con un gesto lo invitò a oltrepassare la porta, chiedendosi se la sua casa gli apparisse bruttina e trasandata, oppure appena appena comoda e accogliente. Restò a osservarlo mentre lui la studiava, lanciando rapide occhiate intorno. Sembrava perplesso, imbarazzato. « Caffè? »

Annuì, posò la giacca e la borsa su un seggiola e guardò fuori della finestra. « Che vista magnifica, qui. » Lei rimase in silenzio per un minuto, stupita di sentirsi stranamente in pace, tranquilla. Non era un nemico. Era soltanto un uomo innocuo che voleva aiutarla a fare quattrini. E aveva l'aspetto di una brava persona e un'aria simpatica.

« È carino. Sono lieta che tu abbia fatto tutto questo viaggio per venirmi a trovare. »

« Anch'io! »

Gli versò una tazza di caffè e si misero a sedere.

« Kate, posso farti una domanda assurda? » Il modo in cui sorrideva glielo fece trovare ancora più simpatico. Assomigliava a uno degli amichetti di Tygue, non a un agente letterario.

« Certo, quale sarebbe? »

« Che cosa diavolo ci fai qui, tu? »

« Lo hai già detto, quando hai guardato fuori della finestra. È carino. C'è molta pace. Un bel posto per allevare bambini. »

« Balle. »

Lei rise a tanta schiettezza e bevve un sorso di caffè. « Niente affatto. »

« Mi vuoi dire un'altra cosa? Se io non fossi venuto qui, ti saresti spostata fino a Los Angeles? » Con un lieve sorriso, Kate scrollò il capo. « Proprio quello che pensavo. Perché? »

« Perché sono un'eremita e mi piace esserlo. Quando ho perduto mio marito, ho semplicemente... ho smesso di andare in giro e di frequentare gente. »

« Perché? »

« Ho da fare qui. » Stava andando un po' troppo vicino al bersaglio. E d'un tratto Kate si accorse di essersi lasciata prendere di nuovo dallo spavento.

« Che cosa fai? » Gli occhi erano penetranti, attenti: la stavano indagando, ma senza crudeltà.

« Scrivo. Faccio la mamma, insegno. Sono occupata, ecco tutto. »

E impaurita. Oh, Dio, com'era impaurita! Ma, di che cosa? Stu Weinberg non riusciva a capirlo. Degli uomini, forse? Della gente? Della vita? Di qualcosa. Ma non riusciva ad afferrarlo chiaramente, gli sfuggiva ancora. Però le leggeva tutta quella paura negli occhi.

« Non sembra che sia il genere di vita che fa per te. Hai mai fatto l'indossatrice, oppure recitato? » Tombola!

« No. » Scrollò la testa, innervosita, poi gli sorrise mentre si accendeva un'altra sigaretta. Accidenti, eppure quella donna aveva qualcosa di misterioso. Stu capì che gli stava mentendo. Il modo in cui stava seduta, si muoveva, camminava, tutto ciò parlava di qualcos'altro. Classe. Addestramento. Aveva fatto la mannequin? Oppure la hostess. Però non aveva passato di certo tutta la sua vita in una piccola città insignificante. E aveva osservato le sue scarpe. Scarpe da ottanta dollari. Ma chiunque fosse, era una donna che avrebbe mandato in estasi gli editori, se soltanto fosse riuscito a farla uscire dal guscio. Ecco il motivo per il quale era andato a trovarla, per scoprire esattamente se costei era una proprietà che poteva essere messa in vendita sul mercato con un certo frutto. Aveva la risposta. Sì, moltissimo. Bastava che fosse disposta a collaborare. Le sorrise garbatamente, bevve qualche sorso di caffè, e pensò che, alla TV, sarebbe stata uno schianto!

« Quanti bambini hai? »

« Nove. » Gli rivolse un'altra risatina nervosa. « No, siamo seri! Uno solo. Ma vale per nove. »

« Come si chiama? »

« Tygue. »

« E cosa ne pensa della sua mamma che è diventata una persona così famosa? »

« Non credo che sia ancora arrivato a capirlo. Anzi, a dire la verità », sospirò e curvò per un attimo le spalle, prendendo una posizione meno rigida, « neanch'io! »

« Be', Kate, non è necessario che ti preoccupi, almeno per il momento. Anzi, non dovrai preoccupartene assolutamente mai. Ci occuperemo noi di tutto, per te. Adesso quello che devi fare è dare un'occhiata ai contratti e poi passare il mese prossimo divertendoti. Come preferisci, prova a comprare tende nuove, un pallone nuovo per tuo figlio, un osso per il cagnolino... » Si guardò intorno con aria piena di innocenza e lei scoppiò a ridere. Aveva capito perfettamente, Stu: a lei piaceva la vita semplice. Però Kate comprese anche un'altra cosa, e cioè che Stu Weinberg si rifiutava di prendere sul serio quella sua scelta.

« E quando il libro uscirà, che cosa succederà? »

« Niente, per un paio di settimane. » Non le faceva fretta, prendeva tempo.

« E poi? »

« E poi, dovrai fare qualche apparizione qua e là, per il libro, accettare un paio di interviste. Niente di troppo gravoso. »

« E se mi rifiuto? »

« Il libro ne soffre. Molto semplice. Lo dimostrano le statistiche. » Aveva assunto un'aria molto seria, pronunciando queste parole.

« C'è scritto nel mio contratto, che ci sono obbligata? »

Lui scrollò la testa, con rammarico. « No. Nessuno può obbligarti a fare una cosa del genere. Però sarebbe un grosso errore se ti rifiutassi, Kate. Se tu avessi i denti storti, un naso grosso così, se fossi strabica... be'... allora direi che forse sarebbe più opportuno prendere in considerazione l'idea di non mostrarti in giro, ma date le circostanze... » e la guardò con un sorriso garbato « ... sarebbe un colpo fantastico, accidenti, Kate! » Se ne infischiava di tutto ciò che lei gli aveva detto poco prima: quando la osservò attraversare di nuovo la stanza, si convinse che era stata un'indossatrice. Di conseguenza quello che lo lasciava sempre più perplesso era la corazza impenetrabile con cui si proteggeva. Al telefono non se ne era mai accorto. In quel momento si domandò per quale motivo non avesse provato la curiosità di conoscerla. Però fu anche costretto a confessarsi che non si era certo aspettato che diventasse un grosso nome, nel campo della narrativa, almeno fino a quest'ultimo libro. *Una stagione definitiva.* Non aveva mai pensato che fosse capace di scrivere un libro simile. « Quanto alla faccenda della pubblicità, ne possiamo parlare in seguito. Perché, piuttosto, non cominciamo a controllare insieme qualcuno dei punti che vorranno inserire nel contratto? »

« Benissimo. Ancora un po' di caffè? »

« Grazie. » Bevve cinque tazze di caffè nelle due ore che

furono necessarie a chiarire i punti oscuri. Più che mai Kate capiva perché le piaceva averlo come agente. D'un tratto, era tornato a essere lo stesso uomo che aveva conosciuto per telefono in tutti quegli anni. Si mise a spiegarle ogni possibile illazione, affermazione, pericolo o vantaggio; ogni riga, ogni parola, ogni sfumatura. Fu un lavoro fantastico, il suo.

« Accidenti, avresti dovuto fare l'avvocato. »

« Infatti, lo sono stato. Per un anno. » Quel ragazzino? Quella specie di bambino lentigginoso, un avvocato? E quando? Rise a quel pensiero. « Ma è un lavoro che ho trovato odioso. In questo mi trovo molto più a mio agio. »

« Anche nel mio. » Kate pensò di nuovo a quei trecentocinquanta mila dollari.

« Ti leggo negli occhi quello che pensi, Kate. Mi raccomando, che tutti quei soldi non ti diano alla testa! »

« Non c'è pericolo, Stu. Non c'è pericolo. » Lo disse con sicurezza estrema e un sorriso un po' amaro. « Mi limiterò alle tende nuove e a un osso per il cane. »

« Sono lieto di saperlo. Ma casomai ti vedessi arrivare davanti al mio ufficio in una *Rolls Royce* nuova di zecca, diciamo fra tre mesi... che cosa meriterò per aver visto giusto? »

« Un calcio nel sedere? »

« Vedremo. » Scoppiò in una sonora risata.

Fu in quel momento che Kate sentì arrivare la macchina della mamma che, quella settimana, faceva da autista ai bambini del circondario. Già le cinque e un quarto! Come avevano lavorato sodo! « Avresti piacere di restare per cena? » La cena consisteva in spaghetti, pasticcio di carne, formaggio, carote e budino, di quelli già pronti in scatola. Bastò quell'idea a farle venir voglia di ridere, ma lui stava già scuotendo la testa mentre guardava il suo costoso orologio con i numeri romani, che sembrava più che altro un gioiello.

« Mi piacerebbe enormemente restare, Kate. Ma ho un appuntamento per cena alle otto a Los Angeles. »

« A Beverly Hills, spero. »

« C'è forse qualche altro posto dove andare a cena? » Scoppiarono a ridere insieme e Kate andò alla porta ad accogliere Tygue. Stu Weinberg restò a osservare il bambino che entrava e si buttava addosso alla mamma per abbracciarla stretta stretta. Appena lo vide, Tygue si fermò.

« Ciao, Tygue. Mi chiamo Stu. » Allungò una mano, ma il bambino non si mosse.

« Chi è? » Tygue sembrava quasi impietrito.

« È il mio agente venuto da Los Angeles, tesoro. Non hai un modo migliore di salutarlo? » Tygue sembrava terrorizzato, come sua madre, e Stu provò subito una gran tenerezza per quel bambino. Sembrava che non fosse abituato agli estranei, esattamente come Kate.

Tygue, con aria imbronciata, avanzò e gli prese la mano. « Salve. » Sua madre gli lanciò un'occhiataccia mentre Stu infilava lentamente i contratti nella cartella di cuoio.

« Bene, Kate, adesso non ti resta altro da fare che rilassarti. » Aveva firmato tutto.

« E per quell'altra faccenda? »

« Quale? » Ma sapeva di che cosa si trattava. Però doveva essere lei a parlarne. Doveva essere lei a pronunciare quella parola.

« La pubblicità. »

« Non preoccuparti per quello. »

« Stu... non me la sento. »

« Non te la senti o non vuoi? » La guardò con durezza.

« Non voglio. »

« Okay. » A sentirlo sembrava calmissimo. Troppo calmo, Intanto, per tutto quel tempo Tygue non aveva smesso di guardarlo.

« Dici sul serio? »

« Certo. Te l'ho già spiegato. Nessuno può pretendere che tu lo faccia. Però saresti sciocca a rifiutarti. Si tratta del tuo libro, la tua decisione, i tuoi diritti d'autore, la tua carriera. È una faccenda tutta tua. Io mi limito a lavorare per te. » Chissà perché, la faceva sentire meschina, sciocca e vigliacca. Se lo avesse saputo, Stu ne sarebbe rimasto molto soddisfatto.

« Mi spiace. »

« E allora pensaci. Farò in modo che i direttori del settore pubblicità delle due case editrici non ti assillino finché non avrai preso una decisione. Ti va bene così? »

« Va bene. » Le lasciò l'impressione di aver vinto almeno in parte, per quanto non avrebbe neppure saputo dire con sicurezza in che cosa. Si strinsero la mano alla porta e lei rimase a guardarlo mentre percorreva a marcia indietro il viale d'ingresso con la *Jaguar* color prugna dalla linea affusolata.

Lo salutò con un cenno della mano e Tygue restò a guardarla mentre Stu sorrideva a madre e figlio dalla macchina. D'un tratto, tutt'e tre capirono che c'era in aria un cambiamento profondo.

9

« ALLORA sei riuscita a sopravvivere all'incontro? » Era Felicia, che le telefonò quando Tygue era già andato a letto.

« Sì, sono sopravvissuta. Anzi, a dire la verità, è un tipo simpaticissimo. Sospetto che sotto la patina di amabilità sia un prepotente e una carogna, però mi piace. »

« Ha tutte le ragioni di essere prepotente. Altrimenti come pensi che sia riuscito ad arrivare al posto che occupa e a fare fortuna? »

Kate scoppiò a ridere a quell'idea. « L'osservazione è corretta, ma se ci avessi pensato allora, chissà come sarei stata nervosa. Sai piuttosto cos'è stupefacente, Licia? »

« Certo. Tu. »

« No. Parlo sul serio. Dopo tutti questi anni, ho scoperto di non provare, poi, tutta questa paura mentre gli parlavo! Ci siamo seduti qui come gente qualsiasi, a bere caffè e a leggere quei contratti. Tutto molto corretto, educato e civile. »

« Ti sei innamorata? » Felicia sembrava divertita.

« Per carità, no. Sembra il fratellino di Alice nel Paese delle Meraviglie e per di più ha i capelli rosso carota. Però è un buon agente. E a me non è venuto un attacco cardiaco a parlare con un uomo. » Felicia era molto soddisfatta.

« Okay. E adesso? Che cosa mi racconti? »

« Non ti capisco. Che cosa vuoi dire? »

« Voglio dire, che cosa mi racconti di quello che succederà adesso? »

« Niente. Ho messo i soldi in banca. Posso mandare Tygue all'università. Stu ha suggerito che comprassimo un osso nuovo per Bert... » sorrise « ... e, chissà, non è escluso che finisca per comprarmi anche quei famosi mocassini di camoscio rosa di cui avevamo parlato stamattina. »

« Mi pare che tu stia dimenticando qualcosa, tesoro caro. » Felicia aveva preso di nuovo un tono sarcastico e risoluto. Kate conosceva fin troppo bene quella sfumatura di voce. « Che cosa mi dici della pubblicità per il tuo libro? »

« Lui dice che non ci sono obbligata. »

« Non ti credo. »

« Questo è quello che ha detto. »

« Non ti ha chiesto di occupartene? » Felicia era sbalordita.

« Sì. »

« E allora? »

« Ho detto che non avevo intenzione di farlo. »

« Sai che cosa ti dico, Kate Harper, che sei un'ingrata, una piccola carogna e che se io fossi il tuo agente ti farei attraversare a calci la stanza in cui ti trovi. »

« Ecco il motivo per il quale tu non sei il mio agente letterario e lui sì. »

« Ha lasciato perdere, senza discutere, così in fretta? »

« Certo. » Aveva parlato con un'enfasi tale che sembrava suo figlio, se ne accorse e scoppiò a ridere.

« Allora è pazzo. » O era pazzo oppure era molto, ma molto in gamba. Felicia si domandò se non si trattasse di questa seconda eventualità.

« Può darsi. Comunque ho firmato i contratti e sono andata fino in fondo. Finito. Concluso. Fino al prossimo libro. »

« Che rottura, ragazzi! » Felicia stava sorridendo fra sé.

« In che senso? Che cosa vuoi dire? Perché 'che rottura'? »

« Niente, così. Ti vengono le idee, le sviluppi, scrivi libri, stai alzata fino a tardi, fumi come un turco, bevi litri di caffè e poi non riesci neanche a fare tutte le cose più divertenti. Non sai neanche come spendere i tuoi soldi. »

« Come no? Figuriamoci! »

« In che cosa! In roba da mangiare o per la casa. Che barba, bella mia! Il minimo che potresti concederti dovrebbe essere un bel periodo di vacanza in qualche posto civilizzato. Los Angeles, qui, Santa Barbara. Accidenti, potresti addirittura andare a fare spese a Carmel. »

« Non ho bisogno di niente di nuovo. »

« È evidente, non vai in nessun posto! » Per quale motivo avrebbe dovuto considerarsi una fallita? Perché doveva imporsi di uscire, vestirsi bene, fare qualcosa, soltanto per non essere « una rottura »? Accidenti, non era abbastanza avere scritto quel libro? E poi, chissà! Magari avrebbe fatto qualche spesa a Carmel la prossima volta che fosse andata da Tom. E quella era un'altra questione. Doveva assolutamente vederlo l'indomani.

« Stammi a sentire, Licia, non ho nessuna intenzione di mettermi a litigare con te su questo argomento. E poi devo interrompere la telefonata. »

« Qualcosa non va? »

« No. Ma devo chiamare Tillie. »

« Va bene, cara. » Felicia le sembrò un po' fredda, molto lontana, quando riattaccarono e Kate si domandò se, in conclusione, fosse riuscita a farsi capire. Ma forse...

Poi riuscì a prendere accordi con Tillie per il giorno successivo, fece un bel bagno caldo e andò a letto. Era stata una giornata estenuante e non aveva provato nessuna delle sensazioni che avrebbe voluto sentire. Pensava che si sarebbe sentita orgogliosa e fiera di sé, invece era soltanto infastidita e stizzita, come se avesse fallito in qualche cosa. Finalmente si addormentò. Fino a quando la sveglia la strappò bruscamente dal sonno, alle sei.

« Vai di nuovo a insegnare, mamma? » Tygue la guardò al disopra del suo piatto della prima colazione. Ma quella mattina le fece la domanda con voce piagnucolosa e questo la innervosì.

« Sì, tesoro. Verrà qui Tillie a tenerti compagnia. »

« Non voglio Tillie. »

« Puoi lavorare al giardino. Ti divertirai. Mangia i tuoi fiocchi d'avena. »

« Non sono abbastanza croccanti. »

« Su, fai il bravo, Tygue. »

« Puah! C'è una bestia sul mio pane tostato! » Lo respinse con violenza, Bert lo azzannò, alzandosi fino all'orlo del tavolo, e poi si leccò i baffi soddisfatto.

« Accidenti, Tygue! » Gli occhi del bambino si erano improvvisamente colmati di lacrime e Kate si sentì piena di rimorso. Era il modo peggiore di cominciare la giornata, quello! Si mise a sedere di nuovo e gli tese le braccia. Lui si mosse per andarle vicino, per essere stretto da quelle braccia... lentamente, ma si mosse. « Che cosa c'è, tesoro? Qualcosa non va? »

« Lo odio. »

« Chi? »

« Lui. »

Che cosa c'era di nuovo, adesso? « Ma di chi parli, si può sapere? » Era troppo stanca per dover risolvere gli indovinelli.

« L'uomo... quello seduto sulla poltrona. »

« Parli di ieri? »

Lui fece segno di sì.

« Ma è il mio agente, caro. Vende i miei libri. »

« Non mi piace. »

« È una stupidaggine, questa. » Tygue alzò le spalle e, da fuori, arrivò un suono di clacson. Era la macchina che veniva a prenderlo per andare a scuola.

« Non ci pensare. Okay? » Lui alzò le spalle di nuovo e allora Kate lo afferrò per le braccia e lo strinse a sé. « Io voglio bene a te, soltanto a te. Te lo sei ben ficcato in testa questo, signorino? » Lentamente un sorriso gli affiorò sulle labbra. « Così cerca di calmarti e divertiti! »

« Okay! » Afferrò la giacca e fece una carezza a Bert, precipitandosi alla porta. « Ciao, mamma. »

« Ciao, tesoro. » Ma quando Tygue se ne fu andato, Kate si accorse di essere in collera con lui. Quale poteva essere il suo problema? Era geloso di Stu Weinberg? Be', c'era poco da stupirsi! Non aveva mai visto un uomo in casa loro, prima! Però era venuto il momento in cui Tygue doveva abituarsi a vedere, sia pure occasionalmente, qualche estraneo. Tuttavia il bambino era stato singolarmente recalcitrante e questo le dava fastidio. Era come se lui la tirasse da una parte, lasciando tutti gli altri dalla parte opposta. Tutti volevano qualcosa da lei. E lei, che cosa voleva? Non lo sapeva con sicurezza. Non aveva neppure avuto il tempo di domandarselo. Ora però doveva mettersi in marcia se voleva vedere Tom... voleva vedere Tom... voleva... che idea incredibile. Era talmente incredibile che la fece fermare sui due piedi nel bel mezzo della cucina. Voleva vedere davvero Tom? Erano anni che non le veniva un pensiero simile. Andava laggiù a vedere Tom. Ma voleva davvero vederlo? Probabilmente. Naturalmente. Prese la borsetta, fece una carezza a Bert e uscì, senza rispondere al telefono.

10

KATE si alzò in piedi e si stiracchiò. Era rimasta con lui soltanto due ore, ma si sentiva già stanca. Tom era di cattivo umore, quel giorno e, in occasioni simili, era sempre molto pesante. Perfino il signor Erhard sembrava affaticato.

« Su, caro. Perché non facciamo un giro fino al laghetto delle barche? » C'era qualche filo bianco nei capelli di Tom, adesso, però aveva sempre la faccia limpida e serena di un bambino. Era contento quasi sempre, fra l'altro, anche se talvolta manifestava l'inquietudine e il nervosismo di un bambino malcontento o turbato.

« Non voglio andare al laghetto delle barche. Voglio Willie. »

« E allora andiamo a prendere Willie. »

« Non voglio Willie. »

Kate strinse i denti e chiuse gli occhi per un attimo. Poi li riaprì, rivolgendogli un sorriso radioso. « Vuoi distenderti nella tua amaca? » Lui per tutta risposta scrollò la testa; sembrava che fosse lì lì per scoppiare in pianto. Anzi, a ben pensarci, aveva la stessa espressione che Kate aveva letto in faccia a Tygue quella mattina. Tygue era geloso del suo agente. Qual era invece il problema di Tom? Eppure, accidenti, a volte era così adorabile, così facile da trattare. Perché proprio quel giorno doveva comportarsi così? Lei aveva già fin troppe cose per la testa!

« Scusami, Katie. » Alzò gli occhi verso di lei e le allungò le braccia. Fu come se avesse capito, improvvisamente, e Kate provò un vago senso di colpa mentre lo stringeva a sé, chinandosi sulla poltrona a rotelle.

« Non preoccuparti, tesoro. Forse hai bisogno di qualche nuovo gioco. » Erano mesi che non gliene portava. Poi aveva cominciato a regalargli quelli che a Tygue non interessavano più, man mano che cresceva. I giochi scartati da suo figlio. Però Kate non la vedeva così. Ragionava in un altro modo: costava meno comprarne uno solo invece di due. Lo strinse forte, curva su di lui, e si accorse che anche Tom rafforzava la stretta. Per un momento che le parve stranissimo, provò una gran voglia di baciarlo. Come si bacia un uomo, non un bambino.

« Tutto ciò che mi occorre sei tu, Katie. Non devi portarmi altri giochi. »

Le bastò sentirgli dire quelle parole per provare una sensazione curiosa. Si staccò da lui, di scatto, e lo guardò negli occhi. Ma no, non ci trovò niente. Non erano gli occhi dell'uomo. Erano sempre quelli di Tom, il bambino.

« Anch'io ti voglio bene. » Si mise a sedere sull'erba vicino a lui, stringendogli una mano, e l'irritazione che aveva provato nella prima parte della giornata cominciò a svanire. Per un attimo provò un gran desiderio di raccontargli tutto ciò che sava succedendo. Il libro, il film, quello che significavano per lei...

« Vuoi giocare a Bingo? » Abbassò gli occhi a guardarla, sereno e contento, e Kate gli rivolse un lieve sorriso triste, chinando la testa su una spalla. Si era messa una vecchia gonna di lana color lavanda e un golfino di cashmere, morbido, dello stesso colore delicato. Glieli aveva comprati lui, poco dopo il loro matrimonio. Gli erano piaciuti. Una volta. Ormai non se ne accorgeva, oppure non li ricordava. Voleva giocare a Bingo. « Allora, vuoi? »

« Sai che cosa ti dico, tesoro? Sono un po' stanca. Anzi... »

Respirò a fondo e si alzò in piedi. Aveva giocato anche troppo in un giorno solo! Con Tygue, con Tom, con se stessa. « Anzi, credo proprio che sia venuta l'ora di tornarmene a casa. »

« No, non è vero! » Sembrava disperato. Oh, santo Iddio. No! Non voleva che anche Tom cominciasse a pretendere qualcosa da lei, a farle pressione. « Non è ancora l'ora di andare via! »

« Sì che lo è, caro. Però, fra un paio di giorni torno! »

« No, non tornerai. »

« Certo che tornerò. » Si lisciò la gonna e alzò gli occhi verso di lui, mentre il signor Erhard si stava avvicinando. Aveva Willie in mano e qualche libro sotto il braccio. « Oh, guarda che cosa ha portato per te il signor Erhard! » Ma Tom continuava a essere corrucciato come un bambinetto triste e di cattivo umore. « Fai il bravo, tesoro. Tornerò presto. » Tom la tenne stretta a sé per un minuto e, per la prima volta dopo molto tempo, Kate si sentì stringere il cuore. Come avrebbe avuto bisogno di lui, adesso. Ma Tom non era lì, ad aiutarla. « Ti voglio bene. » Lo disse a fior di labbra e poi cominciò a indietreggiare facendogli cenni di saluto e sorridendogli, con gli occhi luminosi e raggianti. Ma Tom aveva già Willie fra le braccia e stava aprendo uno dei suoi libri.

Kate tornò alla macchina a testa bassa, con le braccia strettamente incrociate sul petto come per offrire a se stessa quell'abbraccio di cui si era accorta all'improvviso di avere un terribile bisogno. Poi, mentre si sedeva al volante, sospirò e alzò gli occhi verso gli alberi. Era assurdo. Aveva talmente tante cose! Aveva Tygue; in un certo senso aveva ancora Tom. E poi aveva appena venduto i diritti per un libro e per un film. Aveva appena guadagnato trecentocinquantamila dollari e invece si sentiva come un bambino che si ritrova in mano un palloncino rotto.

« È assurdo! » Lo disse a voce alta, poi scoppiò a ridere e si accese una sigaretta mentre avviava il motore. Ma, in quel momento, le venne un'idea migliore. Restò seduta al volante, per un attimo, con un sorrisetto sbarazzino sulle labbra, dimentica di dov'era e del perché si trovava lì. O piuttosto, ricordandosi dove si trovava, ma in un modo diverso, come non faceva più da anni. A Carmel. Da sei anni e mezzo andava regolarmente a trovare Tom, ma non aveva mai percorso gli ultimi venti chilometri, quelli che portavano in città. Non aveva mai visto i negozi. Non ci era mai andata a pranzo. Non aveva mai passeggiato per la via principale. Non si era mai seduta sulla spiaggia per un'ora, a rilassarsi e a riprendere le forze. Da sei anni e mezzo non aveva fatto altro che percorrere avanti e indietro lo stesso tragitto, ormai così conosciuto. E all'improvviso le venne una voglia matta di andare in città con la macchina. Tanto per vederla. Per girellare un po'... le vetrine... la gente... guardò l'orologino da polso. Era in anticipo. Quel giorno aveva accorciato la visita di almeno un paio d'ore. Due ore. Con un sorriso, tolse il freno a mano e partì. Girò a sinistra, quando raggiunse la carrozzabile. A sinistra. Sulla strada che portava in città.

Era una bella strada fiancheggiata da palme; di tanto in tanto qua e là si notava una villetta dai muri dipinti a colori pastello. Stava avvicinandosi a Carmel. Non vi era ancora nulla intorno che avesse un aspetto familiare, ma Kate sentiva il cuore batterle all'impazzata. Dio, che cosa stava facendo? E perché proprio in quel momento? Nel giro di due giorni si era avventurata fuori, nel mondo, più di quanto non avesse fatto in quasi sette anni. Aveva lasciato che Stu Weinberg andasse a trovarla da Los Angeles e stava andando a Carmel. Erano gesti da poco, insignificanti, tuttavia costituivano una sottile incrinatura nel muraglione che si era costruita intorno. E poi? Che cosa sarebbe successo dopo? In quella fessura si sarebbe insinuato un torrente? Un fiume in piena? Oppure, ancora per un lungo periodo di tempo, soltanto un lento stillicidio del mondo esterno? E se tutta quella situazione le fosse sfuggita di mano? E se... no, non se la sentiva di andare avanti. Portò la macchina lungo il bordo della strada, frenò. Era ansante, quasi senza fiato e la strada, d'un tratto, le parve minacciosa e non più invitante come prima.

« Non posso. » Le tremava la voce mentre pronunciava

quelle parole; si sentì la gola stretta da un nodo. « Non posso... » Però, che voglia ne aveva! Accidenti, avrebbe proprio voluto continuare. Per la prima volta da anni si accorse di desiderare di vedere come le sarebbe apparsa la città, come si vestivano le donne, come si pettinavano. Era assurdo provare interesse per stupidaggini simili. Ma nella cittadina che ormai era tutto il suo mondo, le donne anche non più tanto giovani continuavano a cotonarsi i capelli in modo ridicolo e a portare la minigonna quando queste cose non usavano più da dieci anni. Kate si accorse di voler vedere un po' di gente che assomigliasse a quella che aveva conosciuto in passato. Ma come conciliare questo con tutte le decisioni che aveva preso, con tutte le scelte che aveva fatto? Tutto veniva così improvvisamente minacciato. Aveva scritto un libro che rivelava molto di più di quanto avrebbe dovuto su Tom, su se stessa, sulla propria vita. Quella maledetta storia sarebbe potuta diventare di dominio pubblico in tutto il paese. Centinaia di migliaia di copie, un film e...

« Balle. » Spalancò gli occhi e si guardò di nuovo intorno mentre metteva di nuovo in moto la macchina e la riportava sulla strada. Aveva venduto i diritti per un libro e un film, sì o no? Aveva il diritto di passare un'ora a Carmel. Con una maschera di risolutezza sulla faccia, schiacciò il pedale dell'acceleratore. E, tutto d'un tratto, le cose cominciarono ad apparirle familiari. Non vi era nulla di profondamente mutato in tutti quegli anni, dall'ultima volta che ci era stata. Le villette dai tenui colori sembravano le stesse, così come le curve della strada, gli antiquati alberghetti e poi, all'improvviso, la strada principale della città, fiancheggiata da alberi, che portava dritto alla spiaggia, due isolati più avanti. E lungo quel tratto dozzine di piccole boutique. Qualcuna era una semplice botteguccia fatta per attirare i turisti, ma in gran parte si trattava di negozi eleganti. Un mondo che non vedeva più da sei anni. Gucci, Hermes, Jourdan, Dior, Norrell, Galanos, Givenchy... nomi, firme, etichette, sciarpe, profumi, scarpe, vide tutto mentre procedeva a passo d'uomo e si infilava in un parcheggio. Le piaceva. Era contenta di esserci andata. E, saltando giù dalla macchina, si accorse di sorridere a se stessa.

La prima cosa che attirò il suo sguardo fu un raffinatissimo completo di seta color crema, in una vetrina. Lo esponevano insieme con una camicetta dalla tenue tonalità di pesca e con un paio di scarpe in tinta con una sottile catenina attorno al tacco. Le parve di essere tornata bambina. Ecco, voleva la bambola vestita da sposa, e l'orsacchiotto, e quell'altra bambola con le calze e il reggiseno e... mentre entrava nel negozio, ci mancò poco che non si mettesse a ridere come una pazza. Improvvisamente si rallegrò di avere addosso quella vecchia gonna e il golfino di cashmere. Erano ancora di moda, malgrado tutto. Quanto ai capelli, li aveva raccolti in una morbida crocchia, molto classica ed elegante, sulla nuca. Quel giorno non li aveva neppure lasciati sciolti per Tom.

« Madame? » la donna che serviva nel negozio doveva essere una francese. Soppesò Kate con uno sguardo, studiandola attentamente. Era piccola di statura, minuta, elegante, con i capelli biondi che cominciavano a diventare grigi; portava un vestito di seta grigia e una collana a tre fili di perle, piuttosto grosse e vistose. Kate ricordò che quella zona di Carmel era frequentata da gente particolarmente elegante. Proprietari di negozi, di ristoranti, turisti e abitanti locali. Soltanto un gruppetto di artisti del luogo preferiva un abbigliamento eccentrico e trascurato, dal tocco chiaramente anticonformista. Tutti gli altri parevano sempre pronti per andare a cena da *Maxim's*. « In che cosa posso esserle utile? »

« Posso dare un'occhiata in giro? »

« Ma certo. » La donna era garbata, gentile, e si immerse di nuovo nell'ultima copia de *L'Officiel*, che aveva aperto sul banco. Kate ricordò di aver lavorato a una sfilata per quella rivista, in passato. Mille anni prima. Poi il vestito esposto in vetrina richiamò di nuovo la sua attenzione. La donna vestita di seta grigia alzò gli occhi dal giornale con un sorriso. Non aveva voluto proporglielo subito, ma ci aveva pensato fin dal primo momento. Fu allora che i loro occhi si incrociarono e Kate si mise a ridere. E il lampo di un sorriso illuminò anche gli occhi dell'altra.

« Potrei provarlo? »

« Mi piacerebbe molto vederlo su di lei. È appena arrivato. »

« Da Parigi? »

« Da New York. È di Halston. » Halston, il famoso sarto. Da quanto tempo Kate non toccava stoffe simili? Da quanto tempo non vedeva più quel genere di abiti? Ma che cosa diavolo poteva importare? Accidenti, eppure... chissà come... importava. Sì, era diventato importante. Kate sentì il bisogno di celebrare il proprio successo.

Afferrò rapidamente tre vestiti e una gonna mentre la proprietaria della boutique, con l'aiuto di una commessa, toglieva il vestito dal manichino in vetrina. Kate si accorse che tutto ciò che stava facendo le piaceva enormemente e quando si provò il completo color crema vide che anche quello le piaceva, più di prima. Sembrava fatto apposta per lei. La camicetta color pesca faceva risaltare il pallore delicato della sua pelle, ravvivandolo con una sfumatura calda, rosata, e gli occhi verdi le si illuminarono mentre scrutava attentamente la sua immagine. Il completo si modellava sul suo corpo con linee fluide e armoniose. La gonna le scendeva fin sotto il ginocchio con un morbido drappeggio, la giacca era un po' lunga, molto femminile, dall'ottimo taglio. Provò anche le scarpe e si sentì trasformata in una principessa o addirittura una regina. Il completo costava duecentottantacinque dollari. Le scarpe ottantasei. Vergognoso. Scandaloso. E poi, in nome di Dio, quando e dove si sarebbe messa addosso quella roba? Era quello che non aveva fatto che ripetere a Felicia per anni e anni. Perché avrebbe dovuto vestirsi in modo simile? Per andare dove? Al supermercato? Oppure per accompagnare di corsa in macchina a scuola Tygue e i suoi compagni, la mattina? Per fare il bagno a Bert?

« Lo prendo. » Poi con gesti rapidi aggiunse la gonna di lana rossa, una camicetta di seta stampata e il vestito nero, a maniche lunghe e col collo alto, che aveva provato per primo. Le dava un aspetto tremendamente adulto ed era fin quasi troppo serio. Però straordinariamente elegante. E, sotto sotto, raffinatamente sexy. Sexy? Ma anche quella era una pura follia. Per chi doveva prendere quell'aria così sexy? Per l'orsacchiotto Willie? Che cosa diavolo stava facendo? Stava spendendo più di cinquecento dollari in vestiti che, con ogni probabilità, non avrebbe mai messo. Be', sì, forse avrebbe potuto sfruttare quel completo color crema, di seta, quando Tygue si fosse diplomato al college. Ma comunque solo nel caso fosse poi andato a Princeton o a Yale. Quell'idea la fece sorridere mentre riempiva l'assegno. Le dava di volta il cervello, di sicuro. La colpa era di tutti i soldi che quei pazzi di Hollywood e di New York stavano per pagarle. Con tutto ciò era una sorta di pazzia piacevolissima che le procurava una gioia immensa. Aggiunse agli acquisti fatti perfino una minuscola boccetta di profumo, della stessa qualità che usava molti anni prima. E fu soltanto quando si avviò verso la macchina, con le braccia cariche di pacchi, che si accorse del posto dove aveva parcheggiato. L'albergo dove lei e Tom avevano alloggiato durante il loro ultimo soggiorno a Carmel... il loro albergo...

« Non più. » Lo disse sottovoce e girò gli occhi dall'altra parte mentre metteva i pacchi nel baule. Magari avrebbe finito per lasciare tutto lì. Magari avrebbe venduto tutta quella roba insieme con la macchina. A ben pensarci, non ne aveva affatto bisogno. Però, quando ci ripensò, si accorse di non stare più nella pelle dall'impazienza di provare di nuovo quel completo di seta, non appena fosse tornata a casa. E il vestito nero. Tygue avrebbe pensato che era diventata matta. Be', avrebbe aspettato che lui andasse a letto.

Tornò a casa guidando a una velocità superiore a quella che in genere teneva sull'autostrada. E non provò neppure il più piccolo senso di rimorso. E la cosa più divertente era che nessuno poteva immaginare che lei avesse fatto qualcosa di diverso dal solito; del resto nessuno doveva saperlo. Chissà, forse lo avrebbe rifatto. Quell'idea la fece scoppiare a ridere mentre oltrepassava il cancello e infilava il viale di casa. Giusto in orario. Aveva sfruttato bene quelle due ore extra. Fece un cenno di saluto a Tillie mentre parcheggiava la macchina dietro casa. Erano di nuovo impegnatissimi a lavorare nel giardinetto e Tygue aveva l'aria molto più felice e contenta della mattina. Rispose al suo saluto con gesti frenetici, continuando a darsi da fare con le sementi.

« Ciao, tesoro! » Lasciò i pacchi in macchina e andò a dargli un bacio, ma lui era troppo occupato. Perfino Bert aveva un nuovo osso ed era andato a goderselo chissà dove, tutto solo. Kate entrò in casa sentendosi tranquilla, serena. Tutto andava per il meglio. C'era anche un messaggio da parte di Felicia, che la avvertiva che sarebbe arrivata per il weekend.

Infatti si presentò puntualmente. Arrivò con tre bottiglie di champagne e un mucchio di regali. Regali assurdi, regali divertenti, oggetti per la scrivania di Kate, per la casa, per la sua camera e alla fine, dal fondo di quel sacco di meraviglie, tirò fuori una scatoletta avvolta in carta argentata e la consegnò a Kate.

« Oh no, un altro regalo ancora! » Kate stava ancora ridendo, ma la faccia di Felicia era diventata molto seria, taceva e nei suoi occhi era apparsa un'espressione di tenerezza. « Oh, santo cielo, qualcosa mi dice che questo è importante. »

« Può darsi. » C'era un bigliettino infilato nel nastro del pacchetto. Kate lo aprì lentamente e mentre leggeva i suoi occhi si riempirono di lacrime.

Alla signora dal cuore d'oro: tutto ciò che ti occorre è il coraggio. Anche il Leone Pauroso scoprì di avere molto coraggio da sempre, senza saperlo. Tutto ciò che gli serviva era una medaglia che glielo ricordasse. Con questo oggetto, quindi, ti si ricorda che non sei soltanto coraggiosa, ma anche molto in gamba, buona, saggia e tanto amata.

Poi c'era la firma: *La Strega Buona del Nord.* Kate sorrise fra le lacrime.

« È tratto dal *Mago di Oz*? »

« Più o meno. » Kate aprì il pacchetto e dentro, in una scatola di raso rosso imbottita di velluto azzurro, c'era un orologino d'oro con la catenina, pure d'oro. Aveva la forma di un cuore e, quando Kate lo rovesciò, si accorse che, dietro, c'erano scritte queste parole: *Per il tuo coraggio, con amore.* Kate strinse convulsamente l'orologio in una mano e buttò le braccia al collo di Licia, stringendola in un abbraccio fortissimo. Licia glielo ricambiò. Era un abbraccio di cui Kate aveva un enorme bisogno, soprattutto da parte di qualcuno che le confermasse che ogni cosa andava per il meglio.

« Che cosa posso dire? » Aveva il viso rigato di lacrime.

« Dimmi semplicemente che farai la brava e che non lascerai perdere quest'occasione che ti si offre. È tutto quello che ti chiedo. » Per un attimo Kate provò una gran voglia di parlarle di quel suo giro di acquisti a Carmel. Ma non lo fece. Non ancora.

« Mi ci proverò. Diavolo, con un orologio simile, quasi quasi mi sento obbligata a fare quello che dici. Licia, sarei perduta senza di te. »

« No, niente affatto. Ti potresti rilassare e nessuno verrebbe più a stuzzicarti. Sarebbe un paradiso. »

« Frottole. »

Poi si rivolsero un ampio sorriso e cominciarono a parlare del libro, dei contratti, del lavoro di Felicia. Per Kate cominciava proprio allora quella stupenda favola che è il successo. Si scolarono la bottiglia di champagne fino in fondo e verso le quattro del mattino si diedero la buonanotte, con aria mezzo addormentata, e se ne andarono a letto.

Fu un weekend stupendo e riposante. Kate, il giorno dopo, portò l'orologio nuovo appuntato sulla sua maglietta preferita. Fecero un picnic sull'erba, poi condussero Tygue al ranch degli Adams dove presero un cavallo, tutti e tre, e partirono per una passeggiata in collina. La domenica Licia dormì fino a tardi mentre Kate accompagnava Tygue in chiesa; al loro ritorno pranzarono insieme senza fretta, sul prato. Erano ormai le cinque quando Licia cominciò a pensare alla partenza. Era distesa sull'erba tiepida, con gli occhi alzati verso il cielo, stringeva una manina di Tygue nella sua e cercava di parare con l'altra gli assalti di Bert.

« Sai che cosa ti dico, Kate? Ogni tanto riesco a capire perché ti piace molto stare qui. »

« Mmmm. » Kate era lontana mille chilometri col pensiero, tuttavia sorrise all'amica.

« È così maledettamente tranquillo! »

Kate rise di fronte all'espressione dell'amica. « È una lamentela o un complimento? »

« In questo preciso momento, ti sto facendo un complimento. Credimi, mi sento male all'idea di tornare indietro. E probabilmente passeranno parecchi mesi prima che possa venire di nuovo qui da voi. » Kate la stava guardando dritto negli occhi mentre pronunciava quelle parole e Felicia si accorse subito che quegli occhi avevano una strana espressione. « Qualcosa non va? » Felicia non le aveva mai visto prima quello sguardo.

« No, stavo solo pensando. »

« A che cosa? »

« A un po' di roba che ho in macchina. »

« Be', e con questo? » Le pareva che dicesse cose senza senso.

« Che cosa hai intenzione di fare domani, Licia? »

« Oh, per carità. Non chiedermelo! Ho tre riunioni prima di pranzo, stiamo coordinando tutte le sfilate di autunno e dobbiamo parlare dell'intera linea invernale dei nostri capi di abbigliamento. »

« E poi? »

« Come sarebbe, e poi? » Kate la stava facendo innervosire. A che cosa diavolo mirava con quelle domande?

« Sei impegnata per pranzo? »

« No. Perché? Posso fare qualcosa per te? »

« Certo. » Kate stava sorridendo. Immobile al suo posto, rideva guardando Felicia. « Sì, a dire la verità, signorina Norman, c'è proprio qualcosa che potresti fare per me. »

« Di che si tratta? »

« Portarmi a pranzo. »

« Ma se ti ho detto che devo tornare in città, sciocchina. » A questo punto anche Felicia si mise a sedere sull'erba. Sorrideva, ma era confusa. Già, che strana domenica!

« Lo so che devi rientrare in città. Vengo con te. »

« A San Francisco? » Anche Felicia si era messa a ridere, ma quando Kate annuì le comparve sul viso un'espressione di stupore.

« Sì. Che vada tutto al diavolo! » Felicia le buttò le braccia al collo e le due donne si scambiarono una stretta convulsa, piena di gioia, mentre Tygue le osservava con gli occhi sbarrati e un'espressione di sgomento sul faccino.

« E chi resterà con me? »

Kate lo guardò un momento stupita, poi accolse anche lui in quell'abbraccio. « Tillie, tesoro. E chissà che uno di questi giorni non conduca anche te a San Francisco. »

« Oh. » Ma non parve particolarmente impressionato dalla notizia. Un attimo dopo Kate lo affidò a Licia. Aveva un sacco di cose da fare. Tillie a cui telefonare... quella roba da tirar fuori dalla macchina, preparare una valigetta... tante cose. San Francisco. Dopo sei anni e mezzo!

« Alleluia! » sentì gridare Felicia mentre si incamminava verso casa sorridendo allegramente con le braccia cariche dei vestiti comprati a Carmel. Kate andava in città.

11

VIAGGIAVANO da quasi un'ora in silenzio, dopo l'eccitata conversazione che le aveva animate entrambe nei primi momenti del viaggio. Avevano ormai percorso più di metà strada e Kate aveva appena finito di notare lo svincolo che prendeva abitualmente in direzione di Carmel. Lo aveva notato anche Felicia.

« Kate? »

« Uhm? »

Era buio nella macchina, ma Felicia, con un'occhiata di sottecchi, la poteva vedere di profilo. E non appariva diversa da come le era sembrata sei anni e mezzo prima, quando l'aveva accompagnata laggiù, nel suo ritiro. Se avesse immaginato, a quell'epoca, per quanto tempo Kate ci sarebbe rimasta nascosta, non avrebbe mai acconsentito a cercarle quella casa.

« C'è qualcosa che ti fa pensare, Licia? » Kate si voltò verso l'amica con un sorriso sereno.

« Che cosa ti ha fatto cambiare idea? »

« Non direi di averla cambiata, nel complesso. Solo che... oh, accidenti! Non lo so, Licia. Forse tutta questa assurda faccenda che è successa per il libro mi ha sbalestrato. Ero così felice laggiù, a fare la mia vita, fra le colline. Il bambino, il cane, tutto il resto. »

« Balle. »

Kate si voltò bruscamente a lanciarle un'occhiata. « Non mi credi? »

« No. Secondo me era molto tempo che ti stavi annoiando. Non l'avresti mai ammesso con me, però credo che tu l'avessi capito. Non ci si può seppellire vivi a quel modo. Possiedi un intero mondo di fantasia nei tuoi libri, ma non è niente di reale e lo sai benissimo. Sei giovane, Kate. Hai bisogno di gente, di posti dove andare, di viaggi, di uomini, di vestiti, di successo. Di tutto questo. Hai rinunciato troppo presto. Tom se l'è spassata nella vita. È stata un'esistenza intensissima la sua e se l'è goduta fintanto che è durata. Io credo che se lui... se lui fosse ancora quello di un tempo, soffrirebbe da morire a vederti imprigionata in una vita simile, come una vecchietta. Per amor di Dio, non sei Tillie, tu! E in ogni modo, queste sono cose che mi hai già sentito dire anche prima. Scusami. Non avevo nessuna intenzione di fare uno sproloquio del genere. »

Kate stava sempre sorridendo nell'oscurità. « Se smettessi di farli, dovrei pensare che non mi vuoi più bene come una volta. Comunque, tanto per rispondere alla tua domanda, non è escluso che tu abbia ragione. Forse non mi accorgevo di annoiarmi. Per quanto 'annoiata' non è la parola più esatta. La mia vita mi piace. Solo che... tutto d'un tratto, mi è venuta una gran voglia di provare dell'altro, di averne di più. Di vedere gente. Gente viva e reale. Venerdì, quando sono andata a trovare Tom, ho capito subito che era una giornata infelice, sbagliata, e sono ripartita presto. E poi, senza nessuna ragione al mondo, mi è venuta la smania di andare a Carmel. »

« Sul serio? » Kate annuì, con una strana sensazione mista di piacere e di colpa.

« Carognetta che non sei altro! E non mi hai detto neanche una parola! Be', che cosa hai fatto a Carmel? »

« Ho speso un patrimonio. » Kate rise, costringendo Felicia a fare altrettanto.

« In che cosa? Muoio dalla voglia di saperlo. »

« Roba ridicola e assurda. Vestiti. Niente di cui avessi

bisogno. Santo cielo, non so neanche quando potrei metterli... e per andare dove? O diciamo piuttosto che non sapevo dove avrei potuto metterli, fino a stasera. Chissà, magari è per questo che ho deciso di venire in città con te. Per mettermi i vestiti nuovi. » Stava scherzando solo in parte. In effetti, non lo sapeva bene neppure lei per quale motivo si fosse decisa. Ma aveva sentito, nel suo intimo, quel nuovo, piccolo demone, che aveva cominciato a gridare: « Vai! Muoviti! Vivi! Sogna! Spendi! Esisti! » D'un tratto le balenò però un altro pensiero che la fece diventare seria di colpo. « Credi che sia una cosa terribile da fare a Tygue? » Aveva gli occhi sbarrati nell'oscurità quando Felicia le lanciò un'occhiata.

« Cosa, andartene via per un paio di giorni? Non essere ridicola. La maggior parte dei genitori lo fa di continuo. Vedrai che gioverà anche a lui. »

« Forse avrei dovuto cercare di prepararlo con un po' più di anticipo. »

« In tal caso ci avresti ripensato e non saresti più venuta. » Kate annuì in silenzio; era d'accordo. Si accese una sigaretta.

Così le sembrò che fosse passato soltanto qualche attimo quando, poco dopo, Felicia la guardò attentamente con un sorriso: « Sei pronta? »

« Per che cosa? » Kate assunse un'aria incerta, ma poi, improvvisamente, si rese conto di quello che intendeva Felicia. Era rimasta talmente assorta nei propri pensieri che si era lasciata sfuggire i primi punti di riferimento, caratteristici di quel percorso. Si stavano avvicinando alla città, ormai. Avevano già oltrepassato l'aeroporto. Sì. Era pronta. Altri tre chilometri, l'autostrada imboccò l'ultima curva, nel buio, ed eccola lì. Kate, in silenzio, immobile al suo posto, fece un vago sorriso mentre sentiva che gli occhi le si riempivano di lacrime. Era come essere tornata a casa. I profili irregolari delle case della città, che si stagliavano contro il cielo, sembravano un poco più imponenti, ancora più irregolari e frastagliati, ma, nell'essenza, era la stessa. San Francisco, del resto, era una città che non aveva mai subito cambiamenti molto profondi. Aveva sempre conservato intatta e integra la sua personale fisionomia. E la sua bellezza. La guglia del grattacielo della Trans-America si levava esile e nitida nell'aria, al centro della metropoli. E, d'un tratto, Kate lasciò che i suoi pensieri tornassero ai posti, ai tanti luoghi che per anni aveva volutamente cancellato dai suoi ricordi. Le strade fiancheggiate dagli alberi di Pacific Heights, le piccole case in stile vittoriano, lo *Yacht club* in una serata d'estate, la Marina in una mattina di domenica, la maestosità del Presidio, l'ampia curva slanciata del Golden Gate e tutti i luoghi segreti che aveva scoperto e ammirato con Tom. Le bastò rivedere la linea degli edifici della città che spiccava contro il cielo, mentre Felicia vi si avvicinava a velocità sostenuta, per rievocare i mille ricordi che tanto tempo prima aveva riposto come vestiti in vecchi bauli dall'odore di muffa. Ma infine li aveva tirati fuori di nuovo: emanavano il lieve, antico, profumo familiare. Abbassò un finestrino e lasciò che l'aria notturna le sferzasse il volto.

« È fresco. Probabilmente sarà calata la nebbia. » Felicia le sorrise in silenzio. In realtà, Kate non aveva molta voglia di parlare, ma piuttosto di osservare, ascoltare, sentire. Ecco, avevano già imboccato lo svincolo e la rampa che portavano in città. Stavano percorrendo Franklin Street dirette a nord, verso la baia. Mentre l'automobile raggiungeva la cima delle alture, si potevano vedere le luci che palpitavano sull'altro lato della baia. Perfino il traffico sembrava diventato più di lusso: *Jaguar*, *Mercedes* e *Porsche* si mescolavano, con sussiego, a furgoni e *Volkswagen* fra le quali si insinuava, a velocità fortissima, qualche occasionale motocicletta. Ogni veicolo dava l'impressione di spostarsi molto in fretta e ogni cosa appariva luminosa, scintillante, piena di vita. Erano le dieci di una domenica sera.

Felicia svoltò in California Street e, un isolato più su, si trovarono a seguire uno dei vecchi tram che risaliva il pendio della collina: Kate scoppiò a ridere.

« Oh, buon Dio, Felicia! Me ne ero dimenticata. Come adoro questa città! È tutto così bello! » Felicia avrebbe voluto alzarsi in piedi e mettersi a urlare. Vittoria! Kate era tornata! Chissà, forse poteva darsi che fosse addirittura tornata definitivamente.

Felicia oltrepassò con cautela il tram quando fu in cima a Nob Hill e Kate ricadde nel silenzio di prima mentre contemplava l'austero splendore della cattedrale, del *Pacific Union Club*, dei due alberghi *Fairmont* e *Mark* e poi scesero a gran velocità lungo l'altro fianco della collina, nella zona degli affari, con il Ferry Building proprio di fronte. E Kate rise di nuovo.

« Okay, Licia. Confessa: lo hai fatto apposta, vero? »

« Che cosa? »

« Il giro turistico. Sai bene quello che voglio dire, vigliacca. »

« Io? »

« Tu. Però mi piace. Continua pure. »

« C'è qualcos'altro che vorresti vedere? »

« Non lo so. » Le sensazioni, i ricordi che si erano tutti risvegliati contemporaneamente non le permettevano di decidere senza incertezza che cosa avrebbe desiderato rivedere.

« Hai fame? »

« Sì e no. »

« Vorresti fermarti a mangiare qualcosa da *Vanessi*? »

« Conciata così? » Kate abbassò gli occhi inorridita sui jeans azzurri, la camicetta rossa e le scarpe basse, scollate, senza tacco e un po' scalcagnate, che indossava.

« La domenica, chi vuoi che se ne accorga? E poi, è piuttosto tardi. »

« Non so, Licia. » Aveva ripreso l'aria nervosa di prima e Felicia agitò una mano mentre imboccava rapidamente Kearny Street verso il punto dove incrociava Broadway. E furono così catapultate all'improvviso in mezzo alla volgarità chiassosa e sgargiante di Broadway. RAGAZZI DI AMBO I SESSI FANNO QUI LA LOTTA LIBERA IN TOPLESS e le solite promesse gridate dagli imbonitori: VERGINI, SONO TUTTE VERGINI... a fianco a fianco con *Finocchio's* e i suoi attori travestiti da donne. Nel mezzo del caos, del traffico, della follia collettiva e degli autocarri che provenivano da Bay Bridge apparve *Enrico's*, un locale di tono falsamente artistico, che per primo aveva coraggiosamente lanciato la formula dello stare seduti al fresco, ai tavolini disposti sul marciapiede. Bene o male, con i mazzolini di rose sui tavoli dal piano di marmo rosato, l'atmosfera cordiale e chiassosa, i passanti dall'aspetto folcloristico, faceva molto via Veneto e molto poco Broadway. Quasi per poter conservare più a lungo quell'impressione, sull'altro lato della strada c'era *Vanessi*, frequentato da creature splendide e quasi splendide, dalle persone importanti e da quelle che di lì a poco lo sarebbero diventate, oltre a quelle che non lo sarebbero mai state ma erano convinte di esserlo. Pezzi grossi e imbroglioni, matrone e nobildonne, imponenti signori in abito scuro, signore vestite di nero con massicci braccialetti d'oro e, al tavolo vicino, pantaloni di jeans, capelli spettinati o ricci alla afro. Era un locale dove ci si poteva perdere, un locale dove si poteva trovare chiunque. Era, molto semplicemente, *Vanessi*. A Kate e a Tom era piaciuto enormemente. In principio lo avevano trovato un po' troppo rumoroso per le loro romantiche serate a due, ma poi ci si erano ambientati. Fra l'altro, lì dentro, Tom veniva sempre lasciato in pace. Qualche autografo, un paio di strette di mano, un cenno di saluto da lontano, ma senza essere tormentati o assillati. Niente baci, niente abbracci e pacche sulle spalle. *Vanessi*.

« Te la senti? » Felicia si era fermata con grande stridore di freni nel parcheggio poco lontano. Le dispiaceva lasciare la scelta a Kate; d'altra parte le sembrava più che giusto. Ci fu una lunga pausa mentre Kate si guardava intorno e poi, con aria assente, la sua mano si posò sull'orologino a forma di cuore che aveva appuntato alla camicetta. *Per il tuo coraggio, con amore.*

« Okay. » Scese dalla macchina, si sgranchì le gambe e si sentì quasi sopraffatta dal rumore e dal traffico. Tuttavia, perfino lei si rendeva conto che quello che le sembrava un frastuono era soltanto l'atmosfera di un'ora morta in una città come San Francisco.

Felicia si fece dare lo scontrino per la macchina e poi,

sottobraccio, si avviarono senza fretta verso il ristorante. « Impaurita? »

« Terrorizzata. »

« Lo è gran parte della gente per il novanta per cento del suo tempo. Non dimenticartene. »

« Non hanno niente da nascondere, loro. » Finalmente, l'aveva detto. Ecco di che cosa si trattava. Sempre di quello. Dannazione.

Felicia smise di camminare e si piantò davanti a Kate, tenendola sempre stretta per il braccio. « Neanche tu hai qualcosa da nascondere, Kate. Nel tuo passato hai sofferto molto. Ma ora non più. È il passato, quello. E il passato di qualcun altro. Il suo passato, non il tuo. Tu hai un bambino, un libro, una bella vita pulita in campagna. Tutto qui. » Kate chiuse gli occhi con un sorriso e respirò a fondo.

« Vorrei poter essere convinta di quello che dici, Licia. »

« Sta a te riuscirci. »

« Sissignora. »

« Oh, piantala. » Quel momento così carico di commozione era già passato e Kate cominciò a ridere allegramente mentre riprendeva il cammino con i passi slanciati e scattanti che le consentivano le lunghe gambe da puledra.

« Facciamo la gara! Facciamo a chi arriva prima! » Percorsero di corsa gli ultimi metri che ancora restavano, ridendo, soffocando per il fiato corto, poi il capocameriere aprì la porta per farle entrare e, perfino alle dieci di sera, furono inghiottite istantaneamente da quel rumore, quel viavai, quel frastuono e quella valanga di odori che era *Vanessi.* Camerieri che gridavano gli ordini davanti al grill, gente che rideva al banco del bar, battaglie politiche si ingaggiavano, storie romantiche cominciavano, tutto di tutto. Era favoloso. Kate si fermò appena dentro e sorrise. A lei, tutto quello strepito, tutto quel frastuono sembravano la dolce musica di un'orchestra che suonasse: « Bentornata a casa! »

« Un tavolo per due, signorina Norman? » Felicia annuì con un sorriso mentre il capocameriere guardava Kate con indifferenza. Non la conosceva. Non conosceva Tom. Conosceva soltanto Felicia. E, comunque, Kate era una persona qualsiasi. Soltanto una ragazza in jeans e camicetta rossa. Trovarono posto piuttosto indietro; le luci soffuse, rosate, davano un aspetto roseo e giovanile a tutti. Il cameriere offrì alle due signore il menu. Kate gli restituì subito il suo. « Cannelloni, insalata della casa e zabaione come dessert. »

Felicia ordinò bistecca, insalata e un Martini, mentre Kate guardava l'orologio. « Hai già un appuntamento? »

« No. Mi stavo chiedendo se non era il caso di telefonare a Tillie. »

« Probabilmente starà dormendo. »

Kate annuì mentre si accorgeva che un vago senso di colpa cominciava a insinuarsi nella sua gioia, guastandole la serata, ma decise di non lasciarsene sopraffare. Si stava divertendo. E la cena risultò ottima, come era sempre stata. Più tardi passeggiarono per qualche minuto fra le viuzze di North Beach, piene di colore locale. Boutique un po' hippie, negozietti colmi di oggetti artistici, bar e, pesante nell'aria, l'odore della marijuana. Anche lì niente era cambiato. Dopo aver percorso qualche isolato, tornarono senza fretta verso la macchina di Felicia. Era appena passata mezzanotte e Kate stava cominciando a sbadigliare.

« Insomma, chiamami pure Cenerentola. »

« Domani potrai dormire fino a tardi. »

« A che ora devi uscire per andare in ufficio? »

« Meglio non chiedermelo. Lo sai anche tu come mi sento al mattino. » Kate non fece che sbadigliare per tutta la strada fino a casa perché, d'un tratto, si sentiva letteralmente sopraffatta da tutte le sensazioni e le emozioni che il ritorno a San Francisco avevano fatto nascere in lei. Riusciva a malapena a tenere gli occhi aperti quando Felicia schiacciò un pulsante sul cruscotto dell'automobile mentre raggiungevano la cima di Telegraph Hill e la porta di un garage, a mezzo isolato di distanza, si spalancò.

« Oh, Licia, ma è fantastico! »

« No, è solamente una questione di sicurezza. »

Intanto Kate stava osservando, divertita, il palazzo in cui

erano arrivate. Si trattava di un edificio ancora più elegante di quello in cui abitava Felicia quando Kate se ne era andata dalla città. Una costruzione tipica per persone sole. Lussuosa, ottimamente amministrata e organizzata, silenziosa, con appartamenti a una o due camere da letto e un panorama stupendo del porto e della baia. Non era un posto adatto a chi avesse bambini e, in realtà, non possedeva una particolare bellezza o la calda intimità di una vera casa. Era soltanto un posto molto costoso dove abitare.

« Disapprovi? » Felicia sembrava divertita mentre entravano senza rumore nel garage.

« No, naturalmente! Per quale motivo me lo chiedi? »

« L'espressione della tua faccia. Ricordati che io sono un topo di città. Il topo di campagna sei tu. »

« Va bene, va bene, sono troppo stanca per mettermi a discutere. » Kate le fece un altro sorriso, fra due sbadigli, e infine salirono sull'ascensore che le portò rapidamente di sopra. Felicia aprì la porta del suo appartamento al quale si accedeva direttamente dall'ascensore e si trovarono subito in un'anticamera tappezzata con una elegante carta da parati francese in calde tonalità rosa spento e folti tappeti color panna e beige sul pavimento. Alle pareti erano appesi degli acquerelli; c'erano anche due grandi palme e uno specchio inglese antico. Tutto era raffinato e squisito. E rispecchiava perfettamente i gusti di Felicia.

« Dovrei togliermi le scarpe? » le domandò Kate in tono scherzoso, ma solo a metà.

« Soltanto per mettertele... ma va', Kate! Non sono così pignola, per tutti i diavoli! Se ne hai voglia, puoi anche divertirti a fare le capriole su questo pavimento! »

« Mi piacerebbe. » Quell'atrio, da solo, sarebbe potuto essere una camera da letto stupenda.

Ma Felicia stava già accendendo le luci del salone per il quale erano state scelte stoffe di damasco color panna e di seta crema, con tavoli orientali, di legno scurissimo intarsiato. Il panorama che si godeva dalla finestra era meraviglioso e l'arredamento della stanza, nel suo complesso, di una incredibile semplicità. La sala da pranzo, che si trovava più oltre, era arredata in modo simile, con un pavimento di marmo a riquadri bianchi e neri, parecchie *appliques* di cristallo e un piccolo lampadario a gocce, di cristallo anche quello. Kate ebbe subito la sensazione che lo stile di vita di Felicia non fosse così grandioso sei anni prima. Elegante, certo, ma non tanto spettacolare. Poi c'era una terrazza che girava tutt'intorno all'appartamento, sommersa da una lussureggiante quantità di fiori e piante. Kate si accorse subito che era tutto opera di un giardiniere, non certo della sua amica.

« Ti piace? »

« Vuoi scherzare? Sono letteralmente senza parole! E quando è stato che la tua vita ha preso un andazzo di questo genere? »

« Con l'ultima grossa promozione in ufficio. » Felicia sorrise, ma poi le sfuggì un lieve sospiro. « Devo pur far qualcosa con i miei soldi! E tu mi hai vietato, almeno ancora per un po' di tempo, di regalare a Tygue un'automobile! »

« Si vede, sai, come li hai spesi! »

« Grazie, cara. Adesso ti faccio vedere la tua camera. » Non nascose la propria soddisfazione che a Kate il suo appartamento piacesse anche se, a dire la verità, cominciava a esserne un po' stanca. Ormai lo aveva da due anni e mezzo. Ed era già pronta per qualcosa d'altro. Qualcosa di ancora più raffinato, un altro gradino più su.

La camera per gli ospiti era in armonia con il resto dell'appartamento, tutta arredata in bianco e azzurro, con una squisita stampa francese. C'era anche un minuscolo camino con la mensola di marmo bianco e ancora altre piante, una porta-finestra che dava sulla terrazza, un piccolo scrittoio francese, un divano a due posti in stile vittoriano.

« Vorrei semplicemente avvertirti che potrebbe venirmi il ghiribizzo di non andarmene più! » Poi scoppiò a ridere come se le fosse balenata un'idea assurda.

« Cosa c'è di tanto buffo? »

« Il pensiero di vedere qui dentro il mio piccolo Tygue. Riesci a immaginare il nostro bambino, che si fa ancora certe scorpacciate di pane e cioccolato, letteralmente stravaccato su quel piccolo divano così civettuolo? »

« Trovo che sarebbe un'idea meravigliosa! » Felicia per un attimo sembrò quasi stizzita, ma poi si strinse nelle spalle. « Be', chissà... » e tutt'e due scoppiarono a ridere come ragazzine. Ma era bastato parlare di Tygue perché Kate ne sentisse subito la mancanza. Quella sarebbe stata la prima notte, da quando era nato, in cui la sua mamma sarebbe rimasta lontana. E se avesse avuto bisogno di lei? Se gli fosse venuto un incubo durante il sonno? Se non fosse riuscito a trovare Willie? Se...

« Kate! »

« Uhu? »

« Immagino benissimo quello che stai pensando. Piantala. Domani potrai parlargli. »

« Domani tornerò a casa. Però, nel frattempo... » Si buttò sul letto con un sorriso estasiato. « Questo è un puro e semplice paradiso! »

« Bentornata in patria! » Felicia uscì dalla stanza e attraversò l'anticamera per raggiungere la propria camera da letto. Subito Kate le gridò dietro: « Posso vederla? »

Era candida, spoglia, molto fredda, simile al salone. Kate ne rimase delusa.

« Che cosa ti aspettavi? Gli specchi sul soffitto, magari? »

« Come minimo! »

« A proposito, vuoi qualcosa da bere? »

Ma Kate si limitò a sorridere, scrollando la testa. Sapeva con esattezza quello che desiderava e, dopo aver augurato la buonanotte a Felicia, dopo aver sentito la porta della camera da letto dell'amica che si richiudeva, riuscì a ottenerlo. Andò a piantarsi sulla terrazza, in camicia da notte, a piedi nudi, a contemplare la nebbia che era calata sulla baia, a guardare le navi laggiù, più sotto, e Bay Bridge e le macchine che vi sfrecciavano sopra. Rimase lì per una buona mezz'ora, fino a quando si accorse di tremare talmente per il freddo da vedersi costretta a rientrare in camera. Ma quando lo fece, stava ancora sorridendo.

12

QUANDO Kate si alzò trovò un piatto di croissant e un bricco di caffè che Felicia le aveva lasciato con un biglietto: *Vieni a prendermi in ufficio a mezzogiorno. Fa' pure tutte le compere che vuoi, con lo sconto, prima o dopo, se preferisci. Ciao, F.* Comperare con lo sconto. Be', forse non era proprio una delle cose per le quali sentiva la smania. Piuttosto, aveva voglia di rivedere la città. E non solo la città. Ma luoghi, memorie, attimi del passato. Come per esempio quando, lanciando gridolini di gioia, era passata in macchina, a velocità pazza, oltre la cima del Divisadero con Tom e la brezza della baia che l'aveva spettinata, buttandole i capelli in faccia, mentre ridiscendevano di nuovo verso la sottile linea costiera con le piccole spiagge e le insenature, oppure quando puntavano, sull'autostrada, verso Bay Bridge. Le passeggiate per strette viuzze lastricate di mattoni nella parte alta della città, oppure i giri che facevano quando passavano, senza meta, guardando le vetrine, per Union Street, o girellavano lungo le banchine del porto o facevano una scorpacciata di scampi in mezzo ai turisti di Fisherman's Wharf.

Si stiracchiò pigramente, in cucina, a piedi nudi, con i lunghi e soffici capelli castani che le scendevano in disordine sulla schiena, mentre il sole, qua e là, ne traeva sfumature ramate. Felicia aveva uno stupendo panorama perfino dalla finestra della cucina. Kate lo contemplò felice mentre mordicchiava una pesca, aspettando che il caffè si riscaldasse. Proprio mentre stava finendo di mangiarla, squillò il telefono. Probabilmente era Licia che la chiamava.

« Pronto. »

« Sì, pronto. Sei tornata. » Per un attimo le parve di sentirsi il cuore che le si fermava. Chi era, lui?

« Uhm... sì. » Restò immobile, aspettando di risentirne la voce.

« E a quanto vedo, ti stai godendo una mattinata da fannullona. È lo choc di essere rientrata in città? »

Be', uno choc lo era certamente. « No, è molto piacevole. » Santo Iddio, ma chi era quell'uomo? Sembrava che la conoscesse, ma Kate non aveva la minima idea di chi potesse essere. Aveva una voce calda, profonda, interessante. E tuttavia non le faceva venire in mente nessuno. Comunque, si accorse di essere stata colta da un tremito, dentro. Era come essere vista senza riuscire a vedere il proprio interlocutore.

« Ho provato a cercarti per uscire a cena ieri sera, ma non eri ancora rientrata. Come sta la tua amica? »

A quel punto Kate si lasciò sfuggire un lungo sospiro. Dunque le cose stavano così! D'altra parte, però, era chiaro che lui non doveva conoscere Felicia molto bene, altrimenti non avrebbe preso la voce di Kate per la sua. « Mi spiace, ma credo che qui ci sia un grosso equivoco. »

« Davvero? » Sembrava confuso e Kate scoppiò a ridere. « L'amica sono io. Cioè, non sono Felicia. Mi scusi. Non saprei assolutamente dirle per quale motivo ho potuto pensare che lei capisse chi ero io, però mi è sembrato che fosse proprio così! »

« Be', è stata semplicemente una supposizione. » Sembrava divertito anche lui e la sua risata era piacevole e simpatica come la sua voce. « Mi spiace. Dunque lei sarebbe l'amica di campagna? »

« Sì, il topo di campagna. Per servirla. » Forse non esattamente, però era divertente parlare con quell'uomo, ora che Kate aveva chiarito la sua posizione. Il suo interlocutore doveva essere uno degli uomini che Licia frequentava abitualmente, se era al corrente delle sue gite in campagna. « Mi creda, sono molto spiacente. Non avevo nessuna intenzione di farmi passare per un'altra persona. Posso riferire a Licia un messaggio? La vedrò a pranzo. »

« Le dica semplicemente, se vuole essere così gentile, che le confermo tutto per questa sera. Verrò a prenderla alle otto. Il balletto comincia alle otto e mezzo e poi abbiamo un tavolo da *Trader Vic's* per cena, dopo lo spettacolo. Penso che tutto questo dovrebbe incontrare l'approvazione della signorina Norman. »

« Sì, perbacco! » Kate scoppiò a ridere di nuovo, ma poi provò un vago senso di imbarazzo. Forse l'uomo con cui stava parlando era una persona che ci teneva particolarmente alle formalità.

« Le dirò che lei ha approvato. »

« Le dirò che lei ha chiamato. »

« Grazie mille. » Riattaccarono e, a quel punto, Kate si accorse inorridita che non gli aveva neppure chiesto come si chiamava. Che vergogna! Ma era stato così strano parlare di nuovo con un uomo! Con questo, facevano addirittura due in una settimana soltanto! D'altra parte si era convinta che Felicia dovesse sapere di chi si trattava. Se non fosse stato così, voleva dire che sarebbe andata a uno spettacolo di balletto con un perfetto sconosciuto. L'idea divertì Kate, che si mise a ridere mentre si versava un'altra tazza di caffè. Gli uomini. Continuava ad amare la sua vita da donna sola, però era piacevole poter ricominciare a divertirsi e a scherzare con loro. Divertirsi a parlare al telefono, oppure discutere di affari con Stu. Per qualche motivo che non riuscì bene a capire, si accorse di avere ancora voglia di questi giochi che non la impegnavano. Solo giocare, non « fare » qualcosa. E stava ancora ridendo tra sé quando finalmente andò a vestirsi. Tirò fuori dalla valigia gli abiti nuovi che aveva comprato, con un'espressione sbarazzina ed eccitata sul volto. Quello nero era da scartare, troppo impegnativo. La gonna rossa poteva andare bene. Aveva portato anche un paio di pantaloni di flanella grigia che risalivano, come minimo, a un secolo prima, una camicetta bianca e un maglione grigio, di shetland, morbido, ampio, però non aveva voglia di mettersi niente di simile. Aveva voglia di mettersi il tailleur. Quel completo color crema con la camicetta pesca e le scarpe snelle, eleganti, con il tacco con la catenina. Quasi quasi le veniva voglia di mettersi a saltare per l'eccitazione. Mezz'ora più tardi non poté fare altro che complimentarsi con se stessa quando si trovò davanti allo specchio. Aveva fatto il bagno, si era truccata, profumata e aveva indossato quel tailleur addirittura divino che aveva comprato a Carmel. Si era raccolta i capelli in una morbida crocchia che le dava un'aria raffinatissima, squisitamente da signora; per di più aveva perfino portato i piccoli orecchini con la perla, « casomai »... Mentre si contemplava nello specchio, le parve di essere tornata ai tempi in cui faceva l'indossatrice. Un'indossatrice molto più anziana, però. Aveva quasi trent'anni e il suo aspetto era piuttosto quello di una mannequin che partecipa alle sfilate dell'alta moda. Mai, in vita sua, aveva posseduto qualcosa di simile a quel completo color crema. Si rivolse un altro sorriso allo specchio e fece una piroetta. Chi era costei? Una famosa scrittrice di passaggio per un giorno soltanto a San Francisco, dove si sarebbe fermata a pranzo? Oppure era forse una tranquilla, giovane moglie, venuta per una rapida visita dalla campagna? Oppure era la mamma di un bambinetto, di un orsacchiotto, di un bassotto di nome Bert? La moglie, dal cuore spezzato, di... no, quello non lo era. Perlomeno non in quel momento. Però era tutte le altre cose e al tempo stesso nessuna di loro. La donna che vedeva riflessa nello specchio, con quella raffinata camicetta di seta color pesca, era davvero la mamma di Tygue? E quel bambino, esisteva realmente? E dove? In quale angolo della terra? In quel momento lei, Kate, era a San Francisco. Quella era la realtà. Come poteva esistere qualcos'altro?

Afferrò la borsetta piatta, piccola, di camoscio beige che aveva portato con sé perché si intonava con quel tailleur e se la infilò sotto il braccio. Aveva un fermaglio di corallo e molto, molto tempo prima era appartenuta a sua madre. In un'altra vita. Ormai era semplicemente una borsetta qualsiasi. E la giornata era stupenda in una città stupenda e lei aveva tante cose da fare. Si avviò a piedi, uscita dall'appartamento di Felicia, per Telegraph Hill e trovò un taxi in Washington Square. Da lì raggiunse un'agenzia di noleggio di automobili e poi fu finalmente padrona di sé nel modo più completo. Risalì Broadway fino a Pacific Heights, passando davanti a tutte le sontuose case da cui è popolata e passò per il Presidio. Poi tornò indietro, attraverso il Divisadero e le altre alture sulle quali era costruita la città, con un sorriso costante sul volto, mentre talvolta le sfuggiva dalle labbra un irresistibile grido di gioia. E infine ritornò di nuovo per il Presidio e arrivò fino al punto in cui la scogliera offriva un vasto panorama sul mare aperto e sul Golden Gate Bridge, che si allungava là fuori in tutto il suo splendore dal colore rosso ruggine. Sembrava soltanto a pochi centimetri di distanza, con quei dirupi di roccia, immensi e maestosi sui lati. Era uno spettacolo che l'aveva sempre lasciata senza fiato ed ebbe ancora la stessa impressione. D'un tratto capì che doveva portare Tygue ad ammirare quello spettacolo. Il bambino doveva conoscere la città dove i suoi genitori erano vissuti. Era un suo diritto. Doveva imparare ad apprezzare la bellezza, il movimento, i famosi *cable cars*, il ponte, la folla, tutto insomma. Le bastò pensare a lui per confermarsi la decisione che già aveva preso quando lo aveva lasciato il giorno prima. Sarebbe tornata a casa quella sera stessa. Aveva trovato la risposta alle proprie domande. Sì, ce la poteva fare. Era riuscita ad affrontare tutto. Niente fotografi appostati negli angoli. Nessuno sapeva o si interessava a chi lei fosse. Era un'epoca nuova, quella, con tanta gente nuova, in quei posti antichi e tanto amati. E Kate si accorse che voleva dividere tutte quelle sensazioni con Tygue. Gliene avrebbe parlato quella sera stessa.

Sentendosi in pace, si infilò di nuovo al volante della macchina presa a noleggio e puntò verso il centro della città. Perfino quello era divertente, ormai, come scoprì subito. Eppure ricordava ancora un tempo in cui, appena prima di partire per sempre, ne era stata terrorizzata. Le pareva di soffrire di claustrofobia ovunque andasse. Era incinta, spaventata, sola, con la vita distrutta e anche un fatto semplice come quello di recarsi nel centro di San Francisco era diventato un incubo. In quel momento era divertente. Tutta quella gente indaffarata, le donne con gli abiti dai colori vivaci delle pietre preziose, che entravano e uscivano correndo dai palazzi, che schivavano le macchine, saltavano a volo sui tram mentre il *St. Francis Hotel*, come una regina madre, contemplava con aria benevola tutto ciò dalla sua posizione dominante in Union Square. Per un attimo Kate si fermò e sorrise. Niente era cambiato, in quel luogo. Si poteva dire che quasi non era cambiato, addirittura, da quando lei era una bambina e, certo, nessun cambiamento era intervenuto in quegli ultimi sei anni. Il verde del giardino della piazza era intenso e piacevole come sempre, lo sfarzo pomposo dei grandi magazzini circostanti altrettanto superficiale e falso, i piccioni sempre numerosissimi, pressappoco come gli ubriaconi che la popolavano: tutto come sempre. Imboccò Geary Street con una curva e rallentò davanti al grande magazzino. Per un attimo ebbe l'impressione che, forse, ci fosse qualcosa di cambiato, ma no... il portiere uscì precipitosamente per aiutarla.

« Lascia la macchina, signorina? »

« Grazie. »

« Resterà molto? »

« Devo vedere la signorina Norman. »

« Ah, bene. » Le sorrise cordialmente e Kate gli consegnò le chiavi della macchina e un dollaro. Era più semplice e meno caro di un garage. Il portiere ne avrebbe pur fatto qualcosa, di quella macchina! Chissà che cosa, però! Con ogni probabilità il grande negozio aveva un accordo con il garage che si trovava sul lato opposto della strada oppure con il commissariato di polizia. L'importante era che, comunque, il cliente si vedeva sempre riconsegnare la propria macchina.

Sentendosi vagamente trepidante, Kate sospinse la massiccia porta di vetro ed entrò nei vasti saloni di marmo color cioccolato chiaro. I saloni venerati. Sacri. Borse a destra, bigiotteria a sinistra, il reparto uomini all'estrema destra, solo che era diventato più grande, cosmetici e profumi nell'ampia rientranza in fondo, a sinistra. Lo stesso. Tutto lo stesso. I guanti però erano spariti. E sembrava che anche le calze si fossero spostate, ma nessuna delle cose più essenziali aveva cambiato posto. E, Dio mio, com'era tutto bello! Incredibilmente bello! Una massa, un'abbondanza di merci di ogni genere alle quali nessuna donna sarebbe stata capace di resistere. Borse a tracolla di camoscio rosso, valigette di lucertola nera, stupendi gioielli massicci, d'oro e d'argento, sciarpe di seta scarlatta a fili d'oro da legarsi intorno alla vita sugli abiti da sera, pesanti mantelli sontuosi dai deliziosi colori pastello, sciarpe e foulard di Lanvin e, nell'aria, l'aroma intenso dei profumi... Seta a fiori... camoscio... satin... una gamma di colori variegata, senza fine. Faceva nascere il dubbio che nessuna donna sarebbe mai stata bella senza tutto ciò! Kate sorrise tra sé mentre osservava tutte quelle signore che si buttavano con avidità su ogni cosa che capitava loro sotto mano. Avrebbe voluto imitarle, ma non era neppure sicura di sapere come si giocava quel gioco, e poi non voleva far aspettare Felicia. Come se non bastasse, si sentiva già abbastanza originale e diversa dal solito... con quel tailleur addosso!

L'ascensore che la trasportò di sopra si fermò per un attimo al secondo, poi al terzo piano. Kate era vissuta in quei piani del grande magazzino, aveva indossato quegli abiti, sfilato in passerella con quelle pellicce di visone, era stata tutte quelle spose. Nei pochi attimi in cui gli sportelli dell'ascensore rimasero aperti scorse facce nuove. Volti giovani e freschi. Nessuno dei vecchi tempi. Ormai lei era una donna adulta. E anche le altre non c'erano più. Ventinove anni: erano poi così tanti?

L'ascensore si arrestò all'ottavo piano e Kate scese. Non sapeva più con sicurezza dove si trovasse l'ufficio di Felicia, ma glielo indicò subito un fattorino. Un ufficio d'angolo, naturalmente. Era logico che la direttrice del settore moda di tutti i negozi della società, in California, avesse un ufficio d'angolo. Come minimo. Kate sorrise di nuovo tra sé, mentre entrava in una piccola anticamera dove fu immediatamente fermata da due giovani donne dall'aria molto elegante e raffinata e da un uomo che portava un paio di pantaloni di camoscio azzurro chiaro.

« Sì? » Pronunciò quella parola socchiudendo appena i denti perfetti e due labbra morbide.

« Sono la signora Harper. La signorina Norman mi sta aspettando. » Il giovanotto la scrutò da capo a piedi, poi scomparve rapidamente. Un attimo più tardi, Felicia uscì a lunghi passi affrettati da un ampio locale completamente bianco. Tutto lì dentro era bianco, o cromato, oppure di vetro. Gelido ma raffinatissimo. Sembrava che il bianco fosse decisamente il colore al quale Felicia dava la preferenza, in quel periodo.

« Buon Dio! Ma sei proprio tu? » Felicia si fermò di botto sulla soglia e guardò l'amica. Se avesse dovuto ordinare un completo per una indossatrice per la sfilata più importante del negozio, non avrebbe scelto niente di diverso. E d'un tratto, guardandola, si sentì fiera di Kate. E molto felice che l'orologino nuovo fosse stato accuratamente fissato sul bavero del tailleur.

« Promossa? »

Felicia alzò gli occhi al cielo e la trascinò, praticamente, nel suo ufficio. Kate si era messa perfino a camminare in un modo diverso, con un lieve ondeggiamento dei fianchi e uno slancio delle spalle, al tempo stesso, quasi come se si sentisse bella come appariva. Felicia provò addirittura voglia di mettersi a cantare.

« È questo che hai comprato a Carmel? »

« Già. »

« È divino. Non sei stata fermata da tutti gli uomini che c'erano giù, nel negozio? »

« No. » Kate le sorrise. « Però tu stasera andrai a uno spettacolo di balletto con uno sconosciuto senza nome che verrà a prenderti alle otto, e poi andrete a cena al *Trader Vic's.* »

« Guarda, guarda. Peter. »

« Allora lo conosci. »

« Più o meno. » Il che significava più fisicamente e meno

spiritualmente, ma che importanza aveva? Erano affari di Felicia, quelli! Però aveva mostrato un'aria soddisfatta alla notizia di quell'invito a cena. « Vuoi venire con noi? »

« Sono sicura che lui ne resterebbe estasiato. In ogni modo, cara, torno a casa. »

« Torni a casa? Perché? » Era successo qualcosa? Felicia aveva un'espressione inorridita. « Di già? »

« No, nel pomeriggio. Ma ho già fatto un sacco di cose. Molto di più di quelle che tu immagini. » Felicia le immaginava. Le era bastato guardare Kate negli occhi. Perché Kate aveva ripreso la sua aria sicura di sé, fiduciosa, come non gliela vedeva da anni.

« Tornerai di nuovo? » mormorò Felicia trattenendo il fiato.

Kate annuì tranquillamente, poi sorrise. « Con Tygue. Credo che dovrebbe cominciare a conoscere un po' questo posto anche lui. È abbastanza grande per apprezzarlo. » Poi, dopo una pausa in cui il suo sorriso divenne più intenso: « E anche io. Forse ».

« Forse, un corno! Vieni, andiamo a pranzo. »

Condusse Kate in un nuovo ristorante incuneato fra due pontili, vicino al mare, e di nuovo bevvero champagne per festeggiare. Ogni giorno sembrava che si dovesse festeggiare qualcosa! Il ristorante serviva un pranzo abbondante e curato e aveva come clientela il fior fiore della gente che frequentava o abitava il centro della città. Aveva la porta sempre chiusa a chiave e si considerava una specie di club privato. « Soltanto su prenotazione », e badavano molto a chi le faceva, le prenotazioni. Era un posto che Felicia frequentava abitualmente. Ci portava le persone giuste, la sua presenza faceva sempre un grande effetto e procurava un'ottima pubblicità al locale. « Miss Norman » era un personaggio addirittura venerato a *Le Port*, come si chiamava il ristorante. Intanto Kate stava incominciando ad accorgersi che Felicia, in città, era diventata un personaggio piuttosto famoso.

« Ma ti conoscono tutti! » Sembrava che lì in quel ristorante tutti la conoscessero, soprattutto gli uomini più belli ed eleganti.

« Soltanto le persone giuste, tesoro! »

Kate scosse la testa e scoppiò a ridere. « Sei insopportabile! » Ma anche Felicia era diventata una donna più adulta e matura. Durante gli anni in cui Kate era rimasta rintanata nel suo nascondiglio, Felicia si era data un gran da fare. Qualunque fosse la posizione che aveva raggiunto, era una posizione importante. Tutto ciò che lei toccava aveva un certo gusto particolare. Quello del successo. Della ricchezza. E dello stile. Di quest'ultimo, poi, Felicia ne aveva da vendere. Quanto al resto, si era messa a guadagnare e ad accumulare in silenzio, per anni. Osservandola muoversi nel proprio ambiente, Kate provò per lei una nuova forma di rispetto.

« A proposito, hai parlato con Tillie? » Felicia le pose quella domanda in tono disinvolto, ma Kate ebbe l'impressione che il cuore le si fermasse in petto.

« Perché, ti ha telefonato? »

« No, affatto. Pensavo semplicemente che fossi stata tu a farlo. » Felicia si rammaricò di aver sollevato quell'argomento.

« No, avevo intenzione di farlo ma quando mi sono alzata Tygue doveva essere già uscito per andare a scuola. Gli parlerò stasera. Voglio cercare di tornare a casa in tempo per vederlo. »

« Gli farà un sacco di bene vederti così come sei adesso, Kate. Ha bisogno di abituarsi a qualcosa di un po' diverso da un paio di jeans blu stracciati, figliola. » Per un attimo assunse un'aria severa.

« Ecco perché pensavo di portarlo qui. Così potrebbe imparare i fatti della vita di prima mano. Che cosa te ne sembra, zia Licia? »

« Perfetto, tesoro. » Si fecero un brindisi reciprocamente con quello che ancora restava dello champagne e poi Felicia, con aria dolente, diede un'occhiata all'orologio. « Accidenti, non ne ho nessuna voglia ma devo andare. Quando pensi di tornare? » Voleva un impegno preciso. Subito. Prima che Kate cambiasse idea.

« Pensavo di portarlo in città il mese prossimo, quando la scuola sarà chiusa per l'estate. » Allora Kate diceva sul serio! Felicia diventò raggiante.

« Oh, Dio, Kate, non sto più nella pelle al pensiero di che cosa succederà quando glielo dirai! »

« Neanch'io! »

13

KATE riuscì a tornare a casa in poco meno di cinque ore e senza prendersi neanche una multa per eccesso di velocità. Già questo, in se stesso, era un miracolo. Centoquarantacinque, centocinquanta. Ma voleva vedere Tygue prima che il bambino andasse a letto. Voleva parlargli di San Francisco. Della sua decisione di portarcelo. Dei tram e del ponte. Gli portava della cioccolata che aveva comprato in Ghirardelli Square e gli avrebbe parlato anche di quello. Quante cose aveva da dirgli! Bastava quel solo pensiero a renderla eccitata e fremente, quando imboccò il viale di ghiaia. Per il ritorno a casa si era messa la gonna rossa e la camicetta di seta stampata a colori vivaci. Forse Licia aveva ragione. Forse gli avrebbe fatto bene vedere come poteva essere elegante e carina. Voleva dividere con lui tutte quelle novità. E l'eccitazione.

Quando parcheggiò lentamente la macchina al solito posto, notò che la casa aveva un'aria allegra, tutta illuminata. Non si sentì chiamare, non ci furono né grida né saluti né l'abbaiare del cane, tuttavia Kate sapeva che si trovavano tutti dentro, ben riparati e al caldo. Aprì l'uscio con la propria chiave e lo vide al tavolo di cucina intento a fare un *puzzle* con Tillie. Aveva addosso un morbido pigiama di flanella azzurra e una vestaglietta gialla che Licia gli aveva mandato chissà quanto tempo prima. E un'aria tranquilla, distesa, l'aria di un bambino che si sentiva a suo agio e stava bene; un bambino che era tutto suo. Rimase lì ferma un attimo a osservarlo mentre Tillie le sorrideva. Tygue non aveva staccato gli occhi dal *puzzle* posato sul tavolo.

« Salve, gente. » Silenzio. Tillie alzò le sopracciglia ma disse che lei non c'entrava in tutto ciò che stava succedendo. Comunque le parole attese continuarono a non arrivare. Niente « Ciao, mamma ». Soltanto Bert che agitava la coda ai suoi piedi, insonnolito. « Ehi, il mio bambinone! Non mi dici neanche ciao? » Gli si avvicinò rapidamente e lo strinse in un lungo abbraccio, ma Tygue continuò a ignorarla.

« Certo. Ciao. » Allora Kate incontrò lo sguardo di Tillie. Dunque il motivo era quello. Faceva l'offeso, lo smorfioso. Kate si mise lentamente a sedere su una delle sedie della cucina e lo guardò. Fino a quel momento non aveva ancora alzato gli occhi verso di lei. Tillie, intanto, era andata a prendere la sua roba. Kate, come sua abitudine, era tornata al momento stabilito. Era sempre precisa e puntuale. Aveva detto che sarebbe rientrata a casa il lunedì sera e così era stato. A Tillie piaceva quel lato del suo carattere. Ma sapeva anche che Kate avrebbe dovuto fare un bel lavoro di rammendo, per riaggiustare le cose. Da quando sua madre era partita, Tygue non era più stato lo stesso. « Anche la notte, Tillie! È andata via per stare in città anche la notte! » Il bambino le era sembrato sconvolto.

« Dove hai trovato questo nuovo gioco? »

« È stata Tillie. Lo abbiamo comprato oggi. »

« Che bello! La zia Licia ti manda tanti bacioni. » Silenzio ancora. Oh, Dio santo! Di quel passo ci sarebbe voluta una bella fatica per farlo sgelare un po'. Kate fu lì lì per domandarsi se ne valesse la pena. Ma, ripensando alle ventiquattr'ore precedenti, non poté che trovarne conferma. Tygue avrebbe dovuto cercare di capire, molto semplicemente. « Ehi, indovina un po' una cosa. » Lo attirò a sé e cercò di dargli un bacio sul collo, ma il bambino si era irrigidito e si scostò, come per non farsi raggiungere. « Ho una sorpresa per te. »

« Davvero? » Mai Tygue aveva mostrato così poca curiosità per una sorpresa. « Di che si tratta? »

« Un viaggetto. » La guardò inorridito. Ma Kate proseguì: « Ti piacerebbe venire a San Francisco con me un giorno o l'altro, per vedere la zia Licia? » Aspettò, immaginandosi di vederlo trasalire, con il fiato sospeso e gli occhi sbarrati, ma non successe niente. Anzi Tygue si ritrasse rapidamente, allontanandosi il più possibile da lei mentre gli si riempivano gli occhi di lacrime.

« Non ci vado, io! Non voglio! » Scese a precipizio dalla seggiola, corse via e un momento più tardi Kate udì il rumore della porta della sua camera che si richiudeva con un tonfo. Tillie, mentre infilava il soprabito, la osservò e Kate si lasciò sfuggire un lungo sospiro di stanchezza.

« Sapevo che si sarebbe arrabbiato da matti per la mia partenza, ma non mi aspettavo niente di questo genere. »

« Gli passerà. È un grosso cambiamento per lui. » Tillie con quelle parole voleva far capire di essere dispiaciuta per tutti e due, ma quell'atteggiamento contrariò Kate.

« Un grande cambiamento perché lo lascio per una notte? » Perbacco, ne aveva o no il diritto? Insomma, lo aveva sì o no, accidenti? Sapeva di averlo. Dopo tutto, Tygue era soltanto un bambino. Non poteva aspettarsi di averla con sé di continuo. Però, prima, era sempre stato così. Ecco il guaio!

« Quante volte lo ha lasciato solo di notte, Kate? » Tillie conosceva già la risposta, naturalmente.

« Mai. »

« E allora è un adattamento molto grande per Tygue, un adattamento a qualcosa di nuovo. Ci si abituerà, se lei ha intenzione di ripetere ancora l'esperimento. Secondo me, intuisce che qualcosa è cambiato. E forse questo lo confonde. »

« Oh, dannazione, Tillie! La stessa cosa vale per me. La settimana scorsa ho firmato un grosso contratto per uno dei miei libri. Ciò significherà un sacco di cose nuove per noi, tra cui alcune che ancora non capisco nemmeno io. Ho cercato di fare un esperimento per vedere che cosa avrei provato io di fronte a tutto questo! »

« Tygue non può capirlo. Lo intuisce, forse, ma non lo capisce. Tutto ciò che sa è quello che ha sempre saputo. Non è mai andato molto lontano da qui, come lei ben sa. E adesso ecco che la sua mamma resta via una notte e poi gli dice che ha intenzione di portarlo a San Francisco. Per lei e per me può essere qualcosa di emozionante, lo comprendiamo. Lui riesce soltanto a spaventarsi. E, a dire la verità, spaventerebbe anche un sacco di gente molto più grande di lui, qui nei paraggi! »

« Lo capisco. Ha spaventato anche me per moltissimi anni. » Quali che fossero stati i suoi motivi. « Forse pretendo troppo da lui. »

« Capirà, se ne farà una ragione. Ma deve dargli tempo. Vede », guardò Kate con aria quasi di scusa, « con ogni probabilità anche il fatto di vederla vestita in questo nuovo modo lo spaventa un pochino. Magari teme di perderla o che lei stia cambiando. Con i bambini non si può mai sapere. Si mettono in mente le cose più assurde, più strampalate! Quando morì mio marito, il mio figliolo più piccolo si cacciò in testa l'idea che questo volesse dire che volevamo farlo adottare da qualcuno. Non mi chieda perché, ma si era convinto che avremmo mandato via anche lui. Non fece che piangere per venti giorni e poi, finalmente, si decise a spiegarlo. Chissà, forse Tygue ha paura che lei voglia lasciarlo, tutta vestita così elegante! Devo dire, fra l'altro, che sta proprio bene. »

« Grazie, Tillie. »

« Non si agiti. Ah, a proposito, va in quel posto a dare le solite lezioni anche domani? »

« Credo che sarà meglio rimandare di un paio di giorni, prima di affrontare anche quello. »

« Be', è un bel vantaggio che sia gente così elastica! »

« Già. » Oh, per carità, Tillie. Non si metterà a crearmi delle difficoltà anche per quello! Per piacere! La donna infatti non lo fece. Si limitò a un cenno di saluto con la mano e poi si richiuse la porta alle spalle senza rumore.

Kate ebbe improvvisamente l'impressione di essere sola in casa. Soltanto Bert faceva sentire la sua presenza, tentando di giocare con le luccicanti catenine d'oro che le ornavano il tacco delle scarpe nuove.

« No, Bert, piccino mio, non si gioca così con ottantasei dollari! » Lo scacciò delicatamente con la mano e notò subito come sembrava vuota la casa quando vi risuonava soltanto la sua voce. Restò seduta dov'era per un momento, poi si alzò e si tolse la gonna, aprì la cerniera della valigia che aveva portato con sé in città, vi frugò dentro e tirò fuori i jeans e la camicetta rossa, mentre buttava sulla spalliera di una seggiola gli abiti nuovi. « Addio, per ora. » Ripose di nuovo le scarpe nella valigia, con cura, altrimenti Bert se le sarebbe sgranocchiate per cena. Poi, così com'era, scalza, si avviò senza rumore verso la camera da letto di Tygue e bussò. « Posso entrare? » Ci fu un silenzio e poi finalmente la voce del bambino.

« Sì. » Era seduto al buio e nella stanza avvolta dall'oscurità il suo visetto pallido e rotondo sembrava ancora più piccolo.

« Vuoi la luce? »

« No. »

« Okay. Hai Willie? »

« Sì. »

« Scommetto che è una bella cosa. »

« Che cosa? » Com'era esile e cauta la sua voce!

« Scommetto che è una gran bella cosa avere Willie. Sai che è tuo. Che sarà tuo per sempre. »

« Già, proprio così. » La voce si era fatta più dolce, nel buio, mentre Kate si allungava attraverso il lettino cercando di guardarlo in faccia.

« E lo sai, vero, che hai anche me, esattamente come hai Willie? Anzi, di più. Per sempre, sempre, sempre! Lo sai questo? »

« Be', pressappoco. »

« Cosa significa questo 'pressappoco'? » Non era un'accusa. Era una domanda.

« Vuol dire pressappoco. »

« Okay. Che cosa succede se tu metti al collo di Willie un bel nastro rosso? Lo rende differente? »

« Certo. Lo fa diventare buffo. »

« Ma gli vuoi meno bene? » Tygue scrollò la testa con veemenza, facendo segno di no, stringendosi più forte al cuore l'orsacchiotto. « Va bene, allora, anche se ti posso sembrare buffa, o se ti può sembrare buffo quello che mi metto addosso, sono sempre la tua solita vecchia mamma, giusto? » Un cenno di assenso. « E ti voglio sempre bene allo stesso modo, indipendentemente da quello che faccio o da come sono vestita o da dove sono. »

« Willie però non mi lascia. »

« Neanch'io. Neanch'io ti lascio. Qualche volta può darsi che io debba andare via. Ma non ti lascio. Tesoro, non ti lascerò mai. Mai e poi mai. »

« Però te ne sei andata via. » La voce si era fatta più forte, anche se era tutta tremante.

« Solo per una notte, e sono tornata. Proprio come avevo detto che avrei fatto. È vero sì o no? » Riluttante, il bambino fece segno di sì.

« Perché lo hai fatto? »

« Perché avevo bisogno di farlo. Volevo farlo. Perché qualche volta le persone grandi devono andare in certi posti senza i bambini. »

« Però prima non ne avevi mai avuto bisogno. »

« No. Ma questa volta invece ne ho avuto bisogno. »

« È stato quell'uomo che ti ha mandato via? » Kate comprese immediatamente a chi alludeva il bambino.

« Stu Weinberg? » Tygue annuì. « No, affatto. Sono stata io che 'mi sono mandata via'. E poi, per una notte soltanto, non è stato poi così terribile, vero? » Lui si strinse nelle spalle senza dire né sì né no e poi, d'un tratto, scoppiò in lacrime tendendole le braccia. Kate rimase annichilita.

« Mi sei mancata! Ho pensato che tu non mi volessi più bene! »

« Oh, tesoro, oh bambino mio... come hai potuto pensare una cosa simile? Ma io ti voglio tanto, tanto bene! E anche tu mi sei mancato. Ma... la verità è che dovevo proprio andare via. Però tornerò indietro sempre, sempre, sempre! E la prossima volta che andrò via, tu verrai con me. » Avrebbe voluto promettergli di non farlo mai più. Ma sapeva che lo avrebbe fatto di nuovo. Come poteva rinunciare, ormai, a ciò che aveva appena ritrovato?

Tygue pianse per quasi mezz'ora e poi le sue lacrime si asciugarono. La guardò con un sorriso esitante e debolissimo.

« Se provassi a strizzare la mia camicetta, le tue lacrime basterebbero a fare il bagno a Willie. Lo sai? »

Tygue scoppiò in una risatina rauca e Kate gli diede un bacio mentre gli accarezzava i capelli biondi che gli ricadevano spettinati sulla fronte. « Ti potrebbe interessare un po' di cioccolata? »

« Adesso? »

« Come no! » Gliene aveva portata una tavoletta enorme, avvolta in una carta che sembrava d'oro. Aveva le dimensioni di un bel librone rilegato. Gli aveva portato anche una scatola di lecca-lecca al cioccolato e una pistola di cioccolato. Era meglio di Pasqua o di Natale. Quando Tygue vide la pistola di cioccolata avvolta nella carta d'oro rimase a bocca aperta per lo stupore e sbarrò gli occhi, allungando le mani.

« È fortissima! »

« Niente male, vero, piccolino? »

« Oh, mamma, è una favola! »

« Anche tu. » Se lo trascinò in grembo mentre Tygue si metteva a divorare a morsi la gigantesca tavoletta di cioccolato. La pistola, però, sarebbe stata risparmiata, per essere mostrata agli amici a scuola.

« E se qualcuno me la rompe? »

« Be', ne compreremo un'altra quando andremo a San Francisco insieme. » Nel fondo del suo cuoricino in quel momento ci fu forse un fremito, ma poi, subito, Tygue alzò gli occhi a guardarla con un sorriso che gli riempiva il volto e un'occhiata avida e felice.

« Certo. Che posto dev'essere! Favoloso! »

Quella sera Kate se lo tenne stretto al cuore a lungo.

14

« OKAY, adesso chiudi gli occhi, tesoro. » Tygue rimase immobile sul sedile vicino a lei, con gli occhi chiusi. Kate aveva riconosciuto l'ultima curva della strada prima che la sagoma irregolare della città si stagliasse contro il cielo davanti ai loro occhi. Si chiese che cosa ne avrebbe pensato Tygue. Non aveva mai visto niente di simile. Prese dolcemente la curva e sorrise a se stessa di fronte a quel gioco irregolare di costruzioni, di palazzi e grattacieli, steso davanti a lei. « Okay. Adesso puoi aprire gli occhi. » Quando Tygue ubbidì, rimase immerso nel più profondo silenzio. Osservò attentamente il panorama senza dire nulla. Kate ne rimase sorpresa. « Be'? Che cosa ne pensi? »

« Che cos'è? »

« San Francisco, sciocchino. Quelli sono tutti i grandi palazzi del centro. » Tygue non aveva mai visto niente che fosse più alto di quattro piani. Era incredibile, a pensarci! Alla sua età lei era già stata a New York ed era salita fino in cima all'Empire State Building.

« Credevo che ci fossero le colline. » Sembrava deluso e un po' spaventato.

« Infatti. Ma da qui non si possono vedere. »

« Oh. »

Kate si accorse che non sapeva più che cosa dirgli, mentre Tygue, lì seduto al suo fianco, guardava dritto davanti a sé. Lui sarebbe voluto tornare a casa. E lei avrebbe voluto che San Francisco gli piacesse. Con Felicia aveva studiato ogni cosa alla perfezione. Si sarebbero fermati per una settimana. Un'intera settimana! Fisherman's Wharf, Sausalito, i famosi tram, la spiaggia, lo zoo, una gita sul ferry-boat, una passeggiata in bicicletta a Angel Island... avevano pensato a ogni cosa. Felicia era addirittura riuscita a farsi dare l'orario dei giorni in cui la televisione locale avrebbe girato qualche scena di film nella zona, in modo che Tygue potesse assistervi. Generalmente li giravano in collina. E inevitabilmente c'era una ripresa prevista a Divisadero.

« Vuoi vedere la strada più piena di curve del mondo? »

« Certo. » Ma si stringeva Willie convulsamente sulle ginocchia e Kate dovette trattenersi per non sgridarlo. Era a San Francisco. Una cosa emozionante. Si trattava del primo viaggio che mai avesse fatto. Perché non era contento? Perché non se la godeva, non provava la stessa gioia che provava lei? Poi rimpianse di essere così meschina, di aver pensato cose del genere, svoltò in Franklin Street e fermò la macchina. « Siamo arrivati? È questa la casa di zia Licia? » Tygue alzò gli occhi verso un vecchio albergo squallido e cadente senza riuscire a nascondere il proprio orrore e Kate scoppiò a ridere. Il viaggio in macchina era stato lungo e soltanto in quel momento si accorse di avere atteso con un certo nervosismo le reazioni del bambino.

« No. E io ti voglio bene, sciocchino. Vieni qui e abbracciami. » Il faccino punteggiato di lentiggini di Tygue si illuminò in un sorriso mentre si allungava verso sua madre. Kate strinse in un abbraccio unico suo figlio e l'orsacchiotto. Tillie si era offerta di tenere con sé Bert fino al loro ritorno. « Tygue Harper, ti prometto che qui ti divertirai un mondo. Okay? Vuoi fidarti un pochino di me? » Lui fece segno di sì mentre Kate abbassava di nuovo gli occhi a guardarlo e lo baciava sulla testa.

« È così grande. » C'era un'autentica paura nella sua voce. « E così... » Si guardò intorno, nella squallida zona in cui

Kate si era fermata con la macchina per un momento e la delusione fu chiaramente visibile sulla sua faccia.

« Certo che è grande. Più grande di tutte le cose a cui siamo stati abituati fino adesso. Però ti ricordi E Street in città? » Lui annuì con aria grave. E Street era orribile. Si trovava oltre i binari della vecchia ferrovia, vicino allo scarico delle immondizie. C'erano sempre degli ubriachi, in quella strada, e vecchie automobili abbandonate. E anche cattivo odore. Era uno di quei posti dove nessuno sarebbe mai voluto andare. Conosceva bene E Street. Tutti la conoscevano. Alzò gli occhi verso sua madre con espressione stupita. « Bene, questo posto dove siamo adesso assomiglia un po' a E Street. Però a San Francisco ci sono anche posti molto belli. E li andremo a vedere tutti. Okay? Facciamo un patto? » Gli tese la mano con un sorriso e lui la afferrò nella sua e le diede una piccola stretta, forte. « Pronti a spassarcela? »

« Pronti! » Tornò al suo posto, si mise a fissare lo spettacolo che aveva davanti stringendo Willie a sé in modo un po' meno convulso e Kate sorrise mentre avviava di nuovo la macchina.

« Hai fame? » Sapeva che non erano molto lontani da *Hippo* in Van Ness, ma Tygue fece segno di no con la testa. « Gelato? » La testa si voltò e negli occhi apparve un lampo. Un piccolo cenno del capo. Sì. « E allora mangeremo il gelato. » Tutto perfetto. Si sarebbe fermata da *Swensen's* in Hyde Street, lungo la strada per andare a casa di Licia che li stava aspettando nel suo appartamento. E non si sentiva meno ansiosa di Kate.

Kate parcheggiò davanti a *Swensen's* all'angolo di Union Street con Hyde Street e mentre scendevano e si sgranchivano le gambe arrivarono due tram sferragliando lungo Hyde Street. « Guarda! » Tygue si mise a saltare agitando l'orsacchiotto. « Guarda, mamma! È un... un... » Era addirittura in estasi e sua madre scoppiò a ridere. Sì, ormai era certa che tutto sarebbe andato nel migliore dei modi. Il gelato, poi, era addirittura magnifico. Due palline di stracciatella e di banana, guarnite da una caramella di zucchero e da una spruzzata di cioccolata calda. Uscirono dal negozio che Tygue ne aveva già una buona parte spiaccicata sul mento e sul naso, mentre un altro tram scendeva sferragliando dalla collina. Kate faticò a far risalire il bambino in macchina.

« Più tardi andremo anche noi a fare un giro lì sopra. » Ma prima le era venuta un'altra idea. Anzi due. La collina più ripida e la strada più tortuosa. Erano entrambe molto vicine.

La collina più ripida non lo impressionò particolarmente, mentre trovò affascinante la strada più tortuosa, che percorsero scendendo piano piano sul lastricato di mattoni, fiancheggiato da vasi di fiori, ai lati del quale si trovavano piccole case vittoriane dai colori pastello. A Tygue piacque talmente che si dimenticò addirittura il gelato che aveva in mano e lo lasciò sgocciolare sull'orsacchiotto. Tutto felice allungò la lingua per risucchiare un po' del cioccolato da un orecchio di Willie.

« Tygue, ti prego! »

« Gnam, gnam, che buono! » Era di nuovo felice. « E quella che cos'è? » Appoggiato comodamente allo schienale, le indicò Coit Tower in cima a Telegraph Hill.

« Quello è un monumento in onore dei vigili del fuoco. Si chiama Coit Tower ed è proprio vicino a dove sta la zia Licia. »

« Possiamo andare a vederlo? »

« Certo. Ma prima bisognerà chiedere alla zia Licia quali sono i suoi programmi. »

« Che bello! »

E così fu tutto il resto del soggiorno. Fecero di tutto. Pranzi da *Hippo* e picnic su Stinson Beach. Il museo delle cere, Fisherman's Wharf, dieci o dodici corse sui tram, l'acquario, il planetario, Chinatown, il giardino giapponese nel parco. Un paradiso e, il sabato successivo, Tygue conosceva San Francisco meglio di molti bambini che ci vivevano dalla nascita.

« E allora, che cosa ne dici, caro? Hai intenzione di piantare la tua mamma e di venire a vivere qui con me? » Erano tutti comodamente sdraiati sul tappeto del soggiorno di Felicia, così perfetto e impeccabile, candidissimo, mangiando popcorn. Per la prima volta da quando Tygue era arrivato si sentivano troppo stanchi per uscire. Felicia aveva accettato la proposta di ordinare delle pizze. La settimana era stata totalmente dedicata a Tygue e alla fine le due donne erano esauste. Si sorrisero al disopra della sua testa.

« Sai una cosa, zia Licia? » Tygue stava guardando con aria pensierosa Bay Bridge, proprio al di sotto della grande terrazza. « Quando sarò grande, verrò magari qui a fare il tranviere. »

« Un'ottima idea, sei un asso! »

« E se gliene compri uno vero per Natale, Licia, ti strozzo. » Kate scoppiò a ridere a quel pensiero mentre si cacciava in bocca una manciata di popcorn.

« Quando pensate di tornare, brava gente? »

Kate si strinse nelle spalle, abbassando gli occhi verso Tygue. « Non so, vedremo. » Negli ultimi tempi aveva trascurato Tom; e poi, aveva anche qualche nuova idea per un altro libro. « A dire la verità, dovrei anche mettermi a lavorare un po'. Fra l'altro, ho combinato in modo che Tygue, insieme con un gruppo di altri bambini, vada ogni giorno a cavalcare nel ranch degli Adams fino alla riapertura della scuola. »

« E il libro? » Figurarsi se Felicia non andava a tirarlo fuori! Kate aveva cercato di non pensarci. Ormai mancavano soltanto pochi giorni alla data di pubblicazione.

« Adesso è un problema che riguarda loro. Io l'ho scritto. E ora possono venderlo. »

« Semplice, eh? » Felicia alzò un sopracciglio e la guardò in modo significativo. « Tu l'hai scritto, punto e basta. Ti è mai venuto in mente che quella gente potrebbe avere bisogno del tuo aiuto per venderlo? »

« Già, perché non provare con la solita vendita a porta a porta? » Kate si sdraiò sul pavimento con un risolino.

« Sai benissimo quello che vogliono. » Felicia non aveva nessuna intenzione di farsi smontare da quel tono. Perlomeno non così facilmente. Erano settimane che aspettava di affrontare quell'argomento.

« Come faccio a sapere che cosa vogliono? E poi, non sta lì il punto. »

« Oh, davvero? E quale sarebbe? Quello che vuoi tu? »

« Può darsi. Non vedo perché dovrei fare qualche cosa che potrebbe crearmi un disagio. »

« Non dire idiozie, Kate. » Tygue si alzò e accese la televisione. Era annoiato. Afferrò la scodella piena di popcorn e la portò via con sé; in tal modo a Kate non rimaneva più nulla con cui gingillarsi per nascondere la propria faccia. Alzò dunque gli occhi verso Felicia e poi guardò il panorama fuori della finestra. « Mi hai sentito. E sei matta se pensi di non fare neanche un po' di lavoro di promozione per quel libro. È la tua grande occasione. Hai fatto centro, stavolta. Se tu volessi sfruttare il successo di oggi, il tuo prossimo libro ne avrà uno ancora maggiore. E, a quel punto, diventerai un elemento fisso, permanente, nell'olimpo dei successi letterari. Però questa è la tua grande prova, bambina. Lasciatela sfuggire e non avrai più, mai più, un'occasione simile. Non puoi permetterti di ignorarla. »

« Come fai a sapere che è questo ciò che vogliono? Un libro può vendersi da solo. »

« Sei pazza! Stai sbattendo via la tua carriera. E invece sai bene come lo so io che vorresti avere successo. E ci puoi riuscire, perbacco! Hai tutto ciò che serve per riuscirci. Tutto. Bellezza, intelligenza e talento. »

« Ma non ho fegato. »

« Balle. Ti dai un tal da fare per nascondere a te stessa di possederlo, che ti sei completamente dimenticata della sua esistenza. E poi sai che è vero quello che dico. Fra l'altro, guarda un po' che cosa sei riuscita a fare in questo ultimo mese. Sei venuta a San Francisco due volte. Non sei più un'eremita, Kate, e lo sai bene. Né vuoi più esserlo. »

« Questa è una cosa diversa, Licia. Non si tratta di un impegno pubblico. Non espongo la mia faccia agli schermi della televisione, perché qualcuno ci scaraventi contro la classica torta di crema. O peggio. Perché mi trafigga il cuore come un pugnale. O trafigga quello di Tygue. » Lo disse sottovoce, perché il bambino non la sentisse. Ma Tygue era tutto preso dal programma che stava guardando sul grande schermo a colori. « Non me la sento di correre un rischio simile, Licia. »

« Sei una donna molto dura e si fa una gran fatica a discutere con te, accidenti! Perché, vedi, se accetterai di fare questo lavoro di promozione e qualcosa andrà storto io mi sentirò come l'ultima dei mortali! »

« Anch'io. Ecco perché non voglio farlo. »

« Ma pensa un po' come sarebbe divertente! »

« Credi? Non ne sono tanto sicura. Per Tom non è mai stato un vero e proprio divertimento. »

« Sì, che lo è stato. »

« Be', non completamente. »

« Magari non lo sarà stato per te. Ma per lui, sì. Doveva esserlo. Doveva essere la cosa più bella e più fantastica del mondo. »

« Io sono più contenta se ne posso fare a meno. »

« E anche più sola. »

« Licia, tesoro, il successo non è mai stato un antidoto per la solitudine. »

« Può darsi. Ma non ti dà un senso di esaltazione vedere tutti gli annunci pubblicitari del tuo libro? Accidenti, bella mia, fra tre giorni sarà nelle librerie. Non ti eccita? »

Kate sorrise all'amica con un vago imbarazzo. « Sì, in un certo senso, sì. »

« Hai capito quello che volevo dire. Ma pensa un po' che cosa succederebbe se tu ti facessi vedere in qualche posto, per puro scopo pubblicitario! » Felicia non mollava e stava cambiando linea di attacco, ma Kate alzò una mano, ridendo, e scrollò la testa.

« Basta! Basta, ho detto! Non voglio più sentire niente! » Ma Felicia non avrebbe mai smesso di insistere e tutt'e due lo sapevano perfettamente.

« Chissà! Può darsi che Weinberg ti faccia cambiare idea. »

Ma Kate fece segno di no con un'aria molto sicura di sé. « Neanche per sogno! Ed è troppo furbo e intelligente per provarci! »

Kate e Tygue partirono da San Francisco nelle prime ore del pomeriggio di domenica. Felicia si era presa una settimana di vacanza per stare con loro, ma l'indomani sarebbe dovuta rientrare in ufficio e anche Tygue doveva cominciare il corso di equitazione con gli altri bambini. E poi c'era Tom. Povero Tom! Non aveva più ricevuto una visita di Kate da quasi quindici giorni. Prima della partenza, era stata troppo affaccendata. Ma il giorno seguente, per prima cosa, sarebbe andata a trovarlo. Era un po' assurdo fare quel lungo viaggio verso casa la domenica, per poi prendere la stessa strada e tornare indietro il lunedì. Ma non esisteva altra soluzione. Non poteva portare con sé Tygue a Mead.

« Mamma? »

« Cosa c'è, tesoro? » In quel momento stavano immettendosi nel pesante traffico del pomeriggio domenicale in uscita dalla città.

« Possiamo tornare? »

« Ma te l'ho già detto che lo faremo. »

« Presto? » Kate gli rivolse un sorriso e fece segno di sì. « Presto. »

Poi Tygue scoppiò a ridere sommessamente, come tra sé, e Kate voltò di nuovo la testa a guardarlo.

« Che cosa c'è? »

« Muoio dalla voglia di rivedere Bert. »

Kate rise a quell'idea. « Anch'io. » Sarebbe stato piacevole tornare a casa. Tutte quelle spedizioni in città erano estenuanti. Per un attimo, le tornarono in mente i viaggi che, in passato, faceva con Tom. Ma anche quelli... che stanchezza sfibrante! E si chiese come avesse avuto la forza di sopportarli. Fare e disfare continuamente le valigie, prendere aerei, viaggiare in automobile, alloggiare negli alberghi. Eppure Tom aveva fatto diventare piacevole e divertente tutto ciò. Come un'avventura. Una luna di miele.

« A che cosa stai pensando? »

« A quanto mi divertivo quando viaggiavo con il tuo

papà. » Restò stupita di se stessa per avere pronunciato quelle parole. Capitava raramente che parlasse di Tom a Tygue: era un argomento che le sembrava più opportuno lasciare da parte. E il bambino capiva che non le piaceva parlarne. Tutto ciò che sapeva era che suo padre era morto in un incidente, prima che lui nascesse. Non aveva mai domandato quale fosse la professione di Tom, però un giorno lo avrebbe fatto. Kate avrebbe affrontato quel problema solo quando si fosse presentato. Molto probabilmente avrebbe inventato qualcosa lì per lì, una bugia come tante altre. Non poteva che fare così.

« Facevate tanti viaggi? »

« Qualcuno. » Kate stava calando di nuovo il sipario su quell'argomento.

« Dove, per esempio? » Tygue era tornato un bambinetto, che si accomodava meglio sul sedile con Willie fra le braccia, ansioso di sentirle raccontare le sue avventure. L'espressione del suo faccino la fece scoppiare a ridere.

« Oh, in tanti posti. Per esempio una volta siamo stati a Cleveland. » Il loro primo weekend insieme. Perché glielo aveva raccontato? Perché ci aveva pensato? Si sentì colmare lentamente il cuore da un'ondata di sofferenza.

« È stato bello? »

« Sì, proprio bello. Il posto non lo era molto, ma tuo padre l'ha fatto diventare davvero carino. » Tygue parve deluso. Le cose carine andavano bene soltanto per le bambine.

« Non sei mai andata a New York? » Presto anche Felicia ci doveva andare e le aveva sentite parlare di quel viaggio.

« Sì, con la mia mamma e il mio papà. Ma non ci sono mai andata con il tuo papà. »

« Mamma? »

« Che cosa c'è, tesoro? » In cuor suo pregò che non fosse una domanda a cui era difficile rispondere. Non proprio quel giorno. Non proprio in quel momento. Si sentiva così bene, così distesa e tranquilla che avrebbe voluto far durare quell'atmosfera piena di serenità.

« Come mai tutti i tuoi sono morti? Il tuo papà, la tua mamma e anche il mio papà? Come mai? » E la cosa più assurda di tutta quella storia era che, in realtà, nessuno di loro lo era effettivamente... ma era necessario che fossero considerati tali.

« Non so. Qualche volta capita così. Però, io ho te. » E gli rivolse un altro sorriso.

« E Willie e Bert e la zia Licia. E noi non moriremo mai. Magari la zia Licia morirà. Ma noi no. Giusto, Willie? » Abbassò gli occhi a guardare con aria molto seria il suo orsacchiotto, poi li rivolse di nuovo alla mamma. « Anche lui dice che è giusto così. » Kate sorrise a tutti e due e allungò una mano per arruffare i capelli di suo figlio.

« Ti voglio un sacco di bene, bamboccio. »

« Anch'io ti voglio bene. » Ma lo disse con una vocina sottile sottile, come se avesse paura che qualcuno potesse sentirlo. A Kate venne voglia di ridere e si sentì di nuovo serena e contenta della sua vita, mentre riportava gli occhi sulla strada. Per un po' viaggiarono in silenzio e, quando Kate abbassò di nuovo gli occhi sul bambino, era addormentato. Avevano appena superato Carmel e tre ore più tardi furono a casa, dopo avere ritirato Bert lungo la strada. Cenarono senza fretta, tranquillamente, al tavolo di cucina.

Appena finita la cena, Tygue fu pronto per andare a letto e meno di un'ora dopo anche Kate lo imitò. Non tentò neppure di vuotare le valigie o di aprire la posta. Si tolse i vestiti e li lasciò cadere in un mucchietto sul letto. Quando il telefono si mise a squillare, ebbe l'impressione che fosse passata a malapena un'ora, ma il sole già splendeva, alto nel cielo, e poteva sentire Tygue che trafficava con un gran rumore in un punto imprecisato della casa. Riuscì ad acchiappare il ricevitore al quarto squillo. Era Stu Weinberg.

« Mi sembrava che avessi detto che non vai mai in nessun posto. »

« Infatti, è così. » Cercò di riscuotersi, di svegliarsi completamente e, al tempo stesso, di mostrarsi gentile.

« Ho telefonato. Ho scritto. Ho pensato che, magari, fossi morta. In tal caso mi sarei sparato un colpo qui, sulla scrivania. »

« Eri arrivato a questo punto, uhu? Possibile? Qualcosa non andava? » Mamma mia. E se avessero annullato quei contratti? Di colpo Kate si accorse di essere sveglissima.

« No, assolutamente no. Non c'è niente che vada male. Va tutto benissimo. Il libro sarà in circolazione fra due giorni. Oppure te n'eri dimenticata? » No. Però stava tentando.

« No, non me ne ero dimenticata. » La sua voce aveva preso un'intonazione cauta.

« C'è qualcosa di cui dobbiamo parlare, Kate. » Oddio. Così, appena sveglia. Prima ancora del caffè.

« Oh? »

« Hai ricevuto un'offerta favolosa. »

« Un'altra? » Kate sbarrò gli occhi. Signore Iddio! Cosa c'era di nuovo adesso? I diritti per fare un film in Giappone? Sorrise.

« Già, proprio così. Un'altra. Abbiamo ricevuto una proposta per il programma di Case. »

« Jasper Case? »

« Esattamente. E vorrebbero che tu partecipassi alla trasmissione. È un'occasione magnifica per il libro. Siamo tutti eccitatissimi. »

« Chi sarebbero questi 'tutti'? » La voce di Kate aveva un'intonazione distaccata e sospettosa.

« La gente alla quale importa che il libro abbia successo, Kate. » E le snocciolò in tutta fretta i nomi di editori e case editrici. « Per non parlare poi di quelli del film. Questa intervista potrebbe diventare utilissima per il libro. » Silenzio. « Kate? »

« Sììì? »

« A che cosa stai pensando? »

« A quello che ti ho detto. »

« Secondo me, sarebbe uno sbaglio non accettare. Direi che è proprio una di quelle cose che tu dovresti deciderti a fare, stringendo i denti, raccogliendo tutto il tuo coraggio. Per tutto quello che hai di più caro, bella signora. E per il libro. » Il libro, il libro, accidenti al libro. « Case è un uomo di una simpatia unica. E poi il suo programma è un ottimo punto di partenza. Facile, cordiale e piacevole, molto corretto. È inglese, lui. »

« Lo so. È un programma che seguo alla televisione. » Era il migliore, la sera tardi, e tutto il paese lo guardava. E poi Jasper Case era un gentiluomo. Non lo aveva mai visto mettere qualcuno in imbarazzo. Ma... e le persone che assistevano a quel programma? E... se qualcuno l'avesse vista e avesse ricordato? Oh, per carità! Ma chi diavolo poteva ricordarsi di una ragazzina magra, alta, con i capelli castani, che si era trascinata sulle orme di Tom Harper senza mollarlo un momento? Chi poteva riconoscerla? A chi poteva importare? « D'accordo, accetto. »

« Come sono contento, Kate. » Alzò gli occhi al cielo e si asciugò la fronte madida di sudore. « Hanno organizzato le cose in un modo fantastico. Ti vorrebbero mettere nel programma fra otto giorni. E hanno pensato che, forse, ti avrebbe fatto piacere alloggiare al *Beverly Hills Hotel.* Ti hanno prenotato una camera per quel lunedì sera. Così puoi partire il mattino e prendertela con calma. Uno degli organizzatori del programma di Case ci raggiungerà per il pranzo e ti darà un'idea delle persone che appariranno insieme con te, la sera, spiegandoti quello che ti puoi aspettare. Vogliono anche tastare un po' il terreno e cercare di capire quali possono essere gli argomenti di cui vorresti parlare e quelli che preferiresti evitare. Insomma, hai il coltello dalla parte del manico. Poi potrai passare tutto il pomeriggio in piscina oppure andare dal parrucchiere o decidere di fare quello che ti salta in mente. Il programma verrà registrato alle sette e mandato in onda più tardi. Ma dopo la registrazione, alle nove, sarai libera di fare quello che vorrai del tuo tempo. Andremo a cena o qualcosa del genere, tanto per festeggiarti un po'. Tutto qui. Ti fermerai per la notte e andrai a casa il giorno dopo. Indolore. »

« Sembra un modo straordinariamente piacevole di perdere la mia verginità. » Sorrideva all'altro capo del telefono. Weinberg ce l'aveva fatta. E lo sapevano tutti e due. Del resto l'aveva incastrata fin dal principio, aveva subito capito come bisognava trattarla. Accidenti.

« Kate, fidati di me. Vedrai che ti piacerà. » Ormai stavano ridendo insieme.

« E se non mi divertirò, mi restituirai il prezzo del biglietto? »

« Come no, bambina. Certo! Non dimenticarti: lunedì prossimo, fra una settimana. Oh, a proposito, il *Times* di Los Angeles voleva un'intervista. Che cosa ne pensi? » Lei esitò a lungo.

« No. »

« *Vogue*? »

« Santo cielo! Che cosa diavolo sta succedendo, Stu? »

« Un sacco di cose; molto, ma molto di più di quello di cui finora tu ti sia resa conto, mia cara. » O forse di cui non aveva voluto rendersi conto. « Va bene, e di questo che cosa mi dici? » E le nominò un giornale femminile di poco conto. « Niente fotografie, soltanto un'intervista simpatica, senza problemi, a pranzo, martedì. »

« Va bene, va bene. Però mi rendi la vita molto dura! Su, di' la verità, adesso! Quante, ancora, di queste proposte, stai per presentarmi? » A sentirla, sembrava che stesse parlando con Tygue.

« Nove rotocalchi, cinque quotidiani e altri tre programmi articolati in forma di interviste, come quello di Case. E un'intervista radiofonica a Chicago. La registreranno per telefono. Se leggessi la tua posta, tesoro, sapresti già tutte queste cose. »

« Sono stata via », disse in tono imbarazzato.

« Qualche posto divertente? »

« San Francisco. »

« Fantastico. Possiamo procurarti un'intervista anche lì, se vuoi. Puoi tornarci, qualora te ne venisse voglia. »

« Accidenti, Stu! Non sono pronta per tutto ciò. »

« Ma è per questo che ci sono io! Sono qui per farti da cuscinetto. In ogni modo in questo preciso momento tu devi pensare ad affrontare una cosa sola... il programma di Jasper

Case. Il resto può aspettare. Fai il primo volo fuori del nido con Case. Poi vedremo. Ti sembra ragionevole? »

« Molto. Oh, Dio! » Si stava lasciando prendere dal panico un'altra volta. « Che cosa mi metterò? »

Stu Weinberg cominciò a ridere. Ce l'avevano fatta. Se stava cominciando a preoccuparsi di quello che doveva mettersi addosso, erano a cavallo! « Tesoro, puoi anche andarci nuda se preferisci. Basta che ti diverta e te la prenda allegramente. »

Cinque minuti dopo Kate era al telefono e stava parlando con Felicia la quale, seduta al suo scrittoio, aveva la bocca aperta e gli occhi spalancati. « Che cosa hai intenzione di fare? »

« Partecipare al programma di interviste di Jasper Case. » Kate ne sembrava quasi fiera. Che cosa diavolo aveva fatto quell'uomo per riuscire a convincerla? Mentalmente, Felicia si tolse tanto di cappello. « Ma che cosa potrei mettermi addosso? »

Felicia si limitò a sorridere al telefono. « Kate, piccola, ti voglio un gran bene! »

15

La macchina rallentò e andò a fermarsi all'entrata dell'albergo al quale si accedeva passando sotto un elegante tendone. Subito un portiere e tre facchini si avvicinarono alla macchina. In tre? Per una giardinetta? Kate si guardò intorno innervosita. Aveva portato con sé soltanto una valigetta. Rivolse un sorriso imbarazzato a uno dei facchini, ma questo rimase impassibile mentre lei scendeva, poi si infilò al volante e l'altro afferrò la valigetta. Il terzo era scomparso e il portiere si era fermato lì ad aspettare, con aria piena di importanza, mentre una *Rolls Royce* rosso vivo e una *Jaguar* nera, una berlina chiusa, si fermavano dietro di lei. Intanto il movimento, l'andirivieni e il frastuono non diminuivano. Valigie, sacche da golf, pellicce di visone buttate con noncuranza su un braccio le passavano vicino, sfiorandola a ritmo frenetico, automobili anonime arrivavano e ripartivano e la mano del portiere si allungava e si ritirava senza sosta incontrando quelle dei nuovi arrivati. Mentre frugava nella borsetta, Kate alzò gli occhi rapidamente per osservare quello che l'uomo a lei più vicino stava offrendo di mancia al portiere e restò senza fiato quando le parve di vedere dieci dollari che cambiavano di mano. Dieci dollari? Oddio, si augurò di non avere pronunciato quelle parole ad alta voce. Un'altra occhiata alla sua sinistra e le parve di vedere un biglietto da cinque dollari. Era assurdo, pazzesco. Ormai, da quando si era occupata di quei problemi viaggiando con Tom, erano passati quasi dieci anni... ma... dare cinque o dieci dollari al portiere? Non era possibile che le cose fossero cambiate fino a quel punto in sette anni. Già, ma quella era Hollywood. Del resto bastava a ricordarglielo il modo in cui era vestita la gente. Le persone che scendevano dalle macchine portavano jeans azzurri che sembravano addirittura incollati addosso, camicie non meno aderenti, lasciate aperte fino alla vita, un'abbondanza paurosa di gioielli d'oro e una discreta quantità di indumenti di seta, a colori vivaci, lucenti, che aderivano, scivolando morbidi e con linea fluida, oppure si drappeggiavano sui corpi di divette quasi sconosciute e di uomini di mezza età. Di tanto in tanto entrava precipitosamente nell'albergo anche un abito scuro, presumibilmente per andare a cambiarsi in tutta fretta ed emergerne di nuovo in jeans.

« Ha la prenotazione, signora? »

« Hm? » Trasalì perché, senza accorgersene, aveva continuato a fissare il portiere. Si accorse che la sua immagine era vagamente fuori posto. Si era messa un vestito molto semplice di cotone bianco, scelto fra il numero di « possibilità » che Felicia le aveva spedito dal grande magazzino. Aveva una scollatura a V che a Kate era sembrata fin troppo profonda, ma che lì non si notava neppure; sandaletti eleganti, bianchi e i capelli raccolti sulla nuca. Aveva l'aria rilassata, molto abbronzata, e dava l'impressione di essere pronta per andare a pranzo davanti ai campi da tennis di Palm Springs, non certo per entrare in competizione con i « simboli del sesso » di Hollywood. Quel pensiero la fece sorridere. Poi le ritornò in mente il portiere. « Oh, sì, mi scusi. Ho una prenotazione. » L'uomo si avviò a passo rapido verso l'interno e Kate lo seguì sotto il tendone aperto ai lati e fiancheggiato da colonne fra le quali cresceva, esuberante, delicata, una piccola giungla di piante esotiche, che doveva essere stata piantata negli Anni Trenta, quando le donne entravano a passi lenti e sinuosi negli alberghi avvolte in pellicce di ermellino e cariche di diamanti invece di presentarsi in jeans azzurri e visone.

Si trovò quasi subito ad attraversare chilometri di moquette verde che contrastava nettamente con lo sbiadito rosso mattone della facciata, che l'aveva colpita all'arrivo. Lì, di nuovo, c'era un gran viavai di persone che andavano a incontrare qualcuno o a scoprire o a essere scoperte, a discutere, a calpestare, a distruggere una carriera, la propria oppure quella di un altro. Si aveva la sensazione che i grandi affari dell'industria del cinema venissero trattati lì, nelle vicinanze. Era come se il suo ritmo frenetico fosse scandito rumorosamente; l'intero albergo pulsava per la forza del potere che racchiudeva fra le proprie pareti.

« Sì? » L'uomo al banco alzò gli occhi a guardarla con un sorriso. E non era solo. Al banco con lui c'erano altri sei impiegati.

« Sono la signora Harper. Credo... »

« Sì, naturalmente! » Le sorrise di nuovo, interrompendola, e scomparve misteriosamente dietro il banco. Sì, naturalmente? Come faceva a sapere chi era lei? Riapparve, ma solo per chiamare con un gesto vago della mano un facchino e consegnargli una chiave. « Speriamo di rivederla spesso. » Ah, davvero? Kate si sentiva come una bambina in un sogno. Chi erano quelle persone? Chi era lei? E dove era il Cappellaio Matto? Perché, certo, quello era il posto più adatto per lui. Ma già Kate stava seguendo il facchino lungo un ampio corridoio ai lati del quale si aprivano dei negozi. Giade, smeraldi, brillanti, *liseuses* bordate di struzzo, camicie da notte di *satin*, un piccolo bolero di visone bianco, valigie di Hermes, borse di camoscio, una cartella per documenti di lucertola. Si sarebbe voluta fermare a guardare tutta quella roba, ma si sentì obbligata a fingere una grande indifferenza, a fingere di essere una donna adulta e matura. Ma, sotto sotto, provava una gran voglia di prendere qualcuno per un braccio e di sussurrare, mentre continuavano a camminare frettolosamente per il grande corridoio: « Guarda... laggiù!... e là... e là... » Mentre stava pensando tutto ciò, scorse tre facce che le erano familiari perché le aveva viste al cinema. Perfino lei le riconobbe. Girò la testa per seguirli con lo sguardo e li vide ridere insieme;

così, per poco, non rischiò di andare addosso a qualcuno: un'altra « faccia », ma della televisione, stavolta. Era fantastico! Continuando a camminare si accorse di sorridere tra sé, e a un tratto si chiese se anche per Tom era stato così, quando era vissuto in un mondo di persone celebri. No, non era possibile. Era favoloso! E unico nel suo genere.

Intanto stavano rasentando una piscina circondata da tavolini e camerieri in giacca bianca. Donne in bikini girellavano qua e là, senza fretta, mettendo in mostra un'abbronzatura perfetta e un'acconciatura per nulla guastata dal bagno. Kate restò a osservarle affascinata, ma ben presto anche loro scomparvero e si trovò d'un tratto davanti a una villetta piccola, dall'aspetto estremamente curato. Per un attimo le ricordò Mead e provò una gran voglia di mettersi a ridere come una sciocca, ma no, non poteva, non doveva farlo, con il facchino lì, impalato, ad aspettare chissà che cosa. Una banconota da cinquanta dollari? Certo che se quell'altro aveva guadagnato dieci dollari soltanto spalancando lo sportello di una macchina, questo se ne doveva aspettare cinquanta o cento per averla accompagnata lungo tutti quei corridoi e attraverso quegli ambienti nuovi e insoliti. L'uomo aprì la porta del bungalow, lo aveva chiamato così, e Kate gli mise in mano un biglietto da cinque dollari mentre entrava anche lei, sentendosi un po' ridicola per avergli dato tutto quel denaro. L'uscio si richiuse senza rumore alle sue spalle e Kate si guardò intorno. Effettivamente era tutto molto carino. Stoffe a fiori, sedie sdraio che sembravano invitare a distendersi, avvolta in una di quelle camicie da notte di *satin* che aveva visto nei negozi. Naturalmente reggendo in mano una sigaretta infilata in un lungo bocchino. C'era uno spogliatoio pieno di specchi e un tavolo da toilette che avrebbe meritato che Kate ci passasse almeno un paio d'ore seduta davanti, a truccarsi. La stanza da bagno era tutta di marmo rosa, con una vasca sistemata in una specie di alcova e con un'illuminazione indipendente. Kate aveva ricominciato a sorridere. Il telefono squillò facendola sussultare. Lo trovò su un comodino vicino al grande letto matrimoniale. Poi si accorse che c'era un altro apparecchio, in un salottino situato dietro la camera da letto. E c'era anche un altro ingresso del bungalow. Due porte d'entrata? E per quale motivo? Per potersela svignare in fretta, in caso di pericolo? Rise, mentre alzava il microfono.

« Pronto? »

« Benvenuta a Hollywood, Kate. Come andiamo? » Era Stu, con la solita voce pacata e tranquilla e Kate vi colse la sfumatura di un sorriso.

« Sono appena arrivata. Questo posto è stupefacente. »

« Incredibile, vero? » Rideva anche lui. Che sollievo sentire che lei non si era lasciata cogliere dal panico ed era scappata. Quando le avevano prenotato la camera al *Beverly Hills Hotel*, Stu era rimasto un po' perplesso. Per una neofita, si trattava di un impatto piuttosto massiccio con Hollywood e tutto il resto. « Com'è il tuo bungalow? »

« Mi sento come se dovessi vestirmi da Jean Harlow. Come minimo. » Stavolta la risata di Stu fu meno nervosa. Magari Katharine Hepburn. Ma la Harlow? Rise di nuovo sommessamente.

« Certo che lasceresti letteralmente di stucco quelli del programma di Case. Si stanno aspettando qualcosa d'altro. »

« Davvero? Che cosa? » Kate sembrava tornata nervosa.

« Te. Esattamente come sei. »

« Questo è carino da parte tua, Stu. Perché è tutto quello che ho. Dio mio, come mi piacerebbe fare una nuotata prima di pranzo, ma mi pare di avere capito che qui nessuno nuota. »

« Certo che nuotano! Perché ti viene in mente una cosa del genere? »

« Basta guardare i loro capelli. » Lo disse in tono malizioso, da bambina, mentre ricordava l'aspetto che avevano tutte quelle donne intorno alla piscina. Ma Stu era già scoppiato a ridere.

« Come sarei voluto essere lì al tuo arrivo, carissima! »

« Anch'io. Ma lo sai che mance dà la gente da queste parti? » Ormai ridevano entrambi. « Ma perché lo fanno? »

« Per essere ricordati. »

« E sono ricordati? » Sembrava affascinata da questa spiegazione.

« Non per questo motivo. Se si ricordano di loro, il motivo è un altro: perché sono già 'qualcuno'. Se non lo sono, nessuno li ricorderà ugualmente, qualsiasi mancia possano lasciare. Ma non lo sai, a proposito, che tutte le tue preferenze, le tue antipatie, le tue piccole manie saranno segnate su una piccola scheda che tengono giù, negli uffici, e la prossima volta che verrai conosceranno dall'A alla Z ogni più piccolo desiderio del tuo cuoricino, senza che tu debba neppure manifestarlo? »

« Che cosa diavolo stai dicendo? » D'un tratto, Kate provò una vaga inquietudine, come se qualcuno potesse osservarla attraverso i muri.

« Voglio dire, per esempio, che se tu avessi portato con te quel tuo ridicolo bassottino e lui fosse abituato a mangiare soltanto cavallette rosa e a bere limonata, caso mai tu dovessi tornare un'altra volta, questa gente avrebbe già pronto un piattone di cavallette rosa e un bel po' di limonata per il tuo cane. Oppure salviette speciali per te o i Martini molto secchi o lenzuola di seta o nove cuscini sul letto o soltanto gin francese oppure scotch inglese, oppure... insomma, tesoro, prova a dire una cosa qualsiasi e la otterrai. »

« Dio mio! Ma la gente riesce sempre a ottenere cose simili in questo posto? »

« Non riesce a ottenerle... se le aspetta! Fa parte del gioco... della vita di una diva. »

« Che io non sono! » Kate lo disse con sollievo e subito sorrise.

« Che tu sei. »

« Che cosa vuoi dire? Che dovrò ordinare cavallette rosa e limonata? »

« Quello che vorrai, principessa. Il palazzo è tutto tuo. » Ma Kate si sentì trafiggere il cuore da una stilettata di pena. Principessa. Tom l'aveva sempre chiamata così. E quando riprese a parlare, c'era qualcosa nei suoi occhi che Stu non poteva vedere.

« Direi che l'impressione è piuttosto quella di essere 'regina per un giorno'. »

« Insomma, l'importante è godersela e divertirsi. A proposito, ci troviamo con Nick Waterman nella *Polo Lounge* alle dodici e mezzo. La sala di cui parlo si trova nel tuo albergo. »

« Chi sarebbe Nick Waterman? »

« Il produttore del programma di Case. Lui in persona, mia cara! Niente assistenti, niente opinioni che gli arrivano per interposta persona. Viene a fare la tua conoscenza e a darti qualche ragguaglio sullo spettacolo. »

« Ci sarà da avere paura? » A sentirla sembrava una bambina già in agitazione ancora prima di sapere di dover andare dal dentista, e Stu sorrise. Il suo maggiore desiderio era che Kate si rilassasse e se la godesse un mondo. Ma, col tempo, sarebbe stato così.

« No, niente da avere paura. E poi stasera dopo la registrazione ci sarà una festa. Vogliono che tu ci vada. »

« È un obbligo? »

« Perché non aspetti di vedere come ti senti dopo la registrazione? »

« Okay. E, a proposito, che cosa ci si attende che io mi metta addosso per questa famosa *Polo Lounge*? Qua, in giro, mi sembra che la gente vesta soltanto in tela e visone. »

« Al mattino? »

« Be', sono vestiti di tela, però si portano dietro il visone. »

« È quello che intendevi fare anche tu? » Stu sembrava divertito.

« Io, veramente, avrei un vestito di cotone. »

« Mi sembra una cosa piacevole, fresca! Può darsi che per andare a pranzo ci si debba vestire un tantino più eleganti, ma sta a te. Cerca di sentirti a tuo agio, di essere te stessa. Waterman è un uomo molto simpatico, disinvolto e cordiale. »

« Lo conosci? »

« Abbiamo giocato a tennis qualche volta. Molto divertente. Tu pensa soltanto a rilassarti e fidati di me. » Ma si stava accorgendo che Kate ricominciava a essere nervosa.

« E va bene. Credo proprio che andrò a ordinare le mie

famose cavallette rosa e la limonata e poi mi riposerò un po' davanti alla piscina. »

« Brava, fai così! » Poco dopo riattaccarono. Stu provò un discreto sollievo nell'accorgersi che Kate gli sembrava relativamente calma. Lo spettacolo di Jasper Case era importante, molto più di quanto Kate non si rendesse conto. Sarebbe stata letteralmente catapultata davanti agli occhi del pubblico americano e, a quel punto, sarebbe stata molto amata o molto odiata... oppure quello stesso pubblico avrebbe deciso che di Kate Harper non gliene importava niente. Ma se l'avesse invece trovata interessante, una persona in grado di farlo piangere e ridere, se avesse capito che era una creatura umana, allora ogni libro scritto da Kate si sarebbe venduto, e bene. Kate aveva talento, ma ci voleva ben altro! Il pubblico doveva volerle bene. E Stu Weinberg sapeva che, se Kate si fosse lasciata andare e fosse stata veramente se stessa, avrebbero ottenuto proprio quello scopo. Ma c'era sempre quel grosso « se ». Aveva giocato una carta determinante scegliendo proprio Waterman. Chissà, forse era una pazzia fidarsi di quell'individuo. Eppure gli suscitava una precisa sensazione di sicurezza e sperava di non avere preso una cantonata. Perché gli capitava di rado. Avevano giocato a tennis insieme la sera prima e, dopo la partita, si erano fermati a bere per un bel po'. Aveva raccontato a Waterman che Kate era sempre stata una specie di reclusa, bellissima, ma ugualmente una reclusa. E che il suo sospetto era che fosse sempre stata così, fin dalla morte del marito. Era dunque importante che nessuno la offendesse, la ferisse o la spaventasse al punto da spingerla a rintanarsi di nuovo nel suo eremo. Stu non voleva che Jasper Case si divertisse a prenderla in giro, durante il suo spettacolo, oppure che la mettesse al fianco di una di quelle stronze che a Hollywood abbondavano. Si trattava di un lavoro delicato, altrimenti era meglio non farne nulla. Ne dipendeva la sua carriera. E Waterman aveva promesso che se ne sarebbe occupato di persona. Aveva perfino accettato di andare lì a pranzo invece di mandare l'assistente che in genere se ne incaricava. Fra l'altro, per il programma di quelle famose interviste c'era stato anche un grosso cambiamento nella disposizione dei posti. Quel mattino una famosa stella di Hollywood, una celebre diva, aveva rinunciato all'impegno, e tutto ciò non poteva che costituire un'ulteriore possibilità di riuscita per Kate. Stu stava pregando in cuor suo che tutto andasse per il meglio. E poi contava su Waterman. Sarebbe stato un pranzo interessante, il loro, perché avrebbe potuto osservare Kate che lentamente, passo dopo passo, tornava nel mondo.

16

KATE rimase in attesa nel bungalow fino alle dodici e venticinque battendo nervosamente un piede sulla folta moquette beige del salottino. Doveva presentarsi in orario? Oppure tutti si aspettavano che fosse in ritardo? Doveva lasciare la sua stanza? Oppure dopo cinque minuti, alle dodici e trenta in punto? E che cosa avrebbe fatto se il vestito che aveva addosso fosse risultato completamente sbagliato? Si era provata due o tre abiti, tra quelli che aveva portato con sé, ma ancora non era del tutto convinta della scelta fatta. Aveva indossato un completo pantaloni di lino bianco che, secondo Felicia, « faceva molto Los Angeles », sandali bianchi, nessun gioiello all'infuori della fede nuziale e dell'orologino che Licia le aveva regalato: *Per il tuo coraggio, con amore.* Sempre seduta dove si trovava, vi posò sopra la mano per un attimo e chiuse gli occhi. Poteva respirare il profumo dei fiori arrivati per lei. Una enorme composizione primaverile, con molti tulipani rosso vivo e gialli e tutti i fiori che preferiva. L'omaggio era stato mandato da « Le interviste di Case ». Quanto all'albergo, poi, le avevano fatto arrivare una bottiglia di Bordeaux, Château Margaux del '59, e un cesto di meravigliosa frutta freschissima. « Con i complimenti della casa. » Le era piaciuta l'idea del vino al posto dello champagne: sembrava più familiare.

Ma no, quel pensiero la fece sorridere. Non c'era niente di familiare, tutt'altro, in un Margaux del '59!

« Bene, è fatta », disse ad alta voce mentre si alzava con un sospiro e si guardava intorno. Era terrorizzata. Ma, ormai, era tempo di andare. Le dodici e trenta precise. Che cosa avrebbe fatto se quell'uomo si fosse rivelato un buffone o uno stupido? Oppure se l'avesse detestata fin dal primo momento e si fosse rifiutato di farla apparire alla televisione in quello spettacolo? Oppure se avesse accettato di presentarla con gli altri al pubblico e, al momento della trasmissione, tutti si fossero comportati da carogne con lei? « Oh, accidenti! » esclamò di nuovo ad alta voce e poi scoppiò a ridere mentre lasciava la stanza.

Il percorso per tornare all'edificio principale dell'albergo le sembrò senza fine; intravide di lontano la piscina e i campi da tennis e rimpianse di non potersi fermare lì. La giacca del completo di lino le dava un senso piacevole di frescura sulla schiena mentre una brezza leggera le faceva ondeggiare lievemente i capelli pettinati in modo da incorniciarle il viso con morbide onde; si domandò un'altra volta se non sarebbe stato meglio mettersi un vestito o qualcosa di più semplice, di meno elegante e impegnativo. Felicia le aveva mandato anche un abito di chiffon blu scuro molto scollato sulla schiena, ma Kate sapeva che non avrebbe mai avuto il coraggio di indossarlo per la ripresa televisiva. Si sentiva nuda, quando lo aveva addosso. No, non era possibile. Chissà, magari la sera, se fosse andata a quel ricevimento. Il ricevimento... provò l'impressione di trovarsi in piena corsa su una strada ferrata con un treno espresso che la inseguiva.

« Signora? » Era già lì, a fissare con occhi sbarrati quella specie di pozzo scuro. La *Polo Lounge* le apparve infatti come un baratro buio nel quale non riusciva a distinguere nulla. A fatica finì per scorgere soltanto qualche tovaglietta rosa, un piccolo bar, una serie di panchette rosse. Dopo la luce del sole così accecante riusciva soltanto a intravedere confusamente le persone e gli oggetti. Però poteva sentire. Gli ospiti sembravano almeno un centinaio e tutti stavano mangiando, parlando e ridendo e chiedendo che fosse portato un telefono al loro tavolo, tutto contemporaneamente. Appena fuori del salone c'era una schiera di telefoni a gettone, assolutamente deserti. Era chiaro che nessuno li usava mai. A nessuno sarebbe mai venuto in mente di uscire di lì quando era possibile farsi portare un telefono al tavolo per fare colpo sui presenti. « Quattrocentomila? Sei pazzo... » I telefoni portati ai tavoli erano molto più divertenti. « Signora? » L'uomo ripeté quella parola, guardandola da capo a piedi. Sembrava carina, ma non travolgente. Doveva essere abituato a donne splendide e affascinanti, come le attrici e come quelle sgualdrine d'alto bordo che le parve di scorgere qua e là, per quanto fossero abilmente mimetizzate nel gruppo di persone intorno al bar.

« Devo incontrarmi con il signor Weinberg. Stuart Weinberg e... » Ma il capocameriere stava già sorridendo.

« Signorina Harper? » Lei annuì, incredula. « I signori la stanno aspettando fuori, sulla terrazza. Il signor Waterman è già con il signor Weinberg. » Le fece strada, rispettosamente, e Kate lo seguì, ma con gli occhi ancora abbagliati dal sole, quasi senza vedere nulla. Del resto non le occorreva vedere quelle facce. Bastavano già le loro voci... Perfino quelle avevano un suono così importante! E poi le parve che il salone fosse pieno di folte capigliature bionde e lunghe, di un tintinnio sonoro di braccialetti, di una quantità di uomini che portavano camicie aderenti, aperte, e catene d'oro massiccio al collo. Ma ebbe appena il tempo di osservare un po' più attentamente quello spettacolo nella penombra, e subito il capocameriere, procedendo a passo rapido verso il fondo del salone, la fece uscire sulla terrazza. Era un piacere trovarsi di nuovo al sole ed era bello vedere un volto familiare, pensò Kate, non appena poté adocchiare Stu.

« Bene, bene, così ce l'hai fatta! E come sei carina! » Kate arrossì sotto l'abbronzatura mentre Stu si alzava e l'abbracciava fraternamente, con affetto. La guardò fisso in faccia, con aperta approvazione, e scambiò con lei un sorriso carico di cordialità.

« Mi spiace di essere in ritardo. » Diede un'occhiata circolare intorno al tavolo, quasi per impedirsi di osservare l'altro uomo e poi abbassò gli occhi sulla poltroncina che il cameriere aveva rapidamente preparato per lei. Quando si fu seduta, Stu con un gesto disinvolto le indicò la persona che si trovava alla sua destra.

« Non sei in ritardo. E, a proposito, Kate, sono lieto di presentarti Nick Waterman. Nick, Kate. » Kate fece un sorriso nervoso e timidamente sollevò gli occhi verso la faccia di Nick mentre gli stringeva la mano. Era una mano grande, molto salda, e gli occhi che si fissarono nei suoi erano di un luminoso e intenso azzurro cupo.

« Salve, Kate. Ero molto ansioso di conoscerti. Stu mi ha dato una copia del libro. Fantastico. Perfino migliore di quello precedente. » Intanto la inondava di quello che sembrava un torrente di luce solare, tanto luminoso era il suo sguardo; e Kate cominciò a rilassarsi.

« Hai letto il mio primo libro? » Lui annuì e Kate lo fissò di nuovo, sbalordita. « Lo hai letto sul serio? » Waterman annuì di nuovo e scoppiò a ridere appoggiandosi contro lo schienale della sua seggiola.

« Pensavi che nessuno li avesse letti? » Sembrava enormemente divertito.

« No, a dire la verità, no, immagino di no. » Come si faceva a spiegare a una persona di questo genere che lei non era mai stata in nessun posto dove fosse possibile scoprire se qualcuno li aveva realmente letti? Tillie aveva letto il suo libro e anche il signor Erhard, ma Kate aveva sempre sospettato che lo avessero fatto perché si trattava di un regalo, una copia omaggio. Era incredibile conoscere un estraneo che li avesse letti!

« Però non dirlo durante l'intervista! » Stu la guardò con un sorriso e fece un cenno al cameriere. « Che cosa prendi? »

« Cavallette rosa. » Lo disse piano, con cautela, e sorrise. Stu ricominciò a ridere e Nick parve profondamente stupito mentre il cameriere prendeva rapidamente nota di ciò che lei stava dicendo.

« Una cavalletta per la signora? »

« No, no! » A quel punto anche lei si era messa a ridere. « Non so. Tè ghiacciato, direi. »

« Tè ghiacciato? » Stu parve sorpreso. « Non bevi? »

« No, quando sono nervosa. Altrimenti finirei per svenire durante il pranzo. »

Stu lanciò un'occhiata a Waterman sorridendo e accarezzò gentilmente la mano di Kate.

« Ti prometto che non gli permetterò di aggredirti fin dopo il dolce. » Ormai stavano ridendo tutti e tre.

« A dire la verità, mi pare già di essere un po' ubriaca. Oh, a proposito, i fiori erano magnifici. » Si voltò verso Nick Waterman e si accorse che era arrossita di nuovo. Non sapeva per quale motivo, ma quell'uomo la metteva vagamente a disagio. C'era qualcosa di magnetico in lui, che faceva venire voglia di cercare il suo sguardo, di incontrarlo; che provocava il desiderio di trovare un punto di contatto con lui. Ma al tempo stesso tutto questo la terrorizzava: era impressionante sentirsi attirata da un uomo dopo tutti quegli anni, anche se si trattava soltanto di una piacevole conversazione. E poi era così imponente, la sua persona, così onnipresente. Impossibile evitarlo, almeno così sembrava. Del resto Kate non lo voleva neppure. Ed era proprio quello che le incuteva spavento.

« Che cosa ne pensi di Hollywood, Kate? » Una domanda qualsiasi, una domanda abituale, ma arrossì di nuovo sotto il suo sguardo e si odiò per questo.

« Dopo due ore, mi sento già sopraffatta. Ma è proprio tutto così? Oppure questo albergo è una specie di casi di pazzia nel bel mezzo di un mondo più sano e normale? »

« Niente affatto. Anzi, si potrebbe dire, piuttosto, che qui siamo ancora nella norma. Più avanti si va, più pazzo diventa. » I due uomini si scambiarono uno sguardo pieno di comprensione e Kate sorrise.

« Ma come fate a sopportarlo? »

« Io ci sono nato », disse Stu con fierezza. « È qualcosa che ha a che vedere con i geni. »

« Ma è terribile! Riescono ancora ad avere effetto? » Kate

gli lanciò un'occhiata seria seria. Nick scoppiò a ridere e allora lei, coraggiosamente, si voltò a guardarlo. « E tu, invece? »

« No, io sono fuori della mischia. Vengo da Cleveland. »

« Dio mio », commentò Weinberg in tono di derisione, mentre il cameriere posava un bicchiere di tè freddo di fronte a Kate. Lei sorrise dolcemente.

« Sono stata a Cleveland una volta. È molto graziosa. » Sembrò assorta nella sua bevanda.

« Bella signora, mi spiace doverti contraddire. » La voce al suo fianco aveva una tonalità profonda, baritonale, ma carezzevole. « No, tu non sei mai stata a Cleveland. »

« Oh sì, invece, che ci sono stata! » Alzò gli occhi a guardarlo con un vago sorriso di sfida e gli occhi azzurro cupo di lui ebbero un lampo nel ricambiare quello sguardo.

« No, se dici che è una città graziosa, non ci sei mai stata. »

« E va bene, diciamo allora, più semplicemente, che mi ci sono divertita. »

« Oh, così va meglio. Adesso ti credo. »

Ordinarono grosse ciotole di scampi in ghiaccio e asparagi alla *vinaigrette*, che furono serviti accompagnati da uno squisito pane francese caldo.

« Dunque, Kate, vogliamo parlare dello spettacolo di stasera? » Nick la guardò con un sorriso gentile.

« Io, a dire la verità, sto cercando con tutte le mie forze di evitarlo. »

« Proprio quello che pensavo. » Il sorriso si accentuò. « Non hai assolutamente nessun motivo di preoccupazione. Neanche uno. Devi semplicemente fare quello che stai facendo adesso. »

« E cioè, abboffarmi di roba buona? » Gli rivolse un sorriso luminoso e a Nick venne una gran voglia di allungare una mano a spettinarle quei capelli così ben acconciati. Ma no, non avrebbe fatto niente che potesse coglierla di sorpresa, altrimenti sarebbe fuggita via, nel cuore della foresta, come una cerbiatta spaventata. Aveva ascoltato con attenzione ciò che Weinberg gli aveva riferito. Quando Kate parlava, non mostrava né superficialità né frivolezza. Anzi, aveva quasi un po' di grinta e gli era piaciuta. Ma nei suoi occhi c'era qualcosa di differente. Qualcosa di spaventato, di triste, di più vecchio del suo corpo e del suo volto. Ovunque si fosse rifugiata a nascondersi, non doveva essere stato un luogo sereno e felice. Gli faceva venire il desiderio di aprirle le braccia e di stringerla a sé. Be', certo che, se gli fosse saltato il ticchio di fare un gesto simile, sarebbe stata la sua rovina! Weinberg lo avrebbe ammazzato! Sorrise a quel pensiero e si impose di ritornare ad ascoltare attentamente ciò che Kate gli stava dicendo dello spettacolo.

« No, Kate, parlo sul serio. Tutto quello che devi fare è chiacchierare, sorridere di tanto in tanto, e dire ciò che ti viene in mente... ma tutte parole pulite, per piacere! » Alzò gli occhi al cielo, fingendosi disperato. Erano stati costretti a cancellare dall'audio un paio di « cazzo » e un « vai a... » proprio la sera prima per colpa di quell'accidente di un attore comico che Jasper aveva voluto a tutti i costi nella sua trasmissione. Fra l'altro, i problemi erano già molti anche senza le parolacce degli invitati! « Insomma, devi semplicemente essere te stessa. Rilassarti. Ascoltare. Jasper è un maestro, nella sua professione. Dovrai sentirti come se tu fossi seduta tranquillamente nel salotto di casa sua. »

« Non riesco a immaginare come sarà possibile, perché so già che mi sentirò dilaniata fra il terrore di svenire davanti alla telecamera o di dare di stomaco. »

« Non ti succederà. Anzi, ti piacerà. E non vorrai più venire via. »

« Balle. »

« Prova un po' a dirlo durante la trasmissione e vengo a cacciarti fuori io, in persona! »

« Perché, è in diretta? » Kate parve inorridita, ma Nick scosse la testa.

« Niente affatto. Dunque devi soltanto essere carina e divertirti. C'è qualche argomento di cui ti piacerebbe parlare in modo particolare? » Era tornato serio e Kate scoprì che le piaceva più che mai.

Ci pensò per un attimo, poi scrollò il capo. « Pensaci

bene, Kate. Un aspetto del libro che ha un particolare significato per te? Qualcosa che ti renderebbe più reale e autentica, ti potrebbe far sentire più vicina ai nostri ascoltatori? Oppure che faccia venir voglia a chi ti vede di correr fuori a comprare il tuo libro? Magari qualcosa che ti è accaduto mentre lo scrivevi? Anzi, a proposito, per quale motivo lo hai scritto? »

« Perché mi piaceva l'idea di raccontare quella storia. Suppongo che si trattasse di un argomento importante per me, così mi è venuta voglia di scriverlo prima che ci pensasse qualcun altro. Ma non è poi niente di così straordinario! Non si può davvero dire che un matrimonio che a poco a poco si corrode e finisce, e una relazione amorosa, siano cose che fanno sgranare tanto d'occhi alla gente! »

« Prova un po' a dire queste cose durante la trasmissione! » Weinberg alzò gli occhi al cielo di nuovo, fingendosi disperato. « Qualsiasi cosa ti venga in mente di fare, tesoro, cerca di non convincerli che è meglio non comprare il tuo libro! »

« No, Kate, sul serio! » Mentre parlava, Nick la stava osservando di nuovo con attenzione. Gli occhi, gli occhi, c'era qualcosa nei suoi occhi. Già, ma cosa diavolo era? Paura? No, qualcos'altro. Qualcosa di più profondo. Avrebbe voluto sapere con tutte le sue forze di che cosa si trattava, cercare di arrivare fino in fondo, di toccarla in quel punto. Tuttavia durante un pranzo di affari come quello l'esibizione di qualsiasi sentimento o di qualsiasi emozione sarebbe stata assurda e fuori luogo; Kate, poi, aveva girato gli occhi dall'altra parte e, subito, li aveva abbassati sulle proprie mani come se avesse intuito che lui, Nick, aveva visto anche troppo. « E va bene, allora, per quale motivo hai scelto come argomento il football? »

Lei non alzò gli occhi. « Ho pensato che potesse rappresentare un buon ambiente. E che anche gli uomini potessero essere attirati da un libro del genere. Mi è sembrato che potesse avere un buon valore commerciale. » Chissà perché, Nick non le credette e quando Kate alzò finalmente gli occhi a guardarlo, quella convinzione si fece più forte. Come se, nel suo cervello, qualcosa fosse stato messo a fuoco.

« Comunque, descrivendo l'ambiente sportivo hai espresso delle intuizioni molto interessanti, dei punti di vista da persona che lo conosce bene, Kate. Devo confessare che mi sono quasi piaciuti più quelli di tutto il resto. Conosci il gioco. Non soltanto il football, inteso come sport, ma il 'gioco'. E mi è piaciuto enormemente. »

« Lo giocavi, all'università? » Kate ebbe quasi l'impressione di essere sola, a quattr'occhi con lui. Stu Weinberg capì di essere stato dimenticato, ma non ci badò affatto.

Nick rispose di sì con la testa. « Per tutti gli anni di studio e poi un anno ancora, come professionista. Ma mi sono fratturato tutt'e due le ginocchia durante la prima stagione agonistica e ho dovuto piantare lì. »

« Sei stato fortunato. È uno sport schifoso. »

« Lo dici sul serio? Non mi pareva che tu fossi arrivata a questa conclusione nel libro. »

« Non so. In ogni modo è un metodo selvaggio e pazzesco di uccidere le persone. »

« Come fai a saperlo, Kate? »

La sua risposta fu pronta, soave, accompagnata da un sorriso molto... Hollywood: « Ho fatto ricerche molto accurate per il mio libro ».

« Dev'essere stato divertente. » Anche lui stava sorridendo, ma era sempre indagatore, sempre incuriosito. E di nuovo Kate provò un grande desiderio di sfuggirgli, di nasconderglisi, senza poterlo fare. Il guaio, poi, era che stava scoprendo in se stessa il desiderio di non essere affatto costretta a nascondersi. D'altra parte, non poteva neppure permettersi di approfondire la conoscenza di quell'uomo. Era un esperto nel campo del football. Era pericoloso. Non avrebbe potuto permettersi di farlo diventare neppure un buon amico. « Saresti disposta a parlare di queste tue ricerche, di questa tua necessità di documentarti per il libro, durante la trasmissione? »

Kate scrollò la testa; poi si strinse nelle spalle. « Non sarebbe particolarmente interessante. Qualche partita, qualche intervista, ho ascoltato qualcosa qua e là, ho letto qualcosa.

Ma l'argomento centrale del mio romanzo, in realtà, non è quello! »

« Forse hai ragione. » No, non avrebbe insistito. « Bene, dunque, allora che cosa mi racconti di te stessa? Sei sposata? » Lanciò uno sguardo alla fascia d'oro che Kate portava alla mano sinistra e ricordò che Weinberg gli aveva accennato al fatto che l'autrice del libro era vedova. D'altra parte non voleva darle l'impressione di sapere troppo. Anche se, a quello che gli pareva di capire, sapeva molto, molto poco su di lei.

« No. Sono vedova. Ma per amor di Dio, non diciamolo durante la trasmissione. Sembrerebbe un po' melodrammatico. »

« L'osservazione è giusta. Bambini? »

A quella domanda il volto di Kate si illuminò; fece subito segno di sì, ma con una certa esitazione. « Sì. Uno. Però, a dir la verità, non vorrei parlare neppure di lui. »

« E per quale motivo? » Nick parve sorpreso. « Perbacco, se io avessi un bambino non parlerei d'altro! » Chissà, forse c'era qualcosa di vagamente inquietante, di complicato nel carattere di Kate... eppure Nick non ne era del tutto convinto.

« Devo concludere che tu, figli, non ne hai! »

« La deduzione è brillantissima, bella signora! » Le fece un brindisi con quello che gli restava del suo Bloody Mary. « Sono terreno totalmente vergine, quanto a questo. Niente figli, niente moglie, niente di niente. »

« Mai avuti? » Kate ne rimase stupita. Com'era concepibile che un uomo del genere non avesse neppure un legame? Che si trattasse di un gay? No, non era possibile. Magari si era fatto una tale abitudine a una serie di relazioni amorose con le stelline del cinema che ormai per lui erano come una droga e non ne sapeva più fare a meno. Sembrava l'unica risposta. « Be', immagino che sia abbastanza logico da queste parti », aggiunse. « C'è una tale possibilità di scelta! » Si guardò intorno per la terrazza con un sorrisetto malizioso e Nick buttò indietro la testa e scoppiò a ridere.

« Ci hai azzeccato! »

Weinberg sorrise a tutti e due e si riappoggiò soddisfatto

allo schienale. Bene, Kate se la cavava proprio benino. Non era neppure necessario che lui ci mettesse una parola di quando in quando.

« E allora, si può sapere per quale motivo non vuoi parlare del tuo bambino? Un maschietto, vero? »

« Un maschietto. Ha sei anni. È straordinario. Un vero cowboy in miniatura. » Lo guardò come se gli stesse rivelando il suo più caro segreto e Nick sorrise di nuovo, fissandola, e si accorse che subito la faccia di Kate era tornata seria. « È molto semplice, non voglio metterlo a contatto con quello che sto facendo adesso. Ha una vita molto divertente, molto semplice, in campagna. Voglio che tutto resti così. Caso mai... caso mai... »

« Caso mai mammina diventasse una celebrità, vero? » Nick sembrò divertito. « E si può sapere che cosa pensa lui di tutto ciò? »

« Non è molto contento. Per poco non mi salutava neanche, quando sono venuta via. Non è... non è abituato a vedermi partire. Io... era chiaramente scocciato. » Alzò gli occhi verso di lui con un ampio sorriso.

« Dovrai portargli, quando torni, qualcosa che desidera. »

« Già. Me stessa. »

« Così lo stai viziando come peggio non si potrebbe, vero? »

« No. Ma c'è qualcun altro che lo fa. » Un amico, dunque. Ecco come stavano le cose. Ci doveva essere qualcuno. Accidenti! Ma esteriormente Nick non rivelò nulla.

« Dunque, vediamo un po', il povero Jasper, stasera, che cosa si troverà in mano, a conti fatti? Non vuoi parlare del football né delle ricerche che ti sono state necessarie per questo libro e non vuoi parlare del tuo bambino. E... per esempio non parleresti di un cane? » Le stava sorridendo e, a quel punto, Stu alzò gli occhi al cielo, con aria desolata, e riprese il bandolo della conversazione.

« Non avresti dovuto fare una domanda del genere. Hai toccato un tasto paurosamente pericoloso! »

« Perché? Ha un cane? »

« Ho Bert. » Kate aveva assunto un'aria piena di sussiego, dicendolo. « Bert non è un cane, è una persona. È bianco e nero, con le orecchie molto lunghe. E ha un muso favoloso. »

« Be', in conclusione, dopo tutta questa descrizione, di che razza sarebbe? Un cocker? »

« No, figuriamoci! » Kate fece un'espressione offesa. « È un basset hound. »

« Fantastico. Bisogna che mi ricordi di dirlo a Jasper. Okay, bella signora, cerchiamo di essere seri: di che cosa vuoi parlare? Del matrimonio? Che cosa ne diresti del matrimonio? Non hai una tua opinione sul matrimonio? »

« Lo adoro. Trovo che sia molto bello. » E allora perché non sposava quel « qualcuno » che viziava il suo bambino? Oppure restava ancora fedele alla memoria del marito defunto? Non aveva ancora capito come stavano le cose, però presto ci sarebbe arrivato.

« E per esempio... vivere insieme? Hai un'opinione su questo? »

« Bellissimo, anche questo! » Kate scoppiò a ridere e finì di bere il suo tè ghiacciato.

« E la politica? »

« Non mi occupo di politica. E poi, caro signor Waterman... » aveva di nuovo quell'aria sbarazzina « ... devo dirti francamente che sono una persona molto noiosa. Scrivo. Voglio bene al mio bambino. »

« E al cane. Non dimentichiamo il cane. »

« E l'insegnamento? » Stu aveva ripreso il filo della conversazione e stavolta la sua espressione era seria. « Non vai a insegnare ai bambini ritardati mentalmente o qualcosa del genere? » Due o tre volte, mentre lei era andata a trovare Tom, Stu aveva parlato al telefono con Tillie.

« Ho promesso alla scuola che non ne avrei accennato. » Quella era una bugia che riusciva ancora a dire con discreta disinvoltura e Nick Waterman si accasciò contro lo schienale della seggiola con un sorriso. « Ho trovato! Il tempo! Puoi parlare con Jasper del tempo! » Stava prendendola in giro ma, all'improvviso, Kate parve avvilitissima.

« Siamo ridotti a questi punti? Santo cielo! Come mi dispiace! »

Immediatamente Nick posò una mano su quella di Kate e il suo viso ridente si addolcì, prendendo un'espressione che era quasi d'amore. Kate ne rimase stupita perché quel cambiamento era avvenuto quasi all'improvviso. « Ti sto prendendo in giro, semplicemente! Andrà tutto bene. Non si può mai sapere quello che potrebbe saltar fuori. Magari un argomento al quale non hai assolutamente pensato prima e che, invece, ti interessa enormemente. Chissà, potresti anche finire per prendere in mano tu, addirittura, la trasmissione. In ogni modo, in qualsiasi caso, sei abbastanza spiritosa e bella e divertente da reggere una conversazione per tutto il tempo che occorrerà. Basta che tu non sia agitata. E poi ci sarò anch'io, fuori quadro, a farti dei gran segni con le mani, a ridere, a farti le boccacce per tenerti di buonumore. »

« Non ci riuscirò mai! » Le sfuggì un lamento.

« Farai meglio a riuscirci e senza tante storie, bellezza! Altrimenti, ti prendo a calci. » Weinberg si era inserito nuovamente nella conversazione e risero in coro. Pensandoci, però, Kate si sentì quasi un po' meglio. Perlomeno, intuiva che avrebbe avuto un amico lì, presente, durante la ripresa televisiva. Perché Nick Waterman era già un amico per lei.

« Che cosa hai intenzione di fare nel pomeriggio? » Mentre glielo domandava, Nick guardò l'orologio. Erano già le tre e dieci, e aveva parecchio lavoro da sbrigare, rientrando allo studio televisivo.

« Pensavo di farmi una nuotata e di riposare un po'. Sbaglio o devo essere da voi alle sette meno un quarto? »

« Sarà meglio anticipare un po'. Facciamo alle sei e un quarto o alle sei e mezzo. Perché la registrazione comincia alle sette. Dovrai controllare il trucco, fare quattro chiacchiere con gli altri ospiti della trasmissione e cercare di ambientarti un pochino. Oh, prima che me ne dimentichi, non vestirti assolutamente di bianco. Perché il bianco ha un riflesso sbagliato per le camere. »

« No? » Kate parve inorridita. « E il beige? Il crema? »

Lui fece segno di no con la testa e allargò le braccia.
« Oh, mio Dio. »

« È tutto quello che hai portato? » Lo disse come un marito che andava a dare una sbirciatina alla toilette della moglie mentre questa si vestiva e Kate si sentì un po' imbarazzata da quel tono di intimità.

« Avevo intenzione di mettermi un tailleur color crema con una camicetta di seta color pesca. »

« Che meraviglia! Una volta o l'altra dovrò invitarti a cena almeno per vederlo! Ma davanti alle camere, no, Kate. Mi spiace. » Sembrava che fosse realmente dispiaciuto e Kate si sentì prendere dal panico. Sarebbe stato meglio dare retta a Licia e comprare un po' di roba nel suo negozio... E, invece, si era sentita tanto sicura di sé con quel completo! Non aveva portato niente altro, tranne che quel vestito di chiffon azzurro cupo, così paurosamente scollato. E non se la sentiva di metterlo per un programma che andava in onda sulla rete nazionale. Per carità, avrebbero pensato che fosse una puttana. « Non hai qualcos'altro? Puoi sempre andare a comprare qualcosa, sai? »

« Forse sarà meglio. Avevo portato un altro abito, ma è troppo scollato. » Weinberg rizzò le orecchie e Waterman gli lanciò un'occhiata. Entrambi avevano avuto la paura sacrosanta che Kate si presentasse vestita in un modo troppo serio.

« Che cosa sarebbe? » domandò Waterman.

« Un vestito con una grande scollatura sulla schiena, azzurro cupo. Ma sembrerei una sgualdrina. » Weinberg cacciò un ululato di entusiasmo e Waterman scoppiò a ridere.

« Credimi, Kate, tu non sai neanche da che parte si comincia... per sembrare una sgualdrina! »

« È un complimento? » Aveva l'impressione che non lo fosse, ma Nick si guardò intorno fissando con aria di nausea profonda le donne dall'eleganza troppo vistosa dei tavoli circostanti.

« In questa città, Kate, è un complimento. Ti sembra che sia sexy quel vestito? »

« Più o meno. Direi, piuttosto, che è molto più elegante. »

« Pieno di fascino? Seducente? » Lei fece segno di sì ancora una volta, con aria quasi di scusa, e Nick Waterman diventò raggiante.

« Mettilo. »

« Dici sul serio? »

« Dico sul serio. » I due uomini si scambiarono un sorriso; poi Nick Waterman scarabocchiò la sua firma sul conto.

17

Kate si guardò per l'ultima volta allo specchio mentre si preparava a uscire dal bungalow. Aveva pensato di chiamare un taxi per non rischiare di perdersi girando per Los Angeles, ma la segretaria di Nick le aveva telefonato un'ora prima per avvertirla che il produttore avrebbe mandato una macchina a prenderla alle sei. E dal banco della *reception* le avevano appena telefonato per avvertirla che la macchina era arrivata. Quanto a lei, aveva già chiamato due volte Felicia al telefono in preda al panico. Aveva parlato con Tygue. Era andata a farsi una bella nuotata in piscina, si era lavata i capelli, si era fatta le unghie, aveva cambiato orecchini e scarpe almeno tre volte. Finalmente era pronta. Con quel vestito addosso, però, le pareva sempre di essere una sgualdrina. Anche se di alto bordo. Il vestito le lasciava nude le spalle esili ed eleganti e faceva risaltare il suo collo lungo e delicato. Il corpetto aveva il collo alto davanti, ma, sulla schiena, era pressoché inesistente... d'altra parte nessuno se ne sarebbe accorto, durante la ripresa televisiva, perché sarebbe stata appoggiata allo schienale! L'abito le sottolineava la vita e poi si allargava con morbida ampiezza nella gonna. Kate, alla fine, si era decisa a mettere i sandali di seta azzurro cupo che le aveva suggerito Licia, gli orecchini con le perle e aveva raccolto i capelli in un elegante chignon. Si trattava della stessa pettinatura di sua madre quando, molti anni prima, l'aveva vista per l'ultima volta, ma Kate non se ne ricordava più. Tuttavia era un genere di acconciatura che le donava particolarmente. E poi, all'infuori degli orecchini, l'unico oggetto prezioso che portava era la fede. Così abbigliata aveva un aspetto molto ricercato, di un'eleganza squisita, e lo specchio le aveva confermato che ogni particolare scelto le si intonava alla perfezione. Si augurò che Nick fosse dello stesso parere, poi arrossì a quel pensiero. Non Nick come uomo, ma semplicemente Nick come produttore dello spettacolo. Tuttavia nella sua mente si era creata una certa confusione e non sapeva più distinguere con esattezza quali fossero le funzioni di Nick: mentore, consigliere, amico o semplicemente uomo. Strano, provare sentimenti tanto confusi per una persona che aveva conosciuto soltanto quel giorno a pranzo. Ma era ansiosa di vederlo e di sapere da lui se il suo aspetto era indicato per la trasmissione. Perché se non fosse stato così, si sarebbe trovata nei guai... e grossi! Non era uscita a fare compere, quel pomeriggio. Aveva deciso di rischiare, mettendo l'unico vestito adatto che aveva con sé. Ma, se avessero trovato qualcosa da ridire, sarebbe stata rovinata. D'altra parte Felicia le aveva detto che sarebbe piaciuto moltissimo a tutti. E, in genere, Felicia aveva ragione.

Kate si buttò sulle spalle uno scialle di lana lavorata all'uncinetto, sottile e trasparente come una ragnatela, di un colore azzurro cupo, prese la borsetta e aprì la porta. Ci siamo: non faceva che ripetersi queste parole. Ci siamo. Ma tentò di impedire a se stessa di lasciarsi andare a quella vaga sensazione di inquietudine mentre si avviava a passo rapido verso la hall dell'albergo e percorreva il corto viale, coperto dal tendone, fino al marciapiede, dove si fermò accanto al portiere.

« Signorina Harper? » Come diavolo faceva a saperlo? Insieme con lei stava passando un vero e proprio esercito di persone. Era incredibile! Notò distrattamente una donna molto anziana, bruttissima, che indossava una pelliccia di cincilla lunga fino ai piedi, seguita da tre invertiti di mezza età, ma poi si sforzò di riportare la propria attenzione sul portiere.

« Sì. Sono la signora Harper. »

« La macchina la sta aspettando. » Fece un segno a una berlina chiusa parcheggiata da un lato e subito una *Mercedes* di lunghezza smisurata, color cioccolato, arrivò rapidamente ai suoi piedi. Per me? E poi si parla di Cenerentola! Ebbe una gran voglia di ridere, ma non osò.

« Grazie. » L'autista le teneva spalancato lo sportello, che aveva aperto dopo essere balzato velocemente dall'auto prima ancora che il portiere avesse il tempo di allungare la mano, e i due uomini in uniforme rimasero lì, uno di fianco all'altro, mentre Kate si sedeva. Ancora una volta ebbe una gran voglia di dare una gomitata a qualcuno e di buttarsi poi, ridendo come una matta, sul sedile posteriore. Ma non aveva nessuno con cui poter scherzare a quel modo. D'un tratto provò il desiderio di rivedere Nick e di potergli raccontare tutto ciò. Ma, subito, si rese conto che non le sarebbe stato possibile. Per lui quella era la vita di tutti i giorni. Per lei si trattava di « una volta nella vita! »

La macchina prese velocità percorrendo quartieri sconosciuti, davanti a imponenti ville e a palme maestose, poi attraversò lunghi tratti deserti di autostrada, privi di qualsiasi segnalazione dove Kate pensò che, se fosse stata al volante, si sarebbe perduta, e infine raggiunse un edificio basso, lungo, apparentemente senza pretese, color sabbia. La sede televisiva. L'automobile si arrestò, l'autista corse ad aprirle la portiera e Kate scese. Era difficile rinunciare all'impulso di fare un'uscita a effetto. Difficile non assumere l'aria imperiosa, se non altro perché era divertente. Ma subito le venne in mente Cenerentola che aveva perduto la scarpina di vetro e c'era mancato poco che non si rompesse l'osso del collo sul famoso scalone del palazzo.

« Grazie. » Sorrise all'autista e si rallegrò notando che la propria voce era sempre la solita, della Kate di tutti i giorni, non della « signorina Harper. » Però tutta quella faccenda cominciava a divertirla. Era un vero spasso. Kaitlin Harper, la scrittrice.

Appena entrati trovarono due guardie che, non appena la videro, le domandarono un documento. Ma non aveva fatto ancora in tempo a consegnarlo che apparve una ragazza giovanissima, dalla folta chioma bionda e sorrise ai due uomini.

« Adesso la accompagno io di sopra, signorina Harper. » Anche le due guardie sorrisero e una di loro scoccò un'occhiata di ammirazione al sederino della bionda. Questa indossava il solito paio di jeans, scarpe di Gucci e una camicetta bianca scollata e trasparentissima. Kate provò la sensazione di essere sua madre. Probabilmente quella ragazza non aveva più di ventidue anni, ma possedeva una tale sicurezza di sé... quella che Kate non aveva più da molti anni... se mai l'aveva avuta! O forse molto, molto tempo prima, mille anni prima... Era perfino difficile ricordare.

« È già tutto pronto nella sala rossa. » La ragazza continuò a chiacchierare amabilmente mentre prendevano un ascensore per raggiungere il secondo piano. Sarebbero potute andarci anche a piedi, senza difficoltà, ma Kate intuì subito che non sarebbe stato corretto. Era una città in cui tutto ciò che una persona faceva era uno *status symbol*, la conseguenza e il riflesso della posizione sociale.

Sbucarono in un corridoio dall'aspetto anonimo e Kate tentò di dare un'occhiata alle fotografie incorniciate appese alle pareti: facce che aveva visto in film molto famosi, sui giornali, nei notiziari della televisione... qualcuna perfino sulla copertina di un libro. Si domandò se un giorno o l'altro avrebbero messo anche la sua, lì appesa, e per un attimo, assurdo e fantastico, provò il desiderio che così fosse. Kaitlin Harper... Ha! Ha! Già, sono io! Vedete! Io, io! Sono io, Kate! Ma la ragazza stava già spalancando una porta. Il *sancta sanctorum*. All'interno e all'esterno c'era una schiera di guardie armate; la porta si poteva aprire solo con la chiave. Si trovò in un lungo corridoio con la moquette bianca. Bianca? Molto poco pratica! Ma evidentemente tutti se ne infischiavano. Era bella. Altre fotografie. Più personali, queste, e in ognuna compariva anche Jasper Case. In fotografia sembrava un uomo affascinante, molto alto, con i capelli d'argento. Né gli mancava una certa eleganza. Del resto Kate sapeva, poiché aveva seguito le sue trasmissioni alla televisione, che il suo accento anglosassone aggiungeva un tocco di distinzione al personaggio. Fra l'altro era abilissimo nelle sue interviste perché non appariva mai pretenzioso o maligno, ma sempre pieno di calore umano, profondamente interessato; bene o male, riusciva sempre a coinvolgere nella conversazione anche lo spettatore. Quando l'uomo comune, seduto a casa propria con in mano un bicchiere, guardava la trasmissione di Jasper prima di andare a letto poteva illudersi che tutti gli ospiti fossero proprio lì, nel suo soggiorno, e che lui stesso non fosse un escluso, ma anzi facesse parte del gruppo.

Kate era ancora affascinata da quelle fotografie quando sentì che la ragazza, con un'altra delle sue chiavi magiche, apriva ancora una porta e si trovò a fissare quella che in un primo momento le parve una stanza degli ospiti. Era tutta arredata in varie tonalità di un rosa spento e aveva un aspetto estremamente chic. C'erano un divano, parecchie poltrone, l'immancabile sedia sdraio, un tavolino da toilette e una vera e propria giungla di orchidee, mentre dal soffitto pendevano altre stupende varietà di piante. Era proprio il genere di stanza che a Kate sarebbe piaciuto enormemente come studio, invece di quel buco soffocante e squallido in cui lei, come la gran parte degli scrittori, lavorava.

« Questo è il suo spogliatoio, signorina Harper. Nel caso volesse cambiarsi o stendersi a riposare. Come preferisce. Quando sarà pronta mi chiami con quel citofono e la accompagnerò nella sala rossa. » Davvero? Lo prometti? Ma devo proprio?... A Kate piaceva immensamente la sala rosa, che bisogno c'era di andare nella sala rossa?

« Grazie. » L'unica parola che le venne in mente, lì per lì. Era troppo sopraffatta da tutto ciò che la circondava! Ma quando entrò nella stanza e la porta si fu richiusa alle sue spalle, si accorse che ci avevano messo anche un delizioso *bouquet* di roselline rosa con un biglietto. Si avvicinò, chiedendosi se per caso quei fiori non fossero stati mandati per un'altra persona, qualcuno certo più importante di lei. Invece sulla busta c'era proprio il suo nome. La aprì incuriosita, con le mani che tremavano. Era stato Stu, forse?

Ma non le aveva mandate Stu. Le aveva mandate Nick. « Non dimenticarti il cane e il tempo. Nick. » Kate scoppiò a ridere, poi si mise a sedere e si guardò intorno. Non aveva nient'altro da fare che stare lì, a bocca aperta per lo stupore. Si accorse che lo scialle le era scivolato giù dalle spalle mentre si lasciava cadere in un'ampia, accogliente poltrona, tanto soffice che sembrò quasi inghiottirla. Ma subito, colta dal nervosismo, si alzò di scatto e andò a contemplarsi nello specchio che la rifletteva da capo a piedi. Andava bene, vestita così? Oppure l'abito che indossava era completamente sbagliato? Era... avrebbe dovuto... forse... ecco... Sentì bussare lievemente e questo bastò a farla riscuotere da un esame di se stessa che la stava gettando letteralmente nel panico.

« Kate? » Era una voce maschile e profonda; Kate, all'improvviso, sorrise. No, dopotutto, non era né sola né abbandonata! Spalancò di scatto la porta e se lo trovò davanti, alto e sorridente. Nicholas Waterman. Le parve ancora più alto di quanto ricordasse, ma i suoi occhi erano esattamente gli stessi che l'avevano colpita a pranzo, pieni di calore umano, gentili; gli occhi di un amico. « Come te la passi? »

« Sono uno straccio, un rottame. » Gli fece segno di entrare e richiuse con aria da cospiratrice; poi, d'un tratto, ricordò le rose. « Grazie per i fiori. Come ti sembro? » Si accorse che parlava a scatti, con una voce che non era la sua, e le venne voglia di buttarsi a faccia in giù sul pavimento nella speranza di nascondersi agli occhi di tutti. « Oh, non ce la faccio! » Si lasciò cadere sul divano e, quasi, le sfuggì un gemito. Nick si mise a ridere.

« Sei bellissima. E vai bene così. Basta che ti ricordi: il cane e il tempo. Giusto? »

« Oh, sta' zitto! » Ma subito si accorse che Nick la stava osservando attentamente, con gli occhi socchiusi. « Che cosa c'è? »

« Tirati giù i capelli. »

« Adesso? Non riuscirò mai e poi mai a pettinarmeli nello stesso modo », esclamò Kate, inorridita.

« Ma è proprio questo che voglio, sciocchina. Su, non facciamo storie. Con quel vestito ci vogliono i capelli sciolti. » Si sedette sul divano vicino a lei e aspettò, mentre Kate lo osservava con un sorrisetto stupito.

« Fai così con tutte le persone che partecipano a questo spettacolo? » Che pensiero deludente! Si augurò che non fosse così.

« No, affatto! Ma non tutte le persone vengono a partecipare a questo spettacolo disposte a parlare soltanto del proprio cane e del tempo! »

« Oh, ma insomma, vuoi smetterla! » Anche Kate stava ridendo apertamente. E poi, dentro di sé, aveva appena finito per riconoscere che gli occhi di Nick le piacevano.

« Sciogliti i capelli. » Sembrava un fratello maggiore che volesse insegnarle un nuovo sport. Aveva tutte le intenzioni di resistere a quel suggerimento, ma alla fine si lasciò persuadere.

« Okay, però avrò un'aria disordinata! »

« Non ci riusciresti neanche se volessi! »

« Dici delle cose assurde! »

Sembrava il classico, intimo scambio di battute fra due persone in una stanza da bagno: lui si fa la barba mentre lei si asciuga; lei si pettina mentre lui si fa il nodo alla cravatta. Kate lo guardò con un sorriso mentre i capelli le scendevano sulle spalle, a cascata, in soffici e morbide onde. Nick atteggiò le labbra a un sorriso. Aveva visto giusto!

« Altro che disordinata, sei bellissima! Vai un po' a guardarti allo specchio. »

Fu quello che Kate fece: si andò a guardare e aggrottò lievemente le sopracciglia. « Sembra che mi sia appena alzata dal letto. » Nick diede l'impressione di essere lì lì per dirle qualcosa, invece tacque. Si limitò a sorridere.

« Sei perfetta. E se vuoi saperlo, hai appena finito di vendere il tuo libro a metà degli uomini di tutta l'America. L'altra metà è composta di uomini o troppo vecchi o troppo giovani. Ma se sono ancora svegli quando va in onda lo spettacolo, Kate... glielo hai già venduto! »

« Ti piace così? »

« Sì, enormemente. » Gli piaceva moltissimo quell'abito.

Kate aveva un aspetto stupendo. Alta, delicata, elegante e sexy. Possedeva uno strano fascino, schietto, colmo di innocenza. Non lo sapeva, Kate, ma apparteneva a quel genere di donna per il quale gli uomini sono pronti a fare pazzie... Erano la sua acuta sensibilità, quell'accenno di timidezza dietro la facciata di bonario umorismo, il riserbo a cui si univa una malizia sbarazzina. Senza pensare, lui la prese per mano. « Pronta? » Kate sarebbe voluta andare a far pipì, ma non ebbe il coraggio di dirglielo. Si limitò ad annuire, con un sorriso.

« Pronta. » Era talmente emozionata che quasi le mancò il fiato per dirlo.

« E allora, in marcia verso la sala rossa. »

Trovarono champagne e caffè. E tartine, e un piatto di *pâté de foie gras*. C'erano inoltre riviste, tubetti di aspirina e vari altri rimedi per i piccoli malesseri, inclusi alcuni preparati, piuttosto robusti, per lenire le crisi del dopo-sbornia. In giro si vedevano volti di persone con le quali Kate non si sarebbe mai aspettata di trovarsi a tu per tu. Un giornalista di New York; un attore, di cui aveva sentito parlare da quando era piccola, arrivato da pochissimo in aereo da Las Vegas, proprio per lo spettacolo; una grande diva del canto; un'attrice e un uomo che aveva passato quattro anni in Africa a scrivere un libro sulle zebre. Aveva sentito parlare di tutti, li aveva già visti tutti. Non c'era nessuna persona ignota o sconosciuta, nella sala rossa. E fu a quel punto che Kate sorrise tra sé. Perché la sconosciuta era lei!

Nick la presentò a tutti gli altri e le mise in mano il bicihere di *ginger ale* che gli aveva chiesto. Alle sette meno un quarto precise se ne andò. L'uomo che aveva un debole per le zebre era seduto piuttosto in disparte, lontano da lei, e stava chiacchierando di argomenti insulsi con il suo accento da ex studente di Eton (un accento che aveva però già perduto quasi tutto il suo smalto); la diva del bel canto si mise a osservare Kate severamente, da capo a piedi.

« Si direbbe che il produttore si sia preso una bella sbandata per te, bella mia. Vecchia o nuova fiamma? È per questo che ti hanno chiamata per lo spettacolo? » Intanto si stava riaggiustando con la lima un'unghia scarlatta simile a un artiglio e sogghignava rivolta all'attrice, che doveva essere una sua amica. C'era una faccia nuova in città e, a loro, garbava molto poco. Kate sorrise alle due donne, mandandole al diavolo in cuor suo. Perché, che cosa accidenti si poteva dire a dive del genere? Vai a...? Posso avere il suo autografo? Continuò a sorridere con aria vacua e accavallò le gambe, chiedendosi se gli altri si fossero accorti che le tremavano. Poi l'attore di teatro e il giornalista la salvarono, proprio come se fossero stati paracadutati giù dal cielo a quello scopo. Il giornalista cominciò a insistere per poterle servire del pâté e l'uomo di teatro la bombardò letteralmente di battute una più spiritosa dell'altra; andò a finire che, almeno per il momento, si misero a chiacchierare tra loro, all'altra estremità della stanza, mentre le due dive mangiavano fiele. Tuttavia Kate non se ne accorse. Era troppo nervosa, troppo impegnata a chiacchierare. Nick aveva visto giusto: ogni uomo in quella stanza avrebbe volentieri dato dieci anni della sua vita pur di riuscire a tornare a casa con lei. Ma Kate era troppo preoccupata dello spettacolo per badare all'effetto sensazionale che stava facendo a tutte quelle persone.

« Che impressiona fa? »

« È come sprofondare in un letto di caramelle morbide, di gelatina. » L'attore la guardò con un sorriso. « Vuol provare una volta o l'altra? » Kate rise, guardandolo, e continuò a sorseggiare il suo *ginger ale.* Oh, Dio santo, e se le avesse fatto venire voglia di sternutire? Depose il bicchiere e accartocciò il tovagliolino di carta fra le mani umide di sudore. « Non preoccuparti, piccola. Vedrai che finirai per divertirti. » L'uomo di teatro le aveva bisbigliato queste parole gentilmente, con un sorriso pieno di calore. Era vecchio abbastanza per essere suo padre e, tuttavia, Kate si accorse che le sfiorava il ginocchio con la mano. Non riusciva affatto a capire se si sarebbe davvero divertita. D'un tratto fu il momento di andare in onda. Per la stanza sembrò che passasse all'improvviso una corrente elettrica e tutti ammutolirono.

La prima a fare qualcosa fu la diva del canto. Si esibì in un paio di canzoni e se ne andò dopo aver chiacchierato cinque minuti con Jasper il quale disse di essere « immensamente grato che lei fosse riuscita a partecipare alla sua trasmissione, perché sapeva che doveva registrare uno spettacolo molto importante ». Kate provò un grandissimo sollievo quando la diva, cinque minuti dopo, se ne andò definitivamente. Poi fu la volta del giornalista, il quale si rivelò straordinariamente divertente. Era quasi un ospite fisso della trasmissione. Poi toccò all'attrice e infine all'uomo di teatro. E poi... o mio Dio... no! Non restavano che lei e l'uomo delle zebre... E quel tizio sulla porta, con la cuffia sulle orecchie, in quel momento stava facendo dei segni a Kate! Io? Adesso? Ma no, non posso! Invece sapeva benissimo di non potersi più tirare indietro.

Ebbe l'impressione di entrare nella corrente violentissima di un fiume turbinoso, oppure di buttarsi giù dall'alto di una scogliera. Si sentiva inebetita. Le pareva di non riuscire a capire ciò che stava dicendo. E quel che era peggio, non riusciva neppure a sentirsi! Le venne l'impulso di mettersi a urlare, lì, in quel momento, dove si trovava, ma riuscì a controllarsi. Invece si udì ridere, chiacchierare, ammettere di essere trascuratissima nel vestire nei periodi in cui scriveva i suoi libri, e parlare di ciò che pensava della vita in campagna. Anche Jasper aveva trascorso l'infanzia e la fanciullezza in un posto che, secondo lui, doveva essere molto simile a quello descritto da Kate. Parlarono di libri, di narrativa, della grande disciplina richiesta da questa professione e perfino di come fosse stato divertente arrivare a Los Angeles. Kate si sorprese a dire battute scherzose sulle donne che aveva notato intorno alla piscina e su quegli uomini, anzianotti, con il sedere basso, inguainati in jeans troppo stretti per loro e in camiciole attillatissime e con tutte quelle catene, catenelle, costosi gingilli d'oro al collo. Arrivò quasi al punto di fare un'allusione piccante, ma si tirò indietro in tempo... il che la rese ancora più divertente perché il pubblico capì ugualmente a che cosa Kate voleva alludere. Si dimostrò spiritosa, divertentissima, fantastica, insomma... pur restando sempre Kate. E laggiù, in un punto imprecisato, fra i riflettori, i fili della corrente, la confusione e le telecamere, c'era Nick, il quale faceva grandi gesti di vittoria e le sorrideva pieno di orgoglio. Ce l'aveva fatta! E poi arrivò l'uomo delle zebre ma, a quel punto, Kate si trovava ormai a proprio agio, rideva, si divertiva, partecipava agli scherzi, alle battute umoristiche, alla conversazione. Il giornalista e l'attore di teatro continuarono a rivolgerle osservazioni intelligenti che richiedevano una risposta pronta e spiritosa; quanto a Jasper, sembrava addirittura che si conoscessero fin dall'infanzia! Insomma, la trasmissione risultò azzeccatissima fin dal principio e, se una serata così riuscita si fosse potuta paragonare a uno scintillante diadema, Kate ne fu senz'altro la gemma più fulgida. Era ancora eccitatissima, addirittura al settimo cielo, quando la registrazione si concluse; Jasper le diede un bacio prima su una guancia e poi sull'altra. « È stata meravigliosa, mia cara. Spero che ci rivedremo. »

« Grazie! Oh, è stato magnifico! E così facile, anche! » Era arrossita, si sentiva un po' ansante, ma divertita e felice... quando, all'improvviso, si ritrovò fra le braccia dell'attore.

« E allora, piccola, lo vogliamo provare sì o no quel letto morbido e soffice, che sembra fatto di caramelle e di gelatina? » Ma Kate riuscì addirittura a ridergli in faccia. Oh, come li trovava tutti simpatici! E poi, ecco Nick che abbassava gli occhi verso di lei, sorridente... le bastò per sentirsi profondamente sconvolta fin nel profondo del cuore.

« Ce l'hai fatta. Sei stata formidabile. » La sua voce era molto dolce e sommessa nel frastuono dello studio.

« Mi sono dimenticata di parlare del cane e del tempo. » Si scambiarono un sorriso. Kate si sentiva intimidita, quando era con lui. Perché era tornata a essere la Kate di tutti i giorni, non più la misteriosa signorina Harper.

« Dunque, bisognerà farti tornare da noi. »

« Grazie per essere riuscito a farmi passare tutta la paura che avevo! » Nick scoppiò a ridere e le circondò le spalle con un braccio. Si accorse che gli piaceva sentire il contatto della pelle di lei sulla propria.

« Sempre a tua disposizione, Kate, ricordatelo! A proposito, abbiamo appena dieci minuti prima di partire in massa per andare a quella festa. Sei pronta? » Se l'era quasi dimenticata. E dov'era andato a finire Stu? Non era logico che lo rivedesse, che si trovasse con lui?

« Ha telefonato prima che tu venissi qui. Ci troveremo con lui alla festa. Vedi, è il compleanno di Jasper. E ci saranno tutti. » Cenerentola al ballo. Ma, del resto, perché no? Moriva dalla voglia di far festa.

« Si direbbe un'idea eccellente. »

« Vuoi andarci in una di quelle specie di banane ammaccate, oppure ci dileguiamo per conto nostro? » Si distrasse un momento per firmare qualcosa che qualcuno gli aveva messo sotto il naso e poi lanciò un'occhiata all'orologio.

« Le banane ammaccate? » Kate lo guardò, vagamente confusa.

« Ma, sì! Una di quelle che ti sono venute a prendere. La berlina chiusa marrone. Ne abbiamo due. Alla festa, andranno tutti con quelle due macchine. Tutti gli ospiti della trasmissione, con Jasper. Noi, però, potremmo restar fuori della calca e andarci con la mia macchina. » A sentirlo, sembrava più semplice, ma anche un poco più inquietante. In tal modo Kate avrebbe perduto quella piacevole sensazione di sicurezza che le dava la folla. D'altra parte, aveva il sospetto che il famoso attore teatrale avrebbe cercato con ogni mezzo di toccarle di nuovo un ginocchio. Andare con Nick sarebbe stato più facile.

« Posso portare i miei fiori? » Nick sorrise a quella domanda. Nessun altro lo faceva mai. Generalmente tutti lasciavano i fiori nel loro spogliatoio ed erano le cameriere a portarseli a casa. Invece Kate li aveva ricordati. Era una di quelle donne che ricordavano particolari del genere!

« Come no? Che cosa vuoi che siano un po' di spruzzi d'acqua che mi allagheranno tutta l'automobile? » Scoppiarono a ridere contemporaneamente e poi Nick la precedette nel corridoio, in direzione della stanza rosa. Tutt'intorno a loro le cose riprendevano gradualmente il solito ritmo e il nervosismo scompariva, in netto contrasto con la tensione crescente che Kate aveva sentito, lì, in quello studio, prima della trasmissione. Che modo strano di vivere! Doversi caricare come giocattoli meccanici in quel modo, ogni giorno! Ma che esaltazione, anche! Mai e poi mai, in vita sua, si era sentita bene come in quel momento. O, perlomeno, da molto tempo. Già, da molto, molto tempo.

Tolse dal vaso, con delicatezza, il delizioso *bouquet*. Già prima si era fatta scivolare il biglietto che lo accompagnava nella borsetta. Un ricordo di quella serata in cui aveva recitato la parte di Cenerentola. « Grazie anche per queste, Nick. » Avrebbe voluto chiedergli se era sempre così pieno di premure, ma non se la sentì. Sarebbe stato molto scortese.

Ormai tutto era finito. La trasmissione era terminata. Tornavano a essere tutt'e due le solite persone di tutti i giorni. Lui non era più Il Produttore. E lei non era più La Stella. Provò un vago imbarazzo mentre si incamminavano in silenzio verso l'uscita e verso la macchina di Nick. Quando ci arrivarono, Kate si fermò di botto e si lasciò sfuggire un lungo fischio sommesso che risultò terribilmente in contrasto con il suo aspetto.

« È la tua macchina questa? » Una *Ferrari* blu scuro, dalla linea allungata, bassa, con l'interno di cuoio naturale.

« Sì, lo confesso, è mia. Quando l'ho comprata, ho cominciato a saltare i pasti. »

« Spero che non sia stato un sacrificio inutile. »

Ma, a giudicare dall'espressione con cui Nick contemplava la sua automobile, Kate comprese che, per lui, non lo era stato affatto. A modo suo, era un bambino non ancora cresciuto del tutto, anche lui. Le aprì lo sportello e lei si mise a sedere con un movimento rapido ed elegante. L'interno della macchina trasudava lusso: vi aleggiava un intenso profumo di pelle e di costosissima acqua di colonia maschile. Ma si rallegrò che quegli odori non fossero troppo forti. Perché l'avrebbero turbata.

Era piacevole trovarsi lì, al buio, mentre Nick si insinuava nella colonna di macchine che si inseguivano senza sosta.

Provò ad appoggiarsi allo schienale e a calmarsi dopo tutta quella eccitazione.

« Come mai ti sei zittita all'improvviso? » A Nick tutto ciò non era sfuggito.

« Sto cominciando a sentirmi più distesa. Tutta questione di nervi, suppongo. »

« Ehi, un momento! Aspetta fino a quando arriviamo alla festa! »

« Perché? Sarà una gabbia di matti? »

« Di sicuro! Credi che riuscirai a sopportarla? »

« Certo che è un bel debutto, questo, per una ragazza di campagna, caro signor Waterman! » Ma le piaceva, le piaceva follemente quello che le stava succedendo e Nick non faticava a capirlo.

« Qualcosa mi dice, Kate, che non sei stata sempre una ragazza di campagna. Niente di tutto ciò è nuovo per te, vero? »

« Al contrario, è tutto nuovo! O, diciamo piuttosto che, prima, non mi ero mai trovata sotto le luci della ribalta come in questo caso. »

« Però le luci della ribalta forse si posavano su qualche persona che ti era molto vicina, vero? » Kate ebbe un sussulto e Nick la guardò, stupito. Che cosa aveva detto? Ma la giovane donna aveva già girato gli occhi dall'altra parte e stava scuotendo la testa.

« No. La vita che facevo era estremamente diversa da questa. » Tuttavia a Nick non sfuggì che aveva quasi corso il rischio di perderla: lo aveva perfettamente capito. Kate si stava nascondendo di nuovo. Poi, inaspettatamente, rivolse di nuovo gli occhi al suo compagno con un caldo sorriso e uno scintillio nelle pupille. « Indubbiamente non sono mai andata in giro su una *Ferrari*! »

« Dove abitavi, prima di ritirarti in campagna? »

« A San Francisco. » Esitò soltanto per una frazione di secondo.

« E ti piaceva? »

« Enormemente! Non ci sono più tornata da... da anni,

fino a un mese fa e poi, la settimana scorsa, ci ho portato anche il mio piccolino e perfino lui se n'è innamorato. È una città bella e simpatica. »

« Esiste la possibilità che tu ci torni a vivere? » Nick sembrava interessato a saperlo.

Lei alzò le spalle. « A dire la verità, non credo proprio. »

« Peccato. Perché stavamo pensando di trasferire a San Francisco la nostra trasmissione. » Kate non nascose il suo stupore.

« In modo da allontanarvi da questa mecca del cinema che è Hollywood? E per quale motivo? »

« Qui a Jasper non piace. Vorrebbe vivere in qualche posto più 'civilizzato'. Gli abbiamo proposto New York. Ma di New York è stanco. Ci è stato dieci anni. Lui vuole San Francisco. E ho l'impressione... » la guardò con un sorrisetto imbarazzato, « che se continua a insistere a questo modo, riuscirà a ottenerla. »

« E tu che cosa ne pensi? »

« Credo che finirò per essere d'accordo. Ormai qui me la sono spassata abbastanza. Mi sono preso certe abitudini... ma tutto invecchia molto in fretta. »

« Presto, fate entrare le vergini Vestali! » Kate lo stava prendendo in giro e Nick le arruffò i capelli scherzosamente con una mano.

« Le vergini Vestali, eh? A sentirti, si direbbe che ne abbia bisogno di almeno una dozzina al giorno. »

« Non è così, forse? »

« No, per tutti i diavoli! Non più! Per quanto mi ci metta con tutto l'impegno possibile, non riesco ad avere più di otto o nove donne il giorno. Dev'essere la vecchiaia. »

« Già, proprio così. »

Scherzavano, andavano a tentoni nell'indagare l'uno nella vita dell'altro. Chi sei? Che cosa vuoi? Di che cosa hai bisogno? Qual è la tua meta? Ma che cosa importava? Kate pensò, con un piccolo brivido di delusione che, con molta probabilità, dopo quella sera non lo avrebbe visto mai più. O meglio, forse quattro o cinque anni dopo, se avesse scritto un altro libro che si fosse rivelato un grosso successo e se lui fosse stato ancora il produttore di quello spettacolo, se lo spettacolo fosse esistito ancora, se...

« Paura? »

« Uhm? »

« Sei diventata così seria! Così, mi sono chiesto se per caso stavi pensando alla festa e ti innervosiva l'idea di andarci. »

« Un po', forse. Ma non mi importa in modo particolare. Dopotutto, sono una sconosciuta. E posso restare invisibile. »

« Sarà un po' difficile, bellezza! Non credo che ci riuscirai affatto. »

« Balle. »

Scoppiarono a ridere di nuovo e Nick imboccò un lungo viale, fiancheggiato da palme, che portava nell'interno di Beverly Hills. Negli ultimi dieci minuti non avevano fatto altro che passare davanti a palazzi giganteschi.

« Signore Iddio! E questa sarebbe la casa di Jasper? » Sembrava avere più o meno le stesse dimensioni di Buckingham Palace. Nick scrollò il capo.

« Hilly Winters. »

« Il produttore cinematografico? »

« Sissignora. Allora vogliamo entrare? » Tre custodi in tuta bianca, immacolata, erano lì in attesa di portare nel parcheggio le automobili; ad aprire la porta c'erano un maggiordomo e una cameriera. Kate riuscì a cogliere un rapido scorcio del grande atrio d'ingresso, vivacemente illuminato. A quel punto si rese conto di non sapere più quale fosse l'occupazione più interessante: se guardare nell'interno della villa oppure seguire con lo sguardo, fuori, la fiumana ininterrotta di *Rolls Royce* e di *Bentley* che imboccavano, dalla strada, il viale d'accesso alla villa. Adesso era facile capire per quale motivo Nick avesse comprato una *Ferrari*. Il mondo nel quale viveva era assolutamente diverso da qualsiasi altro.

La porta si aprì di nuovo e vennero istantaneamente risucchiati nell'occhio di un ciclone abbagliante. Ci saranno state come minimo trecento persone e Kate ebbe una confusa impressione di grandi lampadari di cristallo, di candele, di *paillettes*, diamanti, rubini, pellicce e seta. Si accorse che erano presenti divi e dive apparsi in quasi tutti i film che aveva visto, o di cui aveva letto o sentito parlare.

« Ma c'è gente che vive davvero in questo modo? » Kate sussurrò a Nick quando si fermarono ai margini della folla che invadeva la grande sala. La casa possedeva infatti un magnifico salone da ballo, adorno di innumerevoli specchiere, che era stato trasportato, pezzo per pezzo, da un castello sulla Loira e lì ricostruito. Possibile che tutto ciò fosse reale?

« Be', effettivamente c'è gente che vive così, Kate. C'è chi riesce a farlo solo per un certo tempo e chi ci riesce per sempre. In genere non dura molto a lungo. Guadagnano un patrimonio con il cinema e poi lo spendono, lo sperperano, lo gettano via. » Adocchiò un folto gruppo di divi del rock, all'altro capo della sala. Erano inguainati in vestiti di *satin* che sembravano addirittura incollati loro addosso e la moglie del capobanda indossava un abito scollatissimo color pelle e una pelliccia di zibellino lunga fino ai piedi con tanto di cappuccio. Forse un po' eccessiva per un salone da ballo, perché doveva tenere un gran caldo, ma la donna sembrava felice. « Persone come quelle vanno e vengono in fretta, come meteore. Persone come Hilly, invece, restano per sempre. »

« Dev'essere un gran divertimento. » Aveva assunto l'aria di una bambina che, al gran ballo di carnevale, spia gli adulti nascosta dietro la ringhiera in cima alle scale.

« È ciò che desideri? » Ma sapeva già quale sarebbe stata la risposta.

« No. In verità credo di non desiderare proprio niente di diverso da quello che ho già. » Certo, come no! Il « qualcuno » che vizia il tuo bambino. Gli venne in mente di colpo, e si sentì pieno di amarezza. Kate possedeva più di chiunque altro in quella stanza. Anche molto più di lui. Una puttanella fortunata. Ma, no! Non era una puttanella! Ecco quello che lo aveva incuriosito e stupito fin dal principio. Gli piaceva. Anche troppo, accidenti! Era così innocente! Si chiese che cosa sarebbe successo se l'avesse afferrata per le spalle e l'avesse baciata. Con ogni probabilità gli avrebbe allungato uno schiaffo. Un gesto meravigliosamente antiquato. Bastò quel pensiero a farlo scoppiare in una risata mentre deponeva su un vassoio una coppa di champagne vuota. In quel momento si accorse che Kate era sparita. Lentamente si era mescolata alla folla e Nick riuscì a scorgerla a una ventina di metri di distanza, mentre ascoltava lo sproloquio di uno sconosciuto in uno smoking di velluto marrone scuro. Era una delle classiche « appendici » locali. Il parrucchiere, il boy-friend oppure il figlio di qualcuno. Ce n'erano a mucchi come lui, in tutta Hollywood. Nick tentò di muoversi nella calca per poterla raggiungere. Non riusciva a sentire la conversazione, ma Kate non aveva per niente l'aria contenta.

« Harper? Oh, certo. La scrittrice che è apparsa alla televisione stasera, nello spettacolo di Jasper. L'abbiamo vista! »

« Mi fa piacere. » Stava cercando di mostrarsi gentile, ma non era facile. Quel tizio, tanto per cominciare, era ubriaco fradicio. Non riusciva ancora a capire come avesse fatto a lasciarsi sospingere dalla folla così lontano da Nick, d'altra parte c'era tanta gente e il salone da ballo stava diventando il fulcro della festa. La banda infatti si era messa a suonare una musica rock a dir poco scatenata.

« Come va che una ragazza come lei ha scritto un libro in cui si parla di football? »

« Per quale motivo non avrei dovuto farlo? » Lanciò un'occhiata a Nick. No, non c'era speranza di riuscire a tornare vicino a lui. Però lo vide farsi strada lentamente nella sua direzione. Ma ci sarebbero voluti ancora almeno un paio di minuti, prima che la raggiungesse.

« Perché, vede, anni fa c'è stato un giocatore di football che aveva il suo stesso nome. Harper. Bill Harper. Joe Harper. Qualcosa di simile. È diventato matto. Ha cercato di uccidere qualcuno e invece si è tirato addosso un colpo di pistola. Pazzi. Sono tutti pazzi. Assassini. Suo parente, per caso? » Guardò Kate dalla testa ai piedi con gli occhi inebetiti dall'alcool e ruttò. Sarebbe stato divertente se Kate non avesse capito, di colpo, che l'orologio aveva scoccato la mezzanotte. Era la fine, era successo. Qualcuno aveva ricordato. Qualcuno. Dal posto dove si trovava, Nick si accorse che, sul volto di Kate, si stava dipingendo un'espressione di panico. « Suo parente, dicevo? » Lo sconosciuto era insistente e si era messo a sorridere in modo tale da farla rabbrividire.

« Io... come? No. No, naturalmente! »

« Già, era quello che pensavo. » Ma Kate non udì neppure queste ultime parole. Facendosi largo fra la gente cercò di spingersi verso Nick che stava tentando di avanzare fra gli ultimi gruppi di invitati, finché finalmente la raggiunse. In quel momento sulla sua faccia si leggeva chiaramente il terrore.

« Che cos'hai? Ti senti bene? Che cosa ha fatto quel tizio? Ti ha detto qualcosa di poco corretto? »

« Io... no... no, no, niente del genere. » Però aveva gli occhi pieni di lacrime e si affrettò a sfuggire il suo sguardo. « Scusami, Nick. Ma non mi sento bene. Dev'essere stata tutta questa eccitazione. Lo champagne. Chiamerò... chiamerò un taxi. » Stava stringendo convulsamente fra le mani la borsetta e si guardava intorno con occhi angosciati, mentre parlava.

« Chiami un taxi, un corno... sei proprio sicura che quel tizio non abbia detto qualcosa che?... » Lo avrebbe ammazzato, se aveva fatto qualcosa di simile. Ma che cosa diavolo poteva averle fatto, a ben pensarci?

« No, davvero. » Nick capì che Kate non gli avrebbe mai detto la verità e bastò quella semplice convinzione per renderlo ancora più invelenito. « Voglio solo andarmene a casa. » Lo disse con il tono patetico di una bambina e allora, senza aggiungere altro, lui le circondò le spalle con un braccio, gliele strinse con forza e la condusse fuori, nel grande atrio. Uscirono quasi di soppiatto dalla villa dopo che Kate si fu fatta riconsegnare dal guardaroba il suo scialle.

« Kate... » abbassò gli occhi verso di lei a guardarla mentre aspettavano la macchina, « ti prego, dimmi che cosa è successo. »

« Niente, Nick. Niente. Sul serio. » Senza parlare la costrinse ad alzare la testa verso di lui e lei, pur sforzandosi di evitarlo, lasciò che due lacrime le scendessero dagli occhi, rigandole le guance. « Mi sono semplicemente spaventata, ecco tutto. È molto, molto tempo che non vado più in giro... fra la gente. »

« Mi spiace, piccola. » La prese fra le braccia e la tenne stretta a sé fin quando arrivò l'automobile. E Kate rimase lì, stretta a lui, sentendo contro la guancia la stoffa della sua giacca, respirando il profumo di lui nell'aria notturna. Profumava di limoncino, di spezie, ed era caldo e solido vicino a lei. Quando arrivò la macchina, Kate si staccò lentamente, respirò a fondo e sorrise.

« Mi spiace di essere stata così sciocca! »

« Non è vero. Non lo sei stata. Mi spiace per quello che è successo, piuttosto! Questa sarebbe dovuta essere la tua grande serata! »

« Lo è stata. » Kate lo guardò mentre pronunciava queste parole, e poi in fretta si mise a sedere nella macchina. Se non altro era riuscita a presentarsi a quello spettacolo della TV. Ad andare a una festa. Non era colpa di nessuno se c'era stata una persona che aveva ricordato Tom. Tuttavia si sentiva spezzare il cuore al pensiero che qualcuno lo ricordasse ancora. E poi, perché non potevano ricordare gli anni belli che aveva avuto? I tempi felici? Perché ricordavano soltanto la fine? Alzò gli occhi e si accorse che Nick la stava osservando. Non aveva ancora avviato il motore. Avrebbe voluto portarla da lui, a casa sua. Ma non poteva farlo e lo sapeva benissimo.

« Vuoi fermarti in qualche posto a bere qualcosa? » Ma lei fece segno di no con la testa. Del resto aveva immaginato che Kate avrebbe rifiutato. Non voleva bere neppure lui. Ma non sapeva cos'altro proporre. Una passeggiata? Una nuotata? Non sapeva che pesci pigliare. Avrebbe voluto fare qualcosa di semplice con lei, niente che fosse troppo « alla Hollywood ». C'erano momenti in cui odiava quella città e questo era uno di quelli. « Allora si torna in albergo? » Lei annuì con aria dispiaciuta, ma anche con un lieve sorriso pieno di gratitudine.

« Sei stato fantastico, Nick. » Un congedo. Gli venne voglia di prendere a calci qualcosa. E Kate non riuscì a comprendere il suo silenzio per tutto il tragitto fino all'hotel. Aveva paura che fosse in collera. Tuttavia non sembrava arrabbiato, ma semplicemente triste. O, magari, offeso. E Nick si sentiva le mani legate.

« Sei propria sicura che non posso convincerti a prendere niente di particolarmente eccitante come... per esempio un bel cono gelato? »

« Non vorrai dirmi che, in un posto come questo, la gente gode ancora di piaceri così semplici e modesti! »

« No, però sono sicuro che riuscirei a trovartene uno. »

« E io sono pronta a scommetterci! » Glielo disse con voce piena di calore, provando il desiderio di sfiorargli la faccia con una carezza mentre si fermavano davanti all'albergo. « Ho proprio paura che Cenerentola abbia avuto la sua grande serata a quel ballo. E se fossi in te, me la squaglierei prima che il tuo jet si trasformi in una zucca. » Scoppiarono a ridere tutti e due a quel pensiero, e Kate raccolse il suo mazzo di rose. « Guarda, non ti hanno lasciato in fondo alla macchina neppure una goccia d'acqua! » Nick la stava osservando con molta attenzione e Kate cercò di nuovo i suoi occhi. « Grazie, Nick. Di tutto. » Lui non si mosse e, per un attimo, neppure lei lo fece. Esitò. Provava un forte desiderio di toccarlo. La sua faccia, le sue mani. Di tendergli le braccia e di lasciare che lui la stringesse a sé. Ma ormai era tutto diverso. Sapeva di non poterlo fare. E sapeva anche che non l'avrebbe mai più rivisto.

« Grazie a te, Kate. » Lo disse calcando la voce su quelle parole, come se ne fosse convinto, anche se lei non riuscì a capirne il motivo.

« Buonanotte. » Delicatamente, come una brezza leggerissima, Kate gli sfiorò la mano e poi aprì lo sportello dell'automobile e si allontanò. Il portiere richiuse la *Ferrari* dietro di lei e Nick restò a guardarla andare via. Non scese dalla macchina, non la chiamò, non si mosse neppure. Rimase lì seduto a lungo. E, quando le telefonò la mattina dopo, lei era già partita. Dovette sfruttare tutte le proprie conoscenze e tutto il peso della propria posizione come produttore di quello spettacolo, per scoprire dal direttore dell'albergo che Kate se ne era andata poco dopo l'una di notte. Più o meno quando l'aveva accompagnata. Non cambiava niente. Comunque voleva saperlo. Era stato quel mascalzone alla festa. Accidenti. E non sapeva neppure dove abitasse. Si chiese se Weinberg glielo avrebbe detto.

18

« TYGUE, ho detto di no! »

« Dici sempre di no. E poi, non me ne importa di quello che dici! »

« Fila in camera tua! » Si scambiarono un'occhiata furiosa, ma poi Tygue cedette per primo. E fu un bene perché sua madre non era di un umore che si potesse prendere alla leggera. Era rientrata poco dopo le quattro del mattino. Tillie se n'era andata alle sei e mezzo. In quel momento erano soltanto le sette e Kate aveva dormito sì e no due ore e mezzo. Non era proprio la giornata giusta perché Tygue decidesse di fare il bagno a Bert prima di andare a scuola, oltre tutto con la schiuma da bagno più preziosa di sua madre, un dono di Licia. Se fosse capitato un qualsiasi altro giorno, Kate si sarebbe messa a ridere. Ma quel giorno no, non aveva nessuna voglia di ridere. Si sentiva ancora il cervello in tumulto per tutto ciò che le era successo a Los Angeles. Quando la colazione fu pronta, chiamò Tygue. « Allora, vuoi comportarti come una persona ragionevole, adesso? » Ma lui non disse una parola mentre si sedeva davanti alla sua scodella di fiocchi d'avena. Kate bevve il caffè in silenzio e poi, di colpo, le venne in mente qualcosa. Era nella valigia. « Torno subito. » A dire la verità non era il momento giusto per darglielo; ma forse era proprio quello di cui avevano bisogno tutti e due. Un momento un po' sciocco. Ma ci voleva, perché Kate viziasse ancora un poco suo figlio e Tygue si sentisse amato. Aveva provato un tale senso di solitudine tornando a casa in macchina, la notte precedente! Come se avesse perduto. Eppure si era imposta di rientrare nella vita sociale. Nessuno l'aveva scacciata via. Era tutto talmente stupido! Che importanza poteva avere se quel cretino ricordava un giocatore di football che si chiamava Harper? Per quale motivo aveva voluto scappare in quel modo? Sapeva che Stu sarebbe andato in collera con lei. Aveva chiesto all'impiegato dell'albergo di consegnargli un messaggio per prima cosa la mattina seguente: *Sono stata chiamata a casa improvvisamente, ti prego, annulla l'intervista con quel rotocalco. Terribilmente spiacente. Grazie di tutto. Ciao, Kate.* Ma sarebbe stato furioso comunque. E Kate lo sapeva. E anche lei era furiosa con se stessa. Poi con un lieve fremito di piacere ricordò la sensazione che le aveva dato toccare la mano di Nick quando gli aveva detto addio in automobile.

« A che cosa stai pensando? Hai un'aria un po' svanita. » Tygue l'aveva lentamente raggiunta nella sua camera e la stava osservando dalla porta, con la scodella di fiocchi d'avena in mano, inclinata pericolosamente da una parte.

« Non andare in giro mentre mangi! E si può sapere che cosa significa... perché avrei l'aria un po' svanita? Non è una cosa molto gentile da dire. » Aveva il tono offeso e il bambino abbassò gli occhi sulla sua scodella.

« Scusami. » Era ancora arrabbiato con lei perché era andata via.

« Vai a mettere quella scodella nell'acquaio in cucina e poi torna qui. » Tygue la guardò e poi scomparve, facendo il corridoio a salti. Tornò nel giro di pochi secondi con un'espressione piena di aspettativa sul faccino lentigginoso. « Guarda un po' che cosa ti ho portato. » Era una cosa letteralmente fantastica. L'aveva scoperta nel negozio di abbigliamento per bambini dell'albergo e non aveva saputo resistere. Lo aveva comprato a un prezzo addirittura vertiginoso, ma... del resto, perché non farlo? Era l'unico figlio che aveva; e poi, Tygue non avrebbe mai più avuto niente di simile.

« Che cos'è? » Guardò con aria sospettosa la scatola dai colori sgargianti e si capì subito che il fiocco azzurro chiaro, composto di mille nastrini arricciati come cavaturaccioli, che lo decorava, lo lasciava piuttosto confuso.

« Su, aprilo, non ti morde, sai! » Kate sorrise tra sé, pensando all'abitino di velluto azzurro polvere che aveva visto, fra le altre cose, in quel negozio. L'idea di suo figlio con addosso roba del genere l'aveva fatta scoppiare in una risata nel bel mezzo del negozio, con grande indignazione dei commessi. Ma un simile vestitino addosso a un bambino di sei anni sarebbe stato un po' eccessivo. Tygue non lo aveva portato neppure a due anni! Restò a guardarlo mentre, con una certa cautela, toglieva il fiocco e il nastro che legava la scatola, stava a contemplarla per un attimo prima di sollevare il coperchio e scostare gli strati di carta velina e poi rimaneva a bocca aperta, vedendo... quel che vedeva.

« Oh, mamma! Oooh!... mammina! » Non trovava parole per descrivere ciò che provava e Kate si sentì salire le lacrime agli occhi, osservandolo. Erano ancora lacrime di stanchezza e di nervosismo, ma anche di gioia. Tygue lo tirò fuori dalla scatola e lo alzò per rimirarlo meglio. Si trattava di un completo da cowboy, in cuoio e camoscio. C'erano il giubbotto senza maniche, con le frange, e quella specie di ampi pantaloni che i cowboy portano per riparare i calzoni veri e propri, una camicia, una cintura e una giacca. E quando Tygue, che si era tolto rapidamente tutto ciò che aveva addosso, se lo provò, l'abito gli stava a pennello.

« E allora, bamboccio, che cosa ne dici? Hai un'aria favolosa! » Seduta sul letto, Kate lo guardò raggiante.

« Oh, mammina! » Era molto tempo che non si sentiva più chiamare « mammina! » Soltanto « mamma ». Quel diminutivo veniva tenuto in serbo per le occasioni speciali, quando non c'era nessun altro in giro a sentirli. Si precipitò da lei, sempre indossando il completo da piccolo cowboy, le gettò le braccia al collo e le diede un bacio appiccicoso, che sapeva ancora di quello che aveva mangiato a colazione.

« Sono perdonata? » Lo strinse al cuore con un sorriso.

« Per che cosa? »

« Per essere andata via. » Si sentì perduta, nel proprio intimo, pensando che, a quel modo, aveva creato un grave precedente, ma suo figlio si rivelò più furbo di lei.

« No », rispose in tono pratico, con un caldo sorriso. « Però il vestito mi piace da matti. E ti voglio più bene che a tutti gli altri. »

« Anch'io ti voglio più bene che a tutti gli altri. » Si mise a sedere di nuovo sul letto e Tygue le si sistemò più comodamente in grembo. « Dovresti toglierlo. Mi sembra un po' esagerato per andare a scuola, tesoro, vero? »

« Ooooh! Mamma... per piacere... »

« Va bene, va bene. » Era troppo stanca per mettersi a discutere. Fu allora, che, improvvisamente, Tygue alzò gli occhi a osservarla.

« Ti sei divertita? »

« Sì, molto. Ho parlato alla TV e sono stata in un albergo grandissimo, ho pranzato con delle persone e sono andata a una festa con altre persone. »

« Mi sembra fantastico! » Lei sorrise e lo guardò. Forse aveva ragione. Forse era stato proprio tutto fantastico. Però non riusciva ancora a convincersene. « Quando torniamo a San Francisco? »

« Presto. Vedremo. Vuoi che Tillie ti accompagni dagli Adams oggi, per poter cavalcare con il tuo completo nuovo addosso? » Lui annuì con entusiasmo, contemplandosi il giubbotto con occhi deliziati. « Lascerò un messaggio a Tillie. »

Ma il bambino alzò gli occhi a guardarla con un'espressione terrorizzata. « Vai via di nuovo? »

« Oh Tygue... » Lo strinse forte a sé. « No, caro. Devo soltanto andare a trovare... a fare scuola. » Santo Dio. Quasi quasi se lo era lasciato sfuggire. A trovare Tom. Era esausta. A dire la verità, era fin troppo stanca per mettersi in macchina e fare quel viaggio così lungo. Ma sentiva di dover andare. Erano troppi giorni che mancava. « Cerco di tornare presto, oggi, così ceniamo insieme, belli tranquilli. Noi due soli. Va bene? » Lui annuì, titubante; però quell'espressione di terrore era scomparsa dai suoi occhi. « Te l'ho già detto, sciocchino. Non scappo, sai? Non ti lascio. Solo perché vado via per un giorno o magari un paio di giorni, questo non vuol dire che voglio abbandonarti. Lo hai capito? » Lui annuì, in silenzio, con gli occhi che sembravano immensi. « Bene. » Udirono il suono del clacson della macchina che veniva a prenderlo per andare a scuola: fu il caos, per tutti e due. Il cestino della colazione, i libri, il cappello, un bacione, un abbraccio stretto stretto, ciao ciao, e scappò via. Kate si mise a sedere in cucina per un momento, cercando di trovare le energie sufficienti per prendere la giacca e ripartire. Era pazza a voler fare quel viaggio dopo aver dormito soltanto un paio d'ore. Ma per un motivo o per l'altro sembrava che non fosse mai il momento giusto di andare a Carmel. Pareva che avesse sempre da fare qualcos'altro. Così afferrò la borsetta, la giacca, scrisse un breve biglietto per Tillie e partì mentre cominciava a piovere.

Una pioggia leggera continuò a cadere mentre viaggiava verso Carmel e, durante la visita a Tom, continuò a picchiettare lieve sul tetto del cottage. Era quella pioggia lieve e piacevole dell'estate, che le faceva venir voglia di levare il volto verso il cielo e di correre scalza fra l'erba alta, con gli steli che le facevano il solletico alle dita dei piedi. Ma non lo fece. Era troppo stanca per sentirsi la forza di fare qualcosa di più oltre quel breve tratto di strada fino alla casetta di Tom, dove si mise a sedere. Non aveva molto da raccontargli. Sarebbe stato inutile parlargli di Los Angeles perché non avrebbe capito. Però era di umore sereno e tranquillo. Sembrava che la pioggia lo placasse e rimasero seduti, mano nella mano, l'uno accanto all'altra, lui sulla poltrona a rotelle, lei in una comoda sedia a dondolo; e Kate gli raccontò delle favole. Erano le stesse che aveva imparato da bambina, quelle stesse che aveva raccontato a Tygue per anni. Piacevano anche a Tom. Poco dopo il pranzo, Tom si appisolò. Il fruscio ritmico e uguale della pioggia li fece impigrire al punto che Kate dovette riscuotersi più di una volta e impedirsi di addormentarsi anche lei. Ma non appena Tom sprofondò in una specie di sonnolenza, Kate si mise per un attimo a osservare quel suo volto pacato, e lasciò che i ricordi le fluttuassero lenti nella memoria... quante volte, migliaia... aveva contemplato quel viso immerso nel sonno, prima di allora, in altri luoghi, in altri tempi. Le fece ricordare Cleveland, tanto tempo prima e poi, improvvisamente, anche Nick Waterman. Ma no, lì non voleva pensare a lui. Quello non era il suo posto, era il posto di Tom. Lo baciò lievemente sulla fronte, gli passò dolcemente una mano sui capelli, si portò un dito alle labbra mentre alzava gli occhi verso il signor Erhard e uscì in punta di piedi dalla stanza.

Il viaggio di ritorno a casa fu lungo. Le strade erano pressoché deserte e Kate si sentiva ansiosa di rientrare presto, ma non aveva il coraggio di viaggiare alla velocità a cui già da un pezzo si era abituata. Alla fine fu costretta a spalancare i finestrini e ad accendere la radio per restare sveglia. Un paio di volte fu addirittura obbligata a fermare la macchina sull'orlo della strada per riscuotersi e lottare contro la sonnolenza che l'aveva colta. Stava imponendosi degli sforzi eccessivi, lo sapeva. Fu quasi tentata di fermarsi dove si trovava e di fare un sonnellino, ma sapeva che Tillie avrebbe preferito tornare a casa presto. Era venerdì e, da lei, arrivava sempre qualcuno della sua numerosa famiglia per cena, oppure per fermarsi durante il weekend. Ormai non le restavano altro che ottanta chilometri da fare e prese la decisione di mettersi di nuovo in cammino, fra un sordo brontolio di tuoni e il fulgido bagliore dei lampi, mentre la pioggia, ormai scrosciante, entrava dal finestrino a bagnarle la faccia. Quando se la sentì sulle guance, sorrise. Era piacevole sentirsi di ritorno in quella parte del mondo che considerava sua. Non era fatta per una città come Los Angeles, lei; però, almeno per poco, il suo soggiorno era stato divertente. Ma non lo avrebbe più ripetuto. Era gente in preda alla follia più completa, quella. Lasciò che la sua mente tornasse, a tratti, verso quel salottino tutto rosa, la tensione della sala rossa, poi lo sfarzo e la sontuosità di quel ricevimento a Beverly Hills... e a ciò che aveva provato stretta fra le braccia di Nick Waterman mentre aspettavano la sua macchina. Scacciò anche quel ricordo assieme agli altri e accese la radio. Los Angeles era il loro mondo, non il suo.

Imboccò la solita uscita dell'autostrada e seguì la strada secondaria finché non raggiunse il viale d'accesso di casa. Sulle colline era apparso l'arcobaleno. E sul viale, vicino alla porta, c'era un'automobile. Non appena la vide, Kate premette con forza il piede sul freno e si sentì buttata bruscamente in avanti contro il volante. Come... come era possibile... dove... si trattava di una *Ferrari* azzurro scuro e Nick Waterman era lì, in piedi, sul viale, vicino a Tygue. Dalla porta Tillie le fece un cenno di saluto un po' goffo e imbarazzato. Con il cuore che le batteva a tonfi sordi, Kate percorse lentamente un tratto del viale. Il fruscio della ghiaia sotto i pneumatici della sua macchina li fece trasalire tutt'e due; si voltarono a guardarla. Tygue corse incontro all'automobile, agitando le braccia in segno di saluto, con un largo sorriso, eccitatissimo, mentre Nick rimase semplicemente dove si trovava, guardandola con quel sorriso che sembrava non lasciargli mai le labbra. Kate fermò la macchina e ricambiò quello sguardo. Che cosa poteva dire? E come l'aveva trovata? Weinberg, naturalmente. Era facile. Si sarebbe dovuta sentire furiosa nei confronti di Stu, e in qualsiasi altra occasione lo sarebbe stata. Invece si accorse di non esserlo affatto. D'un tratto provò soltanto una gran voglia di mettersi a ridere. Era così paurosamente stanca che... non riusciva a fare altro che ridere! Intanto Tygue aveva raggiunto il finestrino e si era messo a parlare a velocità supersonica.

« Ehi, aspetta un momento, calmati! Lasciami almeno scendere dalla macchina. » Certo che, però, il bambino aveva l'aria esilarata e felice.

« Lo sapevi che Nick è un famoso calciatore? Lo sapevi che ha lavorato in un rodeo? »

« Oh, davvero? » Che cosa gli era successo? Quando Weinberg era stato lì soltanto per un'ora, Tygue lo aveva detestato. Ma Nick era un famoso calciatore e una stella del rodeo. A quanto sembrava, sapeva come trattare i bambini. Si chinò a dare un bacio a Tygue e contemporaneamente lanciò un'occhiata a Nick. Non si era mosso. Era rimasto dove si trovava. Si avviò lentamente verso di lui con un cauto sorriso sulle labbra. Gli occhi di Kate apparivano stanchi, ma vi si leggeva ancora il lampo della risata di prima e anche il suo sorriso stava trasformandosi in quello, così sbarazzino, che Nick ricordava dal pranzo.

« Come sono andate le lezioni a scuola? »

« Bene. Non pensi che dovrei sapere che cosa fai qui? »

« Se vuoi. Sono venuto a trovarti. E a trovare Tygue. »

Gli si era fermata di fronte e Nick abbassò gli occhi su di lei come se volesse baciarla ma erano stati raggiunti da Tygue e Bert.

« Come investigatore saresti riuscitissimo! »

« Non sei così difficile da trovare, poi! Sei arrabbiata? » Per un attimo parve preoccupato.

« Forse dovrei esserlo. Ma con Stu, non con te. Però... » alzò le spalle, « sono talmente stanca che non riuscirei ad arrabbiarmi con nessuno, in questo momento, neanche se mi trovassi in pericolo di vita. » Lui le circondò le spalle con un braccio e la strinse lievemente a sé.

« Non devi avere dormito molto, infatti, signora Harper. A che ora sei arrivata a casa? »

« Verso le quattro. » Le piaceva sentirsi quel braccio intorno alle spalle. Era delizioso incamminarsi così, lentamente, con lui, verso casa. Per un attimo pensò a Tygue, ma non sembrò che il bambino desse molta importanza alla cosa. Comunque, Kate non riusciva a capire come avesse fatto Nick a entrare così rapidamente nelle sue simpatie.

« Perché te ne sei andata a quel modo? »

« Volevo tornare a casa. »

« Fino a questo punto? » Continuava a non crederle.

« La festa era finita. Cenerentola era stata al ballo. E che senso aveva passare la notte in un albergo, quando sarei potuta essere qui? »

Lui si guardò intorno e annuì. « Capisco che cosa vuoi dire. Però non è quello che ho pensato quando, stamattina, ho tentato di telefonarti. Ho provato una terribile angoscia...

al pensiero che non ti avrei rivista mai più. » Si incupì in volto mentre ricordava quegli istanti; nel frattempo erano entrati in casa. « Per di più, anche Weinberg non voleva parlare... si era chiuso come un'ostrica! »

« Che cosa è stato a fargli cambiare parere? » Kate si tolse l'impermeabile fradicio. Portava un paio di jeans e una camicetta di cotonina a quadretti, azzurra. C'era una bella differenza con la signora elegante in chiffon blu e vertiginosamente scollata della sera prima. Cenerentola era semplicemente tornata se stessa.

« Ha cambiato parere quando gli ho minacciato di non giocare più a tennis con lui. »

« Così adesso anch'io so quali sono le persone con cui è leale, per non parlare poi di quelle che sono le sue scelte. » Kate lo guardò e scoppiò a ridere. Era pazzesca, tutta quella storia. Lo aveva conosciuto soltanto il giorno prima a pranzo e ora... eccolo là! A casa sua? Con Tygue che lo seguiva adorante, come un cagnolino? D'un tratto tutto ciò le parve assolutamente ridicolo. Si lasciò cadere su una poltrona e cominciò a ridere, finché le lacrime le scesero sulla faccia.

« Si può sapere che cosa c'è di tanto divertente? » Nick non capiva.

« Tutto. Tu, Weinberg, io, quel ricevimento assurdo e pazzesco al quale mi hai portato ieri sera. Non riesco neppure a cominciare a distinguere fra quello che è reale e quello che non lo è. » Allora anche Nick cominciò a ridere, ma la sua faccia aveva assunto un'espressione maliziosa. Andò a prendere la sua cartella di cuoio. Si augurò di avere indovinato.

« Be', si può sapere che cosa stai facendo adesso là in fondo, Nick Waterman? »

« Ecco, Kate... » Le aveva voltato le spalle, ma la sua voce era allegra e insinuante e anche Tillie, che stava osservando i suoi maneggi, sorrideva contenta. « So bene che cosa vuoi dire quando parli di non essere capace di distinguere quello che è reale da quello che non lo è, e così... tanto per chiarire le cose... » Kate stava già ridendo, mentre lo ascoltava, « ho pensato di venire qui immediatamente per scoprire una volta per tutte se tu eri davvero Cenerentola o soltanto una delle sue brutte sorellastre. » Così dicendo si girò di scatto e le mostrò una pantofolina di vetro adagiata su un cuscino di velluto rosso, adorno di un bordo di passamaneria dorata. Si trattava di una scarpina di dimensioni normali, nella plastica più bella che esistesse e la sua segretaria ci aveva messo tre ore a scovarla nel magazzino dei trovarobe della Paramount. Adesso Kate, seduta su quella poltrona, in blue jeans, stava ridendo di nuovo come una matta.

« Ebbene, Cenerentola, vogliamo provarla? » Le si avvicinò e Kate, in tal modo, riuscì a vedere che si trattava di una scarpina con il tacco alto, la punta allungata e, come ornamento, una rosetta di vetro. Nick si inginocchiò ai suoi piedi mentre Kate scoppiava in altre risate scroscianti e tirava fuori un piede dal « grazioso » stivalone di gomma rossa che aveva portato sotto la pioggia.

« Nick Waterman, sei pazzo! » Ma tutti gli altri spettatori si divertivano un mondo. Tillie non riusciva più a smettere di sganasciarsi dalle risate, Tygue continuava a saltare intorno a Nick e a sua madre e perfino Bert correva avanti e indietro abbaiando come se avesse capito quello che stava succedendo. Lo stivalone di gomma venne comunque tolto, la scarpina infilata, e Nick si sedette accovacciato con un largo sorriso felice.

« Cenerentola, vero? Molto piacere. » Non poté fare a meno di provare un'inebriante sensazione di vittoria e la sua espressione lo rivelò. Perché aveva azzeccato in modo perfetto la misura.

Kate provò ad alzarsi con mille cautele e scoppiò a ridere di nuovo. Come aveva fatto a indovinare la sua misura? Indubbiamente non gli mancava la pratica. Ma qualsiasi altra cosa fosse abituato a fare, non si poteva certo supporre che una situazione come quella gli capitasse ogni giorno. « E come sei riuscito a trovarla? » Tornò a sedersi di schianto sulla poltrona e sorrise fissandolo in quegli affascinanti occhi azzurri.

« Che Dio benedica Hollywood, Kate. Tuttavia ci abbiamo messo un po' di tempo ugualmente! »

« A che ora sei arrivato qui? »

« Verso le tre. Perché? Ero in ritardo? » Scoppiò a ridere di nuovo e si lasciò cadere sul pavimento, evitando di poco Bert il quale, a quel punto, gli si arrampicò sulle ginocchia lasciandogli due belle zampate fangose sugli immacolati calzoni di lino beige. Ma sembrò che Nick non ci badasse. Era molto più interessato a Kate, che lo stava fissando attonita.

« Sei arrivato qui alle tre? E che cosa hai fatto in tutto questo tempo? » Erano le cinque passate.

« Tygue mi ha accompagnato giù a vedere i cavalli. Con Tillie naturalmente. » Sorrise rivolto a lei e Tillie arrossì, non molto diversamente da Kate. C'era qualcosa di tanto schietto, di tanto aperto e diretto in lui che sembrava impossibile sfuggirgli o evitarlo. « Poi siamo andati a fare una passeggiata lungo il fiume. E abbiamo anche giocato un po' a carte. E poi sei arrivata tu. »

« E poi, mi sento chiamare Cenerentola! » Abbassò di nuovo gli occhi sul piede calzato dalla scarpina trasparente e si domandò se avrebbe potuto tenerla per sé. « Sei venuto fin quassù solo per questo? » Non riusciva a capacitarsene, tanto era stupita, ma Nick sfuggì il suo sguardo.

« A dire la verità, venivo comunque da queste parti. Di tanto in tanto affitto una casa a Santa Barbara. Ce l'ho per questo weekend. » Qualcosa nella sua voce le fece dubitare che fosse la verità, ma non riuscì a capirne esattamente il motivo. Perché Nick avrebbe dovuto mentirle? « Posso invitarvi a farmi visita domani? » Aveva l'aria speranzosa, ma immediatamente Tygue si mise a scrollare la testa con energia.

« No! »

« Tygue! » Ma insomma, cos'aveva ancora il bambino? Questo poveretto era arrivato da un posto lontano come Los Angeles con una pantofolina di vetro per lei e Tygue voleva impedirle di incontrarlo ancora? Lei invece voleva rivederlo! Accidenti a Tygue.

« La mamma di Joey mi ha invitato a passare con loro il weekend. Hanno due nuove caprette e suo papà ha detto che forse domani poteva procurarsi un pony! » Era la notizia più bella che Kate avesse ricevuto in tutta la giornata.

« Ehi, perbacco, ma che notizia esplosiva! » Nick sembrò straordinariamente colpito dalle parole di Tygue e il bambino lo guardò come se loro due fossero le sole persone nella stanza ad avere un po' di sale in zucca.

« Posso andare? » Intanto guardava sua madre con aria implorante.

« Perché no? Va bene. Ricordati di dire a Joey che lui potrà venire qui il prossimo weekend. Magari me ne pentirò, ma è un rischio che devo correre. »

« Posso telefonare a Joey per dirglielo? »

« Fa' pure. »

Intanto Tillie li salutò perché voleva andarsene e Tygue si precipitò in cucina a telefonare: Kate tese una mano a Nick. E Nick la prese nella propria, mentre andava a sedersi più comodamente vicino alla poltrona di lei.

« Mi piacerebbe sapere in che modo sei riuscito a conquistarti la sua simpatia. Deve esserti costata un patrimonio! »

« Niente affatto. Non ancora, perlomeno. »

« Che cosa vuol dire, questo? Nicholas Waterman, che cosa hai combinato? Perché qualunque uomo si presenti in questa casa con una pantofolina di vetro, per di più della misura giusta, è un uomo che bisogna tenere nella dovuta considerazione! »

« Spero che sia un complimento e lo accetto. No, sono sincero, non ho fatto un bel niente. Ho semplicemente promesso di accompagnarvi, tutti e due, a Disneyland. »

« Dici davvero? » Era sbalordita. Nick, con molta cautela, le tolse la scarpina di vetro e Kate mosse lievemente le dita dei piedi.

« Sì, proprio così. E tuo figlio ha accettato. Trova che quella di Disneyland sia un'idea favolosa. Da parte sua, mi ha invitato a San Francisco per conoscere sua zia Licia. Spero che non ti dispiaccia. »

« Niente affatto. Zia Licia ti troverà simpaticissimo. E questo mi fa venire in mente un'altra cosa... vuoi un Martini? »

« Ah, è così? Questa sarebbe la grande offerta? Un Martini? » Scoppiò a ridere. « Prendere o lasciare, eh? »

« Altrimenti c'è il caffè. Ma gli unici liquori che ho in casa in questo momento sono quelli che lascia qui Licia e adopera per farsi i Martini. »

« Tua sorella? » Era un po' confuso, però gli piaceva enormemente quella caotica scena famigliare a cui stava assistendo. E trovava adorabile il bambino.

« Felicia è la mia migliore amica, la mia coscienza, il mio *alter ego*. E continua a viziare Tygue in un modo vergognoso. » Queste parole gli sembrarono familiari, ma non riuscì a ricordarne il motivo. « Comunque, ripeto, vuoi un Martini? »

« Credo che sceglierò il caffè. A proposito, sto sconvolgendo totalmente la tua esistenza? »

« Sì. »

« Bene. » Poi si fece di nuovo serio, interrompendo per un attimo quel modo di fare tanto spiritoso. « Guarda che non sto scherzando. Ho domandato a Weinberg se una volta arrivato qui, secondo lui, mi sarei visto aggredire e spaccare la faccia da un tipo di lottatore alto un metro e novanta e lui ha risposto che non credeva, anche se, in realtà, non lo sapeva con sicurezza. Mi ha suggerito di tentare ugualmente e di venire a mio rischio e pericolo. Cosa che ho fatto. Ma, adesso, parlando sul serio, con la mia presenza qui ti creo qualche fastidio? » Sembrava molto turbato da quell'idea. Kate gli era apparsa talmente angosciata e infelice alla fine della festa, la sera prima! Non voleva più rivederla così. D'altra parte non aveva resistito, aveva capito di doverla rivedere ancora, fosse pure per una volta soltanto.

« Certo che non mi crei alcun fastidio. E a chi dovresti dare fastidio? Se pensi a Tygue, mi pare che ti abbia accolto con entusiasmo. E di esperti di lotta libera, da queste parti, c'è soltanto lui. » Aveva capito perfettamente ciò che Nick intendeva e le era piaciuto che lo avesse domandato. Quando si alzò per preparargli il caffè, portava un solo stivalone rosso, mentre sul piede libero c'era solo una calza; i capelli erano sciolti sulle spalle, arruffati, proprio come piacevano a lui.

Nick pensò che gli sembrava ancora più bella di quanto non fosse stata alla televisione.

« Ripeti un po'... preferisco capire bene subito. Qui, nei dintorni, Tygue è l'unica persona che possa sollevare obiezioni? » Pronunciò quelle parole lentamente, soppesandole, come se Kate potesse fraintenderlo.

« Precisamente. »

« Mi sembrava di averti sentito parlare di un'amicizia. » Kate lo guardò con aria interrogativa e poi si strinse nelle spalle. « Qualcuno che vizia orribilmente il bambino. Ne hai parlato ieri a pranzo. » Ma subito scoppiarono a ridere tutt'e due esclamando insieme, perché Nick aveva capito in un lampo:

« Zia Licia ».

Poi Nick, sorridendo estasiato, seguì Kate in cucina, nello stesso istante in cui Tygue posava il ricevitore.

« Okay, mamma. Tutto sistemato. Suo papà mi viene a prendere domattina. E mi riaccompagna addirittura a casa domenica nel pomeriggio. » Li guardò con aria disinvolta, da bambino pratico, come se avesse conosciuto Nick fin dalla nascita. « Che cosa c'è per cena? Lo sai che Nick ci porta a Disneyland? Non è vero, Bert? » Bert agitò la coda e Tygue uscì dalla stanza per andare in cerca di Willie senza aspettare la risposta relativa alla cena.

« È di una simpatia unica! »

« Qualche volta. » Kate sorrise guardando la figuretta di suo figlio che si allontanava e poi rivolse lo sguardo a Nick. « È un bambino simpatico e io gli voglio un gran bene! »

« Sei una buona mamma. A proposito, che cosa c'è per cena? »

« Questo vuol dire che avresti intenzione di fermarti con noi? »

« Se non do troppo disturbo. »

Era incredibile. Lo conosceva appena, eppure era lì, a girellare per la cucina, a chiedere di fermarsi a cena. Però le faceva piacere. Era bello. Tuttavia si accorse che la barriera difensiva che si era costruita non era più inespugnabile come una volta: forse perché era troppo stanca.

« Non è troppo disturbo. Sei arrivato qui giusto in tempo per goderti, anche tu, quello che è il pasto preferito di Tygue. »

« Di che si tratta? »

« *Tacos.* »

« È anche il mio piatto preferito. »

Kate gli mise in mano una grossa tazza di caffè e andò a sedersi al tavolo di cucina. Come era lontana da Carmel, ormai. E da Tom.

« A che cosa stavi pensando? »

« Quando? »

« Adesso. »

« A niente. »

« Dici una bugia. » D'un tratto Nick parve trepidante e commosso mentre allungava una mano a prendere quella di lei. « Sei felice qui, Kate? » Lei alzò gli occhi a guardarlo e annuì; era sincera.

« Sì. Molto. » E allora dov'era l'ombra? Perché quei fuggevoli sprazzi che sembravano di sofferenza?

« Ci sono delle persone buone nella tua vita? » Voleva saperlo. D'un tratto gli parve che fosse una cosa importante per lui.

« Sì. Molte. Ormai le hai conosciute tutte. Tutte all'infuori di una. Licia. »

« Dunque è così? » Sembrava realmente stupito. « Solo il bambino? »

« E Tillie, la donna che era qui con Tygue quando sei arrivato. E Bert, naturalmente. » Sorrise ricordando che aveva minacciato di parlare del cagnolino durante la trasmissione televisiva.

« Naturalmente. Ma dici sul serio? È tutto qui? »

« Te l'ho detto. Sono un'eremita. » Non c'era da meravigliarsi che si fosse impaurita alla festa, comportandosi come si era comportata! « A me piace così. »

« Ma è sempre stato così, anche quando eri sposata? »

Lei scosse la testa facendo segno di no, ma i suoi occhi non rivelarono nulla.

« No, era diverso. »

« E Tygue, si ricorda del papà? » La sua voce era molto sommessa mentre sorseggiavano il caffè nella cucina silenziosa e ancora una volta Kate scrollò il capo.

« Non potrebbe. Suo padre è morto prima che lui nascesse. »

« Oddio, che cosa tremenda per te, Kate. » La fissò come se comprendesse che cosa doveva essere stato per lei. Ed era la prima volta da molto tempo che anche Kate ci ripensava.

« È stato molto, molto tempo fa. »

« Ed eri sola? »

« Nooo. Avevo Felicia, era qui con me. » Forse si poteva spiegare così. Tutta quell'incredibile solitudine. Forse era quella la sofferenza che le leggeva dentro.

« Nessuna famiglia, Kate? »

« Soltanto quella che vedi. Tutto qui. Del resto è molto di più di quello che ha la maggior parte della gente. » E anche di più di ciò che aveva lui. Senza volerlo, lo aveva colpito molto da vicino, Kate, con le sue parole. Tutte quelle ragazzette con le tette grosse così che si era portato in giro negli ultimi vent'anni... e che cos'era rimasto? Ormai aveva trentasette anni e non gli era rimasto nulla.

« Hai ragione, Kate. »

« Cosa? »

« Verresti a Santa Barbara domani, per passarci la giornata? »

Era una di quelle donne alle quali sentiva di dover parlare in quel modo. Per passarci la giornata. Se avesse alluso a qualcosa di più, Kate non sarebbe andata. Ma lei stava facendo segno di sì, lentamente, osservandolo, come se stesse soppesando qualcosa nella mente, come se ci stesse meditando sopra.

« Okay. »

19

TROVÒ la casa senza difficoltà, seguendo la piantina che Nick le aveva disegnato. Non aveva permesso che lui andasse a prenderla. Voleva andarci in automobile, da sola. Del resto era soltanto a mezz'ora di distanza; tuttavia il breve tragitto le diede il tempo di pensare. Non sapeva con esattezza per quale motivo ci stesse andando tranne che per il fatto che Nick le piaceva. Era una persona con la quale le pareva facile chiacchierare. La sera prima era rimasto fin quasi alle undici, quando lei aveva cominciato ad appisolarsi sul divano. Era esausta; Nick le aveva semplicemente dato un bacio molto casto sulla guancia prima di andar via. Era stata una serata piacevolissima. Avevano acceso un bel fuoco e Nick ci aveva fatto abbrustolire sopra il granturco per Tygue, mentre il bambino gli aveva mostrato il nuovo completo da cowboy. Nick non aveva nascosto la sua profonda ammirazione.

« E dove l'hai trovato? »

« All'albergo. » Le altre persone acquistavano oggetti di giada oppure vestaglie bordate di struzzo; lei invece aveva comprato per suo figlio quel tipo di equipaggiamento che era il sogno di ogni bambino.

« Vorrei essere tuo figlio. »

« No, invece. Niente affatto! Sono un orco! Domandalo a Tygue! » Ma il bambino si era limitato a una risatina sommessa e poi si era cacciato un'altra manciata di popcorn in bocca.

« Proprio un orco, figuriamoci! » Aveva provato un'enorme desiderio di baciarla, in quel momento. Ma non davanti al bambino. Sapeva che a lei non sarebbe piaciuto. Del resto neppure lui voleva farlo in quel modo. Voleva molto da quella donna. Il suo amore come il suo corpo. E perfino qualcosa di più. Voleva il suo tempo, la sua vita, i suoi figli, la sua saggezza, la sua gentilezza, la sua comprensione. Aveva capito che c'erano tutte queste cose in lei. Ma al tempo stesso anche Kate cominciava a vedere ciò che c'era in lui. Se n'era accorta fin dal primo giorno. Nick aveva mostrato un vivo interessamento nei suoi confronti, arrivando addirittura al punto di andare a cercarla, di trovarla, di offrirle quella ridicola scarpina di plastica. Però aveva mostrato che ci teneva a lei essendo gentile con Tygue, provando a leggere ciò che si trovava nei suoi occhi, tentando di ascoltare ciò che lei non diceva. Doveva ricordarsi di questo e stare attenta, si impose, mentre imboccava il viale di accesso alla casa di cui Nick le aveva dato l'indirizzo, lì a Santa Barbara. Nick Waterman vedeva troppe cose.

La casa era bianca, con rifiniture in legno nero, lucido e curato, e stupende decorazioni in bronzo. C'erano una lampada da carrozza e un enorme gabbiano che sembrava posato sulla porta e che serviva da battente. Per bussare bastava muovergli le ali e Kate ci provò; poi indietreggiò di qualche passo. La casa si trovava su una piccola altura e guardava il mare; poco distante c'erano tre salici. Il contrasto con la sua, molto più semplice, era evidentissimo. Tuttavia quella casa aveva meno calore: era solo bella.

Nick le andò ad aprire la porta scalzo, con un paio di jeans tagliati al ginocchio e una maglietta sbiadita che aveva un colore identico a quello dei suoi occhi.

« Cenerentola! » Si illuminò tutto in faccia non appena la vide, malgrado la battuta di spirito.

« Forse dovevo mettere la famosa scarpina per assicurarmi di essere riconosciuta? »

« Non ce n'è bisogno, ti credo sulla parola. Vieni, entra. Ero fuori a dipingere la terrazza. »

« Mi pare che lavori molto sodo per la casa, oltre a pagare l'affitto! » Lo seguì all'interno e notò subito l'arredamento severo, con mobili in stile Old America. Era tutto proprio come aveva pensato: molta eleganza ma nessun calore. Peccato, perché la casa era piena di cose belle.

« Mi piace darmi da fare e pasticciare un po' per conto mio. Il proprietario non si allontana mai da Los Angeles. Di conseguenza, quando ho un po' di tempo, mi diverto a fare qualche lavoretto. » Stava pitturando la terrazza di legno in un azzurro cielo molto luminoso; in un angolo aveva dipinto due gabbiani in volo.

« Ti occorrono delle nuvole. » Lo disse in tono pratico, mentre osservava la terrazza.

« Come dici? »

« Nuvole. Qui ci vogliono delle nuvole. Hai un po' di vernice bianca? »

« Certo. Eccola là. » Le rivolse un ampio sorriso che lei ricambiò mentre si arrotolava le maniche della camicetta e si rimboccava i jeans. « Vuoi metterti qualcosa della mia roba vecchia, Kate? Non vorrei che ti rovinassi quello che hai addosso. » Nick parlava con molta serietà, ma Kate gli rispose con una risata. Si era già messa dei vestiti vecchi e sciupati perché aveva pensato che sarebbero andati sulla spiaggia e aveva voglia di sdraiarsi sulla sabbia. Sotto, portava anche un minuscolo bikini arancione. Ma quello sarebbe avvenuto più avanti. Forse. Non ne era del tutto sicura.

« Come sta Tygue? »

« Bene. Ha detto di salutarti. È partito che non era ancora spuntata l'alba per andare a vedere quelle caprette. Adesso ne vuole una. »

« Dovrebbe avere un cavallo, piuttosto. » Nick stava dipingendo un altro gabbiano nell'angolo più lontano.

« È quello che dice anche lui. Chissà, forse ti piacerebbe comprargliene uno. » Stava scherzando, ma si allarmò subito non appena vide la faccia di lui.

« Nick, sto scherzando. Adesso, parlando sul serio, non azzardarti a farlo, sai? Sono due anni che sto lottando per impedirlo a Felicia. »

« Mi sembra una signora piena di buonsenso. Bisogna che faccia la conoscenza di questa tua Felicia, un giorno o l'altro. Da quanto tempo la conosci? »

« Oh, da anni! L'ho conosciuta quando facevo l'indossatrice per... » E qui Kate alzò gli occhi a guardarlo come se avesse detto qualcosa che avrebbe preferito tacere.

« Credi che non lo sapessi? » Le sorrise dall'angolino dove stava dipingendo. « Andiamo, tesoro! Sono un produttore. E capisco benissimo quando una persona ha fatto l'indossatrice oppure ha studiato balletto, o ha fatto sollevamento pesi. »

« Ecco, io facevo la sollevatrice di pesi. » Lo guardò con un sorriso luminoso e piegò un braccio fingendo di mostrare il muscolo mentre Nick rideva, guardandola.

« Che nuvole favolose stai dipingendo, Cenerentola. »

« Ti piacciono? » Sembrava contenta.

« Come, no! Specialmente quella che hai sulla punta del naso. »

« Vigliacco. Ho mentito con Weinberg, sai. Gli ho detto che non avevo mai fatto l'indossatrice. Pensavo che se lo avessi ammesso, avrebbe venduto il mio corpo a chi offriva la cifra più alta e mi avrebbe fatto fare un sacco di roba pubblicitaria. »

« Brava ragazza. La piccola chioccia. » E si mise a fare « coccodè, coccodè » sghignazzando allegramente; Kate lo minacciò di qualche schizzo della sua vernice.

« Te la senti di criticarmi, forse, perché non ho voglia di fare tutte quelle idiozie? Sono felice qui, lontano da tutta quella roba assurda e ridicola... Nick, io non faccio parte di quel mondo. »

« Nessuno ne fa parte. » Si sedette sulla ringhiera della terrazza e la guardò. « Però voglio dirti un'altra cosa, bambina; tu non appartieni neppure a questo mondo dove vivi adesso. Stai sprecando te stessa. Uno di questi giorni ti sentirai costretta a venirne fuori per scuoterti un po'... se non per sempre, almeno per una parte del tuo tempo. » Lei fece segno di sì, scura in volto.

« Lo so. Mi ci sono provata. Ma è dura! »

« Però non tanto come credevi, vero? »

Lei scosse la testa facendo segno di no, chiedendosi come Nick potesse saperlo. Sembrava che comprendesse talmente tante cose! Aveva la sensazione che la conoscesse già bene, a fondo.

« E poi, a uscire fuori, nel mondo, c'è anche qualche vantaggio », osservò lui. Kate scoppiò a ridere a quella battuta.

« Certo che c'è! »

« Hai fame? »

« A dire la verità, no. E tu? Posso andare in cucina a prepararti qualcosa, se vuoi. » Avevano finito di pitturare la terrazza e si trovarono d'accordo nel dichiarare che era una vera e propria opera d'arte. « Spero che quel tizio, che è il padrone della casa, apprezzi le tue migliorie. Secondo me dovrebbe pagarti perché tu venga a starci! »

« Gli riferirò la tua opinione. » Con aria disinvolta le circondò le spalle con un braccio e si avviarono lentamente verso la cucina, a piedi nudi, abbronzati. Nick aveva comprato prosciutto e melone e un pollo arrosto quella stessa mattina. Da un altro involto uscirono pesche, fragole e un cocomero. C'erano anche un lungo bastone di pane francese e una magnifica fetta di Brie, stagionato al punto giusto.

« Questo non è un pranzo. È un festino! »

« Be', Cenerentola, per te ci vuole soltanto il meglio! » Si curvò in un profondissimo inchino e, quando si rialzò, si trovò vicinissimo a lei. Le tese le braccia e Kate si sentì travolta da qualcosa che non aveva mai provato prima e lentamente vi si abbandonò. Non avrebbe potuto resistere neanche se avesse voluto; d'altra parte non lo voleva. Voleva semplicemente trovarsi lì, vicina a lui, sentire il calore della sua pelle e la forza di quelle braccia e annusare il profumo di limoncino e di spezie che le era già così familiare. Nick.

Allora, molto delicatamente, lui le mise una mano sotto il mento e le alzò il volto verso il proprio e la baciò, con dolcezza in un primo momento e poi con sempre maggior forza, tenendola stretta a sé con le braccia e la bocca che non le lasciava le labbra.

« Ti amo, Kate », disse quando si staccò da lei, ansante, guardandola pieno di desiderio. Ma aveva detto la verità. Kate non rispose nulla, non sapendo che cosa dire. Non poteva amarla. Non la conosceva. Era troppo presto. Lo diceva a tutte. Non poteva fare una cosa simile. No, non poteva lasciare che le succedesse qualcosa del genere.

« Ti amo. Tutto qui. Niente domande, niente richieste. Ti amo, soltanto. » E fu lei ad abbracciarlo e quando lo lasciò andare gli disse, con un sorriso dolcissimo e gli occhi offuscati dalle lacrime:

« Ti amo anch'io. È una follia. Ti conosco appena. Ma credo di amarti, Nick Waterman ». Abbassò gli occhi verso terra. Sette anni. Sette anni! E ora lo aveva detto a uno sconosciuto. Ti amo. Ma non era uno sconosciuto. Era Nick. C'era stato qualcosa di straordinariamente particolare e speciale in lui, fin dal primo momento che lo aveva visto. Come se Nick fosse stato lì ad aspettarla. Come se tutti e due sapessero che Nick esisteva, era andato da lei, sì, ma per restarci. Oppure erano idee pazzesche, le sue? Voleva realmente pensare una cosa del genere? Alzò gli occhi a frugargli in faccia con aria interrogativa e Nick le sorrise dolcemente e cercò di scherzare per facilitarle quel momento.

« Dunque 'credi', eh? Ragazzi, è un bel colpo! Dunque tu 'credi' di amarmi. » Ma nei suoi occhi c'era un'espressione sbarazzina e, mentre metteva il necessario per il loro pranzo in una cesta, le allungò delicatamente una pacca sul sedere. « Andiamo a mangiare sulla spiaggia. » Lei annuì e uscirono insieme, mano nella mano; Nick portava il cesto infilato in una delle sue braccia muscolose. Aveva la stessa figura atletica e sportiva che era stata quella di Tom, anni prima. Ma ormai a Tom non era rimasto più nulla di allora. Col passare degli anni, a furia di star seduto su quella poltrona a rotelle, era dimagrito, inflaccidito. Invece quell'uomo era tutto diverso. Pulsava, letteralmente, di vita e di vigore. « Vuoi fare una nuotata, Cenerentola? » Kate sorrise tra sé. Sembrava proprio che quel soprannome fosse destinato a resistere.

« Mi piacerebbe. » Aveva deciso di fidarsi di lui.

« Piacerebbe anche a me. » Fissò senza falsi pudori, con aria affascinata e carica di desiderio il minuscolo bikini arancione che improvvisamente si rivelò quando Kate si tolse la camicetta e i jeans. La lasciava quasi nuda. Ma le sue occhiate piene di ammirazione erano talmente schiette e amichevoli che la fecero soltanto sorridere. « E tu credi che io vada in mare a nuotare con una come te, che si presenta con un aspetto simile? Ma annegherei immediatamente! »

« Sta' zitto. Facciamo a chi arriva prima. » E partì di corsa, in un lampo vorticoso arancione-bruno, con le lunghe gambe eleganti che si muovevano rapidissime verso l'acqua, mentre lui la seguiva, contemplandola con ammirazione e poi le passava davanti, a lunghe falcate, tuffandosi nella prima ondata. Ma Kate non rimase indietro e riemersero insieme a una discreta distanza dalla spiaggia. L'acqua era piuttosto fredda, ma piacevolissima sulla loro pelle cotta dal sole. « Batte di gran lunga la piscina dell'albergo, vero? » Nick rise all'osservazione di Kate e cercò di spingerla sott'acqua per farla bere, ma lei fu più svelta. Gli sgusciò fra le mani, in fretta, e scomparve passandogli come una freccia fra le gambe. Nel tentativo di acchiapparla, per poco Nick non le strappò addirittura il reggiseno e Kate riemerse ridendo e sputando.

« Senti un po', furbacchiona. Se non stai attenta, finirai per perdere quella specie di cerottino che porti addosso. » Era ai limiti della decenza e Kate lo sapeva benissimo. Ma tutti i suoi costumi da bagno erano così. Glieli mandava Felicia e l'unico a vederla era Tygue. « Vuoi farti ammirare, eh? » la accusò Nick.

« Sei insopportabile. »

« No. Ma lo diventerò se sarò costretto a contemplarti abbigliata in questo modo ancora per molto. » Lei scoppiò a ridere di nuovo e, l'uno di fianco all'altra, ripresero a nuotare verso la spiaggia. Era molto tempo che non sentiva più qualcuno rivolgerle la parola con quel tono. E Nicholas lo faceva in un modo spiritoso, che la divertiva.

« Muoio di fame. » Si lasciò cadere sul grande asciugamano di spugna, sulla spiaggia, e guardò avidamente la cesta.

« Che cosa aspetti, sciocchina? Tira fuori quello che c'è dentro. Non essere così educata. » Sedette vicino a lei e le diede un bacio salato. « A casa tua, la tua famiglia doveva essere molto rigida e severa. Sei una fanciulla molto ben educata. »

« Adesso non più. »

« Kate, anche i tuoi sono morti? »

Lo guardò per un minuto prima di rispondere e poi decise di dirgli la verità. Almeno in quello.

« Mi hanno diseredata. »

Nick, che stava aprendo i pacchetti, si fermò di colpo e la guardò.

« Dici sul serio? » Sembrava talmente sconvolto che le venne voglia di ridere. Ormai per lei non aveva più importanza. Era successo tanto tempo prima.

« Sì, sono serissima. Ho deluso le loro aspettative e così mi hanno depennata! O forse immagino che sarebbe più onesto dire che hanno avuto la sensazione che li avessi traditi. »

« Hai fratelli o sorelle? »

« No. Nessuno. Soltanto io. »

« E ti hanno fatto una cosa del genere? Che razza di gente è? L'unica figlia e la buttano fuori di casa? Che cosa accidenti hai fatto a quelle due persone? »

« Ho sposato qualcuno che a loro non piaceva. »

« Tutto qui? »

« Tutto qui. Ho piantato lì di studiare, ho lasciato l'università dopo il primo anno e sono andata a vivere con lui. Poi ci siamo sposati. Non sono neppure venuti al matrimonio. Non ci siamo più parlati. E quando io sono andata a vivere insieme con il mio ragazzo, mi hanno cancellata dall'albero genealogico. Secondo loro, non andava affatto bene per me. »

« È un prezzo molto duro da pagare per un uomo. »

« Lo meritava. » Lo disse con voce molto sommessa e senza rimpianto.

« È una cosa molto bella da dire su una persona. Deve essere stato davvero un uomo speciale. »

Allora lei sorrise di nuovo. « Lo era. » Non parlarono per qualche minuto e Kate lo aiutò a tirare fuori dalla cesta il necessario per il pranzo. Poi vide qualcosa sul viso di Nick. Come se fosse vagamente offeso o si sentisse messo in disparte. « Nick? »

« Sììì? » Alzò gli occhi a guardarla, sorpreso. Era rimasto assorto nei propri pensieri.

Kate si protese per prendergli una mano. « Tutto ciò è successo molto tempo fa. C'è qualcosa che fa ancora un po' male, qualcosa, non più. Allora aveva un'estrema importanza. Enorme. Ma adesso è tutto finito. Tutto, ripeto. E... » Non riusciva a dirlo, ma si sentiva obbligata a farlo. Sapeva di doverlo fare, per quanto male le facesse. « ... e anche lui. Anche lui è finito. » Per un attimo i suoi occhi ebbero un luccichio che non pareva naturale, e Nick se la prese fra le braccia.

« Mi spiace, Kate. »

« No, non deve dispiacerti. Perché ci sono state anche molte belle cose. Tygue. I libri. Licia. Tu... » Lo disse con una voce molto fievole e Nick si staccò da lei per un minuto, sedendosi un po' in disparte, con un sorriso tenerissimo.

« Bella signora, un giorno... » Ma non ebbe il coraggio di dirlo. Restò lì seduto a sorriderle.

« Cosa? »

« Solo che... un giorno... »

« Nicholas, dimmelo! » Si rialzò, appoggiandosi a un gomito, e gli sorrise.

« Un giorno, Cenerentola, mi piacerebbe farti diventare la principessa azzurra. »

« Cioè... il principe Azzurro e la principessa azzurra? » Lo guardò sbarrando gli occhi e lui fece segno di sì. « Ma tu sei pazzo, Nick. Non mi conosci neppure. » Chi era quell'uomo? Perché le diceva tutto ciò?

« Sì che ti conosco, Cenerentola! Ti conosco fino nel profondo del cuore e ho intenzione di conoscerti anche meglio. Con il tuo permesso, naturalmente. » Le offrì il pane e la baciò lievemente sulle labbra. Ma Kate aveva assunto un'aria molto seria e grave che gli piaceva poco. « Ti ha lasciato sconvolta quello che ho detto? »

« No, non il pensiero che c'è dietro le tue parole. Però, Nick... non mi sposerò mai più. Questo lo dico sul serio. »

« Le ultime parole famose! » Cercò di prendere la cosa alla leggera. Ma si rammaricò di aver sollevato quell'argomento. Era troppo, troppo presto.

« Dico sul serio. Non posso. »

« E per quale motivo non puoi? » Perché mio marito non è morto. Dio mio!

« Non posso, ecco. Una volta sì, ma di nuovo, no. Fino a due giorni fa non riuscivo neppure a immaginare che avrei potuto volere ancora bene a un uomo e adesso questo lo posso immaginare, ma non il fatto di sposarmi. » Be', allora qualche speranza c'era!

« Allora facciamo un passo alla volta. » Kate comprese che Nick non la prendeva sul serio, ma non riuscì a trovare qualcos'altro da dirgli per spiegarsi meglio. « Prosciutto, melone? »

« Ma tu non mi ascolti! » Sembrava insoddisfatta e malcontenta, ma Nick fece finta di non accorgersene.

« Hai perfettamente ragione. E per di più io sono un ottimista e ti amo. Mi rifiuto di prendere un no come risposta. »

« Sei matto. »

« Come no! Senz'altro! » Tornò a sedersi sul telo di spugna con aria felice e soddisfatta, un pezzo di pane e un po' di Brie in mano, e le sorrise. « E tu sei la principessa di una fiaba. Vuoi un po' di Brie? È favoloso. »

« Rinuncio! »

« Bene. » Poi non poté trattenere un sorriso al pensiero di tutte le donne che, nel corso della sua vita, avrebbero dato qualsiasi cosa pur di sentirgli proporre il matrimonio...

Divorarono con avidità quasi tutto ciò che Nick aveva preparato, poi si distesero l'uno di fianco all'altra al sole, prima di buttarsi di nuovo in acqua. E ben presto arrivarono le quattro. « Ne hai abbastanza della spiaggia, Kate? »

« Mmm... » Era di nuovo distesa al sole, stanca per la nuotata. L'acqua salmastra le scorreva in piccoli rivoli dalle tempie al collo e Nick si chinò a baciarla proprio in quel punto e ad asciugarli con la lingua, mentre Kate riapriva gli occhi.

« Torniamo a casa. Così ci ripuliamo un po' da tutta questa sabbia. E dell'olio, del sale, delle briciole di pane e dei semi di cocomero. »

Lei scoppiò a ridere, alzandosi in piedi, quando guardò il cumulo di rifiuti che avevano ammucchiato sui teli di spugna.

« Si direbbe che abbiamo fatto un vero e proprio festino! » Raccolse gli asciugamani e li ripiegò, Nick prese la cesta e si incamminarono lentamente verso casa.

« Sarà meglio rientrare dalla porta di cucina. Al padrone verrà una crisi di nervi se gli portiamo tutta questa sabbia nelle camere. » Sembrava una preoccupazione assurda per una casa così vicina alla spiaggia, ma non era meno assurda e pazzesca di qualsiasi altra cosa che faceva la gente di Los Angeles.

« Sissignore. » Kate lo seguì verso l'ingresso posteriore e si trovò in una stanzetta tutta gialla, arredata in modo allegro e vivace. L'ingresso era coperto da un tendone a righe, che somigliava a quello di un circo, c'erano tre docce separate, una mezza dozzina di seggiole con lo schienale rigido e una stupenda sedia sdraio in vimini, un po' all'antica, sulla quale era aperto un immenso ombrellone, a righe anche quello.

« Questi sono gli spogliatoi, signorina Harper. Generalmente non vengono usati in promiscuità da uomini e donne, ma se ti fidi di me... »

« Non mi fido. »

Lui rise guardandola. « Hai ragione. Allora senti che cosa ti dico. Tieni addosso il costume da bagno! » Ridendo Kate ubbidì ed entrò sotto una delle docce con Nick. Stava ancora ridendo mentre Nick le raccontava qualche buffa storiella sullo spettacolo di cui era produttore e le lavava la schiena per ripulirla dalla sabbia; ma poi d'un tratto, tutte quelle chiacchiere cessarono e Nick la costrinse a voltarsi lentamente verso di lui. Con la stessa lentezza, come se fossero attratti da una forza magnetica, si baciarono sotto lo scroscio dell'acqua calda. Kate si accorse che Nick le circondava la vita con le braccia, si sentì il corpo schiacciato contro quello di lui e, all'improvviso, provò un desiderio spasmodico di quell'uomo, lo stesso che, molto visibilmente, Nick provava per lei e, mentre l'acqua continuava a scrosciare su di loro, si accorsero che stare così abbracciati, stretti stretti, non era abbastanza.

« Aspetta, sto annegando! » si lamentò Kate perché, a un movimento di Nick, l'acqua l'aveva presa in piena faccia. Ridendo, mentre la guardava dall'alto della sua statura, Nick chiuse il rubinetto.

« Così va meglio? » Kate annuì. Senza lo scroscio dell'acqua della doccia nelle orecchie, il silenzio era profondo. Il piccolo stanzino era pieno di vapore. Avevano i capelli incollati alla testa in ciocche gocciolanti e c'erano gocce d'acqua simili a perle sulle ciglia di Kate, che Nick cominciò a baciare dolcemente mentre, piano piano, le toglieva il reggiseno. Le mormorò dolcemente all'orecchio, mentre lei faceva scorrere le mani sul petto di lui: « Hai perso quella specie di cerottino che ti tenevi addosso, Cenerentola ». Lei sorrise sempre con gli occhi chiusi, anche quando lo baciò; e poi Nick si curvò a baciarle il seno. Lo fece con una tale delicatezza che Kate si sentì spasimare di desiderio per lui... con tutto il suo essere.

« Ti amo, principe Azzurro. »

« Sei sicura? » La voce di Nick aveva un tono molto grave quando si raddrizzò a guardarla e Kate spalancò gli occhi. « Sei sicura, Kate? »

« Sì, sono sicura. Ti amo. »

« È da tanto tempo, vero, che non lo dicevi più? » Doveva saperlo, anche se, nel suo cuore, ne era già certo. Kate fece segno di sì. Nick lo aveva intuito fin dal principio, non appena si era reso conto di quale fosse la solitudine in cui Kate era vissuta per anni. Per quanto strano potesse essere, gli fece piacere. Lo faceva sentire una persona speciale e al tempo stesso gli faceva capire quanto fosse speciale una donna come lei. « Da molto tempo, tesoro? »

Lei fece segno di sì ancora una volta e proprio per questo a Nick parve di amarla ancora di più. « Da prima di Tygue. »

« Oh, amore mio... » Poi la strinse di nuovo a sé e la tenne lì, contro il proprio petto, a lungo. Aveva un gran desiderio di ricompensarla di tutti quegli anni senza amore, senza un uomo. Ma non poteva restituirglieli. Poteva darle soltanto il presente. Così, con estrema delicatezza la avvolse in un ampio asciugamano di spugna rosa e la portò di sopra, nella stanza dove dormiva di solito. Era una camera da letto ariosa, incantevole, che sembrava pronta a lanciarsi, a vele spiegate, sul mare. C'erano degli immensi finestroni panoramici, mobili antichi Old America, molto belli, e un grande letto di ottone dall'aspetto severo. Non era la camera da letto che Nick avrebbe scelto per lei, ma fu la camera in cui la amò per la prima volta; con tenerezza, con dolcezza la amò, infatti, carezzandola, passandole la mano lungo il corpo e possedendola una volta e poi un'altra e un'altra ancora, la camera dove alla fine Kate si addormentò fra le sue braccia. Nick restò a contemplarla. Quando Kate si svegliò, era buio.

« Nick? » Ricordava ciò che era successo, ma non dove si trovavano.

« Sono qui con te, tesoro. E non riesci neanche a incominciare a immaginarti quanto ti amo. » Era un modo stupendo di svegliarsi e Kate sorrise, rannicchiandosi di nuovo fra le sue braccia. Poi d'un tratto si irrigidì.

« Oh, mio Dio! »

« Qualcosa non va? » Forse le era venuto in mente un ricordo doloroso? Nick, di colpo, se ne spaventò.

« E se resto incinta? »

Lui sorrise e la baciò sulla punta del naso. « In tal caso vorrà dire che Tygue avrà un fratellino. O una sorellina. »

« Sii serio! »

« Sono serio. Niente mi farebbe più piacere! »

« Buon Dio, Nick! Mai e poi mai ho pensato di avere un

altro figlio. » Sembrava così incerta e stupefatta, nell'oscurità, che Nick la strinse a sé ancora più forte.

« C'è un sacco di cose a cui non hai pensato per troppo tempo. La settimana prossima cercheremo di farti ricuperare il tempo perduto. Ma per questo weekend, cerchiamo di lasciare che le cose vadano come vogliono... e se dovesse succedere quello che dici... troveremo la soluzione anche per quello. » Poi gli balenò un altro pensiero. « Oppure troveresti insopportabile un'eventualità del genere? » Chissà, forse non desiderava avere un figlio da lui. A quello non aveva mai neppure pensato, allora si affrettò a osservarla nella penombra. Riusciva a distinguere con chiarezza il suo viso, i suoi occhi.

« No, non mi dispiacerebbe affatto. Ti amo, Nick. » Mentre lo baciava di nuovo, pensò che Nick era tutto ciò che le importava al mondo e allora lui le allontanò le coperte dal corpo e lasciò che le sue mani le accarezzassero a lungo la pelle. E lei sorrise, e fu un sorriso lento, prolungato, dolcissimo.

20

FU come se fossero sempre vissuti insieme. Alle sette si erano alzati e avevano riordinato un po' la casa. Erano andati in città a comprare un giornale, avevano fatto una passeggiata lungo la spiaggia e una pantagruelica colazione preparata in *équipe*. Ma andò tutto liscio, come se qualcuno avesse fatto un elenco delle loro caratteristiche e avesse calcolato in quale modo l'uno potesse essere di complemento all'altra. Per di più c'erano molta semplicità, disinvoltura, rilassatezza fra loro... Era quello che lasciava Kate sbalordita. Dopo anni di vita in solitudine, non si sentiva neppure imbarazzata a girellare per la casa nuda, coperta soltanto dalla maglietta scollata a V di Nick; e in quel momento erano lì distesi, nudi, su un lenzuolo di spugna dietro la duna più vicina alla casa, nascosti agli occhi di tutti. Di nuovo Kate si stupì di fronte al corpo bellissimo di Nick, mentre, appoggiata su un gomito, lo contemplava.

« Hai idea di come sia straordinario tutto ciò? Oppure è una cosa che fai abitualmente? » Quelle parole la lasciarono imbarazzata non appena le ebbe pronunciate. In fondo, non erano affari suoi quello che Nick faceva abitualmente. Ma, per pura e semplice cattiveria o cocciutaggine, voleva saperlo. L'espressione offesa che si disegnò improvvisamente sulla faccia di Nick mentre si sedeva di scatto le rivelò molto.

« Che cosa vuoi dire, Kate? »

« Scusami. Solo che... tu vivi in un mondo differente, Nick: tutto qui. Le cose sono molto diverse per te da quello che possono essere per me. » Lo disse sottovoce, con rammarico. Forse, a ben pensarci, non le importava poi molto di saperlo. Nick allungò le mani e gliele posò dolcemente sulle spalle e la guardò con occhi penetranti, finché Kate fu costretta a ricambiare il suo sguardo.

« Hai ragione. Le cose sono ben diverse, Kate. O meglio, lo sono state. Sotto certi aspetti, almeno. Quando ero più giovane, ero letteralmente scatenato. Davo la caccia a ogni donna che mi sapeva eccitare e anche a qualcuno che mi lasciava indifferente. Era una specie di gara con me stesso, non sapevo farne a meno e... vuoi che ti dica la verità? A un certo punto mi sono accorto che tutto quell'interesse per le donne, che avevo creduto di provare, si era esaurito in me. Alla fine mi sono reso conto che non c'era più niente a cui correre dietro. A cui dare la caccia. Allora tutto è diventato molto più tranquillo, molto più logico e mi sono sentito rinsavito, ma mi sono accorto di essere anche molto più solo. Laggiù, dove vivo, non sono molte le donne che possono meritare un impegno e un interesse. Hollywood sembra un po' la mecca della stupidità, dell'egoismo, della spensieratezza sciocca e vana. Ci sono donne disposte a dormire con te per fare un salto di qualità nella loro carriera, per riuscire ad avvicinare Jasper Case, per essere viste nella *Polo Lounge* all'ora giusta, per partecipare alle feste più importanti, oppure semplicemente per procurarsi un pasto gratis e una buona sbattuta. E sai che cosa ho ricavato io da tutto ciò? Niente. E allora perché prendermela tanto? Perché darmi da fare? Così, in genere, non me la prendo e non mi do da fare. Sotto molti punti di vista, Kate, ho vissuto una vita solitaria come la tua. E sai tutto quello che sono riuscito a ottenere, che cosa è stato? Un appartamento lussuoso, poche stanze piene di mobili costosi, un paio di bei quadri, una macchina sportiva ultimo modello. A tirare le somme, amore mio, è tutta roba che non vale un bel niente. E poi ecco, come capita una volta sola nella vita, ecco un attimo, un volto, un istante infinitesimale di tempo e capisci di avere davanti agli occhi tutto ciò che hai sempre sognato. È come quando ci si sveglia al mattino, un po' frastornati, con gli occhi offuscati dal sonno, smarriti senza sapere per quale motivo e... d'un tratto, mentre si sta bevendo il caffè, torna alla memoria un sogno. Basta un'immagine folgorante, oppure un brandello di essa, e poi a poco a poco lo si ricostruisce e improvvisamente si ricorda tutto, dove hai sognato di trovarti e con chi. Ricordi perfettamente ogni cosa dal principio alla fine e scopri di non desiderare altro che di tornare indietro e di rivivere quel sogno. Purtroppo non puoi. Per quanto uno si metta d'impegno, non riesce mai a ripeterlo, a riviverlo. Però ti perseguita. Magari per una vita intera. Avrei potuto lasciare che succedesse anche a me così, Kate. Avrei potuto lasciare che tu mi perseguitassi per il resto dei miei giorni. Ma non ho voluto. Ho pensato che fosse meglio darmi da fare e scatenarmi con tutte le mie forze per recuperare quel sogno, tornare a riviverlo prima che fosse troppo tardi per entrambi. Ecco per quale motivo sono venuto a trovarti. Non me la sentivo di perderti, non mi era possibile pensarlo, dopo avere atteso tutti quegli anni. Non lo sapevo neppure che eri tu la persona che stavo aspettando, l'ho capito giovedì sera. Lo stesso è stato per te. »

Aveva ragione. Lo stesso era stato per lei. Aveva cercato di evitare di capirlo. Si era detta che non avrebbe mai più rivisto Nick. E al tempo stesso aveva intuito qualcosa, c'era stata quella strana sensazione giù, giù, in fondo al cuore... un sussurro, una promessa... « Ti amo, Kate. Non so spiegartelo. Capisco che ci conosciamo appena da pochi giorni, ma al tempo stesso capisco che è la cosa giusta per noi. Se tu me lo permettessi ti sposerei oggi stesso. » Lei gli sorrise e gli appoggiò dolcemente la testa sulla spalla, baciandogli piano piano il collo.

« Lo so. Però è incredibile, vero? » Kate tornò a sdraiarsi sull'asciugamano e alzò gli occhi a guardarlo mentre Nick la contemplava con quelle pupille di un azzurro intenso. Il cielo dietro di lui era esattamente dello stesso colore. « Tutto si sta muovendo così in fretta. Non so che cosa concludere. Continuo a pensare che non è possibile che io senta ciò che sento. Continuo a pensare... continuavo a pensare », si corresse con uno sguardo e un sorriso di scusa, « che magari tu fai così sempre. Ma questo non poteva bastare a spiegare ciò che provo. Come faccio a provare questi sentimenti nei tuoi confronti così, all'improvviso? Dopo tutti questi anni... non riesco più a capirmi. » Tuttavia non dava l'impressione di essere angosciata o infelice. Anzi, era la prima volta che Nick la vedeva senza quell'espressione negli occhi, che lasciava capire come Kate fosse sempre perseguitata da un'ombra misteriosa. Quella mattina, quando si erano svegliati, quello sguardo triste, che tradiva ogni tanto un lampo di sofferenza, non c'era più nei suoi occhi. Kate sembrava una persona nuova. E lei stessa si sentiva come rinata.

« Può darsi che capiti a questo modo! Mi è capitato più volte di sentire la storia di due persone che erano vissute insieme per cinque o dieci anni e poi all'improvviso... zac... uno dei due incontra un altro e si sposa in quindici giorni. Chissà! Forse, se una persona deve aspettare tanto tempo per scoprire che le cose non vanno, può darsi che scopra anche di averlo sempre saputo nel suo intimo, fin dal principio. Magari quando succede sul serio, quando è giusto, quando è la persona a cui era destinata, magari succede proprio così. Bang! Bang! D'un colpo lo capisci. Perché è così che mi è successo. »

Nick si distese al suo fianco, bocconi, e la baciò sulla bocca. « Kate? »

« Che cosa c'è, amore? »

« Parlavi sul serio quando dicevi di non volerti più sposare? »

Lei annuì e lo guardò fisso prima di rispondere: « Sì ». Nick sentì a malapena quella parola e quando fu sicuro di averla ben compresa, ne rimase addolorato.

« Perché? »

« Non posso spiegarlo. So semplicemente che non posso. »

« Non è giusto. E non ha senso. » O forse, piuttosto, era troppo presto per insistere. Le scrutò il volto con gli occhi e si accorse che nei suoi appariva di nuovo quell'espressione di sofferenza. Si rammaricò di avercela fatta tornare lui. « Forse non mi devi nessuna spiegazione. »

« Non ce ne sono. » Kate gli accarezzò dolcemente la schiena con la mano e lo guardò con un'espressione tale che Nick si sentì stringere lo stomaco da una morsa, come se lo legasse, in quel punto, un nodo di seta. « Tutto ciò che posso dirti è che sono disposta a fare qualsiasi cosa tu desideri, ma non sposarti. » Lo disse con una voce carica di emozione e Nick le rivolse un sorriso avido e bramoso.

« A giudicare da quello che sto pensando in questo momento, Cenerentola, mi va benissimo! » E non parlò più di matrimonio. Fecero l'amore lì, sul lenzuolo di spugna, in mezzo alla sabbia, e poi fra le onde che si infrangevano sulla spiaggia, di fronte alla casa.

« Nick, sei indecente! » E tornò ridendo, ansante, verso il lenzuolo di spugna, dove si distese sorridendogli, mentre lui le si allungava addosso, prendendola fra le braccia.

« Senti un po' chi parla! Non l'ho fatto da solo, sai? C'eri anche tu! »

« Nicholas... Nick... N... » La sua voce si smorzò e si spense, mentre Nick la baciava di nuovo e le allargava dolcemente le gambe con le proprie nella sabbia tiepida. Il pomeriggio era già avanzato quando finalmente tornarono a casa, stanchi, abbronzati e felici, come se fossero amanti da anni. E, a quel punto, Kate, guardando l'orologio appeso alla parete della cucina, esclamò sconvolta: « Oh, mio Dio! »

« Che cosa è successo? » Si voltò a guardarla con la bocca piena di chicchi d'uva.

« Tygue. Sarà a casa alle quattro. Me n'ero completamente dimenticata! » Era la prima volta in sei anni che diceva una cosa simile. Aveva perfino dimenticato Bert: tuttavia gli aveva dato da mangiare appena prima di andarsene di casa il giorno prima. Fra l'altro Bert faceva un pasto abbondante una volta il giorno e poteva entrare e uscire di casa dalla porticina che serviva unicamente a lui.

« Calmati, tesoro. Sono soltanto le tre. »

« Ma... » Nick la fece tacere con un bacio e divise con lei uno dei grappolini d'uva che aveva appena afferrato fra le labbra, senza schiacciarne i chicchi. « Vuoi smetterla? Devo... » Ma stava ridendo. « No, parlo sul serio. »

« Anch'io. Ho fatto i bagagli stamattina. Devo semplicemente fare una doccia, togliere le lenzuola dal letto e torneremo in tempo, anzi, in anticipo. Vuoi telefonare ai genitori di Joey? »

« Forse sarebbe meglio. Dio santo, avrei dovuto farlo ieri sera. Pensa se gli fosse successo qualcosa, oppure... » Nick la baciò ancora mentre andava a prendere il telefono che le mise in mano con un sorriso.

« Non è un peccato divertirsi un po', almeno una volta! Tanto per cambiare! » La baciò di nuovo. « Telefona. Intanto io apro l'acqua della doccia. » Kate lo raggiunse cinque minuti dopo. « Tutto bene? »

« Benissimo. » Pareva imbarazzata. « Non sembra neppure che abbia sentito la mia mancanza. »

« Naturale! Come poteva sentirla con due caprette nuove che lo hanno distratto? E il padre di Joey è poi riuscito a procurarsi quel pony? » Intanto si era abbondantemente insaponato; mise il sapone in mano a lei. Profumava di garofano.

« Due ne ha trovati. Uno anche per la sorellina di Joey. »

« Si direbbe un uomo fantastico. »

« Anche tu lo sei. » Si baciarono di nuovo sotto l'acqua scrosciante della doccia, circondati da quell'aroma di garofano.

« Niente stranezze, bella signora! Che non ti vengano certe idee... dobbiamo andare a casa. »

« Be', stai attento tu, piuttosto, a non farle! » Ma era divertita. Sembrava molto bravo in ogni cosa. Come amante, come padre, come amico. Aveva ragione di volersi sposare. Sarebbe potuto essere un marito meraviglioso... sarebbe stato... pensò a tutto questo con rammarico mentre gli restituiva il sapone e lasciava che gli spruzzi d'acqua calda la risciacquassero da capo a piedi.

Venti minuti dopo erano vestiti di tutto punto, la casa chiusa e sbarrata. Kate aveva messo in ordine la cucina e fatto un pacco degli avanzi dei viveri mentre Nick finiva di vestirsi; poi rimase immobile vicino a lui con un'espressione triste mentre lui chiudeva a chiave la porta esterna della villa. Nick si voltò e se ne accorse subito; allora la prese fra le braccia con un sorriso.

« Oh, tesoro, su, su! Non è tutto finito! Questo non è altro che il principio! » Pareva incredibile eppure aveva le lacrime agli occhi! Quel weekend era stato talmente incantevole che Kate non avrebbe mai voluto vederlo finire. Avrebbe desiderato che andasse avanti per sempre. Ma doveva tornare a essere la mamma di Tygue, doveva riprendere i suoi viaggi per andare a trovare Tom. Sarebbe invece voluta rimanere a Santa Barbara con Nick per sempre. Del resto, anche lui doveva tornare alla realtà.

« E adesso che cosa succederà? » Si lasciò andare per un attimo contro la balaustra e lo guardò negli occhi. Non vi lesse niente di terrificante, soltanto un amore sterminato.

« Come fai a non capire che cosa succederà adesso? Posso avere questa casa ogni weekend, finché mi fa comodo. Il padrone non l'adopera mai. Non è abbastanza elegante, abbastanza lussuosa per lui, così la lascia chiusa e si accontenta di affittarla ogni tanto. È tutta nostra se la vogliamo. E se lo desideri, posso venire in macchina da Los Angeles ogni sera, dopo la registrazione dello spettacolo alla TV. Potrei arrivare per mezzanotte ed essermene già andato per l'ora in cui Tygue si alza! »

« Nick, ma sarebbe una follia! Finiresti per diventare un rottame umano! L'ombra di te stesso! » Tuttavia fu costretta ad ammettere che l'idea le piaceva.

« Be', potremmo sempre provare, e anche tu potresti venire giù a Los Angeles e vedere come ti sembra la vita cittadina. Abituarti a poco a poco, se lo desideri. C'è un sacco di cose che possiamo fare, Cenerentola. Te l'ho detto, questo non è che il principio. La scarpina di vetro ti andava a pennello, vero? » Si chinò a baciarla, togliendole delicatamente dagli occhi quei capelli soffici e lievi. « Ti amo. Ecco tutto. » Ecco tutto. Così semplice. E tutto ciò che Nick diceva sembrava meraviglioso... salvo che Kate sapeva di dover prendere le proprie decisioni. Doveva muoversi al proprio ritmo, al passo a cui era abituata. E poi c'era anche Tygue a cui pensare.

« E per Tygue, che cosa facciamo? »

« Lasciamo che si abitui alle cose a poco a poco anche lui. Fidati di me. Credo di potermela cavare anche con il bambino. »

« Sì, penso che potrai farlo. »

« Allora, deciso? Soddisfatta? » Lei annuì, tutta allegra, facendogli scivolare una mano sotto il braccio e insieme scesero i gradini verso le loro automobili. A dire la verità, non era stato sistemato un bel niente! Però, al momento, sembrava che tutto andasse straordinariamente bene.

« Vuoi seguirmi, sulla strada del ritorno, fino a casa? » Le sembrava logico che Nick tornasse a casa con lei, ma lui scosse la testa e aprì lo sportello della sua macchina mentre lei, con un'espressione stupita, si fermava vicino alla propria.

« No. Penso che tu abbia bisogno di stare un poco sola con Tygue. Che cosa ne diresti se arrivassi verso le sei? Ho qualcosa da fare a Santa Barbara. »

« Per due ore? » Lui fece segno di sì e Kate provò, all'improvviso, una fitta atroce di gelosia. E se avesse avuto una donna in quella città? E se fosse per quello che aveva l'abitudine di servirsi della casa di quell'amico? E se... Ma Nick lesse tutto ciò nei suoi occhi e cominciò a ridere.

« Tesoro, sei perfetta e io ti adoro. » Le andò vicino e la strinse fra le braccia. « Per un attimo hai avuto un'espressione tale che ti credevo pronta ad ammazzare qualcuno! »

« Era così, infatti. » Girò appena la testa a guardarlo con un sorriso pieno di imbarazzo.

« Non me, spero. »

« No. La donna che pensavo tu andassi a trovare. »

« Kate, amore mio. Posso dirti in tutta onestà che, qui a Santa Barbara, non conosco neppure una donna. Generalmente vengo proprio per stare lontano da tutto e da tutti. Quanto alle altre, sono dispostissimo ad accendere un rogo, pubblicamente, davanti al municipio, a mezzogiorno, lunedì, e a farci ardere sopra la mia agendina degli indirizzi. »

« Perché aspettare tanto? Sono sicurissima di avere un

fiammifero da qualche parte! » Si frugò nelle tasche della camicetta e lui le diede una tiratina al naso.

« Non ne dubito. Ce ne serviremo più tardi. Adesso salta in macchina e torna dal tuo bambino, brutta strega gelosa, prima che io ti faccia violenza qui, addirittura, sui gradini davanti alla porta. »

« Davanti alla mia giardinetta? »

« Sì, in qualsiasi momento, anche subito. » Le tenne aperto lo sportello della macchina e lei si sedette al volante. Nick lo richiuse con attenzione e si sporse verso l'interno dal finestrino per un ultimo bacio. « Non andare troppo forte, ti prego. »

« Sissignore. Ci vediamo alle sei. »

« In punto. »

Aspettò che lei si fosse allontanata, poi si mise al volante della propria macchina e partì diretto verso la città.

21

« Ehi, mamma! È Nick! » Le sue grida di gioia e di entusiasmo furono l'eco precisa di ciò che anche lei provava e uscirono insieme di corsa, con Bert alle calcagna, mentre la lunga macchina sportiva, azzurra, andava a fermarsi sul viale di ghiaia. Kate e Nick si scambiarono una rapida occhiata al disopra della testa del bambino, poi tutta l'attenzione di Nick fu rivolta completamente a Tygue. Con un salto scese dalla macchina e si prese il bambino fra le braccia.

« Com'erano le caprette? »

« Fantastiche! E Joey ha avuto in regalo due pony. Però uno è per sua sorella. Ma non servirà. È una bamboccia talmente paurosa... che bambina stupida... e pensare che è un pony da favola! »

« Ci scommetto. » Mise giù il bambino e si voltò a prendere qualcosa in macchina. « Tygue, quando si va a fare visita a una signora, ricordatelo per quando crescerai, è sempre una buona idea quella di portarle dei fiori e dei dolci. Così... » Tirò fuori una bracciata di lillà e di tulipani e mise in mano a Tygue una grossa scatola avvolta in carta dorata. « La tua mamma avrà in omaggio i fiori e tu i dolci. » Tygue sembrò estremamente soddisfatto di quella decisione e sua madre altrettanto.

« Tu ci vizi, Nicholas. »

« Per carità, Cenerentola. » Le mise un braccio intorno

alle spalle con disinvoltura e prese per mano il bambino; insieme entrarono. Era una bella serata estiva, piuttosto calda, e soltanto una brezza leggera rinfrescava un poco l'aria. Faceva troppo caldo per accendere il fuoco. Si misero invece a sedere sul pavimento a cantare un sacco di canzoni e a mangiare salsiccia e insalata di patate finché, per Tygue, non venne l'ora di andare a dormire. Quando fu disteso sul letto da Nick, era già mezzo addormentato; sua madre portò a termine l'opera rimboccandogli le coperte. E quando lasciarono la stanza, dormiva profondamente. Nick la prese fra le braccia non appena lei ebbe chiuso la porta. « Bene, bella bambola tutta sesso, dov'è la tua? » Poi la lasciò sbalordita, perché si chinò e la prese in braccio. « È quella vicina. » Rideva sommessamente dandogli quelle indicazioni e Nick depose sul letto anche lei. Era una stanza molto allegra, arredata con vivaci stoffe e fiori. Licia le aveva regalato il copriletto, le tende e le stupende fodere per le poltrone quando era andata a vivere in quella casa sei anni prima, ma erano ancora in ottimo stato, come il primo giorno.

« Sembra di essere in un giardino. » Nick parve sorpreso e soddisfatto. Gli piaceva quella stanza. Era piena di fiori e di piante e di mobili di stile vittoriano, in vimini verniciato di bianco.

« Che cosa ti aspettavi? Del raso nero? »

« Per carità! Ti avrei lasciata cadere di schianto appena entrato e avresti preso una belle botta sul sedere! »

« Dunque è così? » Stava ridendo, felice, intenta a sbottonargli la camicia. « E che cosa hai fatto a Santa Barbara, *Monsieur*? »

« Sono andato in giro per i negozi, ho passeggiato un po', e mi sei mancata un mucchio. » Dopodiché si mise a sedere lentamente sul letto e la prese fra le braccia. E Kate dimenticò tutto ciò che Nick aveva fatto a Santa Barbara.

Fino al giorno seguente, quando le arrivò un messaggio. Dopo il suo ritorno a Los Angeles, Nick le aveva già telefonato tre volte durante la mattinata. Era ripartito alle sei e mezzo, mezz'ora prima che Kate andasse a svegliare Tygue, come faceva abitualmente. Fino a quel momento, tutto bene: il sistema aveva funzionato, ma Kate si domandò come Nick avrebbe resistito a quel ritmo di vita. Doveva essere un inferno fare il pendolare, avanti e indietro da Los Angeles, perché il viaggio durava tre ore. Tuttavia Nick le era sembrato allegro e su di giri al telefono e non le aveva assolutamente detto niente per prepararla al messaggio che era giunto poco dopo le tre. Tygue era appena tornato da scuola. Il messaggio informava che c'era un pacco per Tygue Harper all'ufficio postale di Santa Barbara. L'indirizzo non era quello abituale, che Kate già conosceva; doveva trattarsi di un ufficio secondario e il messaggio precisava che il pacco doveva essere ritirato di persona. Kate ebbe il sospetto che ci fosse di mezzo ancora lo zampino di Licia. Che cosa aveva inventato, quella volta? Magari gli aveva mandato in regalo un'automobile. Aveva sempre promesso, scherzando, che avrebbe aspettato finché Tygue non avesse compiuto i sei anni. Kate rise tra sé mentre metteva in moto la macchina. Tygue aveva insistito per partire subito e, se Kate non avesse acconsentito ad accompagnarlo immediatamente, sarebbe stato letteralmente insopportabile per tutto il resto della serata.

Ci misero mezz'ora a raggiungere l'indirizzo indicato, ma quando ci arrivarono, Kate ebbe subito la sensazione che ci dovesse essere uno sbaglio. Non si trattava affatto di un ufficio postale, ma di una casa, con una bella scuderia tutta bianca, dall'aspetto lindo e ordinato dietro la costruzione principale e qualche piccolo prato recintato, tenuto a pascolo. Kate stava per ripartire quando vide un uomo, sorridente, che le faceva dei grandi gesti di saluto con il cappello da cowboy. Tygue ricambiò i saluti e quando l'uomo si precipitò di corsa verso di loro, Kate sospirò. Era stanca e voleva farla finita con quella storia. Dovevano ancora trovare quel benedetto ufficio postale prima che chiudesse! Ma l'uomo aveva già raggiunto la macchina e li stava guardando con lo stesso ampio sorriso di prima e l'aria di chi ha capito tutto.

« Tygue Harper? »

« Sì! » Il bambino gli aveva risposto gridando addirittura per l'entusiasmo.

« Abbiamo un pacco per te. » Strizzò l'occhio a Kate, la quale continuava a non capire niente.

« È questo l'ufficio postale? » Eccitatissimo, Tygue guardò prima l'uomo e poi sua madre.

« No. Però abbiamo un pacco per te. » E allora, di colpo, Kate capì. Avrebbe voluto alzare gli occhi al cielo e lasciarsi sfuggire un gemito, ma non ne ebbe il coraggio. Ecco che cosa aveva fatto Nick! Si nascose la faccia fra le mani e cominciò a ridere mentre Tygue, sceso con un salto dalla macchina, correva via, sempre più eccitato, con l'uomo. Kate scese più tranquillamente e li seguì in uno dei prati recintati. Vide che l'uomo con il cappello da cowboy spalancava il cancello e, sempre tenendo stretto Tygue per una mano, lo conduceva verso uno stupendo pony Shetland dal pelame lustro, di un bruno dorato e dall'aspetto ben pasciuto. « Lo vedi quello, figliolo? » Tygue fece segno di sì con la testa, ammutolito per lo stupore, mentre sua madre e l'uomo con il cappello da cowboy lo guardavano. « Ecco, Tygue, il pacco che aspettavi. È tutto tuo! »

« Oh... Oh!... OH! MAMMA! » Si mise a correre verso il pony e gli gettò le braccia intorno al collo. Aveva le briglie rosso vivo e una sella nuova di zecca. Kate guardò in faccia suo figlio, rimpiangendo che Nick non potesse vederlo in quel momento. Poi l'uomo con il cappello da cowboy si frugò in tasca e tirò fuori due lettere, una per Tygue e una per sua madre.

« Vuoi che te la legga, tesoro? » Sapeva che Tygue, eccitato com'era in quel momento, non sarebbe stato capace neppure di decifrare il proprio nome. Infatti il bambino stava mormorando qualche parolina dolce all'orecchio del piccolo pony e lo accarezzava. L'animale sembrava entusiasta di tutte quelle premure.

« Che cosa dice? »

« Dice... » Kate aprì la lettera lentamente e sorrise leggendo quello che c'era scritto: « Dice: *Ho pensato che sarebbe andato splendidamente con il nuovo completo da cowboy che la mamma ti ha comprato a Los Angeles. È tutto tuo. Mi raccomando, cerca di dargli un bel nome; e mi auguro di vederti prestissimo in un rodeo. Nick* ».

« Uaah! Posso tenerlo? » La guardò con aria implorante e Kate annuì.

« Direi di sì. Nick dice che è tutto tuo, vero? »

Tygue fece segno di sì con la testa, entusiasticamente.

« E allora puoi tenerlo. Come hai intenzione di chiamarlo? » Ma in fondo allo stomaco provò una specie di stretta dolorosa. Un vago tremito. Era un regalo molto, molto grosso. Che cosa voleva significare?

« Si chiama Brownie. » Quella volta non aveva avuto bisogno di consultarsi con Willie. Aveva deciso subito, da solo.

Poi Kate trovò un attimo per aprire anche la lettera che Nick indirizzava a lei.

Un quarto d'ora per comperare i fiori. Dieci minuti per comperare i cioccolatini. Cinque minuti per guardare sull'elenco del telefono i nomi delle scuderie. Venti minuti per arrivarci. Sessantacinque minuti per scegliere il pony e combinare tutto. Cinque minuti a sognarti. Due ore precise, calcolate al secondo. Ti amo, tesoro. Ci vediamo più tardi. Nick.

Poi aggiungeva anche un post scriptum nel quale spiegava che aveva già predisposto ogni cosa perché il pony restasse lì dove si trovava, a meno che Kate non volesse farlo mandare al ranch degli Adams, ma di quello avrebbero potuto discutere in seguito... *Insieme con altre cose.*

Le « altre cose » ebbero la priorità quando Nick la raggiunse a casa verso mezzanotte. Subito dopo il suo arrivo andarono in camera e Nick si buttò sul letto con un sospiro e un sorriso, a riposare un po', perché si sentiva stanco morto.

« La serata è stata lunga? » Kate gli sorrise contemplandolo, ancora stupita di fronte alla novità di vedere un uomo nel proprio letto.

« Be', a dire la verità, no. Solo che ero ansiosissimo di

tornare qui, lo sono stato tutto il giorno. E mi è sembrato che la registrazione della trasmissione, stasera, non finisse mai; morivo dalla voglia di saltare in macchina e tornare qui. »

« Sei un pendolare di tutto rispetto, caro signor Waterman. »

« Credo che tu lo meriti fino in fondo, tutto questo viaggiare, signora Harper. » Si mise a sedere sul letto e le tese le braccia: Kate rimase ferma per un attimo a osservarlo. Poi lentamente si mosse verso di lui e gli sedette vicino, mentre Nick la stringeva a sé. « Sei timida stasera, Kate? »

« Può darsi, un poco. » Sorrisero di nuovo e Nick posò le labbra, dolcemente, sulla bocca di lei. Ma Kate non si sentì affatto timida un attimo più tardi quando Nick fece scivolare la mano sotto la sua camicetta e le accarezzò il petto finché sentì, sotto le dita, che i capezzoli si indurivano. Kate si accorse che, a poco a poco, provava un fremito spasmodico al ventre mentre la bocca di Nick si posava sempre più ardente sulla sua e, con la mano, continuava ad accarezzarla sul seno. Tutti quegli anni di solitudine, senza mai fare l'amore, sembrarono dimenticati ancora una volta, mentre le mani di Nick frugavano insaziabili quella sua pelle morbida come la seta e, alla fine, scivolavano più in basso, fino a trovare quello che cercavano.

Passarono ore prima che fossero sazi l'uno dell'altra; infine restarono distesi a fianco a fianco fra le lenzuola in disordine. Nick si mise a fumare una sigaretta e Kate, pigramente, cominciò a disegnare con un dito dei grandi cerchi sul petto di lui. Nick si voltò verso di lei e, per la prima volta da molte ore, gli venne in mente Tygue.

« Cosa mi dici del pony? Gli è piaciuto? »

« Stai scherzando? Per poco non restava secco, lì sul posto, per lo sbalordimento! » Ma seguì un attimo di silenzio, di sospensione e Nick la contemplò con un sorriso.

« E?... C'è qualcosa d'altro nella tua voce, Kate. Sei arrabbiata con me? »

« Arrabbiata? Come potrei esserlo? No... » Però Nick aveva ragione. C'era qualcosa d'altro. Kate lo osservò con aria molto seria, aggrottando lievemente le sopracciglia. « Non so come dirlo, Nick; non vorrei sembrarti un'ingrata. Tygue è rimasto estasiato per quel pony e, effettivamente, è un regalo addirittura inconcepibile per un bambinetto come lui. È come se un sogno fosse diventato realtà. E anche tu sei come un sogno che è diventato realtà. Forse è questo che mi lascia perplessa. Quello che stavo tentando di dire... è che... non voglio che tutto ciò sia soltanto un sogno. Non voglio che tu sia un sogno. Voglio che tutto questo sia reale, vero. E forse, forse, se... »

« Forse, se io scomparissi, che cosa sarebbe di voi due? È questo che vuoi dire, Kate? » La guardò come se finalmente avesse capito tutto ciò che lei provava e Kate provò un gran sollievo nell'accorgersi che Nick non se l'era presa a male e non si era arrabbiato.

« Suppongo che sia così, Nick. Che cosa succederebbe se, tutto a un tratto, tu non fossi più qui? Prima il pony, i regali, le promesse di andare a Disneyland e poi... » Non voleva concludere la frase, però sembrava veramente turbata. Fra l'altro la preoccupava anche il fatto che Nick viziasse troppo Tygue. Assomigliava molto, anche troppo, alla generosità e alla grandiosità di Tom... poco prima della fine.

« Ho tutte le intenzioni di restare qui, Kate. Molto, molto a lungo. Fin quando tu me lo permetterai. Non ho la minima intenzione di andarmene. » Erano le stesse parole che, una volta, aveva pronunciato Tom. Ma la vita non era così. Kate lo sapeva fin troppo bene.

« Questo non puoi saperlo. È qualcosa su cui non hai il minimo controllo. Tu puoi anche desiderare di restare qui, ma non puoi affatto sapere quello che il destino tiene in serbo per te. »

« Tesoro... » Lentamente Nick si curvò verso di lei e le prese quel suo viso così angosciato fra le mani « ... quello che mi piace di più in te è proprio il tuo ottimismo! » Kate sorrise, guardandolo, vagamente imbarazzata e si strinse nelle spalle.

« Forse la verità è che mi occorre tempo per adattarmi a tutte le belle cose che mi stanno succedendo. »

« Può darsi che anche a Tygue occorra un po' di tempo per fare lo stesso. Non ti illudere, perfino chi regala i pony e promette i viaggi a Disneyland può essere squadrato con sospetto! »

« Io invece trovo che tu sia stato tanto fortunato da cavartela fin troppo bene. Ero convintissima che Tygue si risentisse della tua presenza e molto, anche! Invece non è così. » Continuava a essere sbalordita.

« Probabilmente succederà come dici, quando comincerà a capire che io sono qui e ci resto. » Continuava a ripetere quelle parole. Come faceva a saperlo? Come poteva essere così sicuro? E se le cose non fossero andate bene tra loro? In un certo senso, Kate era quasi spaventata nel vedere Nick tanto sicuro di se stesso.

« Su, Kate, hai l'aria stanca. Adesso basta con tutte queste angosce e tutte le altre scempiaggini del genere. Ti amo, sono convinto che Tygue è un bambino fantastico e non ho la minima intenzione di piantare in asso né l'uno né l'altra. Non solo, ma se tu non vuoi, cercherò anche di non viziarlo in un modo troppo esagerato. Basta con i pony. » Le rivolse un sorriso e le tirò dolcemente i capelli. « Almeno per una settimana! »

« A sentirti, sembri Licia. »

« Dio santo, spero di non assomigliarle! »

« Neanche un po', amore mio. » Poi con un tenue sorriso pieno di felicità Kate dimenticò completamente suo figlio e si distese di nuovo fra le braccia dell'amante. Erano quasi le quattro della mattina quando smisero di fare l'amore e Kate si accese una sigaretta con un sospiro di gioia. Poi lanciò un'occhiata all'orologio e trasalì.

« Chissà come sarai stanco domani! »

« E tu, piuttosto? Non puoi tornare un po' a letto dopo che Tygue è andato a scuola? » Sembrava preoccupato per lei. Anche Kate faceva un sacco di cose durante la giornata. Quanto a lui, poteva sempre dormire un po' al suo ritorno a Los Angeles. Al di fuori di qualche rara occasione, non doveva essere allo studio televisivo fino alle tre del pomeriggio.

Quasi tutte le questioni che riguardavano la trasmissione di Case erano già state ampiamente risolte e quindi capitava solo di rado che Nick uscisse di casa prima delle due, a meno che non avesse un impegno per l'ora del pranzo.

Kate rispose con un sospiro alla sua proposta di tornare a letto, dopo. « No. Domani vado a Carmel. »

« A insegnare? »

Lei annuì. Ma detestava l'idea di mentirgli.

« Non potrei venirci anch'io una volta o l'altra? Mi piacerebbe vedere quello che fai. »

Ma Kate non gli rispose e sfuggì il suo sguardo; intanto aveva spento nel posacenere il mozzicone della sigaretta. Nick si accorse che non riusciva a vederla in faccia e, quando finalmente lo fece, non fu in grado di capire che cosa ci leggeva. Soprattutto un grande senso di distacco, così gli parve! Lo lasciò sorpreso. Poi scorse qualcosa di oscuro e di segreto, nei suoi occhi, che lo preoccupò ancora di più.

« Non mi permettono di farmi accompagnare da nessuno. È un posto dove sono tutti piuttosto difficili. »

« Ti piace? » Stava ancora frugandole negli occhi con lo sguardo alla ricerca di qualche segno, senza ben sapere di che cosa si trattasse.

Kate chiuse gli occhi. « Sì, nei limiti in cui possono piacere posti del genere. » Oddio, come voleva cambiare argomento! Ma al tempo stesso doveva riuscire a essere convincente. Doveva fare in modo che sembrasse realmente un lavoro. Non poteva parlargli di Tom. Non ancora. Neppure a Nick.

« Non potresti fare qualcosa più vicino a casa? » Lei scrollò la testa. Nick si accorse di non aver più voglia di farle domande; erano stanchi tutti e due. E poi aveva ben altro in mente. Le fece correre lievemente una mano lungo una gamba e Kate lo guardò sorpresa. Era contenta che Nick non insistesse sull'argomento. La mano che le accarezzava l'interno della coscia continuò a salire; Kate sorrise mentre allungava a sua volta una mano verso di lui.

« Ancora? »

« Che cosa sarebbe, una lamentela? » Anche lui stava sorridendo dolcemente. Fra loro due, fra i loro corpi, succedeva qualcosa che non gli era mai successo con nessun'altra, o perlomeno non fino a quel punto. Una specie di estasi che nessuno dei due aveva mai conosciuto prima. E quando la sveglia suonò alle sei nessuno dei due rimpianse quella notte senza sonno.

22

« Sei stata a scuola oggi? » La guardò con occhi penetranti mentre si sedeva in una poltrona davanti al fuoco. Era appena arrivato e stava sorridendo a Kate slacciandosi il nodo della cravatta. Lei sembrava stanca quanto lui.

« Sì, sono stata a scuola. » Un momento di silenzio. « Come è andata la registrazione? » Era stata una giornata faticosa anche con Tom. Aveva il raffreddore, il mal di gola e aveva pianto un paio di volte.

« Lo spettacolo di Case è stato fantastico. » Le nominò tre divi famosissimi di Hollywood: di questi, due erano donne e tutti sapevano che si odiavano mortalmente. Ma non aveva voglia di parlare del proprio lavoro. Voleva parlare dell'unica cosa di cui Kate non gli raccontava nulla. E voleva saperne il motivo. Si trattava di qualcosa che aveva continuato a preoccuparlo da settimane. Piccoli indizi, contraddizioni. Qualcosa, insomma. Quella mattina non aveva fatto che ripensarci durante il viaggio di ritorno a Los Angeles. Del resto era qualcosa che lo rodeva fin da quando l'aveva conosciuta. Si trattava di qualche piccola, minuscola tessera del mosaico che veniva sempre lasciata fuori. Cose che Kate non diceva, anni di cui non voleva parlare. E poi, anche qualcuno degli argomenti di cui parlava lo avevano lasciato perplesso. Il modo in cui suo padre e sua madre l'avevano abbandonata a se stessa, la sua mancanza di fiducia nel « destino », gli anni di solitudine con Tygue e quell'insegnamento in un posto dove non poteva farsi accompagnare da nessuno. Seduto sulla terrazza del suo appartamento di Los Angeles, davanti alla terza tazza di caffè, Nick aveva sentito all'improvviso una tremenda necessità di conoscere le risposte e si era accorto anche di avere una quantità di fonti da cui ricavare le notizie che desiderava. Chissà, forse era semplicemente un'altra nottata insonne a dargli delle idee così pazzesche, ma... accidenti, che cosa importava? Non aveva niente da perdere, se cercava una spiegazione e, poi, non occorreva che Kate lo sapesse. Non sapeva neppure che cosa stesse cercando, però sapeva che qualcosa c'era. Tanto per cominciare, una prima risposta alle sue domande poteva essere fornita dal cognome di Kate e dal libro che aveva scritto. Perché era la prima coincidenza che non gli tornava chiara e convincente. Kate sapeva troppe cose su uno sport come il football, su... Le risposte gli si erano presentate, una dopo l'altra, nell'arco di diversi giorni e, alla fine, un pomeriggio, si erano tutte concatenate in modo da fornirgli una storia autentica e plausibile. Era capitato un pomeriggio, appena prima delle cinque, nel suo ufficio. Era stata una risposta che non lo aveva sorpreso affatto. L'incaricato dell'ufficio ricerche e documentazione dello studio era un amico e Nick gli aveva già comunicato che la sua indagine era segretissima e aveva un carattere assolutamente personale. Di conseguenza non aveva la minima preoccupazione che qualcosa di tutto ciò che era stato scoperto potesse trapelare al di fuori. Ma era rimasto sconvolto da ciò che aveva saputo. E proprio per amore di Kate.

« Ho appena scoperto tutto ciò che mi è stato possibile su quella ragazza della quale mi hai chiesto informazioni. Per prima cosa però lascia che ti racconti che cosa ho scoperto d'altro.

« Sarà buffo, ma non mi ricordavo neanche di lui finché non mi sono arrivati i ritagli di giornale con i commenti sullo spettacolo di Case. Allora ho telefonato ai giornali e agli archivi, nonché al centro di documentazione della nostra stazione televisiva. All'incirca una decina di anni fa, Tom Harper è stato un celebre giocatore di football. È anche venuto a partecipare agli spettacoli di interviste di Jasper tre o quattro volte, quando lavorava ancora a New York. Prima dei tuoi tempi, Nick. In ogni modo, credo che fosse una persona simpatica. L'eroe numero uno di tutta l'America. Non so perché stamattina, quando me lo hai domandato, il suo nome non mi ha detto assolutamente nulla. Per otto o nove anni ha giocato come professionista, serio, in gamba, insomma un vero eroe nel suo sport fino a quando, per la sua carriera, è arrivato il declino. Non ricordo esattamente i particolari, ma ha cominciato a cacciarsi nei guai, a non avere più lo stesso successo di una volta, forse stava cominciando a invecchiare per continuare a essere un giocatore professionista. Così ha commesso un atto insensato, addirittura pazzesco, cercando di ammazzare con un colpo di pistola lo sponsor della sua squadra o l'allenatore o qualcosa del genere e invece si è fatto fuori con le sue mani. »

« Si è ammazzato? » In quel momento, anche Nick stava cominciando a ricordare quella storia. Quando lui stesso era ancora agli inizi come giocatore professionista di football aveva incontrato Harper una volta o due. Come avevano fatto in fretta, tutti, a dimenticare! Sei, sette, forse anche otto anni prima, Harper aveva fatto notizia, e notizia grossa, e invece occorreva ormai una piccola indagine dell'ufficio documentazione per farsi tornare alla memoria il suo nome. A Kate avrebbe fatto piacere saperlo.

« Non credo che si sia ucciso, o perlomeno non è morto subito. Non sono riuscito a procurarti tutti i particolari su questo fatto ma, in principio, è rimasto soltanto ferito molto gravemente, paralizzato, o qualcosa del genere. In un secondo tempo lo hanno trasferito in una di quelle case di cura elegantissime e costosissime a Carmel e, successivamente, credo che tutti si siano dimenticati di lui. Sembra che non sappia nessuno, adesso, se è ancora vivo o no; e non sono riuscito a scoprire qual è il nome della sua casa di cura, altrimenti avrei tentato di saperlo con una telefonata. Ma questo è pressappoco tutto ciò che siamo riusciti a mettere insieme su di lui. Secondo uno dei ragazzi del centro documentazione, Harper era paralizzato dalla vita in giù e anche intellettualmente e mentalmente era rimasto offeso quando lo hanno trasportato a Carmel, ma è tutto quello che siamo riusciti a ricostruire. Quanto alla ragazza, era sua moglie. Su di lei non c'era molto. Qualche spezzone di film mentre andava e veniva dall'ospedale. Me li hanno mandati da vedere e, a guardarla, mi è venuto male. Aveva quella stramaledetta espressione di chi sta vivendo un incubo; poi c'era un altro pezzo di film di quando lo hanno caricato sull'ambulanza per portarlo a Carmel. A vederlo si direbbe che non capisse quello che gli stava succedendo, un po' come un bambino inebetito o idiota. Dopo questo, non c'è assolutamente più nulla su nessuno dei due. Sono riuscito a scovare anche qualche notizia sulla vita precedente di lei, ma è maledettamente poco. È andata a Stanford per qualche mese ma, finito il primo anno di studi lì all'università, è andata a vivere con Harper; viaggiava con lui, lo seguiva ovunque anche se è sempre rimasta un po' in disparte e non si è mai messa molto in vista. Per un po' di tempo ha fatto l'indossatrice o qualcosa del genere. Piuttosto bella, perlomeno a quell'epoca, ma è passato molto tempo. L'unico elemento scandalistico sulla sua vita è soltanto quello dei genitori che, a quanto pare, l'hanno diseredata o roba del genere per avere sposato Harper. Erano quei classici snob dell'alta società, molto rigidi e severi, i quali non sopportavano l'idea che la loro principessina sposasse un buffone del genere. Le hanno tagliato i viveri.

« Questo è tutto quello che so, Nick. Ma non so dirti che cosa sia successo a lui, se sia ancora vivo, oppure dove sia andata a finire lei. Non ho nessun ritaglio di giornale o altro materiale di stampa. Se tu riuscissi a trovare il nome di quella casa di cura di Carmel, con ogni probabilità sarebbero in grado di dirti se è morto ma, vedi, il nome di quella clinica, forse, non è mai neanche stato sui giornali. Non saprei. Vuoi che provi ad approfondire le indagini in questo senso? »

« No, lo posso fare anche da solo. E... senti, mille e mille ringraziamenti. Mi hai fornito tutto ciò che desideravo sapere. » E anche qualcosa di più. Adesso sapeva tutto. Perché il resto, riusciva a metterlo insieme da solo. Evidentemente Tom era vivo e si trovava ancora a Carmel. Ecco la misteriosa scuola dove Kate si recava. La tragedia era avvenuta sette anni prima. E Tygue... Tygue ne aveva sei. Dunque, Kate doveva essere già incinta quando Tom Harper si era tirato quel colpo di pistola. Era incredibile pensare da quanto tempo Kate viveva a quel modo! Per tutto il resto della serata Nick si era sentito accasciato e depresso mentre meditava su ciò che aveva saputo e aveva continuato a pensare a lei. Avrebbe voluto parlargliene, farle tirare fuori tutto ciò che teneva chiuso dentro di sé, prenderla fra le braccia e lasciare che piangesse, se ancora ne sentiva il bisogno, dopo tutti quegli anni. Invece sapeva che non avrebbe potuto dire neppure una parola. Perlomeno finché Kate non avesse accennato lei stessa all'argomento. E si era domandato quanto tempo ci sarebbe voluto perché lo facesse.

La guardò, in quel momento, seduta di fronte a lui, intenta a osservarlo e notò che aveva le occhiaie molto segnate. Anche lei stava pagando un duro prezzo per la loro felicità con quella specie di doppia vita che conduceva.

« Come è andata oggi a Carmel, Kate? È stata una giornata difficile? » Si accorse di non sopportare l'espressione di sofferenza che apparve nei suoi occhi. Gli diceva, infatti, il resto della storia, tutta quella parte che il suo ufficio ricerche e documentazione non conosceva. Si domandò soltanto se le condizioni di Tom Harper fossero molto cattive. Dal materiale che il suo amico ricercatore aveva messo insieme, gli era parso di capire che, mentalmente, il danno fosse stato irreparabile. Che tensione terribile doveva essere stata! Eppure capiva di non riuscire ancora a immaginare come potesse essere l'avere dei contatti e dei rapporti regolari con una persona in quelle condizioni. Per di più, una persona che si era amata.

« Sì, oggi è stata una giornata un po' difficile. » Sorrise e cercò di minimizzare la cosa con un'alzata di spalle, ma Nick non glielo permise. Non ancora, perlomeno.

« Sono ragazzi che pretendono molto da te? » Era di Tom che le stava chiedendo, non certo di quei « ragazzi », ma sapeva che Kate gli avrebbe detto la verità. O qualcosa di vicino alla verità.

« Qualche volta. Persone del genere possono essere dolcissime, e molto infantili, oppure estremamente difficili, proprio come sono i bambini! Comunque, non pensiamoci e parlami piuttosto del tuo lavoro. » Quell'argomento veniva accantonato definitivamente. Nick glielo lesse in faccia.

« Le persone che partecipano alla trasmissione di Jasper possono essere 'dolcissime e molto infantili' anche loro, o perfette carogne, altrettanto infantili. Chissà, forse buona parte degli attori e delle persone celebri sono ragazzi ritardati! » Le sorrise e sospirò.

« Dimmi, sei riuscito a farti cedere la casa per questo weekend? » Intanto Kate, rasserenata, gli stava slacciando i bottoni della camicia. Nick fece segno di sì.

« Certo. E sai che cosa stavo pensando? Che cosa ne diresti se questa volta ci andassimo tutti e tre insieme? »

Lei ci pensò un momento, intensamente, poi alzò gli occhi a fissarlo. « Perché non stiamo qui? »

Lui scosse la testa. « Non ancora. Questo è terreno privato di Tygue. Non voglio dargli la sensazione di invaderlo. » Pensava a ogni cosa, era pieno di premure affettuose in ogni senso. Proprio come anche Kate faceva nei suoi confronti. Perché anche lei era premurosa, piena di affetto... Abbastanza da cominciare a preoccuparsi per l'aspetto di Nick. Appariva esausto.

« Nick? »

« Che cosa c'è, amore? » Nick si era buttato contro lo schienale del divano, con gli occhi chiusi, tenendole una mano. Stava cercando di non sentirsi offeso perché lei non gli aveva ancora raccontato niente di Tom. D'altra parte sapeva di dover aspettare finché Kate non fosse stata pronta.

« Che cosa vogliamo fare? »

« A proposito di che? » Ma già lo sapeva. Perché anche lui si stava chiedendo la stessa cosa. Nessuno dei due aveva avuto un'intera notte di sonno da venti giorni.

« Tu non puoi continuare a correre avanti e indietro come stai facendo adesso. »

« Che cosa vuoi farmi capire? Che non ce la faccio più? » Aprì un occhio e Kate si mise a ridere.

« No. Sto cercando di dirti che sono io a non farcela più! E, se mi sento ridotta allo stremo io, posso bene immaginare in quali condizioni devi essere tu! Io non vado a Los Angeles e non ne torno ogni giorno, come te! »

« Non importa. Perché non lasciamo almeno finire l'estate? Poi vedremo. »

« Già, ma poi? » Non aveva fatto che pensarci per tutto il viaggio di ritorno da Carmel. Le era bastata la lunghezza di quella strada per darle un'idea di ciò che Nick faceva ogni mattina e ogni sera. La distanza era la stessa. « Che cosa accidenti vuoi che facciamo, finita l'estate? »

« Potrei comprare un aeroplano. Magari un elicottero. » La stava prendendo in giro con garbo e Kate gli baciò dolcemente una guancia. Era tutta colpa sua! D'altra parte c'era Tygue e lei non se la sentiva... « Tira avanti così, tesoro. Poi vedremo. Sto cercando di scoprire che cosa vuole fare Jasper del suo programma. Perché la sua decisione potrebbe cambiare ogni cosa. Ma deve prenderla nel giro dei prossimi quindici giorni. »

« Perché potrebbe cambiare ogni cosa? » Sembrava sempre più preoccupata.

« Niente, non importa. Smettila di preoccuparti di questo, Kate. È un ordine! »

« Ma... »

« Sshh! » Le chiuse la bocca con le labbra e continuò a rispondere a ogni obiezione con un bacio finché Kate scoppiò a ridere, e si lasciarono cadere insieme sul letto. Ma quella notte non fecero neppure l'amore. Dormirono semplicemente, l'uno nelle braccia dell'altra, esausti. E la mattina dopo, quando Kate si svegliò, Nick era già partito.

« Si può sapere dove hai preso questa? » Tygue le stava mostrando un'ampia canottiera bianca che teneva sospesa in aria stretta fra le dita, con aria piena di sospetto, mentre sua madre si affrettava a coprirsi con il lenzuolo. Era la prima volta che Tygue si presentava in camera sua prima che lei avesse fatto in tempo, una volta sveglia, a infilare una camicia da notte e si accorse di sentirsi stranamente sulla difensiva. Erano talmente stanchi che Nick aveva dimenticato la sua canottiera sotto il letto.

« L'ho adoperata ieri per lavorare un po' in giardino. »

« Ha lo stesso odore di Nick. » La occhieggiò con aria fosca. Ecco, la gelosia cominciava a farsi avanti. Nick aveva visto giusto. La grande simpatia iniziale che Tygue aveva avuto per lui era stata troppo bella per essere vera o per durare nel tempo.

« Me l'ha data Nick. Che cosa vuoi per colazione, fiocchi di avena oppure le uova? » E poi, diavolo, per quale motivo doveva dargli tante spiegazioni? Aveva ogni diritto di tenere sotto il proprio letto la canottiera di chissà chi!

« Voglio pane tostato o frittelle », disse Tygue in tono di accusa e con l'aria di chi vuole continuare a discutere.

« Stamattina non ci sono nel menu. » Kate lo guardò severamente.

« Oh, pazienza. Uova, allora. E quando torna Nick a rivedere Brownie? » Il buffo era che sembrava ansioso di rivedere Nick e al tempo stesso non nascondeva di essere arrabbiato, come se stesse cercando di litigare con la mamma.

« Ha detto che sarebbe venuto per il weekend. Anzi... » mormorò, trattenendo il fiato, « ci ha invitati ad andare nella sua casa di Santa Barbara. Che cosa ne diresti? »

« Okay. Magari. Verresti anche tu? »

« Certo. Hai qualche obiezione? »

« Quando ci sei anche tu, a Nick non piace tanto parlare di cavalli. Mentre quando siamo soli, mi sembra che ne parli più volentieri. »

« Be', magari voi due potreste andare da soli alle scuderie

oppure a fare una passeggiata sulla spiaggia o qualcosa del genere. Che cosa te ne pare? »

« Okay. » Sul suo faccino apparve il barlume di un sorriso. « Posso portare Joey? » Lei non ci aveva neppure pensato, ma non sembrava una cattiva idea. Lo avrebbe tenuto occupato e avrebbe consentito a lei e a Nick di restare soli un poco di più.

« Gielo domanderò, ma ho il sospetto che Nick risponderà di sì. » Nick acconsentiva sempre ai desideri di Tygue. Qualche volta Kate ne rimaneva addirittura impermalita. Aveva mantenuto la promessa di non viziare troppo suo figlio, ma continuava a essere molto indulgente con il bambino e questo la infastidiva. Perché rendeva poi più difficile a lei tenere Tygue sotto controllo. In quel modo Nick sembrava sempre « il bravo » e faceva passare lei per « la cattiva » quando doveva fargli sentire il peso della disciplina. Inoltre per lei era una cosa nuova che ci fosse un'altra persona sempre pronta a offrire divertimenti o regali speciali a Tygue. Il bambino si era sempre rivolto a lei per ogni cosa per tanto tempo che le riusciva un po' difficile dover dividere quella soddisfazione e quei « momenti di gloria » con qualcun altro. Non le piaceva ammetterlo, ma sapeva che era la verità. Naturalmente c'era stata Felicia, ma la presenza di Felicia in casa loro era sempre un avvenimento raro mentre Nick stava diventando parte della vita di ogni giorno e, per quanto il suo personaggio si facesse sempre più familiare, non gli mancava anche un certo alone di autorità che era un boccone un po' amaro da inghiottire. Tygue non era l'unico che avrebbe dovuto attraversare una fase di adattamento. Anche per Kate c'era qualcosa di nuovo nella vita da accettare in un modo diverso. E tuttavia era una lezione che valeva la pena di imparare, per amore di Nick.

« Non dimenticarti di domandare a Nick se può venire anche Joey », mormorò Tygue voltando appena la testa verso di lei mentre lasciava la stanza.

« Non me ne dimenticherò. Adesso vai a vestirti, devi andare a scuola. » Tygue scomparve nella propria cameretta e

Kate, afferrata la canottiera bianca, la cacciò in un cassetto, dopo averla annusata. Effettivamente aveva il profumo di Nick, quello strano profumo di limoncino e spezie. E poi le era bastato averla per le mani per provare di nuovo un forte desiderio di lui. Ma quella mattina non le telefonò. Fu, invece, Stu Weinberg a farlo.

« Kate, ho una sorpresa per te. » Sembrava enormemente soddisfatto di se stesso.

« Bella o brutta? »

« Io ho soltanto belle sorprese. » Cercò di fingersi offeso, ma gli riuscì male.

« E va bene, allora dimmela. »

« Ecco, carissima, ci siamo sentiti chiedere poco fa di invitarti a trascorrere otto giorni all'*Hotel Regency* di New York, tre giorni a Washington, due a Boston e uno a Chicago, e in tutte queste quattro città dovrai apparire nel miglior programma televisivo esistente. Ti viene offerta un'ospitalità assolutamente di prim'ordine ovunque e un trattamento addirittura con quattro stelle. Signorina Harper, hai fatto centro! »

« Oddio. » Un'altra montagna da scalare. E pensare che si sentiva così soddisfatta del piccolo altipiano sul quale era appena giunta. Per quale motivo doveva riprendere il cammino e salire più in alto? « Ci sono proprio costretta? »

« Stai scherzando? » Sembrava inorridito. « Ascolta, Kate... per parlare schietto... preferisci un best-seller oppure una bomba? Figliola mia, se ti fanno comodo i diritti d'autore che guadagni, devi darti un po' da fare anche tu! »

« In altre parole, guadagnarmi il pane che mangio! » Ma non sembrava affatto entusiasta. « Complessivamente, quanti giorni sarebbero? »

« Due settimane esatte. Non è poi così orribile, non trovi? » Lei sospirò profondamente. « No, direi di no. Però preferirei darti una conferma, se è possibile, vero? Devo vedere se riesco a trovare qualcuno che stia qui con Tygue. »

« Certo, tesoro. Va benissimo. Ti ritelefono più tardi. »

« E quando sarebbe? »

« Lunedì », rispose brutalmente, senza neppure chiederle scusa.

« Fra quattro giorni? » Era già giovedì.

« Perbacco, anche lui me lo ha detto solo adesso! » Poi tacque bruscamente. Dannazione!

« Chi sarebbe questo lui? »

« Quello che dirige l'ufficio pubblicità del tuo editore. »

« Oh. Va bene, ti richiamo io più tardi. » Voleva telefonare a Nick e, all'altro capo del filo, Stu trattenne il respiro. Santo cielo! Che frittata stava per fare! Eppure aveva promesso a Nick che non lo avrebbe tradito. Bella fatica aveva fatto Nick, a telefonargli con una proposta del genere! Per quale motivo, poi, non lo aveva domandato direttamente a lei? Ma Stu conosceva il perché. Se fosse stato Nick a domandarglielo, Kate non ci sarebbe andata. Invece, visto che la richiesta proveniva da lui, forse c'era una speranza di smuoverla da casa!

Kate trovò Nick ancora nel suo appartamento; le rispose con voce sonnacchiosa. « Ti ho svegliato? »

« No, stavo semplicemente sognando a occhi aperti. Che cosa c'è, tesoro? » Poteva sentirlo sbadigliare e lo immaginò mentre si stirava.

« Hai dimenticato qui la canottiera. »

« Spero di non averla lasciata in qualche posto imbarazzante. » Nick sorrise tra sé ricordando l'aspetto che aveva avuto quella mattina Kate, profondamente addormentata, quando l'aveva lasciata.

« Era sotto il letto. L'ha trovata Tygue. »

« Ohi, ohi! Qualche problema? » No, non con Tygue.

Fu allora che Nick si accorse che Kate sembrava preoccupata. Si mise a sedere di scatto sul letto, accigliandosi.

« Stu mi ha appena telefonato. » La ruga fra le sue sopracciglia si approfondì. Ma attese.

« Ha organizzato un giro di due settimane per me. New York, Boston, Washington e Chicago. Otto giorni interi a New York. Oh, santo Dio, Nick, non so che cosa fare! Sono terrorizzata. » Aveva il pianto nella voce e Nick si domandò se avesse fatto la cosa giusta. Forse non aveva nessun diritto di immischiarsi nelle faccende di Kate.

« Stai calma, tesoro. Ne parleremo. Si può sapere dove ti ha prenotato il posto? »

« Non lo so. Mi sono dimenticata di chiederlo. E dovrei partire lunedì e... oh Nick, che cosa devo fare? »

« Mi è venuta un'idea. » Si impose di dare un'intonazione allegra alla sua voce, mentre chiudeva gli occhi, ma ebbe l'impressione di essere sull'orlo di un burrone e di stare lì lì per buttarla di sotto.

« Che cosa? »

« Perché non ti ripresenti nello stesso programma di interviste di Jasper? »

« Non posso, per amor di Dio! Te l'ho appena spiegato. Stu vuole che io vada a New York! » Aveva la voce esasperata, carica di nervosismo.

« Ma è precisamente a New York che Jasper manderà in onda il suo programma per i prossimi quindici giorni. » Poi spalancò gli occhi e aspettò un momento. Dall'altra parte del filo non arrivava neppure un suono. « Non verresti a New York con me, Kate? Lo so che sono sempre cose difficili per te, tesoro, ma ci sarò anch'io, te lo prometto. Sarò lì, vicino a te. »

« Sei stato tu a dire a Weinberg di organizzare tutta questa faccenda? » La voce di Kate aveva un tono incredulo.

« Io... » Cavoli! Aveva rovinato tutto. Ma ormai era inutile mentirle. Le avrebbe giurato di non cacciare mai più il naso nei suoi affari. « Sì, sono stato io. Mi spiace. Non avrei dovuto, ma... » D'un tratto sentì che Kate stava ridendo. « Kate? »

« Sei un bel pazzo, un bell'imbroglione! Sei stato tu? E io ho creduto che fosse vero! Ho creduto che fosse il mio editore ad avermi organizzato tutto quel giro e di essere costretta a farlo, altrimenti... Ho creduto... »

« Ma è tutto vero. È lui, infatti. Solo che non avevano ancora stabilito niente di preciso fin quando io non ho detto a Stu che ero convinto che avresti accettato. Puoi prendere come base New York, starci con me e andare in aereo a Boston e a Washington. »

« E Chicago? Ci hai pensato? » Ma Kate stava ancora ridendo... grazie a Dio!

« Perché, hanno incluso anche Chicago nel giro? » Nick parve stupito.

« Oh, sì. »

« Zelanti, non trovi? »

« Sai che cosa ti dico? Sei pazzo, ecco che cosa sei! Completamente pazzo! Sapevi già tutto quando sei venuto a casa ieri sera? » Ormai tutti e due consideravano « casa » la villa dove abitava Kate.

« E va bene, lo confesso. »

« Da quanto tempo lo sai? »

« Da lunedì. È stato Jasper a organizzare tutto e non ci ha più lasciato un momento di tregua. »

« Fantastico! »

« Adesso che cos'hai intenzione di fare? » Era molto curioso. « Naturalmente oltre a farmi un occhio nero quando arriverò a casa stasera! »

« Sei proprio sicuro di volere che te lo dica al telefono? » Aveva preso un tono da autentica Mata Hari e anche Nick scoppiò a ridere.

« Be', non importa! Ma verrai con me? »

« Ho forse un'altra scelta? »

Nick attese per un attimo che gli parve lunghissimo, chiedendosi quale sarebbe stata la frase più giusta da dire, ma decise di rischiare: « No. Non hai altra scelta. Ho troppo bisogno di te. Vedi di combinare perché Tillie venga a stare con Tygue e noi gli compreremo qualche altra meraviglia ».

« A proposito, ha accettato il tuo invito per il weekend, ma vorrebbe portare anche Joey. »

« Fantastico! Mi andrebbe benissimo anche se volesse far venire King Kong. Però voglio sapere se verrai a New York con me. »

« Sì, perbacco, sì! Okay? Sei contento? »

« Molto! » Sorridevano tutt'e due all'apparecchio.

« Ma devo sempre fare tutta quella pubblicità così idiota? »

« Ma certo! » Nick sembrava sconvolto davanti a quei dubbi. « E poi, dicevo sul serio, prima. Ti faccio comparire di nuovo nel programma di Jasper. »

« Ehi, Nick? »

« Sì, tesoro? » La voce di Nick si fece immediatamente più dolce, in risposta a quella dolcissima di lei.

« Non c'è speranza che tu possa venire a casa? »

« Adesso, dici? »

« Uh... uhu. »

Aveva una montagna di lavoro da fare, mille cose da sistemare... e una donna che adorava.

« Verrò. »

E così fu.

23

« Kate? »

« Mmm? » Stava dormendo seduta al suo fianco in aeroplano. Quegli ultimi giorni erano stati letteralmente febbrili. Aveva insistito per andare a « insegnare » il venerdì, ma il viaggio a Carmel le era servito anche per fare un giro di acquisti. Poi avevano trascorso il weekend nella casa di Santa Barbara, Joey incluso, e la domenica sera Nick l'aveva portata con sé fino a Los Angeles per poter partire insieme il lunedì mattina. Era la prima volta che Nick non faceva quel viaggio con Jasper. Ma era voluto restare solo con lei. Un'occhiata all'orologio gli disse che sarebbero atterrati a New York circa un'ora dopo. Le baciò dolcemente i capelli e le prese una mano stringendola a pugno nella propria.

« Signorina Harper, ti amo », disse più che altro a se stesso, ma Kate lo sorprese aprendo un occhio e alzando lo sguardo verso di lui con uno sbadiglio che lentamente si trasformò in un sorriso.

« Che ora è? »

« Le due, secondo il nostro fuso orario. Qui sono le cinque. Arriveremo per le sei. »

« E poi, che cosa succederà? » Kate non aveva neppure pensato di domandarglielo. Allungò davanti a sé le gambe slanciate ed eleganti e abbassò gli occhi sul completo color crema che ormai le era familiare. Lo stava sfruttando più di quanto avesse immaginato al momento dell'acquisto. « Oh, mio Dio! »

« Che cosa c'è? »

Lo stava fissando con un'espressione inorridita nei grandi occhi verdi che Nick amava tanto.

« Si tratta di Tygue? Hai dimenticato qualcosa? »

« No, Licia. Mi sono dimenticata di informarla della mia partenza. Se telefona e si sente dire da Tillie che sono partita per New York... Scommetto che le viene un colpo! »

« Perché? Ti disapproverebbe? » Nick era curioso di fare la conoscenza di quella strana donna che era l'unica persona importante nella vita di Kate, oltre a Tygue. Chissà, forse lo avrebbe odiato, o si sarebbe rivelata gelosa del posto da lui occupato nell'esistenza dell'amica. Le lanciò un'occhiata incuriosita.

« Licia? Disapprovare? » Kate gli si rannicchiò vicino con una risata sommessa. « Sarebbe capace di offrirti la Legion d'Onore per essere riuscito a tirarmi fuori dalla mia grotta! »

« Le hai già parlato di me? »

Kate scosse lentamente la testa. No, non ne aveva parlato. E non sapeva neppure perché. Forse aveva paura che quell'incanto d'un tratto si dissolvesse e il solo fatto di rivelare tutto a Licia le potesse rendere molto più dura l'esistenza, una volta che lui se ne fosse andato. « No. Non ancora. »

« Mi piacerebbe conoscerla. A sentire quello che racconti, si direbbe un tipo interessante. Credi che mi piacerebbe? »

« Penso di sì. » E se invece fosse successo il contrario? Lei voleva bene a Licia, gliene avrebbe sempre voluto. Ma al tempo stesso si accorgeva di stare già scivolando, a poco a poco, in quello che era il mondo di Nick: lui aveva un posto tutto speciale nella sua vita, ormai.

Lui abbassò gli occhi a guardarla, notò quell'espressione seria e la tenne stretta a sé.

« Qualche volta hai un'aria così pensierosa, tesoro! Ma un giorno nei tuoi occhi quell'espressione non ci sarà più! » Nick sapeva che in quei momenti Kate stava pensando a Tom.

« Che espressione? »

« Così... sembra che l'unica persona cara che possiedi a questo mondo stia per lasciarti per sempre! »

« Sei ben sicuro che non succederà così? »

« Sicurissimo. »

Kate lo poteva capire dalla stretta delle braccia di Nick; richiudendo gli occhi, si sentì completamente in pace. Era tanto felice con lui! Purtroppo non sarebbe durato eternamente. Niente durava eternamente. E non aveva importanza ciò che Nick poteva dire al riguardo! Anche Tom aveva fatto quelle stesse promesse! Però, a quell'epoca, lei non aveva avuto le stesse preoccupazioni. Non lo aveva neppure immaginato, né si era resa conto della rapidità con cui le cose potevano finire.

« Hai un po' paura pensando a New York? » Nick si impose di tornare al presente mentre la costringeva a sollevare il volto verso il suo. Le stava sorridendo di nuovo e Kate lo ricambiò.

« Qualche volta. Di tanto in tanto mi capita di essere colta dal panico e di provare una gran voglia di nascondermi nella toilette delle signore. Poi mi dimentico di tutte le mie paure e la curiosità vince. Sono rimasta talmente tanto tempo lontana da questo genere di vita, che quasi non riesco neppure a ricordarlo. »

« Bene. Perché io te ne voglio offrire un altro, nuovo di zecca. » Nick pareva soddisfatto. Avrebbero alloggiato al *Regency*, a tre soli isolati di distanza dall'albergo di Jasper. Perché Jasper non se la sentiva di rinunciare al *Pierre*. Nick invece aveva voluto scegliere un altro albergo, in modo che Kate non si sentisse a disagio. « A proposito, ho fissato camere separate per noi due. »

« Davvero? » Kate parve delusa e Nick scoppiò a ridere.

« Non fare quella faccia, sciocchina! Sono vicine e possiamo usarne una come ufficio. Ho soltanto pensato che sarebbe stato meglio casomai qualche cronista troppo ficcanaso si meravigliasse del fatto che alloggi con me. In questo modo risulta soltanto che abitiamo nello stesso albergo. Una piacevole coincidenza. » Kate si rasserenò.

« Come fai a pensare a tutte queste cose? Scarpine di vetro, camere separate per proteggere la mia reputazione, candida come un giglio... Si può sapere quali sono le cose a cui non pensi? »

« È per questo che sono riuscito a restare il produttore dello spettacolo di Jasper per tutti questi anni, amore mio. Fa parte della mia professione. » In realtà Kate sapeva che faceva parte della sua personalità. Si scambiarono un altro sorriso e poi cominciarono ad ammirare la città dal finestrino. Fuori splendeva il sole, ci sarebbe stata luce ancora per parecchie ore, ma già si cominciavano a notare i colori dalle tonalità smorzate, caratteristici del tardo pomeriggio. « A proposito, ci sarà da arrostire a New York. Hai portato un mucchio di vestiti scollati, per poter andare in giro mezzo nuda? » Lei scoppiò a ridere mentre accettava la coppa di champagne che Nick le porgeva. Che incanto, la prima classe in aereo! Champagne da una costa all'altra degli Stati Uniti!

« Ho fatto quello che ho potuto. Non mi è rimasto molto tempo per fare acquisti! » E poi, Carmel non era San Francisco. Però non se l'era cavata troppo male. Ma, quando scesero dall'aereo a New York, capì quello che Nick voleva dire a proposito del caldo. Non ci era mai stata in piena estate e l'aria era torrida, perfino alle sei di sera.

Nick aveva combinato che li andasse a prendere la piccola jeep delle linee aeree in servizio per i viaggiatori importanti e furono quindi condotti con quel mezzo alle porte del terminal. Anche le loro valigie sarebbero state separate dalle altre e trasportate subito alla macchina. Poi la piccola jeep ripartì, attraversando tutto il terminal a velocità sostenuta e aprendosi un varco fra una quantità innumerevole di persone. Avevano tutte l'aria accaldata e stanca, il colorito grigiastro; non apparivano certo abbronzate e piene di salute come in California. Era da tempo che a Kate non capitava più di vedere gente simile, per di più in numero così enorme. Si accorse di avere il fiato corto quando attraversarono il grande salone gelido del terminal, passando in mezzo alla folla. L'aria condizionata funzionava al massimo, investendo in pieno quella folla accaldata, stanca, sudata.

« C'è da meravigliarsi che non si prendano tutti la polmonite! » Kate si teneva stretta convulsamente alla mano di Nick, mentre osservava quella gente dalla velocissima jeep. Quanto frastuono, tutt'intorno, e che viavai! Era terrificante e affascinante al tempo stesso. Come una visita a un altro pianeta.

« Di' piuttosto che c'è da stupirsi che non muoiano tutti per mancanza d'aria! Hai mai visto una tale massa di persone? »

Lei scosse la testa, mentre Nick la osservava. Si era preoccupato di organizzare tutto con estrema attenzione in modo che Kate fin dall'inizio non si sentisse sopraffatta da quel primo contatto con New York. Erano già arrivati all'uscita e l'autista li stava aspettando vicino al marciapiede.

Vennero catapultati attraverso la porta girevole dall'impeto stesso di quella folla e Kate, una volta fuori, ebbe l'impressione di trovarsi nel vuoto più assoluto. Era incandescente, e al tempo stesso pieno di umidità, senza neppure un filo d'aria.

« Mio Dio! » Era come sentirsi colpita in pieno stomaco dalla massa di un elefante.

« Delizioso, eh? » scherzò Nick mentre Kate alzava gli occhi al cielo; ma l'autista stava già spalancando gli sportelli dell'automobile dotata di condizionamento d'aria e Nick la stava gentilmente spingendo verso l'interno. Tutto si svolse in modo straordinariamente rapido ed efficiente. Cinque minuti più tardi all'autista vennero consegnate le loro valigie e furono pronti a iniziare il viaggio verso la città. Kate si voltò ancora a guardarsi indietro attraverso il vetro *fumé* della berlina chiusa e riuscì a intravedere una massa di gente in coda in attesa di un taxi. Vide un taxista grassoccio che agitava un sigaro sulla faccia di un tizio e, mentre si allontanavano a gran velocità, non poté trattenersi dal ridere.

« Non è assolutamente pazzesco? »

« È come essere al circo. » Non ricordava che la città fosse così in fermento, così carica di vitalità. Ogni cosa le era apparsa molto più calma e tranquilla quando ci era stata in vacanza, una Pasqua, con suo padre e sua madre, diciassette anni. Allora avevano alloggiato al *Plaza*, mentre il tè lo prendevano in Palm Court e anche in un altro posto, che si chiamava *Rose-Marie*. Ma tutto ciò sembrava appartenere a un passato molto lontano, mille anni prima! Quanto a Tom, non le aveva mai permesso di accompagnarlo a New York. La detestava, e in genere cercava di alloggiare nei sobborghi, in casa di amici. In quel momento Kate ne comprese perfettamente il motivo. Non era un ambiente adatto a Tom. E, in fondo, non era neppure quello di Nick. Tuttavia Nick non si faceva prendere la mano dalle circostanze, riusciva a controllarle a perfezione. L'aveva protetta e riparata da ogni cosa spiacevole, perfino dalla gran calura.

Mentre si dirigevano verso l'albergo, Kate continuò a osservare il traffico incessante, frenetico. Perfino in Park Avenue le automobili si muovevano come in preda a una furia. Uno scossone, un urto, una fermata, uno stridio di freni, un colpo di clacson, un urlo, e poi via, ancora un altro strappo. Perfino in quell'automobile, dove i finestrini erano accuratamente chiusi, il frastuono sembrava assordante.

« Come fanno a sopportarlo? »

« Non lo so. Bisogna supporre che non se ne accorgano, oppure che gli piaccia! »

Kate si accorse che piaceva anche a lei. Le piaceva la vitalità terribile di quel traffico, di quella città. La frenesia, la velocità, gli scatti elettrizzati di ogni cosa che si muoveva a una velocità folle. D'un tratto provò il desiderio di uscire da quell'automobile, che la teneva chiusa come un seno materno, e di camminare. Ma ebbe paura che, se lo avesse detto a Nick, lui avrebbe pensato che era ammattita. E anche che era un'ingrata! Si era dato tanto da fare per proteggerla! E invece, comodamente seduta in una bella macchina, lei provava una voglia matta di scendere e di mettersi a camminare, fra spinte e urtoni, in mezzo a tutti gli altri.

Erano arrivati al *Regency*; l'autista la aiutò a scendere affidandola al portiere, finché Nick la liberò dalla stretta protettrice di quelle mani per farla entrare rapidamente nell'interno dell'albergo. Lo conoscevano, lì. Firmò subito il cartoncino dove ogni cliente doveva porre il proprio nome e vennero accompagnati immediatamente nelle loro camere. Quella di Kate, in realtà, era una piccola *suite*; Nick aveva, invece, un'ampia camera matrimoniale con una porta comunicante con il salottino di lei. Decisero subito di servirsi della camera da letto di Nick come di un ufficio e di quella di Kate come della loro « casa » vera e propria. Le valigie erano state ammucchiate su eleganti panchette bianche e oro e Kate si guardò intorno sentendo sprofondare i piedi nel folto tappeto; poi, con un sospiro, andò a sedersi sul divano di seta rosa. Ogni cosa era estremamente raffinata e di un gusto squisito. Sembrava una pittura ad acquarello inglese. Scorgevano anche uno stupendo panorama dal lato sud della città. Kate continuò a guardarsi intorno e poi posò gli occhi su Nick con un sorriso e un sospiro. Si sentiva come una bambina ricca e triste tenuta al riparo da tutto ciò che è divertente, come il sudiciume, il rumore, e tutta quella gente dall'aria un po' pazza che lei contemplava a bocca aperta per lo stupore e con la quale avrebbe voluto correre sui marciapiedi. Nick era stato animato dalle migliori intenzioni quando si era assunto l'impegno di proteggerla da tutto ciò, eppure Kate pensava che, così facendo, lui le impedisse anche di godersi tutto il divertimento che la città poteva offrire. Forse era un ragionamento assurdo ma non riusciva a evitarlo. D'un tratto le venne una gran voglia di uscire impetuosamente dal guscio, di sentirsi staccata da Nick e anche dal passato... da Tom... da Tygue... da tutti. Scoprì di avere voglia di essere libera.

« Vuoi qualcosa da bere? » Nick si allentò il nodo della cravatta e abbassò gli occhi verso di lei con un sorriso. Aveva già riservato un tavolo al *Caravelle*: ci aveva pensato quella mattina stessa la sua segretaria da Los Angeles. La prenotazione era per le nove. Nick pensava che non avrebbero avuto fame, fino a quell'ora. Così avrebbero trovato il tempo di bere qualcosa, di riposarsi e poi di scendere al bar dell'albergo per bere qualcosa d'altro e andarsene tranquillamente a cena. Ma di fronte all'offerta di qualcosa da bere, Kate rispose scuotendo la testa. « Che cosa c'è, Cenerentola? A vederti si direbbe che le rotelline di quell'ingranaggio che è il tuo cervello stiano girando all'impazzata! Vuoi telefonare a Licia, adesso? »

« No. » E, a dire la verità, non aveva neppure voglia di chiamare Tygue. Non ancora.

« Allora che cosa ti piacerebbe fare? » Si sedette di fianco a lei su quell'elegante divano rosa e le circondò le spalle con un braccio, mentre lei scoppiava a ridere. Nick restò incantato a osservare lo scintillio dei suoi occhi. Sì, New York le stava facendo davvero bene. Già da quel momento. Era come se Kate riprendesse a vivere in un modo che lui non aveva mai visto prima. « Dimmi che cosa ti piacerebbe fare, bella signora, e ti ubbidirò! »

« Parli sul serio? »

« Certo che parlo sul serio! »

« E va bene. Ho voglia di uscire a fare una passeggiata. »

« Adesso? » Nick parve stupefatto. Alle sette di sera, c'erano come minimo ancora trentatré gradi e l'umidità era pressappoco quella di prima. « Con questo caldo? » Kate annuì eccitata e Nick buttò indietro la testa, scoppiando a ridere. Aveva capito. Kate, che era rimasta nascosta per anni, quasi fin da quando era ancora una ragazzina, d'un tratto si ritrovava giovane e bramosa di vivere. « Okay, Cenerentola, niente ti potrà fermare. Ma prima, vuoi cambiarti? » Lei scrollò il capo con un sorriso e in quel momento assomigliava moltissimo al suo bambino. « In tal caso... » Nick si alzò in piedi, le offrì il braccio e Kate lo accettò, alzandosi a sua volta « ... partiamo! »

Fu proprio come lei aveva sperato. Vagabondarono senza meta per Madison Avenue, mentre Kate dava un'occhiata alle vetrine, e poi si spinsero fino a Central Park, dove c'era ancora qualcuno intento a giocare sull'erba. C'erano i palloni che venivano lanciati in aria, le radioline a volume altissimo, gli autobus che sfrecciavano rapidi e le carrozzelle trainate da cavalli stanchi, adorni di fiori. Era come se qualcuno avesse raccolto ogni elemento, ogni possibile oggetto dotato di movimento, ogni volto, ogni automobile, ogni profumo, ogni colore e avesse collocato tutto questo in un'unica città, chiamandola New York. « Santo Iddio, come mi piace! » Respirò a fondo l'aria inquinata della metropoli e poi sospirò, deliziata e felice, mentre Nick scoppiava a ridere.

« Comincio a credere di avere creato un mostro. » Però era estasiato a vederla così. Era talmente viva! Era come sarebbe dovuta essere da anni! Tutta fuoco, eccitazione e successo. Nick scoprì di essere ben contento di poter dividere tutto ciò con lei. Guardò l'orologio: erano le otto passate e si stavano avvicinando all'angolo della Quinta Avenue e della Sessantunesima Strada. Mancavano un paio di isolati per raggiungere l'albergo. Ma ne avevano già percorsi almeno una ventina, osservando, gustando, assaporando ogni cosa... come se fosse stata una bevanda inebriante da sorseggiare... Kate intenta a contemplare con intensità ed entusiasmo la città, Nick intento a contemplare lei con la gioia più profonda. « Sei pronta a rientrare e a cambiarti? »

« Dove andiamo? »

« Nel miglior ristorante della città. Tutto per te, Cenerentola! » Con un ampio gesto del braccio le indicò la linea irregolare dei grattacieli che si stagliavano all'orizzonte e Kate diventò raggiante. Sorrise per tutto il tragitto fino all'albergo e, quando lui richiuse la porta della loro camera, mosse qualche passo nella sua direzione con un lampo negli occhi.

« Significa quello che mi sembra di capire? » Le stava sorridendo dalla porta del bagno e Kate, d'un tratto, lo raggiunse e cominciò a sbottonargli i pantaloni.

« Certamente! »

« Bella signora, non ho ancora afferrato bene quale sia l'effetto che ti fa questa città, però mi piace da matti! »

Non arrivarono neppure in camera da letto, ma fecero l'amore sul soffice tappeto che copriva interamente il pavimento della stanza e Kate, con la lingua e con il lievissimo contatto delle mani, riuscì a strappare a Nick gemiti sommessi di piacere. Quella volta fu Kate a prendere ogni iniziativa e Nick si lasciò cadere esausto su quel tappeto, dopo che tutti e due ebbero raggiunto l'orgasmo. Anche Kate restò lì, distesa sul pavimento, nelle luci del crepuscolo, a sorridere con aria vittoriosa alla propria vita.

24

« SIGNORINA Harper? » La donna, che indossava un raffinatissimo e costoso abito nero e inalberava una pettinatura che ricordava una scultura moderna, entrò nella stanza con la mano già tesa verso di lei. Kate gliela strinse, innervosita, e si aggiustò il vestito. « Fra un minuto andiamo in onda. » Era la sua prima apparizione televisiva a New York e si sentiva terrorizzata. Però pronta. Quella mattina stessa, con Nick, aveva discusso un po' degli argomenti di cui parlare. E il vestito era nuovo di zecca, comperato a Carmel. Era di lino di un intenso color corallo che faceva risaltare meravigliosamente la sua abbronzatura. Lo aveva guarnito con qualche gioiello di corallo che Felicia le aveva portato dall'Europa l'anno prima. In quel momento era molto contenta che Felicia avesse insistito perché li accettasse. « Vedi, non si può mai sapere! » Kate ricordò quelle parole con un sorriso. Aveva i capelli pettinati indietro, sciolti sulle spalle. Si augurò di avere l'aspetto della scrittrice. Se non altro, sentiva di esserlo!

« Stavo ammirando il panorama. » Era talmente bello da lasciare senza fiato. Si trovarono in una stanza nell'ala sud-ovest del trentesimo piano del palazzo della General Motors da cui si godeva un'ampia visione di Central Park verso nord e di una non meno sterminata panoramica di Wall Street a sud. « Dev'essere favoloso vivere in questa città! »

La donna vestita di nero scoppiò a ridere, scrollando i capelli così accuratamente pettinati e agitando una mano alla quale portava un anello con un grosso smeraldo. « Io sarei pronta a farmi tagliare il braccio destro pur di vivere sulla Costa. Ma Audrey ha il suo programma qui, con questa rete... e così... » Alzò le mani al cielo in un gesto di impotenza. Era un produttore, quella signora; il più importante fra tutti quelli che si occupavano degli spettacoli televisivi nelle ore diurne e il suo lavoro non era molto diverso da quello di Nick. Kate ormai cominciava a comprendere meglio ciò che comportava.

« Pronta? »

« Penso di sì. »

Tenne aperta una porta e Kate la oltrepassò. Su un'altra porta, quella che dava accesso direttamente allo studio televisivo, si leggeva un cartello vivacemente illuminato: REGISTRAZIONE.

Kate partecipò a quella trasmissione per quasi un'ora con altre tre donne importanti: una rappresentante delle Nazioni Unite, una avvocatessa di fama nazionale e una studiosa che aveva vinto il premio Nobel per la biochimica l'anno precedente. Santo Iddio! Le bastava guardarle per sentirsi il fiato mozzo. Ma che cosa ci stava a fare lei, lì? E, mentre le altre tre ricambiavano il suo sguardo, capì che si stavano domandando la stessa cosa. Lei, Kate Harper, era una sconosciuta.

« Che impressione fa avere scritto il primo best-seller? » Audrey Bradford, l'intervistatrice, sorrise a Kate e le altre si affrettarono ad assumere un'aria interessata, ma non certo sopraffatta dalla meraviglia e dall'ammirazione.

« A dire la verità, non sono ancora riuscita a capirlo bene, però devo ammettere che, per il momento, fa un enorme piacere! » Rise e Audrey con lei. Era il colpo più grosso del mondo, questo! La soddisfazione personale del secolo! Il successo! Il successo con la gente! Alla televisione nazionale! Tuttavia Kate continuava a percepire una strana corrente che emanava, in sordina, dalle altre ospiti della trasmissione. Invidia? Sospetto?

« Dalle nostre ricerche di mercato risulta che il suo libro

è già alla terza edizione e che, in cinque settimane, ne sono state vendute cinquantamila copie. Direi che è un best-seller, non le pare? Anzi, sta cominciando ad apparire anche nelle classifiche dei libri più venduti. » Davvero? Era proprio così? Possibile?... Come mai nessuno glielo aveva detto? Cinquantamila copie? Era rimasta quasi senza fiato, ma si affrettò a sorridere.

« In tal caso, ammetterò che dev'essere come dice lei! » Dopo qualche minuto di nervosísmo, Kate si meravigliò di constatare che diventava più facile e più semplice durante la trasmissione. Le altre ospiti erano molto interessanti e Audrey era bravissima nell'intervistarle. Era infatti riuscita a trasformare una situazione che, in potenza, poteva sembrare glaciale, in uno scambio di idee addirittura cordiale, tanto che Kate era ancora soddisfattissima di sé ed entusiasta quando si trovò con Nick al *Lutèce* per il pranzo e gli si lasciò cadere di fianco, al tavolo dove lui già si trovava, nel piccolo giardino.

« Ciao, tesoro. Dio mio, come me la sono vista brutta! » E poi, subito, tutto d'un fiato, si udì raccontargli come si era sentita agitata, che successo straordinario avevano avuto le altre ospiti, che donna intelligente e singolare fosse Audrey Bradford, e come fosse stata abile nell'organizzare e nel preparare tutto...

« Ehi, ehi, aspetta un momento. Cerca di calmarti un po', bella signora, altrimenti ti fai saltare il busto! Calma, calma! » Ma non nascose di essere molto divertito di fronte a tutta quella eccitazione. D'un tratto anche Kate era carica di elettricità, tesa come chiunque vivesse a New York.

Lei si mise a sedere con un risolino imbarazzato e riprese fiato. « A proposito, io non porto il busto, sai? »

« Dio sia ringraziato! E allora, sei riuscita a dire quattro parole che avessero un senso comune, durante la trasmissione? »

« Come? Non sei stato a guardarmi? » Kate sembrava sbalordita.

« Tesoro mio, dovrai cominciare presto a scoprire come è fatta la mia vita a New York. Me ne stavo tranquillamente seduta nella *suite* di Jasper e ti stavo proprio guardando quando tutti e tre i telefoni hanno cominciato a squillare contemporaneamente. Si è fatto mettere due linee in più, nelle camere che occupa all'albergo, per tutta la durata del suo soggiorno. La segretaria che ha portato con sé è entrata in quel momento ad annunciare che era successo un grosso guaio! Il personaggio importante, con un nome famosissimo, che doveva partecipare al primo spettacolo di Jasper è in ospedale, perché ha avuto un infarto, la notizia verrà data dai giornali in prima pagina, stasera. L'altra segretaria, quella che aveva assunto per il suo soggiorno qui, è entrata ad annunciare che se ne andava! Il figlio maggiore di Jasper gli ha telefonato da Londra: aveva investito un bambino con la sua automobile ed era in prigione. Nel frattempo io ho provato a telefonare a nove persone diverse nella speranza di trovare una sostituzione per lo spettacolo di stasera. No, amore mio. Non ho potuto vedere lo spettacolo a cui partecipavi. Ma sono certo che devi essere stata magnifica! » La guardò con un'espressione divertita e Kate cercò di nascondere la propria delusione. Talvolta le capitava di dimenticare tutte le cose di cui Nick doveva occuparsi. « A proposito, Jasper stava pensando che forse ti sarebbe stato gradito partecipare a un'altra delle sue trasmissioni. Magari verso la fine della settimana. »

« Così presto? Sono appena stata sua ospite a Hollywood! »

« Questo è vero! Ma tu stai diventando un personaggio di primo piano con il libro che ha un successo fenomenale e, poiché attualmente stai partecipando a una serie di trasmissioni durante il giorno, sono sicuro che tutte le donne che fanno parte del pubblico di Jasper avranno piacere di rivederti. » Per un attimo non sembrava più neppure Nick ma piuttosto un produttore, uno sconosciuto, un uomo nervoso con il più importante programma nazionale di interviste televisive da mandare avanti. Non aveva avuto neppure il tempo di stare a guardarla durante la sua prima apparizione alla televisione di New York. « Chiederò a Stu di parlare al tuo editore dell'opportunità di farti apparire nel programma di Jasper. Lui, del resto, ti vuole, non c'è da discutere! » Tirò fuori di tasca un taccuino, ci scarabocchiò sopra qualcosa e poi alzò gli occhi, sorpreso, mentre il capocameriere gli porgeva un telefono.

« Una telefonata per lei, signor Waterman. » Ne seguì una conversazione incomprensibile, della durata di una decina di minuti, con qualcuno dei suoi dipendenti dell'ufficio produzione. Kate, nel frattempo, si guardò intorno osservando i tavoli vicini. Stava pranzando in uno dei ristoranti più costosi di New York, circondata da persone tutte illustri e potenti. Nick chiamò con un cenno il cameriere e nel corso della conversazione indicò l'orologio che aveva al polso. Il cameriere annuì e tornò indietro precipitosamente con un menù per Kate. Ci vollero altri cinque minuti prima che Nick riuscisse a concludere la telefonata.

« Scusami, tesoro. Ma certe giornate cominciano e finiscono proprio così, temo! » Infatti era più di quello a cui l'aveva abituata. Fino a quel momento Kate non si era mai resa conto con esattezza di quanti fossero i suoi impegni. Tuttavia, nel frattempo, lei si stava godendo una panoramica circolare di New York. Nick guardò di nuovo l'orologio. « Accidenti! »

« Qualcosa non va? »

« No. Salvo che dovrò lasciarti fra una ventina di minuti. Ho almeno cinquanta cose da stabilire con Jasper prima di stasera. »

« Che fortunato! A sentirti, ho l'impressione che finirà per vederti molto più lui di me! » Era quasi impermalita, ma tentò di nasconderlo. Del resto, non aveva nessun diritto di avere troppe pretese; erano lì tutti e due per lavorare, non per divertirsi.

« Mi spiace di aver perduto la tua trasmissione, Kate. Mi spiace sul serio, credimi. La prossima volta farò tutto il possibile per guardarla. Te lo prometto. Anche se sarò costretto a chiudere a chiave tutte le porte e a staccare tutti i telefoni! »

« E va bene, allora ti perdono. » Si baciarono proprio mentre stava arrivando il Louis Roederer. Uno champagne squisito, del 1955.

Mangiarono caviale su impalpabili fettine di pane bianco

tostato, crocchettine di pesce, indivia fresca, lamponi con la panna montata; e, in meno di mezz'ora, si scolarono tutta la bottiglia di champagne. Il risultato fu che Kate si appoggiò allo schienale sentendosi leggermente brilla dal vino.

« Lo sai... » guardò Nick con aria piena di filosofia e lui sorrise mentre firmava il conto. Grazie a Dio, esisteva una voce a parte per le spese di rappresentanza del produttore! « Sai una cosa... » riprese lei, « qualche volta è duro dimenticare che tutto questo può portare alla tragedia. »

« Be', si può sapere che cosa vorrebbe dire? » La guardò e stava per mettersi a ridere, ma di colpo ricordò Tom. « Soltanto se lasci che ti dia alla testa, Kate. Esistono sempre i mezzi di godersi il successo senza arrivare alla pazzia. »

« Ne sei sicuro? » Sembrava preoccupata. Non aveva dimenticato come quel genere di vita avesse distrutto Tom... e lei stessa.

« Tanta gente che conosco ci riesce perfettamente. Basta non perdere la giusta prospettiva. Si può riuscire a non dimenticare quali sono le cose che realmente importano. E poi, bisogna anche ricordarsi che il successo è bello, ma non è tutto. Sei fortunata, Kate. Tu hai qualcosa di vivo, di reale che ti aspetta quando torni a casa. C'è Tygue, c'è il tuo ambiente... »

« Hai dimenticato qualcosa. » Sembrava molto seria, non più sfavillante di gioia come prima.

« Che cosa avrei dimenticato? »

« Hai dimenticato che ho anche te, da ritrovare al mio ritorno a casa, signor Waterman. C'è anche questo. »

« Sì, certo. E vedi un po' di non dimenticarlo anche tu, signora Harper. »

Non se lo dimenticò. Anzi ci ripensò a lungo mentre rientrava in albergo a piedi, continuando a sentire l'effetto dello champagne. Era facile sentirsi ubriacati, esilarati dalla propria importanza, da pasti sontuosi in ristoranti di lusso, dall'adulazione, dall'attenzione e dal plauso degli altri. Kate doveva ammettere che tutto ciò la divertiva, ma la spaventava anche. D'un tratto, per la prima volta, comprese quali erano state le cose che avevano tentato Tom. Specialmente Tom, perché prima di ottenere il grande successo la sua vita era stata molto semplice. Gli era riuscito impossibile resistere allo scintillio favoloso di tutto quello che a poco a poco gli veniva offerto. Ma lei era forse molto diversa? Si sentiva più equilibrata e più saggia? Non ne era del tutto sicura.

Decise di salire in camera per smaltire quel vago senso di stordimento provocato dal vino con una bella dormita; venne svegliata dalla centralinista alle quattro. Aveva lasciato detto di essere chiamata a quell'ora, per il timore di continuare a dormire. Doveva trovarsi negli studi di una stazione radio del West Side per le sei. Ma, una volta là, la registrazione andò malissimo. L'intervistatore le fece una serie di domande sbagliate e continuò a punzecchiarla, incuriosito, per saperne di più su una donna come lei, una conoscitrice tanto profonda del mondo del football. Si trattava di un uomo aggressivo, insistente, un maschilista e Kate si accorse di trovare insopportabile ogni minuto di quel colloquio, pur ripetendosi che anche una pubblicità del genere sarebbe stata utile al libro. L'editore le aveva promesso un'automobile con un autista per riaccompagnarla all'albergo, ma non arrivarono né l'una né l'altro alla fine della trasmissione e, quindi, Kate si trovò a percorrere a piedi alcune strade tra le più pericolose di Manhattan, pregando in cuor suo di trovare un taxi. Erano le nove quando arrivò allo studio per incontrarsi con Nick. Questi aveva avuto una serata addirittura frenetica e già cominciavano a nascere problemi per il programma del giorno successivo. Erano le dieci e mezzo quando finalmente, accaldati e stanchi, entravano a *La Grenouille* ma, perfino lì, tutti quei cibi squisiti che le venivano proposti non attirarono più Kate. Si sentiva stanca, affaticata dal gran caldo e aveva solo una gran voglia di andarsene a letto. Invece, un fotografo di *Women's Wear Daily* le scattò una fotografia all'uscita, e Kate si accorse di rispondergli quasi con una smorfia di rabbia quando il flash la accecò per un istante.

« Su, su, Kate. Sono tutte cose che fanno parte della tua

giornata di lavoro, sono cose inevitabili! » Kate ebbe un lieve sospiro e poi gli sorrise.

« Non so. Stavo cominciando a pensare che, in fondo, rincorrere Tygue e Bert per tutto il giorno non è poi così male. »

« È quello che ti ho appena detto, bella signora. »

Fecero quattro passi per la Quinta Avenue sottobraccio e Kate si accorse di essere esausta quando finalmente riuscì a infilarsi a letto all'una di notte. Era quasi altrettanto stanca quando si svegliò il giorno dopo e, non appena Nick le mise in mano una copia del *Women's Wear Daily*, la sua faccia si accigliò. C'era la loro fotografia, ripresa mentre uscivano dal ristorante la sera prima: nella didascalia c'erano i loro nomi, il titolo del libro di Kate e non mancava neppure una battuta alquanto malevola sul suo vestito.

« Santo cielo, ci saranno stati almeno trentasei gradi ed era tutta la sera che mi sbattevo a destra e a sinistra. E poi si può sapere che cosa vogliono da me, in conclusione? »

Nick scoppiò a ridere e alzò le spalle mentre sorseggiava il caffè. « È il tuo grande momento, piccola. A New York, quando notano una persona, sparano a zero! Le loro non sono mai parole vane, quando fanno una critica! »

« Be', possono andare all'inferno. E poi non mi piace vedermi sui giornali. » Non nascose di essere molto innervosita mentre si accendeva una sigaretta. Era un modo schifoso di cominciare la giornata.

« Come fai a saperlo? Hai già provato? » Kate si limitò a fissarlo, senza dire niente. « Ehi, piccola, che cosa c'è? » Si sedette in silenzio sul letto e le prese una mano. « Hai fatto soltanto un po' di rumore sui giornali. Niente di così straordinario. »

« Il fatto è che odio questo genere di cose. Non sono affari loro, impiccioni! »

« Ma provano interesse per te. Sei nuova, intelligente, bella. Il tuo libro ha fatto colpo. Tutto ciò fa parte del successo. »

« Lo detesto. » Guardò Nick di nuovo con gli occhi pieni

di lacrime. Ecco, ricominciava tutto come prima. Le avrebbero guastato ogni cosa. Voleva tornarsene a casa.

« Ehi... su, andiamo, tesoro... ma non è niente! » La prese fra le braccia, abbassò gli occhi a guardarla. « E se ti dà tanto fastidio vederti spesso sui giornali, vuol dire che staremo più attenti. Per pranzo andremo in un posticino tranquillo. » Le scrisse il nome di un ristorante francese sulla Cinquantatreesima Strada dove sarebbero potuti passare inosservati, le diede un ultimo bacio e se ne andò per trovarsi con Jasper. Ma quando si incontrarono a pranzo, nel tessuto dell'eccitazione e dell'euforia di Kate era ancora intrecciato un filo di paura. Si accorse che si guardava intorno con cautela e anche a Nick tutto questo non sfuggì, perché la osservava molto attentamente.

« Che cosa c'è? »

« Niente. »

« Ti stai ancora preoccupando per i paparazzi? »

« Be'... più o meno. »

« Non farlo! Nessuno di loro vorrebbe farsi vedere qui dentro... neanche morto! E per quel che riguarda il *Women's Wear*, tutte le persone che vengono qui a mangiare non meritano neppure di essere citate da quel giornale! »

« Bene. » Parve sollevata e gli prese una mano. « La verità è che io detesto tutta questa roba. »

« Perché? » Perché non voleva dirglielo? Non si fidava ancora di lui? Neppure in quel momento?

« È una violenza che ti fanno! Quasi una specie di violenza fisica. Ti strappano gli abiti di dosso, fissano il tuo corpo e prendono ciò che vogliono. » Aveva assunto un'aria afflitta e Nick rise, sporgendosi leggermente verso di lei per esserle più vicino.

« Posso mettermi al primo posto della lista? »

« Oh, stai zitto! »

« Bene, dovresti cercare di non preoccupartene più tanto. Fa parte del complesso della pubblicità. Tutti, ormai, ci siamo abituati e non ci badiamo più. Del resto anch'io... sono stato chiamato nei modi più disparati... mi sono sentito definire in tutti i modi possibili, da sfrenato donnaiolo a finocchio... E con questo? » Kate alzò gli occhi a guardarlo e scoppiò a ridere.

« Ti hanno chiamato così? »

« Come no! Soprattutto la prima definizione è stata molto sfruttata. » Però non lo disse con orgoglio. Ma oramai tutto ciò apparteneva al passato. Dal giorno in cui aveva incontrato Kate, non aveva più degnato di uno sguardo nessuna altra donna. Da un mese e mezzo esatto. « Ehi, oggi è il nostro anniversario. »

« Certo! Un mese e mezzo preciso! » Lo guardò raggiante e dimenticò giornali e giornalisti. Che andassero al diavolo! Quello era ciò che realmente importava!

Quella sera cenarono al *21* con Jasper e un famoso produttore teatrale di New York. Poi Kate andò ad assistere alla registrazione dello spettacolo. Era piacevole conoscere meglio Jasper; si accorse che non le importava neppure che lui sapesse quali erano i suoi veri rapporti con Nick. Del resto sembrava che Jasper la approvasse entusiasticamente perché la trattava come una persona speciale, completamente diversa dalle altre.

Il giorno seguente si trovarono tutti per pranzo nella *suite* di Jasper al *Pierre* e, nel pomeriggio, insieme con Nick, Kate andò a comprare regali per Tygue da Schwarz, il più bel negozio di giocattoli del mondo.

« Vuoi che andiamo a provare la barca? »

« Adesso? » Rise, guardandolo, mentre uscivano. Era l'unica cosa che portavano con loro, tutto il resto era stato mandato all'albergo. Pistole, cinturone, speroni da cowboy, una biciclettina deliziosa e Kate aveva dovuto quasi litigare con Nick perché non gli comprasse una capanna di tronchi delle dimensioni adatte perché un bambino ci potesse giocare dentro. Nick avrebbe voluto comprargli di tutto, ma Kate non lo approvava e lui aveva capito. Kate avrebbe voluto acquistare qualche regalo anche per Tom, ma pensò che non avrebbe potuto farlo senza che Nick se ne accorgesse. Lui la stava guardando, tenendo stretta fra le mani la barca, un giocattolo raffinatissimo che poteva essere guidato a distanza. Tygue l'avrebbe adoperata sul laghetto.

« Senti, qui in Central Park c'è uno stagno che è la cosa più bella del mondo per questi modellini di barche. Dovresti vedere quante persone adulte e anche anziane ci si raccolgono intorno con i loro modellini di *schooners* e *windjammers*. Saremo surclassati! Ma è divertentissimo! »

E così fu, infatti. Passarono un paio d'ore intorno allo stagno, a chiacchierare con qualche uomo anziano, a guardare le barche, a sorridere alle bambinaie che passavano con le loro carrozzine all'inglese dalle ruote alte, contenenti deliziosi fagottini avvolti in trine. Manhattan dava subito l'impressione di essere abitata da persone spaventosamente ricche o spaventosamente povere e che quelle che stavano in mezzo fossero state bandite e ricacciate altrove. Nel New Jersey, magari. Oppure nel Bronx.

Uscirono lentamente dal parco, passando vicino allo zoo e Kate si fermò per un attimo al recinto dove i bambini potevano fare una passeggiata su un carrozzino tirato da un pony. « Come vorrei che Tygue fosse qui. Chissà quanto gli piacerebbe! ».

« Magari verrà la prossima volta. » Le prese la mano e gliela strinse più forte passandola sotto il proprio braccio, pensò al bambino e poi abbassò di nuovo gli occhi verso Kate. « Vuoi fare un giro con il pony, Cenerentola? »

« Stai scherzando? » Kate scoppiò a ridere. « Manderei in pezzi il carrozzino. Oppure ucciderei il cavallo. » I carrozzini trainati dai pony erano infatti piccolissimi, adatti ai bambini.

« Rispondi un po' alla mia domanda. »

« Ma si può sapere che cosa hai in mente? »

« Vedrai. » Uscì lentamente con Kate dal parco e si diresse verso la fila di carrozzelle che si allungava lungo la Cinquannovesima Strada. Lì si fermò un momento, parlò con uno dei cocchieri che indossavano il cilindro e infine porse la mano a Kate per aiutarla a salire. « Questa è della nostra misura! » Faceva ancora un caldo soffocante, ma Kate si era quasi abituata a quella temperatura. Erano già le cinque del pomeriggio quando cominciarono la loro passeggiata lenta, pigra, senza fretta, attraverso il parco, su quella carrozza antiquata, che odorava vagamente di muffa. La gente li guardava e sorrideva, i bambini li salutavano con la mano. Era come vivere in una fiaba. Quando si fermarono a un semaforo, verso l'interno del parco, Nick scese a comprare un gelato per tutti e due. Un'ora dopo ordinò al cocchiere di lasciarli davanti all'albergo.

« Mi sembra addirittura di puzzare di cavallo! » gli sussurrò con una risatina mentre passavano con aria seria e compunta davanti al grande banco di marmo del portiere.

« Mi è piaciuto pazzamente. » Nick scoppiò a ridere accorgendosi che Kate aveva un baffo di gelato sul mento. « Sei ridotta in uno stato... » ma non vedeva il momento di poter richiudere la porta della camera alle loro spalle. Passarono un'oretta a letto e poi dovettero uscire di corsa. Nick, per occuparsi dello spettacolo di Jasper e Kate perché doveva partecipare a una trasmissione analoga per una emittente televisiva concorrente.

Andò molto bene, come pure le due interviste radiofoniche del giorno successivo. La seconda ebbe addirittura l'effetto di una bomba: sembrava che nessuno sapesse chi fosse e per quale motivo fosse lì. Anche sui giornali non si sentì più parlare di lei. Kate si stava godendo molto quel viaggio, malgrado avesse un ritmo così frenetico, e si stupì enormemente nell'accorgersi di come si era abituata rapidamente alle interviste e alle macchine da presa. Quando partecipò al programma di Jasper si sentì molto meno nervosa della volta precedente. Lasciò che fosse Nick ad aiutarla a scegliere il vestito da indossare, un modello di sartoria grigio perla, di stoffa morbida e aderente. Era il vestito più sexy che le fosse mai capitato di vedere e al tempo stesso aveva un grande stile e una notevole classe. Era l'abito perfetto per lei. Perfino Jasper non nascose il proprio compiacimento quando gli si presentò davanti. Era una donna bellissima, dall'aspetto singolare. Faceva colpo. Tanto che la sua apparizione in quello spettacolo televisivo poté essere considerata come il massimo momento di successo di tutto il viaggio.

« E allora, signor Waterman, quali impegni abbiamo per oggi? »

« Non saprei. Hai voglia di andare al mare? Potrebbe essere piacevole ritrovarsi di nuovo su una spiaggia. » Era sabato.

« Ma ce ne sono qui intorno? Credevo che nessuno ci pensasse più ad andare alla spiaggia... che non fosse né abbastanza elegante né divertente! »

« Southhampton. » Si distese di nuovo al fianco di Kate, per contemplare la donna che amava e, proprio in quel momento, squillò il telefono. « Rispondi tu. Questa è la tua stanza. O te ne sei dimenticata? » Pensava a tutto.

« Pronto? » Si aspettava che fosse Licia, oppure Jasper per Nick. Chi altro poteva chiamarla? Invece, no. Si trattava di Tillie. « Davvero? E come ha fatto? Cosa... oh, mio Dio! Ma adesso sta bene? » Si era messa a sedere di scatto e Nick aggrottò le sopracciglia, preoccupato. « Adesso? E perché lo hanno trattenuto? Non può tornare a casa? » Quella conversazione, di cui sentiva soltanto una parte, stava allarmando incredibilmente Nick, tanto che cominciò a fare domande, ma Kate con un gesto lo pregò di tacere. « Questo pomeriggio? Va bene. Vedrò di fare quello che posso. » Riattaccò con la fronte aggrottata, guardò Nick, poi abbassò gli occhi sulle proprie mani in grembo e sospirò. « Accidenti. »

« Si può sapere che cosa diavolo è successo? »

« Tygue è caduto dal cancello del ranch degli Adams e si è rotto un braccio. Tillie dice che ci stava facendo l'altalena sopra, con Joey, ma è caduto all'indietro. In un primo tempo pensavano che gli fosse venuta anche una commozione cerebrale e, così, lo hanno trattenuto all'ospedale per tutta la notte. Tillie dice che ha cercato di chiamarci ieri sera ma che non ci ha trovati e che aveva paura di lasciarmi un messaggio per il timore che mi agitassi troppo. Dannazione! » Scese di scatto dal letto e cominciò a camminare su e giù per la stanza a lunghi passi.

« Povero piccolino! Sono ben sicuri che non ci sia nessun

pericolo di commozione cerebrale? E si può sapere in che ospedale Tillie lo ha portato? » Nick, d'un tratto, aveva preso l'aria molto preoccupata, e Kate sorrise.

« È a Santa Barbara, e sta bene. Nel pomeriggio lo rimandano a casa. Adesso non gli resta altro che la noia del braccio ingessato. »

Nick guardò l'orologio. « Se ti metto su un aereo fra un'ora, potresti arrivare laggiù a mezzogiorno, secondo l'ora della California, prendere un altro aereo per Santa Barbara... diavolo, Kate, potresti arrivare per le due. » Le sorrise con aria incoraggiante mentre Kate si lasciava cadere su una poltrona.

« Già, lo so. »

« Be', si può sapere che cosa ti prende? » Nick la fissò, confuso. « Perché torni a casa, vero? »

« Non credo di avere altra scelta. » Però, a guardarla, sembrava che ne desiderasse disperatamente una.

« Si può sapere che cosa vuol dire questo? » Era la prima volta che le succedeva di vedergli prendere un'aria così antipatica. Anzi, sembrava addirittura sbalordito.

« Significa che so bene di dover tornare a casa, ma non ne ho voglia. Mi divertivo talmente! E poi Tillie dice che il bambino sta bene; ma so benissimo che, se non tornassi, mi sentirei piena di rimorsi e lui mi detesterebbe e... oh, Nick! Erano sette anni che non facevo niente e tutto è stato talmente bello! »

« Accidenti, non è colpa sua se ti sei voluta chiudere in un armadio per tutti questi anni. Sei sua madre! » Nick si era addirittura messo a urlare. Kate ne restò stupefatta.

« Va bene. Lo so. Però esisto anch'io. Sono me stessa. Non soltanto la mamma, sono Kate. Ho quasi trent'anni e da sei non ho fatto che essere la mamma. Una mamma a tempo pieno. Non ho il diritto a qualcosa di più? »

« Certo, ma non a spese sue, bella signora. Mai e poi mai a sue spese! » Si era messo anche lui a camminare a grandi passi su e giù per la stanza, furioso. « Permetti che ti dica una cosa, Kate. Dalla mia posizione ho visto un sacco di gente schifosa andare e venire. Rovinano la loro vita, fanno i cavoli loro a spese dei bambini, imbrogliano i mariti, mandano a monte i loro matrimoni e... sai perché? Perché sono tanto maledettamente innamorati di se stessi che non riescono più a vedere le cose in modo obiettivo. Adorano il rumore, le luci, le presentazioni e gli applausi, le telecamere e i microfoni, e sai un'altra cosa ancora? Comincio ad accorgermi che perfino tu ti stai lasciando prendere la mano e cominci a essere affascinata da tutte queste balle. Bene, vedi un po' di fare un grosso favore a te stessa, a Tygue e a me, bambina... rinuncia a cadere in questa trappola. Perché non c'è niente di bello lì dentro. D'accordo, la fama sarà una gran bella cosa, ma solo finché dura, e poi non c'è altro. E adesso il tuo bambino si è rotto un braccio e tu te ne ritorni a casa, non c'è altro da aggiungere. » Si sporse oltre Kate, afferrò il microfono e domandò alla centralinista dell'albergo di essere messo in comunicazione con gli uffici della TWA. Ma prima che riuscisse a finire di parlare, Kate aveva posato un dito sulla forcella del telefono, interrompendo la comunicazione. Nick la guardò sbalordito. Gli occhi di Kate scintillavano ma, quando parlò, la sua voce era sommessa.

« Non azzardarti mai più a fare una cosa simile. Quando avrò voglia di telefonare alle linee aeree, lo farò io. Quando deciderò di tornare a casa, te lo farò sapere. E quando avrò bisogno dei tuoi consigli sulle mie responsabilità materne, te li chiederò. Nel frattempo, caro signore, tieni per te le tue idee, le tue minacce e la tua giusta indignazione. » Si alzò in piedi e attraversò la stanza, girandogli le spalle. Quando raggiunse la finestra si voltò a guardarlo e Nick pensò di non aver mai visto un tale furore su un volto femminile. « Ho dato tutto a quel bambino, per anni. Tutto ciò che avevo, tutto ciò che sono stata, tutto ciò che sapevo dare è stato suo. Ma adesso è venuto il mio turno. E so, meglio di chiunque altro, il prezzo che bisogna pagare. Ho visto una persona che amavo ammalarsi di quel cancro che è la celebrità, la fama e tutte le balle che le vanno insieme. So tutto su questo argomento, grazie. E ne sono terrorizzata. Ma questo non significa neppure che voglio essere sepolta viva. Ho già commesso questo delitto contro me stessa per anni e adesso ne ho abbastanza. Ho diritto a tutto ciò. Ho il diritto al tempo che passo con te, che dedico alla mia carriera, alla mia stessa vita e, se sono delusa perché adesso devo tornare alla realtà, be'... ho diritto anche a questo. Ma non tentare mai più il giochetto che mi hai appena fatto, del senso di colpa, e non osare mai più dirmi ciò che devo a quel bambino. So bene ciò che devo a Tygue e, credimi, è un debito che ho pagato. E ricordati di non dirmi mai più che cosa devo fare. È qualcosa che ho già fatto. L'ho già sperimentato. Mi sono affidata a un uomo a tal punto che non mi era rimasto più nulla di me stessa. Ho lasciato che fosse lui a prendere tutte le mie decisioni, mi piaceva, mi piaceva anche lui, ma sono rimasta quasi ferita a morte quando lui non è stato più lì a decidere e a scegliere per me, a dirmi che cosa dovevo fare. Così sono cresciuta. Sono diventata adulta, ho preso da sola le mie decisioni. E mi piace così. Ti amo, Nick, ma non dovrai dirmi mai più quando è il momento di andarmene a casa. Sarò io a prendere quella decisione. È chiaro? Perfettamente chiaro? » Lui annuì in silenzio e Kate attraversò di nuovo la stanza a testa china. Si fermò quando si trovò proprio di fronte a lui.

« Mi spiace se ho detto troppo, Nick. Ma la strada da là in fondo a qui, dove sono adesso, è stata lunga e dura e ho pagato un prezzo terribile per tutto ciò che adesso possiedo. E non so ancora come affrontare chi vuole ficcare il naso nelle mie faccende. Non so neppure come saprei trattare una persona disposta ad aiutarmi. E poi, adesso, mi stanno succedendo tutte queste cose, tanto nuove e diverse. Ho bisogno di assorbirle nel mio cervello... chissà, forse quella di tornarmene a casa non è poi una idea così brutta! » La sua voce era rauca e aspra quando concluse ciò che voleva dire. Allungò una mano verso il telefono. Chiese di parlare con quella stessa linea aerea con la quale Nick aveva chiesto di essere messo in comunicazione solo un momento prima. Lui tacque. Si limitò ad ascoltarla mentre prenotava un posto sul volo successivo. Si alzò quando Kate ebbe finito di parlare al telefono e rimasero tutt'e due immobili e in silenzio per un attimo; nessuno dei due parlava, nessuno dei due era sicuro di ciò che poteva dire, erano entrambi profondamente sconvolti da ciò che avevano provato e detto. Fu Kate a parlare per prima. « Mi spiace, Nick. »

« Non devi dispiacerti. Non avevo nessun diritto... » La attirò dolcemente fra le braccia e sospirò. Avrebbe voluto fare qualsiasi cosa per lei, perché sapeva che nessuno lo aveva fatto da tanto tempo, ma capiva anche come Kate dovesse abituarsi alla nuova vita per conto proprio. Voleva risparmiarle il dolore e il duro prezzo da pagare, ma si rese conto di non poterlo fare. La tenne stretta contro di sé a lungo, poi le allungò uno sculaccione e si staccò da lei. « Sarà meglio che ti prepari, altrimenti perderai quel volo. »

« No, non lo perderò. » Sorrideva: un sorriso lieve, femminile, che contagiò Nick.

« Senti un po', tu... »

« Oh, sta' zitto. » Lo prese per mano e lo condusse dolcemente in camera da letto, la camera dove avevano dormito insieme durante il loro soggiorno a New York, e lo attirò sul letto, con sé, cominciando a ridere. « Non essere così serio, Nick. Non sta crollando il mondo! » Anzi, a dire la verità, aveva l'impressione che stesse per cominciare allora. E mentre Nick le toglieva con gentilezza la camicia, lo attirò a sé, con una bramosia e un fremito di desiderio che faticava a controllare. Lo attirò a sé, spasimando con la bocca e con tutto il corpo per averlo.

25

« TILLIE, potrebbe fermarsi con Tygue qualche ora? »

« Certo. Vengo subito. »

Kate sorrise mentre riattaccava. Nick stava tornando da New York. Erano separati da una settimana soltanto, ma le era sembrata lunga come anni! L'ingessatura di Tygue gli provocava prurito al braccio e gli dava una continua irrequietezza. Era stata a trovare Tom un paio di volte, ma aveva trovato anche lui un po' giù di corda. Sembrava stanco, emaciato, e Kate si era accorta che aveva perduto un po' di peso. La seconda volta, quando lei stava per partire, si era messo a piangere. Tutti pretendevano qualcosa da lei. Del resto non era certo diverso dal passato. Solo che lei si sentiva ormai diversa. Quella settimana non aveva fatto che rammentarle costantemente cos'era stata la sua vita prima di Nick. Ma ora lui tornava a casa. E lei aveva due capitoli di un nuovo libro da mostrargli.

« Dove vai? » Tygue parve imbronciato quando le vide tirar fuori il vestito di lino color corallo che aveva messo a New York.

« A prendere Nick. Voglio fargli una sorpresa. » Poi si pentì; pensò che avrebbe fatto meglio a non dirlo perché il bambino sarebbe voluto andare con lei. Infatti il faccino di Tygue si illuminò tutto, come uno dei fuochi d'artificio che si facevano scoppiare il giorno dell'anniversario dell'Indipendenza.

« Torna a casa? » Kate annuì, con un sorriso. Aveva anche lei la stessa sensazione di gioia esilarante.

« Posso venire? » Lei tacque per un attimo, che sembrò eterno, e poi sospirò.

« E va bene, prepotente che non sei altro, hai vinto tu! » Società Anonima Maternità. D'un tratto aveva provato un gran desiderio di restare sola. Però sapeva che Nick sarebbe stato felice di vedere Tygue. Così si affrettò a ritelefonare a Tillie e disse a Tygue di cambiarsi vestito. Ormai riusciva a cavarsela discretamente da solo, malgrado l'ingessatura.

Mezz'ora dopo erano in macchina. Tygue si era messo i nuovi stivali da cowboy e il suo cappello preferito e Kate si sentiva bella ed elegante nell'abito color corallo. Era così piacevole portare bei vestiti! Cominciava a essere stufa di blue jeans e vecchie camicette.

Avevano tre ore e mezzo di strada per arrivare all'aeroporto e fecero appena in tempo. Si precipitarono all'uscita proprio nel momento in cui Nick scendeva dall'aereo. Tygue si mise a gridare il suo nome e Kate gli si fermò al fianco, senza fiato. Avevano fatto una corsa pazza attraverso tutto l'aeroporto.

« Ehi, Tigre! » Nick guardò il bambino, sbalordito, e poi alzò gli occhi verso sua madre. Erano anni che nessuno lo andava più ad accogliere quando arrivava con l'aereo. Restò lì immobile, estasiato, con il bambino fra le braccia. E bastò l'abbraccio che diede a Kate per farle capire che importanza avesse avuto per lui quella sorpresa.

« Ti abbiamo portato un regalo! » Anche il bambino era al settimo cielo per la gioia. Fermi lì, in gruppo, tutti e tre, bloccavano letteralmente il traffico.

« Davvero? »

« Certo. È un ritratto di Brownie con me in groppa. La mamma lo ha fatto incorniciare per la tua scrivania. »

« Ma è favoloso! » Circondò le spalle di Kate con un braccio mentre si incamminavano lentamente verso l'uscita. « Ciao, tesoro », mormorò sommessamente, perché lo sentisse soltanto lei, e Kate si allungò di nuovo per dargli un altro bacio.

« Mi sei mancato in un modo terribile. »

Lui per tutta risposta alzò gli occhi al cielo, la strinse più forte a sé e poi dedicò di nuovo tutta la propria attenzione a Tygue.

« Sei mancato anche a me, Nick. E... pensa che posso cavalcare Brownie anche con questo braccio. »

« Ti sembra una buona idea? » Guardò Kate un po' accigliato.

« Il dottore dice che non gli farà niente, basta che non vada al galoppo. Così vanno al passo! »

« Okay. »

Ritirarono le valigie mentre chiacchieravano del più e del meno, saltando continuamente da un argomento all'altro, e raggiunsero la macchina. Continuarono a chiacchierare per tutta la strada fino a casa dove perfino Bert sembrò felice di rivedere Nick.

« Ecco, adesso la famiglia è tutta riunita! » esclamò Tygue con un tono talmente fervido che Kate sentì una stretta al cuore. Cominciava ad attaccarsi troppo a Nick. Del resto, non era l'unico a mostrare tutto quell'affetto. Perché anche Nick sembrava non riuscire a staccarsi dal piccino. Prima di cena, provarono tutti i suoi nuovi giocattoli.

« Ma aspetta di vedere come va la barca! La tua mamma e io la abbiamo provata a New York. » A quel ricordo, si scambiarono un sorriso.

« Hanno un lago, a New York? »

« Be', è uno stagno per le barche. E uno zoo. E un posto dove i pony tirano le carrozzelle per i bambini. Un giorno o l'altro ti ci portiamo. Anzi, giovanotto, visto che ne parliamo, avevo in mente un altro viaggetto per te. »

« Davvero? » Tygue sbarrò gli occhi. Nick era sempre pieno di sorprese e Kate tacque aspettando di sentire una proposta di weekend a Santa Barbara. Ma stavolta anche lei rimase sorpresa.

« Lo sai che cosa facciamo domani tutti insieme? »

Tygue scosse la testa senza dire una parola.
« Andiamo a Disneyland! »
« Davvero? » Aveva gli occhi che gli uscivano dalle orbite per la meraviglia; Kate e Nick si misero a ridere.
« Certo. Noi tre. »
« Come diavolo sei riuscito a combinarlo? » Kate gli si avvicinò e gli circondò la vita con un braccio.
« Jasper è partito per la Francia del sud. Resterà via una settimana. Così sono tutto tuo. Se riuscirai a sopportarmi. » Dopo una settimana a New York, in cui aveva lavorato come un matto e si era fatto in quattro per organizzare il suo programma, era dispostissimo ad accompagnarli a Disneyland. Kate alzò gli occhi a guardarlo, stupefatta.
« Signor Waterman, devo essere la donna più fortunata del mondo. »
« Niente affatto. Sono io, a essere l'uomo più fortunato della terra! »

La gita a Disneyland fu perfetta. Tornarono a casa tre giorni dopo, esausti e felici; passarono una giornata da Kate, poi ripartirono per trascorrere il weekend a Santa Barbara. Per tutta la settimana Kate non era andata a Carmel, ma si accorse che non gliene importava nulla. Era felice lì, dov'era in quel momento. E poi Tom aveva il signor Erhard. Per una volta, avrebbe potuto bastargli. Ormai lei aveva la propria vita da vivere.
« Ci vediamo il prossimo weekend, Tigre. »
« Ma io voglio vederti anche prima! » Nick sarebbe stato lì, da loro, ogni sera, ma questo Tygue non lo sapeva.
« Be', può darsi! »
Nick non poteva certo immaginare come avrebbe mantenuto quella promessa; lo avrebbe saputo solo il giorno dopo. Era partito per tornare da Kate alle quattro del pomeriggio; arrivò alle sette. Kate in un primo momento rimase stupita di vederlo, poi si allarmò. C'era qualcosa di terribilmente triste sul suo volto, ma Nick insistette nel ripeterle che avrebbero parlato soltanto quando Tygue fosse andato a letto.

« E va bene, adesso raccontami tutto. Non riesco più a sopportare di non saperlo! » Avevano appena chiuso la porta della camera da letto di Tygue.

« Ho parlato con Jasper quest'oggi, Kate. E... si è deciso. » Era stato licenziato? Dio mio, aveva un aspetto spaventoso. Kate gli prese una mano.

« A proposito di che? »

« Il programma di Jasper si trasferisce a San Francisco. »

« Quando? »

« Fra un mese e mezzo. »

« Ed è così terribile? » Kate non capiva ancora bene.

« Direi di sì. Non ti sembra? Nel migliore dei casi si tratta sempre di un viaggio di cinque ore. Magari anche sei. Non potrò andare a San Francisco ogni mattina e tornare la sera. Non sarebbe bene, neppure per te. » Così, a quel punto, che cosa restava? Restavano i weekend? Tuttavia Kate gli sorrise e lo prese fra le braccia.

« È per questo che sei così sconvolto? Dio mio, credevo che ti avessero licenziato. »

« È quasi la stessa cosa. » Era tutto il giorno che pensava di dare le dimissioni. Perbacco, c'era almeno un'altra dozzina di programmi, lì a Los Angeles, dove lo avrebbero accolto a braccia aperte. Ma Kate lo stava fissando sbalordita.

« Sei impazzito? Che cosa ci guadagneresti? »

« Finirò per non vederti più, accidenti! Ma questo non ha importanza per te? »

La stava guardando come se avesse una gran voglia di piangere e invece Kate gli sorrise.

« Vuol dire che mi trasferirò a San Francisco. E con questo? » Lo guardò come se Nick fosse addirittura ridicolo e lui chiuse gli occhi e poi li riaprì con un sorriso stanco.

« Faresti una cosa simile per me, Kate? »

« Certo! Oppure ti creerebbe altri problemi? » Forse non era proprio ciò che Nick poteva desiderare, a ben pensarci. Forse voleva ancora che gli restasse un po' della sua libertà. Del resto, era la stessa cosa anche per lei. Ma sarebbero potuti ugualmente restare liberi senza perdere se stessi.

« Problemi? Bella signora, sei straordinaria! » Poi gli balenò un altro pensiero. « Ma, e questa casa? »

« Potremmo adoperarla durante il weekend. E poi, sarebbe il momento perfetto anche per la scuola. Potremo iscrivere Tygue in una scuola della città così riuscirà a cominciare l'anno scolastico il mese prossimo come tutti gli altri bambini. » Aveva già pensato anche a questo fin dall'ultima volta che Nick le aveva menzionato la possibilità di un trasferimento. Però non gliene aveva mai accennato, mentre lui si era tormentato a lungo.

« Stai parlando sul serio, Kate? » Non riusciva ancora a crederci. Però lei aveva un'aria molto seria. E Nick si accorse di non sapere più se ridere o piangere o mettersi a ballare per la gioia.

« Naturale che sono seria, principe Azzurro. »

« Oh, Kate... » La prese fra le braccia e la tenne stretta a lungo. Inutili erano state quelle settimane di angoscia. Avrebbero cominciato una vita completamente nuova. Insieme.

26

Il rumore dei suoi tacchi risuonò nella stanza vuota, levando un'eco dietro le sue spalle. Era una stanza ampia, con un'enorme finestra che dava sulla baia. I pavimenti erano di legno scuro, intarsiato, e alle pareti erano infissi candelabri di bronzo. A sinistra si poteva arrivare con lo sguardo fino al Golden Gate Bridge e destra fino ad Alcatraz, mentre dritto davanti c'era Angel Island.

« Certo che la vista è stupefacente. » Kate fece segno di sì con la testa, compiaciuta, ma non aggiunse altro. La vista era bella, splendida... e tuttavia le ricordava un poco la casa in cui aveva abitato con Tom. Però era una stupidaggine, a pensarci! Perché allora avevano occupato solo un appartamento, qui invece si trattava di una casa intera. E molto bella. Nick aveva detto di volere una casa.

Si soffermò un attimo in sala da pranzo, dove si godeva la stessa vista della baia, con le spalle al camino. La stanza era calda e accogliente con il soffitto a travi di legno e una serie di finestre ad arco. Socchiuse gli occhi, cercando di immaginare tende di organza e piante verdi, cuscini invitanti sui sedili nel vano delle finestre, un soffice tappeto candido, un grande tavolo di legno scuro, dalle tonalità calde e intense... socchiuse di nuovo gli occhi, vedendo già tutto, e abbozzò un sorriso.

« Torno di sopra a dare un'altra occhiata al panorama. » L'agente immobiliare annuì, silenziosamente, questa volta: era stanca. Ormai si dedicavano a tutto ciò da ben tre giorni e non era rimasto più nulla da mostrare. Kate aveva già esaminato tutto. Stanze di soggiorno col pavimento più basso rispetto alle altre, vedute panoramiche spettacolose, case con sette camere da letto, oppure con tre soltanto, *boiseries* alle pareti, pavimenti di marmo, sbilenche e strampalate costruzioni vittoriane che avrebbero richiesto grossi lavori di ristrutturazione. Aveva visto tutto, da edifici decrepiti ad abitazioni regali, a Pacific Heights e a Presidio Heights, lungo Presidio Wall e su Lake Street e perfino in Russian Hill. Tuttavia sembrava che sapesse con esattezza ciò che desiderava e, almeno apparentemente, non lo aveva ancora trovato. Quel tipo di compratore era il peggiore. Perché Kate non si sarebbe accontentata di niente di meno della casa che aveva già in mente, in tutti i suoi dettagli. L'agente immobiliare si lasciò cadere pesantemente sul sedile sotto la finestra e sfogliò la sua agenda per la trentesima volta in tre giorni. Quella era l'unica possibilità. Era l'ultima casa da affittare fra tutte quelle disponibili che aveva sotto mano. Poteva sentire Kate che si aggirava per le stanze del piano di sopra; ma, a un certo momento, si accorse che il rumore si fermava.

Al piano di sopra, Kate stava contemplando la vista che si aveva dalla camera da letto matrimoniale. Era sempre un panorama della baia, e gli accoglienti sedili, nel vano delle finestre, erano gli stessi che aveva visto al pianterreno in sala da pranzo; poi c'era un piccolo camino con la mensola di marmo e uno spogliatoio talmente striminzito che, lì dentro, anche una pulce avrebbe fatto fatica a cambiarsi le scarpe. Tuttavia quella casa aveva un'atmosfera calda, amichevole e accogliente. Riusciva a immaginare Nick che la incrociava in anticamera, che la sfiorava per entrare, di sbieco, nello spogliatoio e che le allungava un pizzicotto sul sedere mentre apriva il grande armadio a muro per cercarvi qualcosa. Riusciva a immaginarsi seduta sul sedile, nel vano della finestra, insieme con Tygue, a contemplare la baia nell'ora del crepuscolo, a parlargli di qualche argomento serio e importante, come il baseball o le vipere. Riusciva perfino a immaginare Bert in quella casa, a zampettare per le stanze. C'erano altre due camere da letto al secondo piano: una molto ampia, che dava sul giardino di fronte alla casa, con molto sole e lunghe portefinestre. Sarebbe stata adatta a Tygue. E poi c'era un'altra stanza altrettanto carina. Magari per gli ospiti. A dire la verità non occorreva realmente, però era sempre utile averla. Infine c'era anche una piccolissima camera da letto per la cameriera dietro la cucina, che Kate avrebbe potuto adoperare come studio. Non era molto graziosa ma, se non altro, avrebbe potuto offrirle un posto dove riuscire a scrivere in tranquillità.

La cucina, che aveva visto al piano terreno, era ampia e simpatica, poteva anche essere usata per i pasti quando non c'erano ospiti. Aveva due pareti di mattoni e una griglia per il *barbecue*; quanto al resto, era tutto giallo, anche il pavimento di maiolica. Le persone che avevano affittato la casa prima di lei avevano portato quelle piastrelle dal Portogallo. Era un locale perfetto. Tutto ciò che occorreva era qualche pentola di rame e una serie di ganci alle pareti ai quali attaccare salami e mazzi di peperoncino rosso... una mensola su cui mettere vasi di vetro pieni di spezie, le tende e quel tavolo, costituito da un grosso blocco di legno, simile a quello che usano i macellai, che Nick aveva già nella cucina di casa sua. Kate avrebbe portato molto poco dalla sua casa di campagna. Soltanto qualche oggetto a cui teneva particolarmente, qualche bel mobile che aveva acquistato negli anni. Per quel che riguardava le cose di uso quotidiano, Nick aveva detto che si potevano sempre comperare. Sarebbe stato un po' strano mettere su casa con lui, senza essere sposati, perché in tal caso... quale oggetto sarebbe appartenuto all'uno o all'altra di loro? E chi avrebbe dovuto decidere che cosa acquistare? D'altra parte sembrava che a Nick quella soluzione andasse benissimo e le dava praticamente carta bianca.

Kate si guardò intorno di nuovo nella camera da letto che sarebbe stata di Tygue e si sporse a guardare il piccolo giardino ben curato. Era circondato da un'alta siepe che avrebbe consentito una certa solitudine, un po' di isolamento, con un cancelletto in modo che Bert non avrebbe mai potuto smarrirsi. In realtà sembrava che la casa avesse tutto ciò che occorreva. Il panorama, i camini e gli alti soffitti che, secondo Nick, erano indispensabili; una elegante scala ricurva che portava ai piani superiori e tre camere da letto, una più del necessario. Non solo, ma c'era anche quella stanzetta un po' buia vicino alla cucina in cui lei avrebbe potuto lavorare. Il suo futuro studio era l'unico ambiente che le piacesse poco, ma tutto il resto sembrava proprio ciò che desideravano. Si mise a sedere in cima alle scale e alzò gli occhi. Proprio sulla sua testa c'era un lucernario e a destra una porta socchiusa. Forse altri armadi a muro. Si spinse un po' all'indietro per guardare meglio. No, sembrava una rampa di scale. Aggrottò le sopracciglia, si alzò in piedi e chiamò l'agente che era sempre al pianterreno ad aspettarla.

« C'è ancora qualcosa disopra? »

Udì il fruscio, ormai familiare, delle pagine dell'agenda voltate rapidamente e poi un incerto: « Non ne sono sicura ». Quando si avviò verso quella porta, l'agente immobiliare giunse ai piedi delle scale. « Potrebbe essere una specie di attico. Ma non se ne parla nelle indicazioni che possiedo. Qui si dice soltanto che in casa ci sono 'tre camere da letto, uno studio e la camera della cameriera'. »

« Studio? » Non lo aveva visto. Dov'era, dunque, lo studio?

La scala era stretta, ma fornita di una passatoia; le pareti erano tappezzate ancora con quella che sembrava una seta beige, piuttosto nuova all'apparenza. Un po' difficile pensare che qualcuno avesse tappezzato in modo tanto prezioso le scale che portavano alle soffitte, ma Kate, quando raggiunse l'ultimo gradino delle scale, capì finalmente per quale motivo era stato fatto così. Questa non era una soffitta, non era neppure uno studio, era un'oasi, un sogno. Si trattava di una stanza piuttoso piccola, ben proporzionata, con le pareti coperte di *boiserie*, un camino e una vista circolare su San Francisco. La baia, il Presidio, il centro della città, e le colline verso sud. I locali erano coperti da una moquette ancora abbastanza bella, possedevano quelle finestre ad arco che ormai le erano familiari, ed esisteva perfino una piccola terrazza coperta, una specie di solarium, che sarebbe stata paradisiaca, una volta che Kate l'avesse riempita di piante. E ci sarebbe stato ugualmente lo spazio necessario per una scrivania e i suoi schedari. Quella piccola specie di veranda aveva due porte-finestre che non toglievano nulla al panorama, ma consentivano ugualmente di rinchiudersi lì dentro a chi avesse voluto un po' di silenzio e di solitudine... Lo studio perfetto di una scrittrice! E che posto meraviglioso per starci seduta tranquillamente con Nick, quando fosse tornato a casa dopo aver lavorato! Avrebbero potuto accendere il fuoco e contemplare la città. Sarebbe stato un loro nascondiglio segreto, tutto speciale, un locale da colmare di bellezza e di bambini e di amore. Del resto, era così l'intera palazzina. Una casa proprio come Kate l'avrebbe voluta. Anzi, ancora meglio. Esattamente ciò che aveva sempre sognato pur sapendo che non l'avrebbero mai trovata. C'erano bellezza, eleganza, semplicità, calore, solitudine, silenzio e comodità. L'agente immobiliare aveva pensato che Kate fosse un po' matta quando le aveva elencato tutti i requisiti che andava cercando. E invece li aveva trovati tutti in una sola casa. Fra l'altro non assomigliava neppure lontanamente a quella in cui aveva abitato con Tom.

« La prendiamo », disse in tono deciso mentre si voltava verso la donna che l'aveva seguita fin lì.

« Effettivamente è una casa notevole », disse l'altra di rimando.

Kate annuì con aria vittoriosa. « È perfetta. » Sembrava raggiante. Non vedeva l'ora di mostrarla a Nick. « Quando sarà possibile averla? »

« Domani. » L'agente immobiliare scoppiò a ridere. Dopotutto, ce l'avevano fatta. Non riusciva ancora a esserne convinta. Perché era stata sicura che, con una cliente come quella, non ci fossero speranze! Era una donna che voleva un sacco di cose e non si accontentava di nulla di meno delle sue aspirazioni. Effettivamente quella stanza all'ultimo piano trasformava la casa in una scoperta incredibile. Come accidenti era successo che nessun altro l'avesse acchiappata al volo? Forse nessun altro si era accorto di quel luogo appartato! In realtà non era elencato fra i locali della casa. « Qui c'è scritto che è libera e disponibile anche subito. Basta preparare il contratto ed è tutta sua. »

« A dir la verità dovrei farla vedere a... a mio marito. Ma ne sono assolutamente sicura. È proprio quella che cercavo. Anzi, per non correre rischi... quanto vorreste come deposito? » L'agente immobiliare controllò sulla sua agenda e pronunciò una cifra che non era assolutamente eccezionale. Kate avrebbe voluto urlare: « Soltanto? » Ma riuscì a trattenersi. Era un'occasione troppo bella per lasciarsela scappare. Compilò rapidamente un assegno e lo consegnò alla donna. « Torno con lui, per fargliela vedere, stasera. »

Così fece e anche Nick si innamorò immediatamente di quella casa. « Non è favolosa? » Con lui, Kate poteva mostrare tutto il proprio entusiasmo. « Oh, Nick, la trovo stupenda, meravigliosa! » E si lasciò cadere su uno dei sedili nel vano delle finestre con un ampio sorriso.

« Io trovo meravigliosa te. » Le si avvicinò con un sorriso felice, poi guardò il panorama della baia. « Però amo anche questa casa. Penso che sarà magnifica quando tu e Tygue ci abiterete. »

« E Bert. » Kate si affrettò a correggerlo con un'occhiata severa.

« Scusami. E Bert. Ma Brownie no, per piacere. Ho già telefonato alle scuderie che ci sono nel parco. Hanno un posto confortevolissimo a disposizione di Brownie. E pressappoco allo stesso prezzo che pagheremo per l'affitto di questa casa. »

« Dio, ma è terribile! Forse dovremmo lasciarlo a Santa Barbara. »

« No, perbacco! Non possiamo fare una cosa del genere a Tygue. Fra l'altro, credo che riuscirò a cavarmela ugualmente. » Stava aggirandosi per quella che Kate aveva già denominato la « torre di avorio », la stanza con la *boiserie* all'ultimo piano. Riusciva già a immaginare le serate davanti al fuoco con Kate fra le braccia e le luci che palpitavano al di là della baia, subito oltre Angel Island, e Tygue profondamente addormentato, al piano disotto. Oppure riusciva benissimo a vedere Kate indaffarata alla sua scrivania, dall'altra parte di quelle finestre a vetri, dimentica di tutto tranne che del suo lavoro, intenta a scrivere a macchina un nuovo libro con tre matite e una penna infilate disordinatamente tra i capelli. Gli piacque immensamente ciò che già riusciva a vedere, non soltanto nella sua fantasia, ma anche intorno a sé.

« Pensi che dovremmo prenderla? » Kate gli stava sorridendo come una bambina, ansiosa, eccitata e orgogliosa.

Nick scoppiò a ridere. « Domandi il mio parere, forse? Credevo che fosse già tutto deciso, Cenerentola. A proposito, devo restituirti i soldi di quell'anticipo. »

« Un corno. Non devi restituirmi niente. Quella era la mia parte. »

« Quale parte? » Nick la guardò stupito.

« Non ti aspetterai di mantenermi, vero? In questo dobbiamo fare tutto a metà. Non è così, forse? » D'un tratto, Kate aveva preso un'aria imbarazzata. Non avevano ancora discusso il lato finanziario del trasferimento.

« Dici sul serio? » Nick assunse un'espressione offesa. « A dire la verità, mi aspettavo di mantenerti. »

« Ma non mi stai sposando, per amor di Dio! Viviamo semplicemente insieme. »

« Questa è una tua decisione, non mia. Tygue è una tua responsabilità, se così vuoi, ma tu sei mia. Non ho nessuna intenzione di permetterti di pagare l'affitto per vivere qui. »

« Però non mi sembra giusto. »

« E allora pensa agli affari tuoi e basta! Se tu acconsentissi, sarei felicissimo di mantenere anche Tygue. » La guardò con aria grave, ma Kate scosse la testa.

« Nick... » Lo fissò con due occhi colmi di tenerezza. Erano soltanto due mesi che si amavano e già Nick le voleva offrire ogni cosa. Le stava offrendo di mantenerla, di darle tutto ciò che voleva, di prendersi cura di lei e di suo figlio.

Sembrava proprio un sogno. « Perché sei sempre così buono con me? »

« Perché lo meriti e ti amo. » Si mise a sedere accanto a lei, sotto la finestra. « E farei di più, se tu me lo concedessi. »

« Che cos'altro ci potrebbe essere, ancora? » Kate si guardò intorno con uno scintillio sbarazzino negli occhi, ma l'espressione di Nick era singolarmente grave.

« Il matrimonio », disse a voce molto bassa e Kate distolse lo sguardo. « Continui ancora a non volerlo prendere in considerazione, vero? » Ma, insomma! Si conoscevano da due mesi soltanto. E lei non gli aveva ancora parlato di Tom. Col tempo... Nick sapeva che, col tempo... perlomeno era ciò che si augurava. E poi gli piaceva l'idea di quell'altra camera da letto vuota, adiacente a quella di Tygue. Aveva un'idea meravigliosa per riempirla e non certo con gli amici che potevano venire da Los Angeles o da New York. Intanto Nick, nella luce del crepuscolo, cominciò a fissare Kate con occhi penetranti e lei, alla fine, fu costretta ad alzare lo sguardo e a incontrare quello di lui. Poi, con molta dolcezza, piano piano, gli buttò le braccia al collo e lo strinse forte a sé.

« Mi spiace, Nick. Ma non posso pensare al matrimonio... non posso. » A sentirle pronunciare quelle parole, sembrava che qualcosa si stesse spezzando dentro di lei.

« Ti senti sempre legata a tuo marito? » Nick non voleva insistere, non voleva costringerla a parlare, ma, al tempo stesso, non poteva neppure lasciar perdere.

« No. Non nel senso che credi tu. Ho accettato quanto è successo. Te l'ho già detto. È passato. Fa parte di un'altra vita, di un altro secolo. E il buffo è che tu già adesso mi conosci meglio di quanto lui non abbia mai fatto. » Ma già solo a pronunciare quelle parole, Kate ebbe l'impressione di tradirlo. Tom l'aveva conosciuta perfettamente ma, allora, lei era una ragazzina, una bambina, non ancora una donna, e tale era stata fino alla fine. Allora non si conosceva bene neppure lei, ma ormai sì, e anche Nick la conosceva. Si trattava di un rapporto molto differente.

« Però tu sei sempre attaccata a lui, ancora adesso, vero? »

Kate stava per negare, ma alla fine annuì. « Sotto certi aspetti. »

« Perché? »

« Magari per una specie di lealtà. Per quello che, una volta, avevamo. » Era una strana conversazione, a doppio taglio. Kate stava rispondendo alle domande di Nick con maggiore sincerità di quel che, secondo lei, lui potesse capire.

« Non puoi andare avanti a vivere così per sempre, Kate. »

« Lo so. Però ho anche sempre saputo che non mi sarei mai più risposata. »

« Ma è ridicolo! » Nick si alzò con un sospiro. « Possiamo parlarne più avanti. Per il momento, Cenerentola... » Abbassò gli occhi a guardarla con quel sorriso che non mancava mai di commuoverla « ... benvenuta a casa. » Le prese il volto fra le mani e la baciò con grande dolcezza.

Venti giorni dopo entrarono in quella casa per abitarci, in mezzo a un caos colossale, fra grandi risate e gesti d'amore. Tygue prese possesso della sua camera, Bert dell'intera casa e la cucina diventò il punto di ritrovo preferito di tutti, mentre la stanzetta che sarebbe dovuta servire per la domestica si trasformò momentaneamente in una specie di deposito per pattini, biciclette e sci. Nick stava insegnando a Tygue a pattinare sul ghiaccio e aveva tutte le intenzioni di condurli con sé a sciare non appena avesse cominciato a nevicare. La sala da pranzo aveva preso proprio l'aspetto che Kate aveva sognato, con un tavolo che avevano scovato a un'asta, otto antiche seggiole rustiche, dallo schienale rigido, e le tende di organza bianca. Il soggiorno, tutto in velluto marrone e seta beige, era fin troppo elegante e importante per la vita di tutti i giorni, ma sarebbe stato perfetto per intrattenere gli amici di Nick o invitare qualche persona che partecipava ai programmi da lui prodotti. Quanto poi alla stanza del piano superiore, era diventata proprio quello che avevano desiderato. Un nido d'amore. Quando non erano rintanati nella camera da letto azzurra e bianca, arredata con mobili vittoriani, li si poteva trovare nascosti lassù, nel grande locale con le pareti rivestite di legno. Kate lo aveva colmato di piante e di libri, ci aveva appeso qualche quadro antico che le piaceva, ci aveva portato le poltrone di cuoio dall'appartamento di Nick, che erano la cosa da lui preferita, e infine ci aveva disposto anche tutti i suoi tesori più privati e personali: trofei che risalivano all'adolescenza, le fotografie che preferiva, la testa di un leone che aveva fra le zanne un sigaro di dimensioni assurdamente sproporzionate. C'era anche una tuba appesa al muro, in memoria di un passato ancora più distante di quello commemorato dai trofei sportivi o dal leone, e c'era una quantità enorme di fotografie di Tygue quando era piccolo. Sembrava che il passato di Kate non andasse più indietro di tanto. Ma prima di Tygue c'erano stati suo padre, sua madre e Tom. Ma entrambe quelle epoche dovevano ormai considerarsi chiuse. Quella era una vita nuova. E tale la volle considerare Kate quando si trasferì in città dalla campagna; esattamente come aveva fatto quando si era lasciata alle spalle la città per andare a stabilirsi in campagna. Con ogni nuovo spostamento era come se si chiudesse una porta dietro le spalle.

Tygue decise subito che la nuova scuola gli piaceva e il programma di Nick andava a gonfie vele. Perfino il nuovo libro di Kate progrediva discretamente bene. Era convinta che lo avrebbe finito prima di Natale. Quanto a *Una stagione definitiva*, era già arrivato alla quinta edizione.

« Sai che cosa ti dico? Questa tua nuova casa non fa che stupirmi. » Felicia era la loro prima ospite. Dopo aver cenato, andò a sedersi nel soggiorno e si guardò intorno. « La verità è che alcuni di noi fanno centro al primo colpo. » O magari al secondo, ma questo Felicia non lo disse. Guardò con affetto Nick. « Sei riuscito a ottenere in un paio di mesi quello che io non sono stata capace di fare, con questa bambina, in quasi sette anni. Signor Waterman, ti faccio le mie congratulazioni. » Sorrise a Nick, che le rispose con un piccolo inchino galante. Il loro affetto era reciproco. A Nick piaceva ciò che Felicia aveva fatto per Kate, il modo in cui si era sempre schierata dalla sua parte per tanto tempo.

Ma, per un attimo, Nick si fece serio. « Credo che fosse ormai pronta a uscire dal suo guscio. »

« Uscire? Sono stata catapultata fuori! »

Felicia nascose un sorriso bevendo un altro sorso di caffè. Perfino tutti gli oggetti disparati e i mobili che appartenevano a quei due, messi insieme erano riusciti a creare un'atmosfera accogliente. Felicia si guardò intorno, scambiò un altro sorriso con Nick che diede un'occhiata all'orologio.

« Signore, ne sono profondamente addolorato, ma temo che dovrò lasciarvi. » Avevano cenato un po' in anticipo in modo che Nick potesse arrivare in tempo per la registrazione. Le « ragazze », invece, sarebbero rimaste in casa a chiacchierare. « Sarò di ritorno dopo le nove. Vedi di fermarti, se puoi, Licia. Possiamo giocare a poker o a qualcos'altro, al mio ritorno. Oppure vi posso accompagnare fuori a bere qualcosa. »

« Accetto l'invito e ti ringrazio, ma sarà per un'altra volta, caro. Domattina presto ho almeno una mezza dozzina di riunioni. Sarà una giornata schifosa. Ma, già, io non me ne resto a letto fino a mezzogiorno come voi due. »

« Come ti sbagli! Se passo metà del mio tempo a trasportare in macchina Tygue e i suoi piccoli amici da un posto all'altro! »

« Oh, davvero? » Nick alzò un sopracciglio e Kate fece una risatina, con aria colpevole.

« Va bene, va bene. Giuro che, la settimana prossima, ci penserò io. »

« Kate Harper, ma lo sai che sei molto viziata? » Felicia la guardò con stupore. « Non mi dirai che Nick ti fa addirittura da autista quando si tratta di portare in giro Tygue, eh? » Kate annuì imbarazzata, ma con un sorriso. « Non ti meriti proprio questa miniera d'oro che hai trovato! » Finse di guardare l'amica con orrore, ma la felicità di Kate era proprio ciò che aveva desiderato per molti anni. Ed era evidente che quella nuova sistemazione le andava benissimo. Qualcosa di domestico e di casalingo, qualcosa di spumeggiante e di nuovo.

Nick abbracciò affettuosamente Felicia e diede un bacio a Kate; udirono la *Ferrari* che si allontanava qualche minuto più tardi, dopo che Nick era salito a dare la buonanotte a Tygue che giocava con il trenino nella stanza degli ospiti.

« C'è qualcosa che quell'uomo non sia disposto a fare per te, Kate? » Felicia la guardò, pacificamente seduta all'altra estremità del divano foderato di velluto marrone.

« No, a dire la verità non riesco proprio a trovare niente. » Sembrava totalmente felice e soddisfatta. « Lo so. Sono viziata in un modo vergognoso. » D'altra parte anche lui non era tutto zucchero e miele. Avevano i loro momenti di malumore, le loro discussioni, ma a Kate piaceva anche quello.

« Te lo meriti, tesoro. È proprio un uomo straordinario. » E poi, dopo una pausa, la guardò negli occhi e Kate distolse lo sguardo. « Non ne sa ancora niente, vero? Parlo di Tom, naturalmente. » Ma Kate aveva già capito a che cosa volesse alludere Licia. La guardò e scrollò il capo, con un'espressione addolorata e sofferente. « Hai smesso di andare? » Aveva sperato... aveva sperato... Ma si trattava di una speranza che non si era ancora realizzata. Kate scrollò il capo di nuovo e sospirò.

« No, naturalmente. Non posso smettere di andarci. Come farei? Che cosa potrei dire? 'Adesso ti lascio. Ho trovato un altro uomo'? Non si dice niente di simile a un bambino di due anni. Non lo si pianta in asso malamente. Non si smette, Licia. Non si può. Non smetterò mai finché vivrà. »

« Lo spiegherai a Nick? »

« Non lo so. » Chiuse gli occhi per un momento e poi fissò le fiamme nel focolare. « Non lo so. Suppongo che, forse, dovrei farlo. Ma non so come. Magari col tempo. »

« Ci sarai costretta, se tutto ciò continuerà ad andare avanti a lungo. Dove crede che tu vada, adesso? »

« A insegnare. »

« E non si è ancora stancato di questa faccenda? Voglio dire, non ti sembra che andare fino a Carmel per insegnare sia un po' esagerato? »

Kate annuì di nuovo. « La verità è che non ho altra scelta. »

« Non vuoi avere altra scelta. Sono convinta che Nick capirebbe. »

« E se invece non capisse, Felicia? Vuole sposarsi, avere

dei figli, condurre una vita normale. Come si può condurre una vita normale con una donna sposata? Una donna sposata con un invalido, fisicamente e psichicamente rimasto al livello di un bambino di due anni? E se glielo raccontassi e lui decidesse che è una prova troppo dura da sopportare? » Kate chiuse gli occhi un attimo a quel pensiero.

« Ebbene? Pensi forse che, non dicendoglielo, le cose possano cambiare, Kate? E se per un caso qualsiasi lo venisse a scoprire? E se insistesse per sposarti? E se tu glielo dicessi fra cinque, o due, o dieci anni? Che cosa pensi che direbbe, allora? Ha il diritto di sapere la verità. » Come l'aveva Tygue. Ci aveva pensato, di tanto in tanto, in quegli anni. Talvolta era rimasta addolorata e perplessa di fronte all'insistenza con cui Kate asseriva che non raccontarlo a Tygue era stata la decisione più giusta. In fondo al cuore, aveva sempre pensato che, forse, anche per il bambino sarebbe stato meglio sapere. D'altra parte non aveva intenzione di assillare Kate con la sua opinione, almeno per il momento. Perché se Nick lo avesse saputo, sarebbe certo riuscito ad aiutare Kate nella grande prova di raccontarlo a Tygue. « Secondo me, a non raccontarglielo, è come se tu volessi scherzare con la dinamite. Fra l'altro non dimostri di avere una gran fiducia in lui né di essere molto coraggiosa. »

« Povera me, che requisitoria, Licia! »

« Mi spiace, Kate. Ma penso che sia sempre meglio dire tutto ciò che si pensa, soprattutto prima che tu possa commettere un grosso errore. »

« E va bene. Vedrò. »

« Non ti fa mai qualche domanda su Carmel? »

« Sì, qualche volta. Ma io taglio corto e cambio discorso. »

« Non potrai cambiar discorso in eterno, Kate. E poi, per quale motivo dovresti farlo? Non è onesto. Guarda un po' quello che lui sta facendo per te, quello che ti dà, quanto ti ama. Gliela devi, la verità. »

« Va bene, Licia, va bene. Però lascia che scelga il modo di farlo, da sola. » Si alzò in piedi, si diresse verso il camino, voltando le spalle all'amica. Non aveva più voglia di stare ad ascoltarla. Sapeva che Licia aveva ragione. Doveva dirglielo. D'accordo, a un certo punto. Ma non ancora. D'altra parte Licia aveva ragione anche quando affermava che non avrebbe potuto continuare a rimandare per sempre. Già stava diventando sempre più nervosa, nelle giornate in cui doveva andare lassù. Solo tre giorni prima era scesa al pianterreno in punta di piedi, nella speranza che lui non fosse alzato. E invece, era lì, già sveglio. E lei si era vergognata delle menzogne e di tutta quella finzione che aveva dovuto inscenare, al momento di partire.

« Quante volte ci vai? » Come il solito Felicia non era disposta a mollare.

« Più o meno come il solito. Due volte la settimana. » E poi, con un sospiro, si accorse che ci sarebbe dovuta andare anche il giorno successivo. Però, magari, Nick sarebbe stato ancora a letto a dormire, al momento della partenza.

27

Non appena l'automobile di chi accompagnava i bambini a scuola quella settimana ebbe svoltato l'angolo della strada, Kate richiuse la porta. Un ultimo saluto prima che quella testolina bionda, che si intravedeva dal finestrino posteriore, scomparisse alla vista e Tygue era partito, pronto a cominciare la sua giornata. Quanto a Kate, doveva cominciare la propria. A passi lievi si avviò in cucina per prendere un ultimo sorso di caffè. Non voleva svegliare Nick.

« Hai l'aria distrutta, in questa nebbiosa mattina di martedì! » Alzò gli occhi a guardarla dal tavolo di cucina e Kate sussultò.

« Ciao, tesoro. Non sapevo che fossi già alzato. » Cercò di dare un'intonazione lieve e disinvolta alla sua voce, mentre si chinava a baciarlo. « Vuoi un po' di caffè? » Lui annuì. « Uova? »

« No, grazie. Me le preparerò da solo, quando riuscirò finalmente ad aprire gli occhi! Vai a scuola di nuovo? »

Lei annuì, fissando la tazza nella quale stava versando il caffè.

« Mi sembra che il tuo sia un orario molto elàstico. » C'era qualcosa nella voce di Nick. Un'accusa. Un sospetto. Qualcosa che non le piacque. Alzò gli occhi verso di lui, ma non riuscì a capire con esattezza di che cosa si trattasse. « La settimana scorsa ci sei andata lunedì e giovedì. È vero, o sbaglio? »

« Sì, mi pare. Non lo so. » Mise nella tazza le due zollette di zucchero che a lui piacevano e finse di avere un gran da fare al lavello di cucina.

« Vieni qui un minuto. »

Kate si accorse di avere il cuore in gola, ma cercò di svuotarsi il cervello da ogni pensiero mentre si girava verso Nick. Non voleva che lui vedesse ogni cosa, sapesse ogni cosa... sapesse che lei stava mentendo. Rimase lì a guardarlo e notò che nei suoi occhi non c'era neppure l'ombra di un sorriso.

« Per quale motivo non vuoi raccontarmi che cosa vai realmente a fare laggiù? »

« Stai parlando sul serio? »

« Sì, molto sul serio. » E bastava guardarlo per capire che non scherzava. Kate ebbe l'impressione che il suo cuore si mettesse a battere ancora più forte, con un rombo tale che le riempiva le orecchie.

« Te l'ho detto. Vado a insegnare a bambini e adulti psichicamente ritardati. »

« Non puoi trovare qualcosa di simile qui in città? Sono sicuro che, a San Francisco, ci dev'essere un sacco di bambini ritardati che sarebbero felicissimi di averti come insegnante. Perché devi proprio andare a Carmel? » E perché non vuoi dire la verità, maledizione? Perché?

« Ci vado da anni. » Questa, almeno, non era una novità per lui.

« Anche mentre eri sposata? »

« No. » E, a quel punto, calò fra loro uno strano silenzio. Kate lo squadrò di nuovo con occhi penetranti. « Che differenza fa, comunque? »

« Non lo so, Kate. Forse toccherebbe a me domandartelo. »

« Che accidenti di una differenza fa, questo, maledizione? Non ti do nessun fastidio. Parto alle otto. Torno alle cinque. Qualche volta addirittura alle quattro e mezzo. Non ti tolgo niente di ciò che ti è dovuto. » Era infuriata e vagamente spaventata. Mai, prima di allora, gli aveva visto quell'espressione.

« Non toglie nulla a me, Kate. » La guardò con un'occhiata tale che Kate si sentì spezzare il cuore. Era un'occhiata gelida, furiosa. « Ti porta lontano di qui. »

« Per quelle poche, miserabili, ore? » Era il minimo che potesse offrire a Tom. Nick non aveva nessun diritto di...

« Ti sei mai guardata nello specchio quando ritorni? » Kate lo fissò in silenzio, con gli occhi sbarrati. « Sembri un fantasma. Hai l'aria angosciata e dolente, affaticata e stanca. Si può sapere per quale motivo ti imponi una sofferenza simile? » Si accorse di fissarla con durezza sempre maggiore, ma anche di non ottenere alcuna risposta. « Non importa. Non sono affari miei. » Kate non disse nulla, ma uscì dalla cucina. Sarebbe dovuta correre da lui, stringerlo fra le braccia, baciarlo, lo sapeva. Sarebbe stato molto più furbo e intelligente. Ma non voleva essere né furba né intelligente. E non voleva sopportare imposizioni. Glielo avrebbe confidato soltanto quando si fosse sentita pronta a farlo, se mai un giorno ci fosse riuscita! E non gli avrebbe mai permesso di impedirle di andarci. Quelle due giornate la settimana erano sacre. Erano di Tom.

« Ci vediamo alle cinque », disse dalla porta di casa, con gli occhi chiusi, desiderando spasmodicamente di tornare da lui, ma con il timore che Nick potesse fare qualcosa per impedirle di andare o, peggio, la forzasse a confessargli la verità. Perché diavolo si era svegliato? Era tutto così semplice quando dormiva ancora. Esitò un attimo e poi aggiunse: « Ti amo ». Lo udì uscire a passi lenti, piano piano, dalla cucina ed entrare in sala da pranzo. E lì si fermò, con le spalle voltate alla finestra dalla quale si spaziava con lo sguardo sulla baia e la guardò per quello che le parve un tempo interminabile.

« È vero quello che dici, Kate? »

« Lo sai bene! » Lentamente si avviò verso di lui e lo prese fra le braccia. « Tesoro, ti amo tanto! »

Ci fu una lunga pausa; anche Nick la strinse fra le braccia, ma poi la allontanò da sé.

« E allora... perché non mi parli di Carmel? Perché non mi dici tutto? » Era quasi una preghiera, la sua. Dio santo, per quanto tempo ancora avrebbe dovuto continuare a fingere di non sapere niente? Ma Kate si limitò a guardarlo, con quei grandi occhi pieni di dolore.

« Abbiamo già parlato di Carmel, Nick. » Non abbassava gli occhi, non sfuggiva i suoi.

« Davvero? E allora perché mi sento sempre così a disagio quando tu ci vai? » Che cos'altro poteva dire, perbacco? Se almeno Kate gli avesse offerto un appiglio!

« Non hai nessun motivo di preoccuparti. »

« Credi davvero, Kate? E tu, non ti preoccuperesti, forse, se io ogni settimana andassi in qualche posto senza dirti niente più di quello che mi dici tu? »

Kate rimase in silenzio per un attimo e poi distolse lo sguardo. « Ma io ti dico quello che faccio, Nick! Tu sai per quale motivo ci vado. » Stava disperatamente cercando di mostrarsi persuasiva e di convincerlo.

Tuttavia gli occhi di Nick non avevano perduto quella loro espressione così incisiva e penetrante, che lei continuava a non decifrare. Nick avrebbe voluto dirle che sapeva. Si sentiva quasi costretto a farlo e al tempo stesso sapeva di non poterlo fare. Era qualcosa che doveva sentirsi confidare da lei. Doveva essere Kate a provare il desiderio di rivelarglielo. « Non importa, dimentica quello che ho detto. Passa una buona giornata! » Si girò di scatto e si avviò nuovamente verso la cucina mentre Kate, immobile, si stava chiedendo incerta se non fosse meglio rincorrerlo e raggiungerlo. Ma sapeva di non poterlo fare... Nick desiderava determinate risposte che lei non si sentiva ancora di dargli.

Si avviò alla porta, raggiunse l'automobile, sempre con l'impressione di trascinarsi dietro molte pesanti catene. Doveva proprio andare? Avrebbe fatto meglio a restare? Non gli doveva forse una spiegazione? Avrebbe dovuto dirgli la verità? E se poi Nick l'avesse lasciata? E se... ma a quel punto, mentre avviava la macchina, si impose di cancellarsi Nick dalla mente. Quello era un viaggio che doveva a Tom, era impegnata a fargli quelle visite, a dedicare a lui quelle giornate... ma era impegnata a tal punto con lui da correre il rischio di perdere Nick? Bastò quel pensiero a farle schiacciare di colpo il freno e a restare sovrappensiero per un attimo. Stava forse rischiando troppo grosso, con quelle sue decisioni? Possibile che Felicia avesse ragione? C'era da pensare che avrebbe potuto perdere Nick se non gli avesse rivelato nulla e se, a un certo punto, lui avesse scoperto il suo segreto?

« Accidenti! » mormorò tra sé mentre, uscendo dal viale di casa, si infilava nel traffico. Eppure non se la sentiva di dirglielo ancora. Non ancora... però, magari, presto lo avrebbe fatto.

28

STAVA diluviando quando ripartì da Carmel per tornare a San Francisco. Dove era andato a finire quel meraviglioso tempo ottobrino di cui parlava sempre Felicia? Erano giorni e giorni che continuava a piovere! Aveva piovuto tutte e tre le ultime volte in cui era andata a trovarlo. Perfino a Carmel stava piovendo. E la pioggia non faceva bene a Tom. Era sempre molto pallido e mangiava poco. Negli ultimi tempi c'era qualcosa che non andava in lui, sembrava un bambino stanco e malaticcio che avesse in incubazione qualche grave malattia. Era capace di tenerle la mano per ore e ore e di chiederle con aria supplichevole di raccontargli tante favole, guardandola con certi occhi... Talvolta, a Kate sembrava che la vedesse per quello che era realmente, anche se non succedeva mai! Quegli occhi continuavano a non ricordare nulla. E le braccia che si tendevano verso di lei, mentre la chiamava « Katie », sembravano quelle di Tygue quando gridava a gran voce cercando la sua mamma. Per di più, in quei giorni Tom appariva ancora più debole e accasciato di prima. Ormai già da molto tempo le era apparso così; come se, a poco a poco, quella scarsa vitalità che ancora gli restava si stesse spegnendo. Sparite le piccole burle, le battute di spirito, la voglia di scherzare. Anche la sua risata non era più quella di un tempo. Del resto il signor Erhard non aveva nascosto la sua preoccupazione, mentre il direttore di Mead ripeteva che tutto ciò era « normale ». Normale... Che cosa diavolo poteva esserci di normale in un uomo che aveva la mente di un bambino? Un uomo che, una volta, era stato così carico di vitalità ed era ridotto a trascorrere la sua esistenza su una poltrona a rotelle ormai da sette anni, giocherellando con gli aeroplanini di carta? Ma il dottore aveva insistito dicendo che le persone nelle condizioni di Tom potevano avere, di tanto in tanto, periodi di indebolimento e, un giorno, alla fine... Però sarebbero potuti passare ancora molti anni. Nel frattempo gli capitavano momenti difficili, eppure sapeva superarli fintanto che c'era qualcuno a tener vivo il suo interesse e a provocarlo. Anche se, come il direttore della casa di cura aveva ammesso, non sempre questo cambiava le cose. Fra l'altro il direttore aveva anche dichiarato che Tom avrebbe potuto attraversare di questi periodi difficili sempre più frequentemente negli anni successivi, fino alla fine. Era una questione di carattere neurologico, inevitabile, anche se la sua malattia non aveva carattere acuto. Purtroppo Kate non riusciva a capirlo meglio di quanto non riuscisse a capire tutto ciò che le era successo nei sette anni precedenti. Comunque, di qualsiasi cosa si trattasse, era già quasi un mese che Tom non le sembrava più lo stesso. Intuiva inoltre che Nick avrebbe voluto vederle interrompere quei viaggi a Carmel. Sospirò mentre usciva dall'autostrada in Franklin Street. Era sempre bello tornare a casa. Come si sentiva stanca! E poi, grazie a Dio, Nick non era sveglio quando era partita, quella mattina. Ormai da un paio di settimane stava cercando di alzarsi sempre prima in modo da evitarlo. E tentava con ogni mezzo di distrarlo dal pensiero di quei suoi viaggi a Carmel. Svoltò a sinistra in Green Street e la seguì, in direzione ovest, finché non arrivò quasi al Presidio; qui, imboccò rapidamente una stretta via tortuosa, lastricata di porfido dove, nascosta fra giardini ben coltivati e panoramici, celata da siepi, alberi e cespugli si trovava, come un nido, la loro casa. Era poco più di un mese che vi abitava e già sentiva di amarla più di qualsiasi altra casa in cui era vissuta, forse perché era tanto felice!

Entrò con un sospiro di sollievo. Dovevano essere le quattro e venti del pomeriggio, non più tardi. Tygue seguiva un corso speciale di arte e sarebbe stato depositato sulla soglia di casa non prima delle quattro e tre quarti. Ce l'aveva fatta ad arrivare prima di lui. Non si vedeva neppure la *Ferrari* di Nick. Le era riuscita bene, quella volta. Niente spiegazioni, niente scuse, niente chiacchiere vane e inutili che la aiutassero a nascondere il tormento e la pena. Era sempre molto difficile trovarsi ad affrontare Nick dopo tutto ciò che aveva provato in quella giornata. Anche lui trovava insopportabile quel momento. E vedeva sempre anche troppo dentro di lei! Si tolse le scarpe bagnate e le lasciò su uno stuoino in anticamera. Appese l'ombrello e poi, con un altro sospiro, si lasciò cadere seduta davanti al tavolo e posò la testa sulle braccia.

« Ciao, Kate. » La voce risuonò a pochi centimetri di distanza e Kate, trasalendo, si voltò di scatto sulla seggiola con un'espressione terrorizzata negli occhi. « Oh, tesoro, scusami. » Nick la abbracciò immediatamente e Kate si lasciò di nuovo ricadere sulla seggiola, tremante. Le pareva di essere ammutolita e non si sentiva ancora pronta per le solite battute scherzose. Aveva creduto che Nick non fosse a casa. Invece era lì a osservarla e lei non se ne era neppure accorta!

« Che spavento mi hai fatto prendere! » Anche il suo sorriso fu forzato e tremante. La giornata era stata molto lunga. « Non sapevo che tu fossi a casa. Come è andata oggi? » Ma i suoi sforzi di cominciare a fare le solite quattro chiacchiere insulse risultarono futili; Nick si rifiutò di lasciarsi distrarre. Sembrava stranamente serio e si avviò ai fornelli senza neppure preoccuparsi di risponderle.

« Tè? »

« Sì, mi farebbe piacere. Qualcosa non va? » Trovava insopportabile l'espressione di Nick. Le ricordava quella di suo padre quando arrivava a casa la pagella scolastica. Ricominciò a sentirsi il cuore in gola come durante l'ultima discussione che avevano avuto a proposito di Carmel, solo che era peggio. Non avrebbe saputo spiegarsi il perché, ma intuiva che era peggio. « Qualcosa non va? » Nick non le aveva ancora risposto.

« No, niente. » Ma ogni parola era accuratamente soppesata. « Mi sei mancata, oggi. » Si voltò a guardarla con una tazza piena di tè in mano. Lei non si era neppure accorta che, sul fuoco, c'era già il bricco fumante. Quando era entrata in cucina, era esausta. In quel momento si sentiva terrorizzata e continuava a non capire perché.

« Anche tu mi sei mancato. »

Lui fece segno di sì e prese fra le mani una seconda tazza piena di tè. « Andiamo disopra. »

« Okay. » Ma il sorriso di Kate non trovò risposta mentre afferrava la sua tazza e lo seguiva con aria dolce e mansueta nello studio al terzo piano, dove lui si mise lentamente a sedere nella sua poltrona preferita, grande, rossa, morbida, dal profumo intenso di cuoio, liscia e gradevole al tatto. Era fornita anche di uno sgabello per le gambe. Ma Nick lo spostò di lato con un piede. Non era certo il momento di rilassarsi, quello! E, a quel punto, fece un gesto inaspettato: posò la tazza di tè e le tese le braccia. Kate accorse, con gratitudine, a farsi stringere da quelle braccia, inginocchiandosi vicino alla poltrona. « Ti amo, Nick. »

« Lo so. Anch'io ti amo. Più di quanto abbia mai amato alcuna donna. » Abbassò gli occhi verso di lei a contemplarla, le rivolse uno stanco sorriso e poi sospirò. « Ma dobbiamo parlare. Ho molte cose da dire. Non so da dove cominciare, ma forse è meglio partire proprio da quello che ci siamo appena detti... Ti amo. E ho aspettato un sacco di tempo che tu decidessi di trattarmi da pari a pari, ma non lo hai fatto. Così ho pensato che adesso è venuto il momento di sederci qui, l'uno di fronte all'altra, e di tirar fuori tutto. Ciò che mi preoccupa soprattutto, in tutta questa faccenda, è il fatto che tu non voglia fidarti di me. » Kate si sentì agghiacciare.

« Non è vero. » Sembrava addolorata e offesa, ma il cuore le batteva a tonfi sordi nel petto, per il terrore. Che cosa voleva dire Nick? Che cosa sapeva? E come? Chi glielo aveva detto?

« È la verità. Se tu avessi avuto fiducia in me, mi avresti parlato di Carmel. Di Tom. » Mentre Kate lo guardava trasalendo, sulla stanza calò un silenzio interminabile.

« Che cosa c'è da dire su Tom? » Stava prendendo tempo, lo capivano tutti e due, mentre lei si affrettava a posare la tazza con le mani tremanti.

« Non so molto, Kate. Al principio ho avuto solo qualche vago sospetto. Quello che tu sapevi del football e che hai descritto nel tuo libro, tutti quei fatti, quelle notizie, roba da persona che conosceva bene l'ambiente, anche dietro le quinte, e poi le cose che dicevi. Ho provato a fare qualche piccola indagine, molto modesta, a dire la verità. Quel tanto che mi è bastato per scoprire che eri stata sposata con Tom Harper, il famoso Tom Harper, e che lui si era tirato un colpo di pistola ed era rimasto paralizzato e anche mentalmente... be'... non so quali siano le parole giuste. So che venne trasferito in una casa di cura a Carmel dopo una lunga degenza in ospedale, però non sono mai riuscito a trovare il nome della clinica in cui era stato ricoverato. In quel momento ho capito che non era morto. Ho pensato che era questo che andavi a fare a Carmel. Andavi a trovare lui, non a insegnare ai bambini handicappati. Sono riuscito a comprenderlo, Kate, perfino ad accettarlo; sono riuscito a comprendere moltissime cose. Quello che non comprendo è perché tu non voglia confidare tutto questo anche a me. Perché tu non mi abbia mai voluto dire la verità in tutti questi mesi. È questo che mi fa male. » Gli occhi di Kate erano pieni di lacrime, come quelli di Nick quando finalmente tacque; allora Kate si lasciò sfuggire un lungo sospiro di disperazione.

« Perché non mi hai mai voluto dire che lo sapevi? Mi sono comportata come un'idiota in tutti questi mesi, vero? »

« È questo che ti preoccupa? Di avere fatto una magra figura? » Nick d'un tratto si inalberò e Kate scrollò il capo, evitando di guardarlo.

« No. Io... la verità è che non so che cosa dire. »

« Dimmi la verità, Kate. Dimmi qual è la situazione. Spiegami in che condizioni si trova lui, se lo ami, se questa è una vita possibile per te, in quale posizione siamo noi due... Non so se ci siano speranze per il nostro futuro, né per il suo. Ho il diritto di sapere queste cose... Avevo il diritto di saperle fin dal principio. Ma non ti ho mai rivelato di essere al corrente di tutto questo perché dovevi essere tu ad avere tanta fiducia in me da sentire il bisogno di dirmelo con le tue parole. Non lo hai mai fatto. Sono stato costretto ad affrontarti e a metterti con le spalle al muro. »

« Forse cercavo di proteggervi tutti e due. »

« Già, e magari anche di proteggere te stessa. » Evitò di guardarla e girò gli occhi verso la finestra e il panorama della baia.

« Sì. » La sua voce risuonò molto pacata nella stanza. « Già, forse anche di proteggere me stessa. Ti amo, Nick. Non volevo perderti. Quello che abbiamo, quello che provo per te, è qualcosa che io non ho mai né avuto né provato prima, con nessuno. Quando Tom mi ha conosciuta, ero una ragazzina. Con lui mi sono sempre comportata come una bambina fino... fino al giorno della disgrazia. Adesso è lui, il bambino. È come un bambino piccolo, Nick. Gli piace giocare, disegnare, ormai è un po' meno maturo di Tygue. Piange... ha bisogno di me. E, da me, ottiene praticamente tutto ciò di cui ha bisogno. È qualcosa che non posso togliergli. Non posso lasciarlo. » Pronunciando queste parole, le si spezzò la voce.

« Nessuno lo pretende, Kate. Non te lo avrei mai chiesto. Però volevo semplicemente saperlo. Volevo udirlo da te. Andrà avanti così molto a lungo? »

« Sino al momento della morte, quando mai dovesse arrivare. Potrebbero essere giorni, o mesi, o anni. Nessuno può saperlo. E nel frattempo... vado a fargli visita. »

« Come fai a resistere? » Nick si voltò di nuovo a guardarla con gli occhi pieni di dolore e di pietà.

Kate sorrise; un sorriso teso e tristissimo. « Gli devo questo, Nick. C'è stato un tempo in cui Tom era tutto per me. Era tutto ciò che avevo, quando mio padre e mia madre mi chiusero la porta di casa in faccia. E lui mi diede tutto. Adesso ciò che io posso dargli sono soltanto poche ore la settimana. Devo assolutamente trovarle, queste poche ore. È un obbligo. » Lo disse con aria di sfida, guardandolo.

« Lo posso capire. » Le si avvicinò, le mise un braccio intorno alle spalle e sospirò. « È qualcosa che devi fare. E rispetto questo tuo dovere. Solo che vorrei rendertelo più lieve. »

« Non è più così duro e difficile. Mi ci sono abituata tanto, tanto tempo fa. Se così si può dire... Perché è un po' difficile potersi abituare a questo genere di cose. Ma, se non altro, non è più uno choc per me e non mi spezza più il cuore come faceva un tempo. »

« A quell'epoca, Felicia ti era già vicina? » La strinse teneramente a sé e Kate alzò gli occhi a guardarlo. Era un gran sollievo parlargliene; e si odiò per non averlo fatto prima.

« Sì. Mi è stata vicina durante tutto quel periodo. Una donna meravigliosa. È rimasta con me perfino in sala parto mentre nasceva Tygue. »

« Avrei voluto esserci io! »

Kate fece un sorriso stanco. Da anni, era la prima volta che aveva quella sensazione di pace. Finalmente lui sapeva ogni cosa. Non c'erano più segreti. Nessun timore che lui li scoprisse. « Ero terrorizzata all'idea di ciò che avresti pensato quando lo avessi saputo. »

« Perché? »

« Perché sono sposata. Perché non sono libera. A ben pensarci, non è stato molto corretto nei tuoi confronti. »

« Non cambia nulla per me. Un giorno non sarai più sposata. C'è tempo per noi, Kate. Abbiamo una vita intera davanti. »

« Sei un uomo straordinario, Nicholas Waterman. »

« Balle. Tu penseresti lo stesso, se fossi al mio posto, Kate? »

« Mm? »

« Tuo padre e tua madre non si sono più messi in contatto con te dopo che lui... dopo la disgrazia? » Ormai aveva capito che Kate usava questo eufemismo al posto di parole più crude, per evitare di dire che Tom si era rovinato con quel colpo di pistola.

« No, mai, neppure una volta. Avevano preso una decisione il giorno in cui io sono andata a vivere con Tom e non è più cambiata. Quello che lui ha fatto, secondo loro, non era altro che la conferma dell'opinione che avevano di lui, credo, e per quello che li riguardava io, ai loro occhi, non ero meglio di lui. Avevo avuto ciò che meritavo. I loro giudizi erano molto netti e drastici, una cosa poteva essere soltanto bianca o nera. Esistevano persone da accettare e persone inaccettabili. E io, a causa di Tom, non ero più accettabile... quindi si erano sentiti giustificati quando mi avevano eliminata definitivamente dalla loro vita. »

« Non riesco a capire come abbiano potuto continuare un'esistenza del genere... soli, l'uno con l'altro. »

« Neppure io, ma ormai non è più un problema che mi riguardi. Come non lo è stato da molto, molto tempo. Sono cose ormai lontanissime nel passato. E sono contenta. Perché tutto ciò è definitivamente chiuso, finito. C'è stato un taglio netto. L'unica cosa che non lo è, che non lo sarà mai, è l'obbligo che sento nei confronti di Tom. »

« Tygue non ne sa niente, vero? » Era sicuro che fosse così, ma non si poteva escludere che anche il bambino gli avesse nascosto una cosa del genere!

« No. Felicia dice sempre che, un giorno o l'altro, dovrò raccontarglielo, ma non avevo ancora stabilito in quale modo farlo. E, comunque, adesso è troppo presto. »

Nick fece segno di sì e poi la guardò con una curiosa espressione. « Posso farti una domanda che ti sembrerà strana? »

« Naturalmente! »

« Vuoi... vuoi ancora bene a Tom? » Si era imposto di dirlo. Doveva saperlo.

La voce di Kate era colma di stupore quando gli rispose. « Pensi forse che potrei amarti come ti amo, che potrei vivere con te in questo modo ed essere tua, se fosse ancora come credi? Sì, gli voglio bene. Come si può voler bene a un bambino, come voglio bene a Tygue. Non è più un uomo, Nick.

È il mio passato... solo un fantasma... il fantasma di un bambino. »

« Mi spiace di averlo chiesto. »

« No, non esserne dispiaciuto. Adesso hai diritto a tutte queste risposte. Per quanto abbia l'impressione che sia un po' difficile da capire. Laggiù, a Carmel, non esiste più un uomo da amare. Oh, ogni tanto, prima che entrassi tu nella mia vita, mi faceva piacere fingere con me stessa che ci fosse in lui il barlume di un sentimento del genere. Ma non c'era mai. Non c'è mai stato in sette anni. Vado a trovarlo perché è qualcosa che sento di dover fare. Perché, una volta, nel mio passato, è stato buono con me, perché tanto tempo fa l'ho amato più di qualsiasi altra persona che avessi mai conosciuto o amato prima di lui e perché Tygue è suo figlio. » D'un tratto ricominciò a piangere, lasciando che le lacrime le scendessero a fiotti sul volto. « Ma io ti amo, Nick; ti amo... come... non ho mai amato lui. Ho atteso talmente a lungo di incontrarti! » A quel punto Nick allungò le braccia e la strinse a sé, con una tale violenza che ne restarono entrambi storditi. In realtà Nick aveva un disperato bisogno di lei. Erano anni che aveva bisogno di lei.

« Oh, tesoro, come mi dispiace! »

Lei si sciolse da quell'abbraccio con un sospiro. « Così, dallo stesso momento in cui il mio libro si è rivelato un successo, ho avuto il terrore che qualcuno venisse a scoprire il mio segreto. Che qualcuno andasse a frugare nel passato e tirasse fuori tutte queste cose tragiche e misere e che me le gettasse in faccia. » Nick si sentì rabbrividire al pensiero di ciò che Kate doveva aver pensato. C'era da meravigliarsi che avesse addirittura accettato di andare a Los Angeles. « E quando tu hai detto che avevi giocato a football, per poco non mi è venuto un colpo! » Scoppiò a ridere guardandolo, ma Nick era quasi livido in faccia.

« La cosa strana è che l'ho conosciuto. Non molto bene. Sono passato come una meteora nell'ambiente del football professionista e quando ci sono entrato, lui era già un campione famoso. Però mi sembrava una persona simpatica. »

« Lo era. » Kate si rattristò nel pronunciare quelle parole. Lo era.

« Ma che cosa lo ha spinto a farlo? Qual è stata la causa di quel momento di aberrazione? » In realtà, ciò che aveva letto sui giornali non gli aveva fatto capire molto. Era stato come se, ai cronisti, non fossero interessate gran che le vere ragioni di quel gesto.

« Pressioni. Timore. Avevano cominciato a metterlo da parte ed era una cosa che lo faceva impazzire dalla disperazione. Non aveva nient'altro nella vita. Solo il suo football. Non sapeva che cos'altro fare. Per di più, aveva anche investito male i suoi soldi mentre avrebbe voluto averne per Tygue. Era la sua idea fissa, quella. 'Suo figlio.' Avrebbe voluto giocare per un altro anno ancora in modo da metter via un patrimonio per Tygue. E invece lo hanno fregato. Del resto hai letto i giornali. E conosci il seguito. »

Lui annuì con aria cupa. « Che cosa sa di Tygue? »

« Niente, perché non lo capirebbe. Ho continuato ad andare a trovarlo per tutto il tempo della mia gravidanza. E non ha mostrato per me un interesse o una comprensione maggiore di quella che potrebbe avere un qualsiasi bambino di sei o sette anni. Credo che pensasse semplicemente una cosa: ero ingrassata. »

« E non c'è stato alcun cambiamento durante tutti questi anni? » Nick era piuttosto imbarazzato nel chiederlo.

Ma lei scrollò il capo. « No. All'infuori delle ultime settimane. Non è più lui. Però il dottore dice che anche questo è usuale in pazienti del genere. »

« È decoroso il posto dove si trova? »

« Sì, molto. » A quel punto gli tese le braccia e Nick andò a sedersi di fianco a lei sul pavimento. « Ti amo, signor Waterman, anche se mi hai fatto prendere un bello spavento. Ho pensato che tu volessi dirmi che tutto era finito fra noi. »

« Che cosa ti è saltato in testa, pazzerella! Hai creduto realmente che ti avrei lasciata andare? »

« Sono una donna sposata, Nick », disse con un tono di profonda disperazione. Sapeva fin troppo bene quanto Nick desiderasse sposarsi. Eppure non esisteva nessuna possibilità del genere. Almeno finché Tom era vivo.

« E con questo? Ti infastidisce il fatto di essere sposata, Kate? »

Lei scrollò la testa, con semplicità. « Ci ho pensato a lungo, con attenzione, prima di venire a trovarti a Santa Barbara l'estate scorsa. In fondo al cuore, ho capito di non essere più realmente sposata con lui. »

« È tutto ciò che importa. Quanto al resto, sono soltanto affari nostri... e di nessun altro. È questa l'unica ragione per la quale non me ne hai mai parlato, Kate? »

« No... io... ecco, solo in parte. C'è anche un altro motivo, soltanto la mia vigliaccheria, suppongo. Avevo tenuto ogni persona al di fuori del sacro recinto tanto a lungo, che non riuscivo assolutamente a immaginare di poter dire la verità a qualcuno. E quando, finalmente, ho potuto immaginare di raccontarla a te, mi è sembrato impossibile cominciare dal principio e ammettere di avere mentito. Come si può dire a una persona: 'Oh, a proposito, ti ricordi quando ti ho detto che ero vedova? Be', in realtà, mentivo. Mio marito si trova in una casa di cura a Carmel e io vado a trovarlo due volte la settimana'. Non so, Nick, mi sembrava una pazzia ammetterlo, parlarne... È come rivivere tutto ciò che ho passato. È come provare ancora una volta tutte quelle sensazioni. »

« Mi spiace sentirtelo dire. » La strinse ancora di più a sé.

« Forse, invece, a me non dispiace. Forse è venuto il momento di tirar fuori tutta questa roba e di metterla allo scoperto. Ma lo sai di cos'altro avevo paura? Temevo che, quando tu lo avessi saputo, mi avresti impedito di continuare ad andare a trovarlo. E questo non me la sento di farlo, Nick. Ha troppa importanza per me. E, fino al giorno in cui morirà, è un debito che io devo continuare a pagargli. »

« È questa l'unica ragione per la quale lo fai? Perché gli 'devi' qualcosa? » Kate scrollò il capo.

« No. Per un sacco di ragioni. Perché lo amavo, per la forza che, a volte, mi dava, per tutto ciò che era stato nostro, che avevamo diviso... prima che Tygue... Non me la sarei mai e poi mai sentita di smettere di andare da lui e al tempo stesso mi pareva che nessuno potesse capirlo. Neppure tu. Ti sembra che abbia un senso? »

« Sì, ha moltissimo senso, Kate. Però io non ho alcun diritto di toglierti tutto questo. Nessuno lo ha. »

« Ma come puoi adattarti a vivere con la situazione che ti ho detto? »

« Posso farlo, adesso che tutto è stato chiarito fra noi. Ho il più grande rispetto per quello che stai facendo, Kate. Mio Dio, se fosse successo a me qualcosa di simile... Che cosa stupefacente e incredibile il rendersi conto di avere una persona la quale ti ha voluto tanto bene da continuare a venire a trovarti in questo modo, per anni e anni! »

« Non è poi così nobile e meraviglioso come lo fai sembrare », sospirò Kate. « Qualche volta è terribilmente faticoso. Qualche volta mi esaurisce a un punto tale che arrivo addirittura a odiare queste visite. »

« Però le fai ugualmente; è questo ciò che conta. »

« Può darsi. E ho intenzione di continuare come prima, Nick. »

« Lo capisco. » Ci fu un momento di silenzio, un momento di pace che suggellò una specie di patto fra loro, un patto di comprensione reciproca. Nick bevve un sorso di tè e poi abbassò di nuovo gli occhi verso Kate. « Però, dimmi una cosa: che cosa pensi di fare, casomai qualcuno lo venisse a sapere? Se il passato venisse scoperto? Devo concludere che saresti disposta ad affrontare anche questa eventualità? »

« Sì e no. Quello che mi ha spinto ad andare a trovarlo e a uscire dal mio eremo è sempre stata la convinzione che non sarebbe mai potuto succedere. Perché, se pensassi realmente a una simile eventualità, credo che non me la sentirei più di uscire di casa. »

« Il che potrebbe essere molto piacevole. » Si scambiarono il primo, autentico sorriso da un'ora. « Parlo sul serio, bada! »

« Non lo so, tesoro. » Sospirò profondamente e si allungò più comodamente sul tappeto. « Non so proprio ciò che farei. Correrei via, mi lascerei prendere dal panico, non lo so. Magari non avrebbe più tanta importanza adesso che tu lo sai. Ma, naturalmente, c'è sempre Tygue. » Sospirò, poi le venne in mente qualcosa e guardò Nick. « Ti ricordi quel gran ricevimento al quale hai voluto accompagnarmi a Los Angeles, dopo la trasmissione con Jasper? »

Lui annuì. « Quel tizio ti ha detto qualcosa che ti ha sconvolta, vero? Lo sapeva? » Santo cielo! Non c'era da meravigliarsi che Kate si fosse comportata in quel modo così strano.

« Be', non proprio. Ciò che lo aveva colpito era stato il mio nome. Harper. Così si era messo a parlarmi di un giocatore di football, che si chiamava 'Joe o Jim o qualcosa del genere', al quale aveva dato di volta il cervello e... be'... sapeva tutta la storia. Più o meno. Così, credendo di scherzare, mi aveva domandato se ero una sua parente. E, come è naturale, io mi sono lasciata prendere dal panico. »

« Povera bambina. Non c'è da stupirsi che sia successo. Però non capisco per quale strano motivo non hai voluto cambiare il tuo nome, dopo una storia del genere! »

« Non mi è sembrato giusto, perché c'era Tygue. Tygue era suo figlio. Avrebbe dovuto essere Tygue Harper, su questo non c'era da discutere. E il fatto di cambiare nome mi sembrava una specie di affronto a Tom, anche se non lo avrebbe mai saputo. Non te lo saprei spiegare. Su questo argomento, ho sempre sentito la massima necessità di essere leale, fino in fondo. »

« Ma che cosa pensi di fare per ciò che riguarda Tygue? Non è una cosa che puoi tenergli nascosta per sempre. E se qualcuno, un bel giorno, gli dicesse che suo padre ha rischiato di uccidere due uomini e che al tempo stesso si è praticamente distrutto, penso che questo gli potrebbe rovinare tutta la vita. La verità è un dovere nei confronti di Tygue, Kate. O perlomeno una specie di verità, a una età in cui possa cominciare ad accettarla e a meditarla. Non lo vedrà mai? »

« Mai. Sarebbe impossibile. Tom non capirebbe e una cosa simile spezzerebbe il cuore a Tygue. Quello non è un papà: è uno strano bambino debole e invalido nel corpo distrutto di un uomo. Adesso non ha più neppure un buon aspetto. Per sopportare tutto questo, Tygue dovrebbe essere maturo e adulto. E poi, per quale motivo dovrebbe affrontare una prova del genere? Non sa nulla di lui. Ed è meglio così. E quando Tygue sarà maturo e adulto abbastanza per comprendere, può darsi che allora... » Tacque e dalle labbra le sfuggì un sommesso singhiozzo. Alzò gli occhi a guardare Nick ma questo, più che commosso, le parve grave e serio. « Che cosa è stato? » Kate era rimasta immobile. Nick piegò la testa da un lato.

« Niente. Perché? »

« Ho sentito... Oddio... » E poi lo capì, di colpo. Si erano completamente dimenticati che Tygue doveva essere stato riaccompagnato a casa. L'orologio dietro le spalle di Nick segnava le cinque e un quarto. Dunque Tygue era già a casa da mezz'ora. Un tempo sufficiente a... Allora Kate si voltò di scatto e lo vide lì, in piedi, in silenzio, col faccino inondato di lacrime. Tygue. Si precipitarono insieme verso di lui, ma il bambino si voltò di scatto e scese a precipizio le scale, singhiozzando disperatamente mentre gridava, rivolto ai due adulti: « Lasciatemi stare... lasciatemi stare... »

29

« COME sta? » Nick la guardò con aria grave mentre Kate usciva dalla camera di Tygue. Erano già le sei e mezzo; era stata un'ora molto lunga. Era sfuggito alle loro ricerche nascondendosi in giardino e, quando finalmente lo avevano riportato in casa, era bagnato fino alle ossa e si stringeva fra le mani un Willie non meno bagnato e fradicio di lui. Kate lo aveva ficcato in una vasca d'acqua calda mentre Nick gli aveva preparato una cioccolata bollente; poi Kate era rimasta seduta a lungo con lui nella sua camera, mentre Nick aveva aspettato sulle scale.

« Credo che stia bene. Ma è difficile dirlo. In ogni modo, adesso dorme. » Kate appariva esausta.

« Che cosa gli hai detto? »

« La verità. Quale altra scelta mi rimaneva? Del resto l'aveva già sentita quasi tutta, fermo sulla porta. Non credo che avesse intenzione di origliare. È semplicemente salito a dirmi che era tornato a casa e ci ha sentiti parlare di Tom. » Con un gesto gli indicò la porta spalancata della loro camera da letto e Nick fece segno di avere capito, seguendola lì dentro. Richiusero la porta e Kate si lasciò cadere pesantemente sul letto mentre Nick le offriva una sigaretta. Ma sembrava che, più che altro, avesse bisogno di un brandy e di un bagno caldo. D'altra parte non riuscivano a pensare che a Tygue.

« Mi accorgo di aver provocato un maledetto guaio, insistendo in quel modo per farti parlare di Tom. » Era tutto ciò che era riuscito a pensare, mentre aspettava sulle scale. Ma Kate scosse la testa, avvolta da una nuvola di fumo grigio.

« Non cercare di farti del male in questo modo. Per quanto sia stato penoso, credo che tu abbia fatto del bene a tutti noi. Io mi sento sollevata. E Tygue supererà presto questo momento. Perché, vedi, così gli posso raccontare anche le cose belle: Tom Harper è stato una persona magnifica, meravigliosa. Tygue ha il diritto di saperlo. Ma non era possibile parlargli di questo senza che sapesse tutto il resto. Così adesso conoscerà i due lati di questa storia. E non mi sembra un brutto cambio. » Esitò per un attimo e poi parlò di nuovo con un sospiro. « Ci sono stati dei momenti in cui mi sono chiesta se fosse giusto che io continuassi a recitare a questo modo la parte di Dio. In fondo ho tenuto nascosto a Tygue qualcosa di molto importante. Gli ho impedito di sapere chi era suo padre, che cosa faceva. Ma pensavo che sarebbe stato più facile per lui. » Si mise a sedere lentamente e guardò fisso Nick. « E poi c'erano anche altre ragioni. »

« Impossibile che fossero ragioni indegne! »

« Forse lo erano. Volevo che Tygue fosse mio. Lo volevo totalmente libero da tutto ciò che c'era stato. Non desideravo che fosse... come Tom. » Nick attese che proseguisse, senza aprire bocca. « Non volevo che si innamorasse del personaggio di Tom Harper, di quella gloria fatta di album di fotografie, ritagli di giornale e adulazione. A Tom tutta questa roba piaceva enormemente. E a quale uomo non sarebbe piaciuta? Penso che, forse, ero un po' preoccupata che anche Tygue desiderasse quel genere di celebrità, magari addirittura per dimostrare qualcosa, in nome di Tom. Perché il nome Harper fosse 'pulito'. Dio solo sa quante idee sballate sarebbero potute passargli per la testa... e io temevo tutte quelle possibilità. Nel modo scelto da me, è stato tutto molto più semplice. » Poi, ricordandosi di nuovo di Nick, ebbe un pallido sorriso. « Ma non era giusto, Nick. È onesto e logico che lui debba sapere. Un giorno, probabilmente, dovrò raccontargli tutto anche dei miei genitori. Gli ho lasciato credere che tutto il suo mondo, il mondo che lo circondava, fosse morto, all'infuori di me. Ma quella non era la verità. E suppongo che ogni persona abbia diritto alla verità. » Anche Nick aveva avuto il diritto di conoscerla. Per un attimo Kate provò l'impressione di averli traditi tutti e, a quel pensiero, si sentì travolgere da un'ondata di stanchezza profonda. « Comunque, tesoro, le cose si aggiustano sempre da sole. » Tese una mano a Nick, ma questi non la prese e parve sempre inquieto e sconvolto.

« È quello che pensa anche Tygue? » Nick lo domandò in tono pieno di amarezza mentre guardava prima Kate e poi la baia che si stendeva al di là della finestra. Avrebbe dovuto badare ai fatti propri!

« Adesso Tygue è confuso. Non sa che cosa pensare. L'unica cosa buona è che mi ha detto di voler assolutamente vedere il suo papà. Ma io gli ho risposto che non è possibile. » Sospirò ancora. « Ora è arrabbiato con me, proprio per questo motivo. Ma gli passerà. E poi ha te. » Sorrise alle spalle di Nick e gli andò vicino, circondandogli la vita con le braccia.

« Però io non sono suo padre, Kate. »

« Non importa. Tu gli dai molto di più della maggior parte dei padri, da ogni punto di vista. E poi... non so, Nick. Questa è la nostra realtà. Tom è stato quello che è stato e ha fatto quello che ha fatto. Per motivi che sono stati soltanto suoi. Forse è venuto anche per noi il momento di affrontare la verità. Non ci ucciderà. Di conseguenza, smettila di aver quella faccia... come se fosse morto qualcuno! » Nick si voltò a guardarla e cercò di sorridere, ma non ci riuscì molto bene. Continuava ad avere l'impressione che il mondo gli fosse crollato addosso e non riusciva a trovare il modo di consolarsi e di sistemare le cose per Kate e per Tygue. « A proposito, non devi andare alla televisione stasera? » Kate, stupita, lanciò un'occhiata all'orologio.

« Mentre eri da Tygue, ho telefonato per dire che non stavo bene. »

« Mi fa piacere. » Gli sorrise e si distese sul letto. « Mi sento stanca da morire. »

« Non riesco assolutamente a capire come mai sei così stanca, Cenerentola! » Sedette e cominciò a massaggiarle lentamente i piedi e poi le gambe. « In fondo, hai fatto soltanto cinquecento chilometri in macchina, sei tornata a casa, ti ho costretta a tirar fuori tutti gli scheletri dal tuo armadio e, come conclusione, sono stato tanto in gamba da straziare il cuoricino di tuo figlio, ti ho costretta a correre a cercarlo sotto la pioggia battente, a fargli il bagno, a confortarlo e, nel complesso, a tentare con ogni mezzo che una giornata cominciata malissimo finisse in modo migliore. Si può sapere perché diavolo sei così stanca? » Kate stava ridendo a quella descrizione.

« Pensi che mi daranno una onorificenza per tutto quello che ho fatto? Perché sembra proprio una giornata esemplare! »

« Dovresti averla! E dovresti invece prendere a calci me! »

« Saresti disposto ad accettare qualcos'altro? » Kate si mise a sedere sul letto mentre Nick continuava a massaggiarle le gambe e gli fece scivolare le braccia intorno al collo.

« Non me lo merito. » Nick abbassò la testa come un bambino che ha fatto una birichinata e lei scoppiò a ridere.

« Oh, sta' un po' zitto e cerca di rilassarti. » Nick ubbidì; erano le nove quando Kate andò a far scorrere l'acqua nella vasca. « Vuoi stare attento tu, qui, un momento? Voglio vedere come sta Tygue. »

« Certo. » La fermò ancora un attimo per un lungo bacio tenerissimo. Gli aveva dato tutto quella sera, Nick lo sapeva. Il suo corpo, la sua anima, il suo cuore; tutto ciò che aveva da dare era stato dato. Come per consolarlo del dolore che lui aveva provocato. « Ti amo, Cenerentola. Molto più di quello che tu sappia. A proposito », la guardò con dolcezza e le allontanò una ciocca di capelli dal viso, « non voglio essere io a indagare nella tua vita privata o a chiederti quali sono i motivi per cui lo hai fatto, ma mi sembra che tu stasera abbia dimenticato qualcosa. » Kate alzò gli occhi a guardarlo con un lieve sorriso un po' confuso. Sapeva che Nick la stava prendendo in giro, ma non riusciva a capire a quale proposito.

« Davvero? » E poi il sorriso si allargò. « Oh, accidenti!

La cena. Oh, tesoro, come mi dispiace. Stai morendo di fame? »

« No, non sto morendo di fame. Non riuscirei neppure a mangiare. Parlo di qualcos'altro. » La prese di nuovo fra le braccia e sentì che il corpo di Kate, contro il proprio, gli dava un nuovo impeto di vitalità, mentre si sorridevano e si baciavano. « Hai dimenticato il disco volante... ma sì, lo sai, quella magica invenzione acchiappabambini. » La guardò con un largo sorriso. L'aveva dimenticato anche lui. Fino a quel momento. Quella sera era andato tutto così storto! Ma quando la guardò, si accorse che Kate era accigliata e che la sua espressione non era di panico, ma di irritazione.

« Cavoli! Il diaframma! » Lo aveva lasciato molto verginalmente chiuso in un cassetto.

« Sarebbe un disastro? » si sentì obbligato a domandare anche se, per lui, non lo sarebbe stato affatto. Continuava a desiderare un figlio da Kate. Non soltanto Tygue, ma anche un bambino che fosse proprio suo. « Credi di avere combinato un grosso pasticcio? No. Comunque non resterò incinta. È il periodo sbagliato del mese. »

« Come fai a saperlo? » Lui non ci riusciva mai, in calcoli del genere.

« Mi sono lavata i capelli ieri, appena finite le mestruazioni. »

« Ma non hai risposto alla mia domanda. »

« Qual era? » Ma lo stava prendendo in giro e Nick lo capì.

« La domanda è... oh, vai al diavolo! Resta pure incinta... ti starebbe bene! Ti condurrò in quel ricovero per le ragazze madri e me ne andrò a Tahiti con Tygue. »

« Mandami una cartolina, per favore! E, ormai, non preoccuparti più di sorvegliare l'acqua per il mio bagno! » Scoppiò a ridere mentre chiudeva i rubinetti e afferrò un accappatoio bianco per andare a dare un'occhiata a Tygue. « Torno fra un minuto. »

« Brava! » disse con un sorriso. E Kate ubbidì. Tornò dopo un attimo ma senza più sorridere. Entrò nella stanza da bagno con l'accappatoio svolazzante che rivelava quel suo corpo lungo, snello e nudo, e il volto di un pallore cadaverico.

« Tygue è scomparso. »

Nick provò l'impressione che gli fosse crollato il mondo addosso. Kate gli mostrò in silenzio un biglietto e, mentre lui lo leggeva, si chinò sulla tazza del water e vomitò.

30

« No, non sappiamo dove sia andato. Tutto ciò che sappiamo è quello che ha lasciato scritto in questo biglietto. » Nick guardò Kate. Ne avevano già discusso lungamente prima dell'arrivo della polizia. Non avrebbero detto nulla a proposito di Tom. Non poteva essere di alcuna utilità.

« Diamo un'altra occhiata a questo biglietto. »

Il biglietto era paurosamente semplice: *Io vaddo a cerchare mio papà.* Un linguaggio semplicissimo, da bambino di sette anni. Andava a cercare suo padre. L'investigatore in abiti borghesi alzò gli occhi verso Nick e Kate.

« Lei non è il padre del bambino, signor... ehm... Waterman? »

« No. È figlio della signora Harper. Però Tygue e io ci vogliamo molto bene e andiamo molto d'accordo. » Non appena ebbe pronunciato quelle parole, si vergognò di se stesso. Gli pareva di comportarsi come un povero idiota. D'altra parte chi era realmente lucido in quel momento? Kate già da tempo aveva uno strano aspetto: era pallidissima, quasi grigia in volto, addirittura esangue. Non aveva quasi rivolto la parola alla polizia e Nick cominciava a temere che soffrisse di uno choc ritardato.

« Ma voi sapete dove si trova suo padre? Perché a me sembra abbastanza semplice: basterebbe fargli una telefonata. » Kate prese un aspetto angosciato, stravolto, e Nick scrollò la testa.

« Temo di no. Il padre del bambino è morto prima che lui nascesse. »

« Allora era arrabbiato con lei? » ribatté prontamente il poliziotto e stavolta Kate sembrò riprendersi.

« No, penso piuttosto che ce l'avesse con me. Soprattutto devo dire che, in questo periodo, sta attraversando dei momenti molto difficili. È sottoposto a ogni genere di impegni e di nuove pressioni. Siamo appena venuti ad abitare a San Francisco, studia in una scuola nuova e... » balbettò, lasciando in tronco la frase e Nick le afferrò una mano e gliela strinse.

« Ha un po' di soldi con sé? »

Kate fece segno di no. « Non credo. »

« Si è portato via qualcosa? »

« Sì. Il suo orsacchiotto. » Le si colmarono gli occhi di lacrime mentre pronunciava quelle parole. « Si tratta di un grosso orsacchiotto bruno con la cravatta rossa. » Abbassò gli occhi verso Bert, che si mise a scodinzolare avvicinandosi; bastò per farla piangere ancora di più.

« Che cosa aveva addosso il bambino? »

Kate non lo sapeva. Non sarebbe mai riuscita a indovinarlo. Tuttavia andò a guardare nell'armadio dell'anticamera e scoprì che il suo impermeabile era scomparso.

« Un impermeabile giallo. E, probabilmente, jeans e stivali da cowboy. »

« Non c'è nessuno in città da cui potrebbe essere andato? »

« Felicia! » Si precipitò al telefono ma, dopo aver composto il numero all'apparecchio, attese inutilmente. Nessuna risposta. Con aria sempre più triste, diede all'investigatore il numero di telefono di Licia, quello di Tillie e anche quello di Joey, laggiù, nella cittadina dove erano sempre vissuti. « Temo che possa tentare di raggiungere Carmel. » Lanciò un'occhiata colma di disperazione a Nick.

« Perché? Conosce qualcuno in quella località? » Il poliziotto aveva alzato immediatamente gli occhi.

« No. Però gli piace. » Accidenti! Che cosa poteva raccontargli? Che Tygue era andato a cercare quel suo papà che era diventato un invalido, un ritardato mentale; quel papà che un tempo era stato famoso e di cui, fino a quello stesso pomeriggio, aveva sempre ignorato l'esistenza? « Che cosa avete intenzione di fare? » Strinse convulsamente la mano di Nick mentre gli agenti di polizia richiudevano i loro taccuini.

« Setacciare tutta la zona finché non lo troveremo. Adesso ci occorre qualche fotografia. » Ne tirarono fuori a dozzine. A colori, primi piani, scattate da lontano, in cui era ripreso vestito in tutti i modi possibili e immaginabili, sul suo pony, con il suo cane, a Disneyland, su un tram di San Francisco con Licia. Misero nelle mani dei poliziotti una quantità tale di fotografie che sarebbe stata sufficiente a riempire un album. « Ce ne basteranno soltanto una o due. » Kate annuì, attonita e stravolta, mentre gli investigatori della polizia uscivano, sotto la pioggia. « Vi telefoneremo ogni ora per darvi notizie. »

« Grazie. »

« E, mi raccomando... fatevi forza! » Guardarono Nick con aria incoraggiante. La casa era lussuosa e, a guardare quelle fotografie, si sarebbe detto che il bambino fosse piuttosto contento e sereno. Era chiaro che nessuno, lì, lo aveva maltrattato. Forse era soltanto uno di quegli strani bambinetti che sentono la necessità di scappare di casa. Ne avevano già visti, di quel genere. Quanto alle bambine, invece, avevano piuttosto la tendenza a piantarsi sulla porta con aria disperata, offrendo così al padre e alla madre tutte le opportunità possibili di supplicarle di restare in casa. Con i maschi era diverso: facevano fagotto e se ne andavano.

« Oddio, Nick, che cosa facciamo? »

« Esattamente quello che ci hanno detto, tesoro. Cerchiamo di stare calmi e di avere coraggio. »

« Non posso... Nick, non posso. Potrebbero averlo rapito. Magari è stato investito da un'automobile. Potrebbe... »

« Basta! Smettila! » Nick la afferrò per le spalle e poi se la strinse al cuore, con tutte le sue forze. « Devi smetterla, Kate. Non possiamo fare così. Dobbiamo sentire dentro di noi che andrà tutto bene. » Kate, attonita e smarrita, annuì, mettendosi a piangere e aggrappandosi disperatamente a Nick. C'era una tale disperazione nei suoi occhi che Nick se ne sentì straziare e, alla fine, mentre Kate singhiozzava affranta, credette di capire. Perché nel cuore di Kate non c'erano soltanto la preoccupazione e il timore.

« È colpa mia, Nick... È tutta colpa mia! »

« Ho detto di smetterla, Kate. Non è colpa tua. » Aveva una voglia tremenda di dirle che la colpa, invece, era proprio tutta sua, perché aveva voluto discutere quell'argomento e aveva combinato un tale pasticcio, quel pomeriggio; ma era inutile, ormai, che l'uno o l'altro di loro volesse attribuirsi la colpa di quanto era accaduto. Ciò che dovevano fare era ritrovare Tygue, ricondurlo a casa e parlargli di suo padre, del passato, cercare di spiegargli quali erano stati i motivi di Kate per tenerlo all'oscuro di tutta quella storia. Gli avrebbero dato ancora più affetto di prima. Ne aveva bisogno. E ciò che era accaduto quella sera lo provava. Ma battersi il petto e coprirsi il capo di cenere era inutile. Nick afferrò Kate per le braccia, la strinse forte a sé, le sollevò il mento con una mano fino a quando gli occhi di lei, pieni di lacrime, incontrarono i suoi. « Non è colpa di nessuno, tesoro. Possiamo continuare a tormentarci per un secolo, ma forse era qualcosa che doveva accadere! Forse Tygue doveva sapere. »

« Lo capisco. Ma avrei dovuto dirglielo molti anni fa e allora tutto questo non sarebbe successo. »

« Invece non lo hai fatto e non puoi sapere, ora, se le cose sarebbero andate diversamente. Chissà, forse non sarebbe riuscito ad accettarle come le ha accettate ora. In ogni modo, ormai quello che è stato è stato. Non glielo hai detto. Ma ora Tygue lo sa e sono questi i fatti sui quali dobbiamo lavorare, i fatti che dobbiamo affrontare. »

« Ma se gli dovesse succedere qualcosa di brutto? » La voce di Kate era tornata un gemito disperato e aveva di nuovo gli occhi pieni di lacrime.

« Non gli succederà niente di brutto. Dobbiamo crederci con tutte le nostre forze, Kate. »

« Vorrei riuscirci! » Si soffiò rumorosamente il naso e chiuse gli occhi.

La polizia aveva continuato a telefonare, ogni ora, come era stato loro promesso; ma per il momento non avevano nessuna notizia. Fu dopo mezzanotte che riuscirono a parlare con Felicia.

« Oh, mio Dio! » mormorò Felicia con la voce rotta dall'emozione, mettendosi a sedere di schianto mentre Nick le spiegava l'accaduto. Kate non era in condizione di parlarle. Aveva smesso di piangere, ma non faceva che starsene seduta, in silenzio, con gli occhi sbarrati, a passare e ripassare fra le mani quelle fotografie. Alla fine, Nick aveva smesso di cercare di portargliele via. « Devo venire da voi? »

« Potrebbe esserci utile. Tu le sei già stata vicina in altri brutti momenti, in passato. »

« Certo. E, Nick... » Licia esitò per un attimo e poi si decise a parlare. « Sono contenta che tu lo sappia. Kate aveva bisogno di sentirsi liberata da tutto ciò. Non avrebbe potuto continuare a tenerlo nascosto per sempre. »

« Lo so. Però non sarebbe potuto succedere in modo peggiore! »

« Forse non c'è altro modo! » Nick annuì in silenzio e riattaccò. Felicia arrivò quasi subito e restarono seduti insieme a bere caffè e ad angosciarsi fino alle cinque del mattino. Poi, alle cinque e mezzo, la polizia ritelefonò. Nick si impose di farsi forza per affrontare anche una notizia terribile. Oppure nessuna notizia, come prima.

« Lo abbiamo noi. »

« Dove? »

« È qui, da noi. » Il poliziotto si rivolse al bambino, facendogli un sorriso.

Nick chiuse gli occhi e lo gridò a gran voce nella stanza: « È lì, da loro! » Poi, tornando a parlare al microfono: « Sta bene? »

« Bene. È stanco, ma sta bene. Però l'orsacchiotto Willie ha l'aria un po' disorientata. » Il bambino era molto quieto e taciturno, probabilmente un po' sconvolto dall'esperienza.

« Dov'era? »

« Girellava per la stazione dei pullman Greyhound, dove cercava di convincere qualcuno ad accompagnarlo a Carmel. Sua madre aveva ragione. In genere, ce l'hanno sempre. Ve lo portiamo a casa fra dieci minuti. »

« Un momento. Posso parlargli? » Aveva intenzione di chiamare Kate all'apparecchio poiché gli era venuta vicino, singhiozzando, ridendo, stringendogli convulsamente un braccio mentre Felicia li osservava anche lei con gli occhi pieni di lacrime.

Il poliziotto tornò al telefono dopo un attimo. « Dice che è troppo stanco per parlare. » Testardo, il ragazzino! Ma quello era un problema che avrebbero dovuto risolvere loro! Quanto a lui, avrebbe scritto un rapporto, fatto un bel discorsetto al piccino sui pericoli di scappare di casa e su quelli di una stazione di autobus e lo avrebbe quindi riaccompagnato dai suoi.

« Che cosa vuol dire che è troppo stanco? » Kate sembrava sbalordita anche quando Nick aveva già riattaccato, ma poi capì. « È ancora arrabbiato. »

Nick annuì. « Direi anch'io. »

E non sbagliava, infatti. Quando Tygue tornò a casa, sembrava tranquillo e mansueto, ma aspettò che il poliziotto se ne fosse andato prima di rivolgere la parola a qualcuno. Aveva abbracciato doverosamente sua madre, non appena entrato, ma quell'abbraccio non aveva dato né calore né conforto a Kate; le era rimasta soltanto una chiazza di umidità sulla camicetta, dove si era appoggiato Willie. Perché anche l'orsacchiotto era fradicio. Tygue si era asciugato nella stazione degli autobus, ma era addirittura stupefacente anche il solo fatto che fosse riuscito ad arrivare fin lì. Spiegò che aveva venti centesimi in tasca e che aveva preso un autobus. Erano stati gli autisti, di volta in volta, a dargli le indicazioni necessarie.

« Hai un'idea di quello che ti sarebbe potuto succedere? » Kate cominciò a sgridarlo. Fu una reazione istintiva, per il gran sollievo che provava. Tygue chinò la testa, ma non sembrò affatto contrito o rammaricato. Anzi, alla fine disse:

« Io lo rifaccio ».

« Cosa? » strillò Kate mentre Nick cercava di calmarla.

« Vado a cercare mio padre. Voglio vederlo. » A quel punto Kate si lasciò cadere su una seggiola con un sospiro e osservò attentamente suo figlio. Come poteva spiegargli, senza spezzargli il cuore, che non c'era nessun padre da andare a trovare? C'era stato una volta un uomo, ed era stato il suo papà, ma ormai non esisteva più. E Tygue non poteva vederlo.

« Non puoi farlo. » Gli disse con voce molto sommessa.

« Voglio farlo, mamma. » La guardò con un'espressione di straordinaria determinatezza sul faccino.

« Ne parleremo insieme. »

Lo mise a letto e Tygue ci restò. Ma era stata una notte molto lunga e quando Felicia tornò a casa in macchina alle sei e mezzo sentì in fondo al cuore che tutta quella storia non era ancora finita. Forse al momento poteva sembrarlo. Ma Tygue aveva parlato sul serio. Aveva tutte le intenzioni di andare a cercare suo padre. Licia si augurò che Kate lo capisse. Intanto, in quel momento, Kate era profondamente addormentata fra le braccia di Nick. Riuscì a dormire solo tre ore. Alle nove e mezzo telefonò Stu Weinberg.

« Come? » Ancora intontita dal sonno, non riusciva a capire di chi si trattasse. Nick le aveva promesso di lasciare fuori della porta un messaggio per la persona che andava ad accompagnare i bambini a scuola, in modo che potessero dormire fino a tardi. Anche tutta la giornata, se ci fossero riusciti. Nick le aveva anche assicurato che non avrebbe parlato con Tygue finché lei non si fosse alzata.

« Ti ho svegliata? »

« Come? Cosa?... No... » Ma si stava già riaddormentando. Nick entrò in quel momento e la prese per una spalla, scuotendola.

« Svegliati. Stai parlando al telefono. »

« Uhu? Chi è? »

« Stu Weinberg, per tutti i diavoli! Ma si può sapere che cosa sta succedendo lì da voi? Che cosa avete fatto la notte scorsa? Una bella oretta? »

« Come no. E che oretta! » Kate si mise a sedere sul letto, socchiudendo gli occhi, sentendo una vaga nausea. Le girava la testa come se avesse preso la peggior sbornia della sua vita ma, almeno, cominciava a ragionare. « Come va il libro? »

« Sta facendo guadagnare un patrimonio sia a me sia a te. Anzi, è proprio per questo che ti telefono. Ci sarebbe un altro giro promozionale. »

« Oh, no. È stato Nick a combinare anche questo? » Cercò di sorridere, ma la sua faccia si rifiutò di ubbidirle. Che cosa stava complottando ancora Nick? Tuttavia Weinberg insistette affermando che Nick non c'entrava affatto. E sembrava sincero. « Allora, di che si tratta? »

« Una settimana a New York. Il tuo editore vuole che tu faccia un certo lavoro promozionale in modo che il libro sia sempre ai primi posti nell'elenco dei best-seller. È un obbligo da parte tua, bambina, specialmente se vuoi presentare presto quello al quale stai lavorando adesso. Ti converrebbe restare nelle loro grazie! »

« In questo momento non posso. » C'erano già troppe questioni scottanti in casa.

« Balle, Kate. È un impegno a cui non puoi sottrarti. Hai dei doveri verso questa gente. Stanno lavorando per farti fare carriera. » E cominciò a elencarle tutti i programmi nei quali le avevano fissato un'intervista. Forse troppi. Sarebbe stata una settimana spaventosa.

« Te l'ho già detto. Non posso. »

« E invece dovrai accettare. Ho già detto di sì a nome tuo. »

« Come hai potuto farmi una cosa simile? » Sentiva gli occhi riempirsi di lacrime. Era inoltre ancora terribilmente stanca per tutto ciò che era accaduto la notte precedente.

« L'ho fatto perché non hai scelta. Domandalo un po' a Nick. Lui sa bene che cosa significa tutto ciò. »

« Lascia perdere Nick. Va bene, vedrò. Da quando sarebbe? »

« Dovresti partire fra tre giorni. Resterai via una settimana. »

« Farò del mio meglio. »

« Oh no, il tuo meglio non basta... Ci vuole ben altro! » Era irremovibile, spietato. « Ti telefono più tardi per darti la conferma di tutto. »

« Va bene. » Era troppo esausta per discutere. Si lasciò ricadere sul guanciale e cercò di mettere un po' di ordine nelle proprie idee.

« Chi era? » Nick la guardò con aria preoccupata.

« Weinberg. »

« Qualcosa non va? »

Lei annuì. « Telefonava per dirmi che il mio editore mi ha già fissato un altro giro promozionale a New York per una settimana. »

« Quando? » Nick era sbalordito.

« Parto fra tre giorni. »

« Che figlio di buona donna! Ma io lo ammazzo! » Nick si mise a sedere e si passò una mano fra i capelli. « Non puoi andare. »

« Dice che ci sono obbligata. Non è stato lui a combinare. Te l'ho già spiegato. È stato il mio editore. » E poi, accidenti, Nick non poteva dirle quello che poteva o che non poteva fare!

« Non me ne frega niente di chi è stato! Lo sai maledettamente bene che non puoi partire. Glielo hai detto, sì o no? »

Ma Kate non glielo aveva detto. Perfino con tutte le cose che le stavano succedendo, non glielo aveva detto. Stu le aveva fatto capire che c'era di mezzo la sua carriera, che doveva accettare quella proposta, altrimenti...

« Che cosa diavolo gli hai detto? » Nick dall'alto della sua statura la guardò, sconvolto.

« Gli ho detto che avrei visto quel che potevo fare. »

« Vuoi dire che andrai? »

« Non lo so. Non lo so, accidenti! Non riesco neppure a pensare con chiarezza. Come posso sapere quello che farò fra tre giorni? »

« Se hai un po' di buonsenso, fra tre giorni cercherai di sistemare le cose con tuo figlio. Di mettere a posto il pasticcio che è successo. Questa dovrebbe essere la cosa più importante. »

« Lo è, ma... accidenti, lasciami tranquilla! » Non si sarebbe mai liberata di tutta quella gente? Nick con la sua indignazione così presuntuosa e le sue idee di come devono comportarsi il padre e la madre perfetti, e Tygue con quelle sue richieste, quei suoi bisogni così pressanti. Anche lei aveva diritto a una vita tutta sua! Aveva diritto al suo successo.

« Ti stai innamorando di te stessa, vero, Kate? » Le ci volle tutto il suo autocontrollo per non allungargli uno schiaffo. « In conclusione non è poi così divertente fare la mamma, vero? »

« Mi vuoi lasciare tranquilla, maledizione? » Si era messa a urlare e le parve di non riconoscere neppure la propria voce. « Si può sapere che cosa vuoi da me? Il mio sangue? »

« No, un po' di senso della realtà! Hai un bambino che sta affrontando una crisi gravissima della sua vita. Non ha bisogno di una madre che se ne parte tutta allegra per un bel viaggetto. »

« Be', non pensi a quali potrebbero essere i miei bisogni? Alla mia carriera? A tutto ciò che gli ho dato in questi anni? Non conta niente tutto questo? Non ottengo neanche un po' di libera uscita, visto che mi sono comportata così bene? »

« È questo tutto quanto riesci a provare nella situazione in cui vi trovate, Kate? È questo tutto ciò che senti per Tygue? E per me? » Per un attimo assurdo e pazzesco, Kate provò una gran voglia di rispondere che era così, ma non ne ebbe il coraggio.

La sua voce si fece improvvisamente molto sommessa. « Ho semplicemente bisogno di tempo per pensare, tutto qui. Ma lascia che prenda questa decisione e che mi organizzi da sola. » Si mise a sedere sul letto e si passò una mano fra i capelli.

« Non credo che tu abbia molte scelte. »

« Non ne ho mai avute molte! Forse, proprio in questo momento avrei bisogno di essere in grado di fare queste scelte, di prendere le mie decisioni. »

« Ne hai già prese anche in passato, Kate. » Ma perché la metteva così alle strette? Perché diavolo non la lasciava tranquilla? Come avrebbe voluto scrollarselo di dosso! Tuttavia Kate non pronunciò una parola che facesse capire quello che stava pensando. E d'un tratto parve immersa in profonde meditazioni, tutte sue.

« Certo. Ho già preso delle decisioni in passato. » Come quella di non dire nulla a Tygue di suo padre. Bella decisione, proprio, vedendo com'erano andate le cose!

« Si può sapere che cosa ti rode, Kate? Ti senti di nuovo colpevole? È questo? »

« Accidenti, Nick, sì! » Si alzò di scatto mentre gli rivolgeva queste parole, urlando con tutta la voce che aveva in corpo e stavolta i suoi occhi erano scintillanti di collera. « Sì, mi sento colpevole. Va bene? Ti fa sentir meglio udire queste parole dalle mie labbra? Sì, sono convinta che tutto questo grosso guaio successo con Tygue sia semplicemente colpa mia, soltanto mia, accidenti! E sai un'altra cosa? Questo non cambia ciò che provo nei suoi confronti: non fa aumentare il mio amore verso di lui rispetto a prima. Mi fa soltanto venir voglia di scappare. Perché fra lui che in questo momento mi tiene il broncio e mi detesta, non capendo niente di ciò che ho fatto, e tu che continui a rinfacciarmelo, mi viene soprattutto un gran desiderio di piantarvi qui tutti e due e di andarmene per i fatti miei. Che cosa ne pensi di quello che ti sto dicendo, bello mio? »

« Perfetto, ottimamente. » Girò sui tacchi e uscì; Kate entrò nella stanza da bagno e ne richiuse la porta con fragore, per venirne fuori dieci minuti dopo rinfrescata e in ordine, ma sempre affranta. Tygue stava ancora dormendo, ma Nick era seduto al tavolo della prima colazione con una tazza di caffè davanti. Kate ne versò una anche per sé e lo osservò. Aveva una faccia da fare spavento anche lui.

« Scusami se mi sono messa a gridare. »

« Non importa. » La sua voce era quieta, come quella di Kate. Tuttavia la guardò come se fosse un essere sceso da un altro pianeta. « Andrai? »

« Non lo so. »

« Sta capitando anche a te, Kate. »

« Che cosa? » Ma sapeva ciò che Nick voleva dire.

« Il giro di lancio della stella, della diva. La sindrome che chiamo 'Io-Meraviglioso-Io'. Sei assolutamente decisa a fare tutto ciò che devi per la tua carriera. Hai un'idea di quello che sta succedendo a quel piccino in questo momento? » Nick era di nuovo fremente.

« Hai un'idea di quello che sta succedendo a me? Che sono dilaniata da mille esigenze diverse? »

« Mi spiace. Ma tu sei una persona adulta. Puoi affrontare e lottare, Kate. Lui, no. Lo so che hai avuto dei momenti difficili, dolorosi, ma questa non è una buona ragione per riversare su di lui il tuo bisogno di ribellarti. Lui non può farci niente. E, in questo momento, ha una gran confusione nel cervellino per ciò che riguarda suo padre. »

« Quanto a questo, anch'io non posso farci niente. Non posso, con un colpetto di bacchetta magica, ottenere che Tom torni la persona sana e intelligente di prima. Non lo è, non lo è più. E Tygue non può assolutamente vederlo. Sarebbe una cosa terribile per tutti e due. » Kate si era messa a urlare di nuovo.

« Questo io posso capirlo », Nick fece uno sforzo per abbassare la propria voce, « ma Tygue, no. Non riesco assolutamente a credere come tu possa partire per New York in questo momento. »

« Non ho detto che lo farò. »

« No, ma sarà così. »

« Come accidenti fai a saperlo? » Le venne la tentazione di buttargli il caffè in faccia, vedendoselo seduto lì davanti, irritato, furioso, con la presunzione di essere l'unico a vedere le cose nel modo giusto e a capirle. In quel momento lo detestava.

« So che partirai perché sei già stata risucchiata in quello schifoso gioco che si chiama successo. Le interviste, le apparizioni alla TV, i soldi, i best-seller, e tutto il resto. Mi accorgo che ti sta già succedendo, Kate. E ti dico una cosa: sono molto, maledettamente spiacente di avere contribuito anch'io a tutto questo. Mi dispiace che ti abbiano chiamato per quel programma di Jasper alla televisione. »

« Ma che cosa c'entra? Guarda un po' quanto ho guadagnato in questi ultimi quattro mesi. Più di duecentocinquantamila dollari. Io. Io sono riuscita a guadagnarli, da sola, con un unico schifosissimo libro, con o senza quel tuo schifoso programma. Con quello che ho guadagnato, Tygue potrà andare all'università e prima dell'università a una buona scuola. Avrà tutto ciò che gli occorre. »

« Salvo sua madre. »

« Vai a... »

« Sai che cosa ti dico? Non me ne frega niente di quello che farai. La verità è un'altra: non voglio essere qui presente a guardarvi quando gli dirai che parti per New York. »

« E allora, non esserci. Glielo dirò mentre sei fuori. »

« Perché allora parti, vero? » Insisteva e insisteva e insisteva...

« Sì! » Fu come una specie di gemito alto e rabbioso che parve riempire l'intera casa. Trasalirono tutt'e due a sentirlo, soprattutto Kate. Non era stata ancora sicura, fino a quel momento, di partire realmente. O, perlomeno, si era illusa di credere che poteva ancora pensarci e decidere in un senso o nell'altro. Mentre, in realtà, lo aveva saputo fin dal principio, non appena Weinberg le aveva detto quanto sarebbe stato importante quel giro promozionale per il suo libro successivo. Kate voleva che quello a cui stava dedicandosi fosse ancora migliore del primo. Intanto la scenata ottenne soltanto lo scopo di darle una terribile sensazione di vuoto e di gelo quando si ritrovò sola, seduta lì in cucina, dopo che Nick ebbe lasciato in silenzio la stanza. Forse aveva ragione. Forse stava proprio cominciando a succederle. Quella frenesia, quella droga del successo. Ma non a spese di Tygue... no... non di Tygue.

Cercò di spiegargli tutto ciò, quel pomeriggio, ma Tygue non aveva molta voglia di parlare. Cercò di fargli capire qualcosa di Tom, dei libri che aveva scritto, del suo lavoro, di quanto era successo a Tom. Ma era soltanto un bambino di sette anni. Non capiva molte cose. Riusciva a pensare soltanto al suo papà. Kate gli mise in mano un album pieno di vecchi ritagli di giornale degli anni felici del successo, in cui si parlava di Tom. Tygue se ne andò nella sua camera a leggersi avidamente tutta quella roba. E Kate telefonò a Tillie.

Durante la settimana in cui sarebbe stata assente, Tillie poteva venire lì in casa; avrebbe dormito nella camera degli ospiti. In tal modo Kate avrebbe alleggerito il peso che lasciava sulle spalle di Nick, che vide appena prima di partire. Lui tornò a casa molto tardi quelle due sere, quando lei dormiva già, e rimase fuori tutto il giorno. Kate cercò di spiegare ciò che provava a Felicia, ma anche da lei ottenne poca comprensione e conforto. Nessuno la capiva. Perfino Tillie le sembrò un po' fredda quando arrivò, ma forse era soltanto perché si sentiva spaesata e intimidita dalla grande città. Kate le fu molto grata di essere andata da lei e Tygue parve felicissimo di rivederla. Anzi, a dire la verità, Kate si sentì quasi messa in disparte. Tygue sembrava più contento di vedere Tillie di quando stava con lei, che era sua madre.

« Vuoi che ti accompagni all'aeroporto? » Nick la guardò con freddezza.

« Posso prendere un taxi. Voglio lasciare la mia automobile a Tillie, qui in casa. Non è poi una gran fatica! »

« Non fare la martire. Ti accompagno io. »

« Non potrei sopportare i tuoi discorsi. » C'era fra loro un'ombra di gelo che non c'era mai stata prima e Kate si accorse che la terrorizzava, anche se non voleva mostrarlo.

« Ho fatto tutti i discorsi che intendevo fare. Salvo uno. Hai l'aria stanca, Kate. Cerca di non esagerare con i tuoi impegni a New York. »

« Sono state due giornate massacranti. Per tutti. » Alzò gli occhi a guardarlo e qualcosa si addolcì negli occhi di lui.

« Cerca soltanto di non dimenticare che ti amo, Cenerentola. » Era la prima volta, da parecchi giorni, che Kate lo sentiva così premuroso e gentile. « A che ora è il tuo aereo? » Le rivolse un sorriso stanco e lei gli comunicò l'ora in cui sarebbe dovuta uscire di casa. Si guardarono con rammarico. « Accidenti! » Kate si infilò il vestito e Nick la aiutò a chiudere la cerniera lampo, invece di aprirla, come d'abitudine. Cinque minuti dopo uscivano. Il tragitto fino all'aeroporto fu silenzioso e Kate provò un certo dispiacere pensando che non avevano potuto fare l'amore. Sarebbe stato meglio, per tutti e due. Sarebbe stato un ricordo di ciò che li legava. Qualcosa da portare con sé, nella memoria, un legame sereno e pieno di pace prima che Kate si sentisse catapultata nell'ambiente assurdo e pazzesco di New York. Tuttavia, quando Nick la baciò, Kate comprese subito la misura di tutto l'amore che quell'uomo provava per lei. Mentre saliva sull'aereo, si voltò a salutarlo con la mano e le parve di non essersi mai sentita tanto sola in vita sua. Bevve una quantità esagerata di vino prima di arrivare, ma bastò a non farle sentire troppo acutamente la solitudine; poi, durante le ultime due ore di volo, non fece che dormire. Che modo orribile di arrivare a New York! Stanca, con gli abiti sgualciti e i capelli spettinati e con quel vago mal di testa che segue sempre una sbornia. Non era certo una luna di miele, quella! Era una dura realtà. Per di più era sola, completamente sola, nella metropoli. Se ne accorse subito quando si trovò sul marciapiede fuori del terminal a lottare per trovare un taxi. La macchina che avrebbero dovuto mandare a prenderla non si era fatta vedere e Kate non riuscì più a trovare una delle sue valigie. Un inizio veramente perfetto! Comunque, le cose più tardi andarono un po' meglio. Presa dalla disperazione, Kate accettò di dividere un taxi per andare in città con un bell'uomo, dall'aspetto simpatico ed elegante; un architetto che arrivava da Chicago e doveva avere passato da un po' la quarantina. Anche lui era alloggiato al *Regency*.

« Molto comodo! Prenota sempre a questo albergo? » L'uomo non fece nessun tentativo di scoprire il suo nome e continuò a conversare piacevolmente per tutto il tragitto fino al centro della città. Kate gli lanciò un'occhiata distratta. Aveva i capelli grigi, i lineamenti sottili e l'aria elegante, da persona raffinata, ma stanca. Tuttavia, il suo corpo sembrava ancora giovane. Era un uomo attraente, a modo suo, senza fare troppo colpo. Le sembrò completamente diverso dai tipi atletici, che sprizzavano salute da tutti i pori, della California.

Aveva l'atteggiamento di chi è abituato a viaggiare, era un po' pallido, ma molto interessante.

« Ho alloggiato in questo albergo l'ultima volta che sono venuta a New York. »

« Io cerco di venirci una volta il mese, più o meno. » Le lanciò un'occhiata distratta e sorrise. Parlarono degli edifici cittadini, del panorama, di San Francisco e, senza accorgersene, Kate si lasciò sfuggire di essere scrittrice.

« Che stupenda professione. Deve piacerle molto! » La guardò con visibile invidia e Kate si mise a ridere. A sentire quell'uomo, la sua professione pareva molto più affascinante e interessante di quanto non fosse in realtà.

« Mi diverte molto. » E poi, senza saper bene come, Kate si sentì più disinvolta, forse per merito di lui, e si mise a parlare del romanzo che stava scrivendo.

« Sa che cosa le dico? Mi ricorda, non per la trama ma per un'atmosfera che è molto analoga, un libro stupendo che ho appena finito di leggere: *Una stagione definitiva.* » Lei scoppiò a ridere.

« Lo ha letto anche lei? » Parve divertito osservando Kate che continuava a ridere allegramente.

In fondo, perché no? Perché non ammetterlo con quell'uomo? « Be', non di recente. Però l'ho scritto. » Ci volle un momento perché la stoccata lo colpisse a fondo e poi l'architetto la fissò stupito.

« Davvero? Ma è un libro fantastico! » Sembrava profondamente meravigliato.

« Vuol dire che le manderò una copia di quello che sto scrivendo adesso! » disse in tono scherzoso, ma l'uomo estrasse immediatamente un biglietto da visita e glielo mise in mano con un sorriso.

« Ci tengo: veda di mantenere la sua promessa, signorina Harper. »

A quel punto sapeva anche il suo nome. Kate mise il cartoncino nella borsetta proprio mentre il taxi arrivava davanti all'albergo.

31

TUTTO andò molto diversamente rispetto al viaggio a New York che aveva fatto con Nick. Scomparse le lussuose *limousines* che la accompagnavano ovunque, le passeggiate in carrozzella, le avventure segrete, i pranzi al *Lutèce* e le cene al *Caravelle*. Come era scomparso il suo amore, quella sua tenerezza che le faceva da cuscinetto. Kate si trovò ad affrontare una New York con tutta la sua spavalda e spietata realtà, gli urtoni, le spinte, la lotta per trovare un taxi, la fatica di camminare contro il vento che soffiava con forza e le spingeva sui piedi lembi stracciati di giornale e sudiciume di ogni genere. Gli appuntamenti che il suo editore le aveva già fissato erano inoltre massacranti. Il primo giorno dovette partecipare a tre programmi radiofonici, senza avere neppure il tempo per pranzare; alle quattro dello stesso pomeriggio fu costretta a registrare un'intervista per la televisione in cui l'organizzatore del programma l'aveva invitata insieme con un giornalista sportivo il quale non nascose un senso di superiorità nei suoi confronti. Kate era esausta e furiosa quando rientrò in albergo alle sei, un'ora in cui non avrebbe neanche potuto telefonare a Nick o a Tygue. Nick infatti sarebbe stato alla televisione per il programma e Tygue ancora a scuola. Si fece servire in camera un bicchiere di vino bianco e si sedette tranquillamente ad aspettare il momento di poter chiamare Nick. Perfino la camera era meno accogliente e simpatica. Forse era ancora più ricercata nell'arredamento, tutta in bianco e oro, ma più piccola e più fredda e il letto le dava una sensazione di tristezza e di vuoto. Sorrise al ricordo di come avevano fatto l'amore durante il viaggio precedente.

Rimase così, rannicchiata sul divano, con le gambe ripiegate sotto il corpo e quel bicchiere di vino davanti. Era a cinquemila chilometri da casa, sola in un albergo sconosciuto e non aveva nessuno con cui parlare, neppure una persona che conoscesse! Provò la sensazione di non essere amata; d'un tratto sentì un vago timore e il desiderio spasmodico e disperato di tornare a casa. Ecco che cos'era... quella frenetica, favolosa, impetuosa ascesa verso la fama! Però sembrava che, una volta conquistata, la fama fosse qualcosa di simile a un edificio vuoto e disabitato. Si accorse di provare una grande nostalgia per la casa nascosta dalle folte siepi di Green Street: come sarebbe voluta esserci! Se Nick la voleva ancora. Perché, forse, era tutto finito. Provava l'impressione di avere appena cominciato quella vita con lui, di essere appena arrivata con Tygue a San Francisco il mese prima; forse, tutte quelle novità erano state un po' troppo per Nick. Forse, la sua carriera stava creando un conflitto troppo violento con lui, con il suo lavoro. Oppure poteva anche darsi che Nick non se la sentisse di accettarla così com'era. Kate telefonò per ordinare un secondo bicchiere di vino e poi abbassò il ricevitore, accigliata. Tutto ciò stava diventando ridicolo. Era a New York. Era una persona famosa. Scoppiò a ridere di se stessa a quella parola. Va bene, non era una persona famosa, però era ugualmente una persona di successo. Sarebbe potuta andare a cena ovunque le fosse piaciuto. Non era obbligata a starsene lì seduta in camera. Era assurdo. Prese la borsetta e ne estrasse un foglio di carta sul quale aveva una lista di ristoranti che le aveva indicato Felicia. Il primo si chiamava *Gino's.* Licia le aveva detto che poteva andarci anche da sola e che era sempre pieno zeppo di indossatrici, gente della pubblicità, scrittori, qualche tipo curioso dell'alta società europea, e « bella gente ». « C'è un sacco di roba interessante da vedere, in quel posto; ti piacerà.» Fra l'altro era soltanto a due isolati dall'albergo. Poteva andarci a piedi.

Si passò un pettine fra i capelli, si lavò la faccia, si rifece completamente il trucco. Era pronta. Quanto al vestito, poteva andare bene quello nero che aveva portato tutto il giorno. Felicia aveva detto che non era troppo elegante o vistoso. Infatti, secondo la moda di New York, l'eleganza consisteva in un paio di blue jeans, scarpe di Gucci e visone, oppure l'ultimo acquisto da Dior. Mentre prendeva la lunga giacca di lana rossa che aveva buttato entrando sullo schienale di una seggiola, ricordò il caldo spaventoso di due mesi prima. Si guardò le scarpe di lucertola nera e poi girò con gli occhi intorno a sé per la stanza... così vuota. Dio, com'era vuota! Le avrebbe fatto bene uscire. Perfino il panorama non la entusiasmava più, ormai. Tutta la città le pareva gigantesca e buia, le incuteva paura. Quando uscì dall'albergo si accorse che fuori faceva piuttosto fresco e c'era ancora più vento di prima. Si rialzò il collo della giacca e svoltò in direzione di Lexington Avenue. Aveva respinto l'offerta del portiere, che voleva chiamarle un taxi, allontanandosi a passo spedito. Aveva già acquisito il passo dei newyorkesi. Quasi di corsa, con un saltello ogni tanto o una corsettina più veloce, un urto contro qualcuno, un borbottio sommesso di scusa, una spinta e via ancora di corsa. Rise tra sé, pensandoci. Era in quella città da un giorno soltanto e già si sentiva logorata da quel ritmo. Mentre camminava tornò col pensiero a Nick e provò una vaga stizza per se stessa. E per lui. Che diritto aveva di farla sentire colpevole per il proprio successo? Aveva lavorato duro per conquistarselo. Se lo meritava. E, malgrado il successo, non stava trascurando né Tygue né Nick stesso. D'accordo, forse quello non era il momento più adatto per il viaggio che aveva dovuto fare, ma Dio benedetto! Sarebbe rimasta lontano solo una settimana! Aveva diritto almeno a quello... Ne aveva il pieno diritto... Quelle parole continuarono a riecheggiarle nel cervello quando girò a sud in Lexington Avenue, con i tacchi alti che risuonavano con ritmo uguale e cadenzato contro la griglia della metropolitana, mentre cercava di evitare frotte di passanti che marciavano al suo stesso passo spedito. Ormai aveva quasi trent'anni e aveva diritto a tutto quello... diritto a tutto quello... Per poco non passò davanti al ristorante senza notarlo e, quando si fermò di botto alzando gli occhi stupita verso l'insegna, due uomini le arrivarono addosso e la urtarono. Stavano uscendo proprio da *Gino's*. Non le chiesero neppure scusa, si limitarono a squadrarla da capo a piedi, dando l'impressione di trovarla di loro gusto e poi proseguirono il cammino, scendendo dal marciapiede per cercare di rubare un taxi ad altri due uomini. Caratteristico di New York. In California per una cosa del genere si sarebbe arrivati addirittura alle mani. Lì a New York, i due uomini ai quali era stato sottratto così abilmente il taxi si limitarono a chiamarne un altro e a salirvi in tutta fretta, precedendo a loro volta di un attimo la donna che lo aveva già adocchiato e chiamato per prima, dall'orlo del marciapiede. Kate sorrise tra sé mentre sgusciava fra le due porte a battente gialle di *Gino's*. Probabilmente ci volevano anni per imparare a comportarsi in quel modo per le strade di New York... O forse si era costretti a impararlo il più presto possibile. Magari si finiva per comportarsi così senza neppure accorgersene! Ma, a lei, continuava ugualmente a sembrare molto buffo.

« Signora? » Un cameriere italiano, svelto ed elegante in un vestito gessato grigio, le si avvicinò con un sorriso. « Un tavolo per uno? »

« Sì », annuì. Riusciva a udirlo a malapena nel frastuono del locale, che subito si mise a osservare con aria divertita. Le pareti erano di un colore orribile, coperte di motivi zebrati che si rincorrevano in diagonale. Piante di plastica erano disposte a gruppi in diversi angoli e l'illuminazione era ridotta al minimo. Al banco del bar la gente era ammassata in triplice fila e i tavoli, tutti con la tovaglia bianca, erano affollati dal *jet set* newyorkese, proprio quello che Felicia le aveva promesso. Indossatrici che portavano ancora il trucco pesante usato per la giornata di lavoro e indossavano l'ultimo modello di Calvin Klein; pubblicitari dall'aria suadente, sposati e infedeli; attrici, donne di spicco nell'alta società locale e uomini che si somigliavano un po' tutti. Ce n'erano di due tipi: europei e americani. Gli americani avevano tutti l'aspetto classico, molto « Madison Avenue », con abiti a righe, occhiali dalla montatura di corno, camicia bianca e cravatta. Gli europei li battevano di gran lunga in ogni senso: sarti migliori, camicie migliori, colori più smorzati, occhiali meno vistosi, calzoni della lunghezza giusta. Alla conversazione degli uomini si intrecciava di tanto in tanto la risata delle donne, come un *carillon* in un'orchestra, e sullo sfondo faceva da pesante contrappunto il costante tintinnio di argenterie e porcellane provocato dai camerieri. Questi, infatti, facevano un incredibile rumore con i loro vassoi, rischiando continuamente di mandare in frantumi il vasellame mentre lo passavano, al volo, ai loro giovani aiutanti, lanciandosi a gran voce richiami e ordinazioni, ma restando sempre il più possibile lontani l'uno dall'altro in mezzo a quella folla. Dal baccano che usciva dalle cucine si aveva poi l'impressione che, muniti di utensili pesantissimi e pentole di metallo, i cuochi cercassero di riprodurre il frastuono di un uragano. Tutto ciò fuso insieme, come in un sontuoso arazzo fatto di suoni, luci, colori e dei profumi intensi e gustosi della cucina italiana, dava come risultato... *Gino's*.

« Troveremo subito un tavolo per lei. » Il maître con il gessato grigio la guardò dall'alto in basso, con un'espressione di grandiosità e imponenza prettamente romana, e le indicò con gesto garbato il bar. « Qualcosa da bere mentre aspetta? » Il suo accento era perfetto, i suoi occhi carezzevoli. Kate dovette sforzarsi di non ridere. *Gino's* era un'esperienza inebriante. L'aveva catapultata da un momento all'altro in un'atmosfera da festa paesana, facendole dimenticare completamente la depressione di poco prima.

Dopo una lievissima esitazione Kate si avviò al bar, ordinò un *gin and tonic* e sentì che l'uomo davanti a lei ordinava un Campari. Un italiano, evidentemente. Lo riuscì a capire subito dal modo in cui aveva pronunciato quelle due parole, « Campari soda », e aveva scambiato qualche frase in italiano con il barman. Profumava intensamente di un'acqua di colonia maschile, di marca europea, forse francese... Non riusciva a ricordarlo, tuttavia le era familiare. L'aveva provata una volta pensando di comperarla per Nick, ma non andava bene per lui: aveva un aroma troppo intenso, era troppo sofisticata. La sua acqua di colonia abituale, con un aroma amarognolo al limone e alle spezie, gli si adattava molto meglio. Per l'uomo che aveva davanti era diverso. Il risvolto della giacca era di un intenso azzurro da porcellana Wedgwood e la sua giacca, vista da dietro, sembrava un *blazer* e aveva un taglio decisamente italiano, da ciò che riusciva a intravedere. I capelli erano grigi, il collo lievemente segnato... quarantacinque forse... quarantotto anni... A quel punto lui si voltò di scatto e Kate, vedendoselo di fronte, si accorse prima di arrossire e poi di trasalire per lo stupore.

« Oh, è lei! » Era l'uomo con il quale aveva preso il taxi per arrivare in città dall'aeroporto. L'architetto di Chicago. « Per un attimo ho pensato che lei fosse italiano. » Poi restò ancora più imbarazzata per il semplice fatto di rivelargli che lo aveva osservato ed essersi chiesta che tipo lui potesse essere, ma, infine, scoppiò a ridere di nuovo mentre l'uomo le rivolgeva un sorriso.

« Sono vissuto a Roma per sette anni. Di conseguenza temo di non saper più vivere senza l'antipasto, il Campari e tutte le altre specialità italiane. » Visto di fronte aveva un'aria molto più interessante di quel che non le fosse sembrato di schiena e Kate si accorse subito che era molto piacente e possedeva un notevole fascino. Molto di più di quanto non si fosse resa conto in un primo momento. In effetti, in taxi non gli aveva prestato molta attenzione.

« E allora... come si trova a New York, signorina Harper? » Le sorrise al disopra del bicchiere che stringeva in mano e le fece posto perché potesse raggiungere il banco del bar.

« New York è degna della sua fama. Ho lavorato tutto il giorno senza un attimo di tregua. »

« A scrivere? »

« Troppo facile! No, mi sono occupata di pubblicità. »

« Non posso negare di rimanerne colpito. » In realtà sembrava divertito, piuttosto, e chissà perché, il suo sguardo la imbarazzava. Era come se vedesse troppo attraverso e sotto quel vestito nero, ma al tempo stesso le parole che pronunciava non erano affatto sconvenienti. Così, solo una sensazione. C'era qualcosa di rude, di sexy, di maschio sotto quei vestiti di ottimo taglio e quel comportamento da uomo d'affari. « Allora la vedrò alla TV? »

« Sarà un po' difficile, a meno che non si chiuda nella sua camera in albergo durante il giorno, a guardare i programmi televisivi! » Kate gli sorrise di nuovo.

« Temo che non sia possibile. Anch'io sono a New York per affari. Stamattina abbiamo cominciato alle sette con una colazione di lavoro. In questa città lavorano come matti! » Poi diedero contemporaneamente un'occhiata alla sala. « Fanno ogni cosa come matti. Anche mangiare. » Kate rise con lui e per qualche minuto restarono a osservare la scena che avevano davanti. Kate sentì che l'uomo la scrutava ancora e si voltò verso di lui. Non disse nulla. Si guardarono semplicemente, poi l'uomo sorrise e levò il bicchiere in un brindisi.

« Brindo a lei, signorina Harper, per un libro che ha avuto un gran significato per me. Ma si può sapere dove è andata a scovare certe osservazioni sul modo di agire e di comportarsi degli uomini? L'ascesa lenta verso il successo, la disperazione se ci si ferma appena prima di arrivare al vertice... O lo si raggiunge o si cade? » Guardò per un attimo nel suo bicchiere poi fissò nuovamente Kate che rimase stupita per l'espressione seria che gli lesse sul viso. Dunque il suo libro aveva davvero significato qualcosa per quell'uomo e, improvvisamente, ne fu contenta. Aveva capito. Fu come se avesse capito Tom.

« Ha saputo sostenere molto bene la logica di queste sue osservazioni. Perfino dal punto di vista di un uomo. Credevo che fosse difficile per una donna capire sul serio che cosa vuole dire il successo. Tutte quelle assurdità incredibili sul modo di ottenerlo e la tragedia, la disperazione, quando non ci si riesce. »

« Non sono del tutto certa che, per le donne, le cose siano differenti. Ma, vede, ho potuto osservare mio marito passare attraverso tutto ciò », disse Kate, abbassando gli occhi verso il proprio bicchiere. Tuttavia continuava a essere profondamente colpita dalla voce garbata del suo interlocutore, che sembrava una dolce brezza estiva nella burrasca invernale a cui si poteva paragonare il chiasso che li circondava.

« Deve essere molto orgoglioso di lei, adesso. »

Kate alzò gli occhi di scatto a guardarlo e scrollò il capo. « No. È morto. » Non lo disse per metterlo in imbarazzo, ma con semplicità; l'uomo tuttavia restò ugualmente sconcertato. Tanto che Kate si vide costretta a chiedergli scusa. « Non volevo dirlo in questo modo. »

« Mi spiace molto per lei. Ma adesso capisco meglio il libro di quanto non avessi fatto in un primo momento. Molte cose assumono un'interpretazione diversa. E ce l'aveva fatta, tanto per esprimerci in un tono da persone d'affari, prima di morire? L'aveva raggiunto, il successo? » Sembrava che a quell'uomo importasse davvero saperlo. E Kate decise di essere sincera con lui. Era un estraneo e lei aveva già bevuto... il vino all'albergo e adesso il gin. Si sentiva insolitamente sincera e così sola, tagliata fuori dal mondo che conosceva. Anche lei, in quel luogo, era un'estranea per gli altri. Poteva dire quello che le saltava in testa.

« Sì, ce l'aveva fatta. Ma poi non è riuscito a conservarselo, il successo. E questo lo uccise. Avrebbe dovuto avere un'altra possibilità, altrimenti! » L'uomo capì il senso di quell'« altrimenti ».

« Attacco cardiaco? » Era il suo più grande timore.

« Più o meno. » Ma subito Kate si accorse delle paure dell'altro e lo guardò intensamente. « No. Non fu un attacco di cuore. Qualcosa d'altro. Fu il suo spirito a morire. La sua anima. E il resto... Diciamo che finì più o meno allo stesso modo. Ma no, non si trattò di un attacco cardiaco. » L'uomo parve leggermente sollevato.

« Mi chiedo spesso quale sia la risposta giusta. Rifiutarsi di stare al gioco? Rifiutarsi di scendere in gara per il successo?

Eppure è così terribilmente tentatore, vero? » La guardò con quel suo sorriso intenso, carico di sensualità, e Kate lo ricambiò.

« Sì, è vero. Anch'io comincio a capirlo meglio adesso. Va sempre a finire che bisogna fare una scelta, bisogna prendere una decisione sulle cose che hanno importanza e si fa del male a qualcuno. Non bisognerebbe essere costretti a fare quelle scelte, ecco. »

« Ah, signorina Harper, eppure ci si è costretti! » E sorrise con un po' di malinconia.

« Anche lei? » Si vergognò quasi della propria domanda: tuttavia le piaceva parlargli. Aveva il tono dell'uomo di mondo, era brillante, molto attraente e sembrava che desiderasse proprio discutere dei problemi che, in quel momento, la assillavano.

« Sì, anch'io devo fare queste scelte. Ho una moglie che dichiara di avere bisogno di me a Chicago. Per feste, inviti a cena o cose del genere. Un figlio che mi considera una carogna capitalista e una figlia spastica. Hanno bisogno di me. Probabilmente hanno molto bisogno di me. Ma se io non corressi dietro al dio denaro, mia moglie non potrebbe più dare i suoi ricevimenti e mio figlio non potrebbe essere quel fannullone perdigiorno che è solo apparentemente impegnato a difendere quelle cause che gli sembrano così nobili, e mia figlia... be', lei è quella che ne ha più bisogno di tutti. » Si fece molto serio, guardò il proprio bicchiere, poi riportò di nuovo gli occhi su Kate. « Il guaio, in tutta questa storia, è che i miei motivi per darmi tutto questo da fare sembrano buoni, decorosi e giusti, ma la verità è che non lo faccio neppure più per tutto questo. »

« Lo so. » Kate capiva. Anche troppo bene. « Lo fa perché le dà piacere. Perché ci è costretto. Perché adesso è una parte di lei e... » Pronunciò le ultime parole a voce molto bassa, quasi parlando a se stessa: « Perché lei ha un diritto a tutto ciò. Alle cose belle. All'esaltazione che dà il successo... » Alzò gli occhi di nuovo e lui glieli imprigionò con il suo sguardo a lungo, mentre le sue labbra prendevano una piega ironica.

« Ecco perché mi è piaciuto il suo libro. Perché lei lo ha capito. »

Anche Kate sorrise. « Il buffo è che, quando ho scritto quel libro, sapevo tutto del successo. O perlomeno credevo di saperlo. Ma lo osservavo negli altri, non lo avevo mai provato personalmente. Lo conoscevo da un punto di vista e da una posizione che è esattamente quella di sua moglie. Adesso so che cos'è e che cosa vuole dire, ma da un'angolazione differente. Adesso anch'io mi trovo a confronto con quelle stesse cose. »

« Benvenuta nel paese dei falliti che hanno avuto successo, signorina Harper. »

« Si considera un fallito? »

« Dipende da come si guardano le cose. Ho il sospetto che per loro, per la mia famiglia, probabilmente lo sono. Non so. Per il mondo degli affari non lo sono affatto. » Tutt'altro, anzi. Negli ultimi cinque anni aveva vinto parecchi importanti premi internazionali. Ma non glielo raccontò, si limitò a rivolgerle quel suo lieve sorriso ironico. « Il prezzo che si paga è molto alto, proprio come dicono tutte le canzoni. »

« Ne vale la pena? »

« Lo domandi a suo marito. » Oh! Per poco, Kate non trasalì a quelle parole. « Dovrebbe già conoscere la risposta. »

« Forse sì, ma adesso vedo le cose in un modo differente. Godo a fare quello che faccio. Mi piace. E non capisco perché non posso avere le due cose: una vita vera e autentica, una vita di famiglia, una vita che abbia un significato, una sua integrità morale e, al tempo stesso, una carriera di successo. »

« Già, forse è così. » Indicò con un gesto al barista di riempire di nuovo i loro bicchieri e Kate non sollevò obiezioni. « Tutto dipende da quello che lei chiama successo e da quello che è, a suo giudizio, una carriera. Mi sembra che la sua non sia affatto modesta. Anzi, in un certo senso, lei è una celebrità. E, di tutto questo, bisogna pagare lo scotto. »

« E lei? » Kate scoprì di voler sapere qualcosa di più su quell'uomo. Le piaceva.

« Io non sono una celebrità. Sono solamente un architetto. Però tanto per parlare in linguaggio sportivo, gioco in prima categoria. »

« È felice? »

« No », rispose molto semplicemente, come se si trattasse di qualcosa che accettava e su cui non versava più le sue lacrime. « Immagino che ciò comporti una grande solitudine per noi tutti. » E la guardò con aria interrogativa.

« E sua moglie? » Gli occhi di Kate si fissarono in quelli di lui mentre gli poneva questa domanda.

« Suppongo che sia infelice anche lei. »

« Non lo dice? »

« No. È una donna molto ben educata. E... » esitò solo per un attimo. « Io non glielo domando. Ci conoscevamo fin da ragazzi e ci siamo sposati giovani. Avevamo appena finito il college tutti e due. Io volevo diventare disegnatore pubblicitario. Lei voleva divertirsi un po' a fare l'artista. Invece mio padre mi suggerì di continuare gli studi e di andare all'università di Yale per laurearmi. Seguii il suo consiglio studiando architettura, ottenni la laurea e quello non fu che il principio. Sia io sia lei ci dimenticammo dei nostri sogni. Perlomeno di quelli più modesti. I sogni più grandiosi si realizzarono facilmente. Troppo facilmente. » A quel punto guardò Kate con un ampio sorriso che smentiva tutto ciò che aveva appena finito di dire. « E adesso, signorina Harper, lei sa tutta la mia storia. Dal principio alla fine. Lo squallido fallimento del mio matrimonio, i tormenti del mio spirito, perfino i miei timori di un attacco di cuore. Potrà servirsi di tutto questo per il suo prossimo romanzo. » Vuotò il bicchiere con un ultimo sorso e poi tornò a guardarla con un velo di ironia e un vago sorriso nello sguardo. « Fra l'altro, sono pronto a scommettere che lei non ricorda più neppure il mio nome. »

Kate aveva ancora il suo biglietto da visita in qualche posto, ma non lo aveva letto. Gli rivolse un sorriso imbarazzato. « Mi spiace doverlo confessare, ma lei ha ragione. Vede, sono negata per ricordare i nomi, io! »

« La stessa cosa vale per me. L'unica ragione per la quale ho ricordato il suo è quella che il libro mi è piaciuto. Kaitlin, non è vero? » A lei piacque il modo in cui lo pronunciò.

« Kate. »

« Io mi chiamo Philip. Philip Wells. » Le tese la mano e Kate gliela strinse solennemente. Poi, all'improvviso, il capocameriere si fermò con grande discrezione a un passo da loro. « Signore, signora, i loro tavoli sono pronti. » Indicò il centro della sala e Philip guardò Kate.

« Sarebbe disposta a una fusione? Due tavoli in uno? Oppure le do fastidio, preferisce stare sola? » Non gli era neppure passato per il cervello che Kate potesse aspettare qualcuno e a lei piacque l'idea di cenare in compagnia: non aveva voglia di stare da sola.

« No, mi farebbe molto piacere. »

Il capocameriere annuì subito; Philip pagò al barista le consumazioni e poi si spostarono verso il centro della sala fra quelle strisce che sembrano rincorrersi diagonalmente sulle pareti. Kate le considerò con aria dubbiosa e non nascose un brivido di orrore mentre Philip le offriva una sedia, ridendo di fronte all'espressione che le leggeva sul volto.

« Lo so. Non sono orribili? E il tragico è che, ogni volta che hanno cambiato l'arredamento del locale, hanno speso un occhio della testa per rifarlo pressoché identico, con tutta quella specie di foresta vergine di plastica e le zebre. Probabilmente hanno ragione. I clienti se lo aspettano. »

« Ci viene spesso, qui? »

« Vengo a New York abbastanza di frequente e quando sono in città mangio sempre qui. Come le ho già detto, non posso fare a meno di tutte queste specialità italiane... Sono come una droga per me! » Soprattutto le donne, ma evitò di raccontarglielo. Del resto Kate lo aveva già intuito. Philip Wells non aveva certo l'aspetto di un uomo fedele alla propria moglie; e le aveva già raccontato abbastanza di sé per farle capire che era infelice. Quello era il preludio abituale.

Ma non gliene importava. Si accorse che le piaceva ugualmente. E poi era una persona intelligente con cui chiacchierare. Meglio che starsene nella propria camera a guardare la televisione. Molto meglio. Del resto neppure Nick era a casa. Si sentì torturare dalla stessa angoscia di prima, non appena Nick si insinuò nuovamente nei suoi pensieri.

« Quando è vissuto a Roma? » Si sforzò di pensare a Philip e non a Nick, almeno per la durata del pasto.

« Siamo tornati dieci anni fa. Abitavamo laggiù quando i ragazzi erano ancora piccoli. Mia figlia ci è nata. È una città stupenda. »

« Ci torna spesso? »

« Un paio di volte l'anno. Ma ho più lavoro a Parigi e a Londra che a Roma. » Kate riusciva a capire che cosa volesse dire Philip quando parlava del suo successo. Parigi, Londra, Roma, New York. Sembrava tutto così esaltante. Si domandò se sarebbe stato necessario fare un giro anche in Europa per la pubblicità del suo libro. Nick, probabilmente, l'avrebbe uccisa. Se non era già uscito dalla sua vita.

Durante la cena, la conversazione continuò facile e disinvolta. Non misero più a nudo le loro anime, non si confidarono più segreti strazianti. Kate gli raccontò qualche storia divertente di San Francisco e l'architetto le parlò delle proprie avventure all'estero. Si rimbeccarono e si presero allegramente in giro fino al dessert. Conclusero la cena con uno zabaione.

« Dovrebbe venire a San Francisco. Abbiamo un ristorante dove servono uno zabaione al cui confronto questo fa venire la nausea tanto è pallido! » Il resto della cena fu squisito ma, giunta alla fine, Kate si accorse di sentire la mancanza del famoso dolce al rum di *Vanessi*.

« Potrei farle una sorpresa. » Kate rise a quel pensiero. Certo che sarebbe stata una sorpresa! Ma capì subito che Philip non parlava seriamente. « A dire la verità, ci manco da quasi vent'anni. Gran parte del mio lavoro mi costringe ad andare in Oriente oppure in Europa. Sulla West Coast lavoriamo pochissimo e generalmente, quando ci capita qualche cosa da fare laggiù... » la guardò imbarazzato, « mando uno dei miei assistenti »

« Carina, questa! Non considera la California degna di lei? » Lo stava prendendo in giro e Wells si mise a ridere.

« Lo confesso. Forse non ci ho mai pensato. In ogni modo il mondo degli affari non ha un ritmo così scatenato, laggiù. »

« Magari questa è una virtù. »

« Non l'ho mai pensato. Però forse ha ragione. » Sorrise, guardandola con simpatia, e allungò la mano per prendere il conto mentre Kate si accigliava.

« Penso che non dovremmo fare così, Philip. Mi permetta di pagare la mia parte. »

« Che donna moderna! Non dica assurdità! » Le sorrise con aria benevola mentre deponeva sul piatto alcune banconote.

« La prego, non lo faccia. Dopo tutto... » gli rivolse una risata maliziosa, « ho anch'io un rimborso spese! »

« In tal caso, pagherà un'altra volta. Posso persuaderla a venire al *Carlyle* per un'oretta, allo spettacolo di Bobby Short? » Era un invito che la tentava molto, tuttavia guardò l'orologio con aria dispiaciuta.

« Che cosa ne direbbe, invece, di bere rapidamente qualcosa al nostro albergo? Temo di dovermi svegliare a un'ora antelucana, domattina! Devo essere negli studi della TV alle sette e un quarto. »

« E io devo trovarmi a una colazione di lavoro a Wall Street alle sette e mezzo. L'albergo va benissimo. »

E, infatti, andò benissimo. Fu molto piacevole: c'era un pianista che suonava, la sala non era affollata e, anzi, straordinariamente romantica per essere soltanto il bar di un albergo.

« Non ricordavo che questo bar fosse così carino. » Kate si guardò intorno stupita e lui scoppiò a ridere.

« È per questo che lo ha proposto? Pensava che ci sarebbero state le luci al neon e un jukebox? » Lei rise a quell'idea. « Un vero peccato che non sia così! Non sarebbe uno spasso se avessimo qualcosa del genere qui al *Regency*? » Risero insieme e sorseggiarono lentamente i loro brandy. Kate aveva bevuto molto, ma non si sentiva ubriaca. Si erano spartiti mezza bottiglia di vino a testa a cena, però avevano anche mangiato abbondantemente. A quel punto, però, il brandy stava cominciando a farla sentire un po' trasognata, ma non troppo. Accentuava soltanto la dolcezza della musica e il tepore della gamba di Philip contro la sua.

« Che cosa farà domani, negli studi della TV? »

« Oh, farò da accompagnatrice in un giro guidato », disse con aria molto seria e Philip le rise in faccia.

« Parlo sul serio. Sono affascinato da tutta questa faccenda della celebrità. »

« No, per carità! Non lo faccia. È una cosa che distrugge. E poi è spesso molto noiosa. Sto cominciando a scoprirlo adesso. Quando sono stata qui in agosto mi sembrava tutto molto più affascinante. Adesso, a distanza di due mesi, trovo che sia una gran noia e che ci sia da lavorare troppo. »

« Deve prepararsi per le trasmissioni? »

« Be', non proprio. Mi domandano sempre, con un po' di anticipo, di che cosa sono disposta a parlare. E, al tempo stesso, ci si fa una vaga idea di quello che occorre per ciascun programma. Ma è tutto qui. Dopo si tratta soltanto di fare pubblicità al libro, di essere carina e possibilmente molto spiritosa. » Fece una smorfia, come avrebbe potuto farla Tygue, e Philip scoppiò a ridere.

« Mi accorgo che lei prende tutto molto seriamente. A proposito, Kate, posso chiederle se domani avrebbe voglia di venire a pranzo con me? Avevo un impegno che è stato annullato e quindi sono libero. »

« Vorrei esserlo anch'io », disse con aria depressa e Philip parve deluso. « Ma devo andare a una specie di pranzo letterario dove saremo tutte donne. Riesce a pensare a qualcosa di peggio? »

« Non potrebbe liberarsene? »

« No, se ho intenzione di pubblicare il mio prossimo romanzo. » Philip sorrise, con rammarico. Non poteva invitarla a cena. Aveva un impegno importante per la sera dopo, al quale non poteva mancare assolutamente; Kate, del resto, avrebbe cenato con il suo editore, il redattore che curava i testi dei suoi libri e con alcune persone che lavoravano nell'ufficio newyorkese della sua agenzia letteraria.

« Fino a quando si ferma in città? »

« Fino a domenica. »

« Bene. Allora possiamo combinare per un altro giorno. Dopodomani, magari? Per pranzo? » Era libero anche per cena, ma pensò che sarebbe stato più opportuno aspettare a proporlo quando fossero stati a pranzo. Perché andare a pranzo insieme era sempre un ottimo modo di cominciare: avrebbero così potuto decidere se era il caso di trovarsi anche la sera, senza fretta.

« Mi piacerebbe moltissimo. Dove ci troviamo? » A quel punto Kate cominciava a sentirsi seriamente un po' sbronza e, d'un tratto, si accorse di avere una gran voglia di essere già nel suo letto. Diede un'occhiata all'orologino da polso e rimase inorridita quando si accorse che era l'una passata. Erano stati insieme molto a lungo. Ormai sarebbe riuscita a dormire soltanto quattro ore. Faceva terribilmente New York, tutto questo.

Lui la guardò con un sorriso e depose il bicchiere vuoto. « Vediamo un po'... Che posti divertenti ci sono per andare a pranzo? Il *Quo vadis*? »

« Dove si trova? »

« Qui in fondo alla strada. È molto simpatico. » Aveva anche il vantaggio di essere a un solo isolato di distanza dall'albergo, casomai il loro pranzo andasse proprio a gonfie vele!

La prese sottobraccio mentre si avviavano all'ascensore e la seguì avidamente con lo sguardo quando Kate scese al suo piano. Le tenne la porta spalancata indugiando per un attimo, e la guardò. Non c'era nessuno in ascensore con loro; dopo mezzanotte funzionava automaticamente. « Buonanotte, Kate. » La voce di Philip parve una carezza e Kate quasi ne rabbrividì. « Mi mancherà, domani. »

« Grazie. » Allora Philip lasciò che la porta si richiudesse e lei si sentì un po' sciocca. « Grazie. » Quanto poco affascinante, la sua risposta! Così poco sofisticata. Così sciocca. Accidenti! Philip Wells era un uomo di una categoria ben diversa da quella in cui pensava di trovarsi lei. Mai aveva conosciuto un uomo come quello. Era più europeo che americano e molto, molto abile e suadente. Poi, mentre entrava in camera, scoppiò a ridere. Sotto certi aspetti, somigliava moltissimo a suo padre. E niente affatto a Nick. Quello, se non altro, le diede un gran senso di sollievo. Era così maledettamente stanca di Nick e di Tygue e di Tom e di tutto ciò che pretendevano da lei! Era stanca di quei viaggi che faceva oppressa dal senso di colpa, del caos della sua vita, dei conflitti interiori. Si distese per un attimo sul letto, ripromettendosi di alzarsi subito per spogliarsi. Ma non lo fece. La chiamarono al telefono, per la sveglia, alle sei e dovette prepararsi in fretta e furia per essere pronta in tempo. La volevano far partecipare a una trasmissione alle sette e mezzo; ma fu un programma nel quale pronunciarono il suo nome in modo sbagliato e fecero un sacco di citazioni, tutte sbagliate anche quelle, dal suo libro.

32

Kate quella sera rientrò nella sua stanza d'albergo dopo le undici. In tutto il giorno non aveva avuto un solo momento per se stessa. Il maledettissimo pranzo letterario con le signore, i vari programmi della radio e della TV, la cena con quella gente dell'agenzia letteraria e gli editori... Le era sembrato che la giornata non finisse mai. Insomma era stata una specie di maratona a base di asparagi, salmone affumicato e bruciore di stomaco; Kate non ne poteva più. Fra l'altro, per la seconda volta, non aveva potuto parlare con Tygue perché ogni volta che riusciva a raggiungere un telefono si accorgeva che non era l'ora giusta per telefonare, per la differenza di fuso orario. A San Francisco erano infatti le otto passate e il bambino probabilmente dormiva già. Non poteva neppure parlare con Nick, perché sarebbe stato alla TV. E, una volta finito quello, lei sarebbe già stata addormentata. Comunque non le era arrivato nessun messaggio da parte sua e già solo quel fatto diceva molte cose. Sapeva che Nick doveva essere ancora arrabbiato. Così giurò a se stessa, appena prima di addormentarsi, che il giorno dopo avrebbe trovato il tempo di telefonare sia a lui sia a Tygue. A dispetto di tutto. Doveva assolutamente parlare con loro, altrimenti non gliela avrebbero mai perdonata.

Ma il giorno dopo uscì di gran fretta e continuò a correre

per tutta la mattina fino a mezzogiorno quando arrivò al *Quo vadis.* Philip la stava già aspettando e Kate scese dal taxi ed entrò nel ristorante con il fiato corto. Fuori faceva freddo e lei aveva le guance arrossate da quel venticello gelido. Non solo, ma appariva bellissima vestita com'era, in pantaloni rossi e pelliccia di visone; i suoi occhi splendevano come smeraldi. Era la prima volta che si metteva la pelliccia di visone da quando l'aveva riposta, al momento di trasferirsi in campagna. Era la stessa pelliccia che le aveva comprato Tom, dicendole che avrebbe dovuto metterla per andare in ospedale, dove sarebbe nato suo figlio. Era stupenda. Lunga, ampia, dello stesso colore lucente e caldo della cioccolata amara. La sua linea classica era ancora di gran moda. Aveva un aspetto affascinante e Philip fece fatica a controllarsi, a trattenersi dal toccarla, dall'accarezzarla.

« Sono in ritardo? »

« Affatto. Sono arrivato anch'io adesso. » L'aiutò a togliersi la pelliccia e si sentì subito stordire dal suo profumo. Gli fece venir voglia di baciarla sulla nuca, sul collo; ma non in quel momento... più tardi. I loro occhi si incontrarono e Kate si affrettò a distogliere lo sguardo, arrossendo leggermente. « E allora, come va New York? Ieri non ho fatto in tempo neppure a vederla all'albergo. » Il capocameriere li condusse a un tavolo un po' in disparte e Philip le prese una mano. Quel gesto la sorprese vagamente, ma restò altrettanto sorpresa della propria reazione. C'era una forte carica elettrica in quell'uomo e il modo in cui lei l'avvertiva la fece sentire stranamente ingenua.

« Non ci sono mai stata. Non ho fatto che correre di qua e di là tutto il giorno. E quando sono rientrata, me ne sono andata immediatamente a letto. »

« Che splendida idea! » La guardò con aria maliziosa e Kate rise mentre lui prendeva in mano la lista dei vini. Ordinò un Bordeaux secco, bianco, che aveva un gusto forte e squisito. Kate non aveva mai bevuto niente di simile. Oltre a tutto il resto, Philip sapeva anche come scegliere i vini.

Ordinarono aragosta e una *mousse* al cioccolato per dessert; infine una tazzina di caffè espresso. Poi Philip la stupì ordinando qualcosa che chiamò *poire*.

« Che cosa sarebbe? » Quando arrivò sembrava acqua, ma bastò un sorso a farle bruciare la bocca con un sapore di pera acuto e ardente. Philip rise davanti alla sua smorfia.

« È grappa di pera. E, a quanto vedo, *Mademoiselle* Harper, sarebbe opportuno che lei passasse un altro po' di tempo in Europa. Ci è stata di recente? » Kate sorrise a quei ricordi lontani. Non c'era più stata dopo l'ultimo viaggio con Tom.

« Non ci vado da molto tempo. Ci andavo spesso con mio padre e mia madre. Ma tutto ciò ormai fa parte di un'altra vita. Non ci sono più stata... » ci pensò per un attimo « ... da più di sette anni. Ero giovanissima. Nessuno mi offriva grappa di pera. » Tom non doveva neppure sapere dell'esistenza di quella *poire*. Era felicissimo di bere birra tedesca. Kate non era neppure riuscita a fargli assaggiare il *kir* o un Cinzano o qualche vino locale mentre viaggiavano attraverso l'Italia e la Francia. Solo birra.

« La beva piano, per carità. È forte », disse con aria da cospiratore e le parve che le si avvicinasse un po' di più sulla *banquette* dov'erano seduti.

« E come si fa a berla in un altro modo? Mi brucia maledettamente la bocca. » Bevve un altro sorso, e sussultò quasi, tanto era forte; Philip, invece, non sembrava avere alcun problema con quel liquore. Le sorrise mentre accendeva un Dunhill Monte-Cristo. Philip Wells era un uomo dai gusti raffinati. Kate si era appoggiata indietro, contro lo schienale, e lo stava osservando dare fuoco con attenzione alla grossa punta del suo sigaro, quando spostò distrattamente gli occhi un poco oltre e trasalì violentemente. Ma no, non le era sfuggito neppure un lieve suono dalle labbra. Non aveva fatto altro che fissare con gli occhi sbarrati... no, non era possibile, era... sì, lo era! Da dodici anni non lo vedeva, ma non poteva che essere lui. Suo padre.

« Qualcosa non va? » Philip la guardò con aria inquisitrice attraverso una nuvola di fumo azzurrino. « Kate? »

Lei annuì ancora sconvolta, ma senza guardarlo. « Mi scusi. Ho visto qualcuno che conosco. » Era cambiato? No, non le parve molto cambiato. I suoi capelli erano più bianchi e forse era un po' dimagrito. Ma stava seduto vicinissimo a una giovane donna che doveva avere pressappoco l'età di Kate. E la mamma, dov'era? Chi era quella ragazza? E poi, accidenti, che cosa diavolo gliene importava dopo tutti quegli anni? Si dimenticò completamente di Philip il quale, invece, non nascose la propria preoccupazione quando la vide diventare paurosamente pallida.

« Kate, vuole andare? » Chiamò con un cenno il cameriere per avere il conto senza aspettare la sua risposta. Ma Kate scrollò soltanto la testa e si alzò rapidamente in piedi.

« Torno subito. » Era assurdo, pazzesco. Non poteva andare da lui. Le avrebbe riso in faccia. Le avrebbe detto di andare all'inferno. Lui... Eppure sentiva di dover... dover... Udì il rumore dei propri passi che avanzavano ritmicamente e si trovò all'improvviso lì, ferma in piedi, con gli occhi fissi su di lui, pronunciando una sola parola: « Papà? » C'erano lacrime negli occhi di Kate e quando alzò gli occhi a guardarla, sconvolto, anche l'uomo si alzò lentamente in piedi lanciando solo un'occhiata alla donna seduta al suo fianco. Era alto, con il solito aspetto estremamente elegante e distinto, e con gli occhi che sembravano attratti da quelli di Kate come da una calamita. Era diventata una donna adulta, ormai. Ma non le tese le braccia. Rimasero semplicemente lì fermi, separati da un tavolo di ristorante, e da una vita.

« Kate. » Lei gli rispose con un cenno del capo, mentre le lacrime cominciavano a scenderle sulle guance. Però sorrideva ed ecco anche gli occhi di suo padre diventare lucidi di pianto. Si accorse di non sapere che cosa dirle. « Ho letto il tuo libro. »

« Davvero? » Aveva letto il suo libro, però non le aveva telefonato né scritto e neppure l'aveva cercata quando... Aveva letto il suo libro. Perché?

« È stupendo. » Un altro ammiratore. Solo che era un po' strano considerare così quell'uomo. Quell'uomo, in realtà, era suo padre. « Kate, io... sono molto dispiaciuto per tutto quello che è successo. Abbiamo... abbiamo pensato che la cosa migliore fosse di non... » gli morirono quasi le parole in gola mentre Kate continuava a fissarlo a occhi sbarrati « ... non interferire. Pensavamo che sarebbe stato soltanto più duro e difficile per te. Che sarebbe stato imbarazzante. » Imbarazzante? Dopo tutti quegli anni andava ancora a cercare pretesti. Avevano letto i giornali, avevano saputo quello che le stava succedendo e non le avevano neppure teso una mano. Lentamente le lacrime di Kate si asciugarono. Intanto si era accorta che suo padre aveva qualcos'altro da dirle. Aveva un bell'aspetto. Se ne accorgeva. Era invecchiato, ma era invecchiato bene. E aveva visto giusto, lei! Assomigliava un po' a Philip Wells. Per un attimo si trovò a pensare che suo padre doveva essere stato anche lui un uomo fallito... che aveva avuto successo. Ma chi era la ragazza seduta vicino a lui e che cosa stava facendo a New York?

« Vivo a New York, adesso. » Lanciò una rapida occhiata alla ragazza, sempre seduta, e poi guardò di nuovo Kate. « E tu? » Era visibilmente imbarazzato e Kate, in fondo al cuore, sentì che qualcosa di molto antico mollava finalmente gli ormeggi e si allontanava lentamente. E infine era proprio scomparso.

« No. Sono qui per affari. Solo pochi giorni. » Gli avrebbe risparmiato l'imbarazzo di sentirsi costretto a rivederla o a trovare qualche pretesto per non farlo. Sarebbe stato imbarazzante avere una figlia famosa che aveva avuto il cattivo gusto di ricomparire. D'un tratto, Kate abbassò gli occhi verso la giovane donna che pranzava con suo padre e si scoprì a fissare in pieno viso una ragazza giovane e ricca. « Mi spiace di avere interrotto il vostro pranzo. Il fatto è che non ci vedevamo da parecchio tempo. »

« Lo so. » La ragazza aveva risposto con voce sommessa, come se comprendesse tutto molto bene. Avrebbe voluto dire a Kate che le dispiaceva molto per tutto quello che era successo, ma... era un conflitto che non la riguardava... un conflitto solo fra quelle due persone.

Il padre di Kate la stava guardando di nuovo con aria

imbarazzata, come se si trovasse al vertice del classico triangolo di un dramma da palcoscenico, fra due donne molto più giovani di lui. Quella seduta al tavolo aveva tre anni meno di Kate.

« Kate, io... vorrei presentarti mia moglie. Ames, questa è Kaitlin. » Kaitlin... la chiamava ancora così. Ma aveva un suono vuoto quel nome, ormai. Kaitlin. Il nome stampato su un libro. Niente di più. Però, quella donna... quella donna era sua moglie? D'un tratto quelle parole assunsero un significato preciso.

« Tua moglie? » Kate lo guardò sbalordita. « Avete divorziato, tu e la mamma? » Mio Dio, intere esistenze erano continuate... come su continenti separati! Ma lui crollò lievemente il capo.

« No, Kate. È morta », disse così piano che lei quasi non lo sentì. Poi, per la frazione di un secondo, Kate chiuse gli occhi; ma quando li riaprì di nuovo, non si mise a piangere. Annuì, semplicemente.

« Capisco. »

« Ho cercato di trovarti, per fartelo sapere, ma non c'era più traccia di te o del luogo dove abitavi. » Poi toccò a lui porre delle domande. « E Tom... è... è... » Ma Kate fece segno di no con la testa, senza lasciarlo finire.

« No. È ancora vivo. »

« Mi spiace. Deve essere molto duro, oppure tu non... » Ricordava ancora tutto ciò che aveva letto sui giornali. Ma non poteva... i giornali avevano scritto... e loro avevano deciso... avevano forse sbagliato? Gli parve di sentire il rimprovero della giovane moglie che sedeva vicino a lui. Ne aveva discusso a lungo con Ames, soprattutto quando lei aveva letto il libro.

« Sì, vado ancora da lui, papà. È mio marito. » E tu eri mio padre. Ecco che cosa volevano significare le sue parole. Poi abbassò di nuovo gli occhi verso Ames, con l'ombra di un sorriso nello sguardo. « Mi spiace di averle combinato tutto questo. Che modo orribile di rovinare il pranzo! » Ames si limitò a scrollare il capo. Avrebbe voluto tendere una mano a Kate, essere sua amica. Dio, in che modo schifoso si erano comportati con lei! Quando suo marito aveva cercato di spiegarle quello che era successo, non era mai riuscita a comprenderlo. Se avesse osato fare qualcosa di simile al loro figliolo, lo avrebbe ucciso. Ma no, non avrebbe mai più fatto niente del genere. Lo sapeva anche lui. Quel figlio sarebbe rimasto suo per sempre.

« Io... hai avuto... » Era insopportabile stare lì, in piedi, a farsi quelle domande, ma sembravano trasformati nei personaggi di una tragedia greca e lo stuolo di camerieri, un po' in distanza, poteva rappresentare il coro. « Hai avuto un bambino? »

« Sì, un maschio. Ha sei anni. » Quello fu il suo primo, vero sorriso. Poi guardò con aria penetrante suo padre. Come se già lo sapesse. « E tu? »

« Abbiamo... abbiamo anche noi un bambino. Ha due anni. » Povera creatura. Per un istante, Kate si accorse di odiare quell'uomo, ma poi abbassò gli occhi verso Ames e capì che non poteva farlo.

« Avresti... avresti piacere di sederti qui con noi e di pranzare insieme? » Mosse una mano con aria incerta verso una seggiola vuota, ma Kate scrollò il capo.

« No, grazie ugualmente. Devo... devo proprio andare. » Rimase lì per un momento, non sapendo bene se stringergli la mano, o abbracciarlo, oppure andarsene semplicemente e allora lui, con lentezza, le porse la mano. Come la scena di un film di quart'ordine. Dopo un vuoto di dodici anni faceva soltanto il gesto di stringerle la mano. Niente abbracci, né baci, nessuna tenerezza, nessun calore. Del resto era la cosa più logica. Ormai erano due estranei.

« Addio. » Lo guardò per un ultimo istante e mormorò quella parola a voce bassissima mentre già si allontanava. Si voltò ancora una volta a guardare nella loro direzione e si accorse che sua moglie stava piangendo. Avrebbe voluto dirle di non fare così, che tutto andava bene ugualmente, ma ormai quello era un problema che riguardava suo padre, non più lei. Tornò lentamente da Philip che si era alzato in piedi e la stava guardando con visibile preoccupazione. Aveva già pagato da dieci minuti il conto, ma si era accorto che, davanti ai suoi occhi, si stava svolgendo una scena drammatica e non aveva osato avvicinarsi. Aveva avuto il sospetto che quell'uomo alto, dall'aria distinta, che si era alzato ed era rimasto lì in piedi, con espressione imbarazzata e infelice, fosse un antico amante, ed era fin troppo chiaro che l'incontro non era stato dei più cordiali. Era anche molto evidente che la donna seduta a quel tavolo era sconvolta. Sua moglie? Tuttavia era ancora più stupito che Kate avesse avuto la sfacciataggine di raggiungerlo e di parlargli, se le cose stavano proprio così. Si augurò che la spiegazione fosse un'altra, mentre pensava a Margaret a Chicago.

« Tutto bene? »

« Sì. Possiamo andare? »

Lui fece segno di sì con la testa e la prese per un braccio. Fu un grande sollievo uscire nel vento gelido. Le arruffò i capelli, le fece scendere nuove lacrime dagli occhi. Ma quelle erano lacrime pulite, provocate dal freddo, non antiche lacrime irrancidite che per anni avevano atteso di essere sparse.

« Kate? »

« Sì. » La sua voce era rauca, quando si voltò a guardarlo.

« Chi era quell'uomo... O forse non dovrei chiederlo? »

« Mio padre. Erano dodici anni che non lo vedevo. »

« E lo ha incontrato così, per caso? In un ristorante? Mio Dio, che cosa ha detto? »

« Mi ha detto che la mamma è morta e che lui adesso ha un bambino di due anni. Si è risposato. » Philip la guardò inorridito. Quella storia era inconcepibile.

« La donna che piangeva, seduta al loro tavolo, era sua sorella? »

Kate fece segno di no. « Sua moglie. »

« Gesù benedetto. » Poi guardò di nuovo Kate e, con molta semplicità, la strinse fra le braccia. Fecero qualche passo allontanandosi dal ristorante e, in quel momento, lentamente, Kate cominciò a singhiozzare come se le si spezzasse il cuore. Non aveva niente da aggiungere, però si era sentita costretta a raccontare tutta la sua storia. Ci vollero venti minuti prima che Philip osasse riaccompagnarla, camminando lentamente, verso l'albergo. Sfortunatamente doveva correre a un appuntamento di lavoro per le tre. Capì che sarebbe arrivato in ritardo. Il pranzo era stato più lungo di quel che aveva progettato.

« Non mi ha neppure chiesto di rivedermi. » Pronunciò quelle parole con il tono di una bambina dal cuore spezzato, ma, quando Philip abbassò gli occhi a guardarla, intuì qualcos'altro. Kate era una donna che capiva.

« Avrebbe voluto realmente che lo facesse? »

Kate gli sorrise fra le lacrime. « Perlomeno avrebbe potuto chiedermelo. »

« Ah, le donne! Voleva che glielo domandasse per potergli rispondere di andare al diavolo, vero? » Lei annuì e si asciugò gli occhi con il fazzoletto che le aveva offerto. Di sottilissimo lino svizzero, con le cifre: PAW. Philip Anthony Wells. « Mi ascolti, mi dispiace molto doverle dire quello che sto per dirle. » Certo che gli dispiaceva, ancora di più di quello che Kate avrebbe potuto immaginare. Quanti progetti deliziosi aveva fatto per il dopopranzo! « Ma ho una riunione alle tre e... » guardò l'orologio con una smorfia « ... sono già le tre e cinque. Crede di poter restare sola? E pensa che si potrebbe cercare di mettere insieme i pezzi di tutta questa faccenda finita così male andando a cena insieme? » La strinse ancora una volta a sé, in fretta, e lei sorrise. Non c'era niente di rotto da riaggiustare. Era qualcosa che aveva già fatto molti anni prima, con l'aiuto di Tom. Stava semplicemente piangendo per il ricordo di ciò che era stato. Una specie di funerale, benché per lei fossero già morti tutti da molto tempo. Forse Tom, in conclusione, aveva visto giusto. Che ipocrita, il vecchio! Eccolo lì sposato con una ragazza che non doveva avere ancora toccato la trentina e con un bambino!

« Crede che riuscirà a liberarsi dei suoi impegni per venire a cena con me? » Si era completamente dimenticata di Philip e alzò gli occhi a guardarlo vagamente sorpresa.

« Certo. Mi farebbe molto piacere. » Aveva bisogno di

qualcuno con cui parlare e la compagnia di Philip era gradevole. « Mi spiace di avere coinvolto anche lei in tutto questo. Generalmente non metto così a nudo la mia vita privata di fronte agli estranei. »

« Mi spiace sentirglielo dire. »

« Perché, le piacciono forse i panni sporchi lavati in pubblico? » Gli sorrise mentre riprendevano il cammino, a passo spedito, verso l'albergo.

« No, solo che non pensavo che fossimo ancora due estranei l'uno per l'altra. Speravo che mi considerasse un amico. » Le mise di nuovo un braccio intorno alle spalle e sospirò.

« Infatti, è così. » A quel punto Philip fece una cosa che la stupì profondamente: si fermò lì, sul marciapiede, abbassò gli occhi a guardarla e, tenendola stretta fra le braccia, la baciò. Lei cercò di divincolarsi, ma restò profondamente sorpresa quando, dentro di sé, si accorse di non averne il minimo desiderio. Scoprì, anzi, che gli rispondeva, gli ricambiava quel bacio. Anche lei alzò le braccia e lo strinse a sé, sentendo il corpo di lui aderire al proprio. Avrebbe voluto sentirlo ancora più aderente, ancora più vicino, ma non era possibile, con cappotto e pelliccia addosso! Le dispiacque quando Philip staccò le labbra dalle sue.

« Cena alle sette? » Ormai erano quasi arrivati alla porta dell'albergo e Kate annuì, con un'espressione molto seria negli occhi. Era sconvolta per ciò che era appena accaduto. C'era qualcosa di prepotente e di magnetico in Philip Wells. Si chiese se si comportava spesso così. Ma già lo sapeva che, sì, Philip Wells si comportava spesso in quel modo.

« Le sette andrà benissimo. »

« Allora ti lascio qui. » La baciò dolcemente su una guancia e si avviò verso un taxi che si era appena fermato all'angolo di Park Avenue. Si voltò ancora una volta a guardarla con un sorriso e un cenno di saluto. « Ciao, bella. Ci vediamo stasera. » Poi scomparve e Kate rimase lì dove si trovava, radicata al marciapiede, troppo sbalordita per sentirsi anche solo vagamente colpevole. Infine, si mosse lentamente oltrepassando il portiere ed entrò nell'atrio dell'albergo. Stava aspettando l'ascensore quando sentì qualcuno che chiamava il suo nome. Un uomo, dal banco, stava gesticolando, agitatissimo, mentre lei si voltava.

« Signora Harper! Signora Harper! » Kate mosse qualche passo verso di lui, confusa. Quando arrivò davanti al banco, l'uomo sembrava in preda all'agitazione. « Abbiamo cercato di rintracciarla dappertutto. Il signor Waterman ci ha fatto telefonare a tutti i ristoranti di New York. »

« Il signor Waterman? » Come mai? Forse perché non si era fatta sentire per tre giorni. Abbassò gli occhi sul messaggio che le era stato appena consegnato: *Telefonare immediatamente al signor Waterman. È urgente.* Per richiamarlo, le aveva lasciato il numero di telefono di casa.

Aspettò di essere risalita in camera per telefonargli. Nick rispose subito.

« Ciao. Ho ricevuto il tuo messaggio. Che cosa c'è? » A Nick sembrò stranamente indifferente; in realtà, non sapeva che Kate era semplicemente frastornata e confusa. Troppe cose erano successe nelle due ore precedenti. L'incontro con suo padre, poi Philip, e ora quella telefonata assurda, così urgente dalla West Coast. Tutto quello e, per di più, anche l'intervista di poco prima alla televisione. Era più di quello che riuscisse ad affrontare, a controllare. Fra l'altro, tutto il vino che aveva bevuto a pranzo non le era certo stato d'aiuto. Ma si sentiva lucida, malgrado tutto. Almeno quello.

« Dove diavolo sei stata? »

« Fuori, accidenti! Trasmissioni, interviste, pranzi, cene. »

« Con chi? Nessuno sapeva dove diavolo ti eri andata a cacciare! » Nick aveva telefonato al suo editore e anche all'agenzia letteraria.

« Mi spiace. Ero fuori a pranzo. » Le pareva di essere una bambina che aveva bigiato la scuola e stava chiedendo scusa a un papà furibondo. Tuttavia stava cominciando a cogliere una sfumatura strana nel tono di voce di Nick, tanto che si raddrizzò sulla sedia di scatto e domandò: « Qualcosa non va? »

« Certo. » Respirò a fondo e chiuse gli occhi prima di

parlare. « Sì. Qualcosa non va. Tygue è scappato di nuovo. »

« Oddio. E quando è successo? »

« Non lo so. Forse ieri sera. O stamattina. Ieri sera Tillie lo ha messo a letto e, quando sono tornato a casa, sono andato anch'io a dargli un'occhiata. Stava bene, ma stamattina era sparito. Potrebbe essere scappato di casa in qualsiasi momento. »

« Non ha lasciato scritto niente? » Ma sapevano già tutti e due dove voleva andare il bambino.

« No. Stavolta, niente. Puoi tornare a casa? » Kate restò stupefatta al solo pensare che Nick arrivasse al punto di domandarglielo e si sentì intenerire. A sentirlo parlare così le dava l'impressione che fosse spaventato e stanchissimo; si accorse di desiderare una sola cosa al mondo: rivederlo. Ne aveva fin sopra i capelli di New York!

« Prendo il primo volo disponibile. Hai chiamato la poliiza? » Ormai sapevano già che cosa bisognava fare.

« Sì. È stata la stessa storia dell'altra volta. Comunque so che troveremo quel povero bambino sulla strada di Carmel. »

« Certo. » Sapeva che Nick aveva ragione.

« Voglio andarci io, adesso. »

« Subito? »

« Darò ancora un po' di tempo alla polizia e aspetterò te. Potremmo andarci insieme. » Lei sorrise dolcemente mentre lo ascoltava. Nick. Era come udire parlare un'intera famiglia con una sola voce e, in quel momento, capì che avrebbero ritrovato Tygue. Dovevano ritrovarlo. E doveva essere sano e salvo. « Che cosa farai, quando lo troveremo? Non possiamo prenderci uno spavento simile ogni due o tre giorni. »

« Ci penserò in aereo. » Nick aveva ragione, naturalmente. Aveva sempre avuto ragione, sin dal principio, anche per ciò che riguardava il suo viaggio a New York. Non sarebbe mai dovuta partire. Se non fosse stato per...

« Ehi, Kate... » Aspettò con un nodo alla gola. Era stata una giornata molto dura per lei. « Piccola, mi spiace di essere stato così duro e violento prima che tu partissi. So che stai passando un periodo molto difficile. » A quel punto, Kate scoppiò in singhiozzi. Troppe cose stavano succedendo contemporaneamente! Le pareva che tutto le girasse intorno in un vortice terrificante, una specie di incubo. « Coraggio, piccola, andrà tutto bene. Lo ritroveremo. Te lo prometto. »

« Lo so. Ma non sarei mai dovuta venire qui. »

« È stato faticoso? » Lei rispose di sì, poi chiuse in fretta gli occhi, pensando a Philip. Dio santo, e se Nick lo avesse scoperto? Pregò ardentemente in cuor suo che non lo sapesse mai. Dopotutto lo aveva soltanto baciato. Ma... pensò all'appuntamento che avevano preso per cena, quella sera stessa. Be', se non altro, non sarebbe più potuta andare. Era intervenuto il destino. Si impose di pensare di nuovo a Nick, a quello che si stavano dicendo.

« Sì, è stato faticoso. E poi... ho anche visto mio padre. »

« Adesso? Eri a pranzo con lui, forse? » Nick era profondamente stupito.

« No. Era nello stesso ristorante. Con sua moglie », rispose a voce molto bassa.

« Hanno divorziato, i tuoi? » Nick non sembrava meno stupefatto di quanto lo era stata lei. E pensare che non li aveva mai conosciuti!

« No, mia madre è morta. Lui si è risposato con una ragazza molto giovane e adesso hanno un bambino di due anni. »

« Figlio di puttana! » Gli bastò soltanto sentire ciò che Kate gli raccontava per provare un enorme desiderio di uccidere quell'uomo ma, nel frattempo, Kate era riuscita a riacquistare il controllo della propria voce e ad asciugarsi gli occhi.

« Non ha più importanza, Nick. Acqua passata. »

« Ne parleremo quando tornerai a casa. Telefonami non appena avrai saputo con quale volo partirai. »

Kate ubbidì, ma dovette lasciare il messaggio a Tillie. Nick stava parlando con la polizia; però non c'era niente di nuovo. Tillie era letteralmente fuori di sé, angosciata e stravolta, mentre Kate si sentiva stranamente calma. Sentiva che Tygue non correva nessun pericolo. Doveva essere così.

Lasciò anche un messaggio per Philip Wells in una busta al banco del portiere.

Mi spiace doverti fare una cosa simile, ma è successo qualcosa di grave e devo rientrare immediatamente a San Francisco. Ti manderò una copia del nuovo libro, appena verrà pubblicato. E sono ancora molto dispiaciuta per tutta la « sceneggiata » di oggi. È stata la cattiva sorte. Riguardati e grazie. Tutti i miei migliori auguri, Kate.

Era una letterina assolutamente innocente.

33

NICK la stava aspettando all'uscita quando Kate arrivò; era intento a fissare i volti delle persone che gli passavano davanti. Non appena la vide, la strinse a sé in un caloroso abbraccio. Kate gli rimase aggrappata per un attimo e poi cercò con gli occhi il suo viso.

« Lo hanno trovato? »

Nick scrollò la testa. « No, ma lo troveranno. Io voglio prendere la strada che porta a Carmel. Non mi pare che abbiano capito come fosse deciso ad andare laggiù, il bambino! »

« Glielo hai raccontato? » Nick sapeva benissimo a che cosa alludeva e le fece segno di no con la testa.

« Ho pensato che non toccasse a me. Lo troveranno. »

« E se non lo trovassero? »

« Vuol dire che chiameranno l'FBI o chi altro può essere necessario. Ma lo troveremo noi. » Le tolse la valigia e l'accompagnò rapidamente alla sua macchina, parlando poco. Comunque, era già bello anche soltanto ritrovarsi vicino a lui. Avere il suo braccio intorno alle spalle, essere di nuovo a casa. Kate sospirò profondamente non appena si sedette in macchina. « Stai bene, piccola? » La guardò, inquieto, e lei sorrise.

« Certo. » Tuttavia Nick rimase un attimo sospeso, con le chiavi della macchina in mano e poi si protese dolcemente verso di lei e la strinse di nuovo a sé.

« Mi spiace di essere stato una simile carogna! La verità è che voglio troppo bene a voi due! »

« Oh, Nick! » Kate aveva ricominciato a piangere. Le sembrò di non avere fatto altro per tutto il giorno. Ma le stavano succedendo troppe cose contemporaneamente.

« Sono stata una vera sciocca. E hai ragione tu, questa strada che si apre a chi ha successo è un vero schifo. La verità è che tutte queste cose mi sono andate alla testa, per un po'! Il denaro, l'esaltazione, l'euforia di sentirsi veramente qualcuno! »

« Be', la celebrità non manca di qualche lato piacevole! Non si può respingerla completamente! »

« Al momento è proprio ciò che voglio fare. »

« Forse sarebbe stupido. Pensaci bene, se non fosse stato per tutto questo, non ci saremmo mai conosciuti. » Si staccò dolcemente da lei e avviò il motore mentre Kate si sedeva più comodamente sul sedile di cuoio. Perfino quella macchina aveva un profumo familiare, come quello di casa, ed era piena dei loro oggetti. Racchette da tennis. Il giornale di domenica che avevano letto insieme soltanto quattro giorni prima. Come era bello essere tornati! Essere con lui, soprattutto. Ora dovevano ritrovare Tygue. Mentre viaggiavano verso sud, gli parlò di suo padre. « Non riesco a capire come tu abbia fatto a dominarti per non riempire di schiaffoni la faccia di quel figlio di puttana. »

« Non lo desideravo neppure. »

« Ti ha perlomeno detto che gli dispiaceva? »

« Be', non proprio. Ha cercato di spiegarmelo. Ha pensato che sarebbe stato 'imbarazzante' mettersi in contatto con me quando stavano succedendo tutte quelle tragedie a Tom. Non so che cosa dirti, amore; sembra di parlare di un mondo completamente lontano dal nostro. Adesso vive a New York. »

« Bene. Perché, casomai mi capitasse di incappare in quel vecchio bastardo, credo che finirei per ammazzarlo! »

Cadde un lungo silenzio fra loro mentre viaggiavano sull'autostrada a velocità sostenuta. Ma a un tratto a Nick balenò un'altra idea. « Sai che cosa ti dico? Forse dovremmo prendere la strada costiera. Potrebbe essere quella giusta. »

Kate si accese un'altra sigaretta e ne offrì una anche a Nick. Sembrava di essere in viaggio da un secolo e invece erano partiti dall'aeroporto solo un'ora prima. E otto ore prima, lei stava pranzando a New York. Erano soltanto le sei di sera quando imboccarono la vecchia strada lungo la costa. Ma, del bambino, nessun segno. Quando, d'un tratto, Kate tirò Nick per la manica.

« Laggiù... torna indietro, Nick... ho visto qualcosa di giallo, mi sembrava il suo impermeabile! » Ormai era quasi buio, eppure Kate avrebbe potuto giurare di aver visto la giacca di Tygue. Nick si spostò verso il bordo della strada e ripartì subito a marcia indietro.

« Qui? »

« Là in fondo, vicino a quegli alberi. » Kate aprì lo sportello e scese rapidamente. Si mise a correre fra le foglie, i ramoscelli e le erbacce verso una macchia di alberi dove le era sembrato di vedere quella giacca. E infatti lui era lì, in piedi. A guardarla. Senza sapere bene che cosa lei avrebbe fatto. Per un attimo sembrò che il bambino volesse tirarsi indietro e fuggire di nuovo, ma poi non se la sentì e rimase dov'era, a spalle curve. Kate gli si avvicinò lentamente e lo prese fra le braccia. Non gli disse nulla. Era inutile. Tygue stava piangendo sommessamente fra le sue braccia e lei si mise ad accarezzargli i capelli. Stava ringraziando Dio di essere tornata da New York, stava ringraziando Dio perché Nick aveva pensato di prendere quella strada. Sarebbe potuta succedere qualsiasi cosa! Quel pensiero la sconvolse. Per tutte quelle ore del viaggio in aereo, si era imposta di non pensarci. Però, mentre proseguivano nel viaggio verso Carmel, si era lasciata andare a poco a poco a una sensazione crescente di panico. Finalmente era tutto finito.

Sentì Nick che stava arrivando alle loro spalle; li circondò tutti e due con le braccia e mormorò piano a Tygue: « Ciao, Tigre. Stai bene? » Il bambino fece segno di sì con la testa e alzò gli occhi a guardare Nick.

« Volevo andare a Carmel. Ma per tutte queste ore, nessuno si è fermato a prendermi su. » Povero piccino. Era stanco, aveva freddo, forse anche fame. Quando alzò gli occhi verso sua madre, non c'era più quell'espressione di sfida nelle sue pupille, però vi si leggeva ancora la sofferenza. « Devo vederlo. Devo. È il mio papà. »

« Lo so, tesoro. » Kate gli passò di nuovo una mano sui capelli e fece segno di sì. Ma non c'era gioia negli occhi del bambino. « Ti condurrò a vederlo. » Nick trasalì per la sorpresa, ma non disse niente. « Ci andremo domani. » Anche il bambino annuì. Non ci furono grida di gioia, eccitazione, felicità. Avrebbero fatto, semplicemente, ciò che dovevano fare. Come quando Kate aveva stretto la mano a suo padre prima di lasciare New York. Certe volte il solo fatto di sapere una cosa non è sufficiente.

« Che cosa hai intenzione di fare, Kate? Vuoi tornare in città o passare la notte a Carmel? »

« Non hai la tua trasmissione? »

Lui scosse la testa. « Mi sono dato malato un'altra volta. »

« Santo cielo! E Jasper, non finirà per scocciarsi? Vuoi tentare di rientrare in città in tempo per il programma? » Nick rifiutò un'altra volta. Avrebbe affrontato tutti quei problemi al suo ritorno in ufficio. Quella era una faccenda più importante.

« No, però penso che dovremmo avvertire la polizia. Adesso che è diventato buio, probabilmente avranno ricominciato a farsi in quattro per trovare Tygue. Mi sembra più che giusto far sapere che il bambino è qui con noi. » Kate annuì e guardò Tygue.

« Okay. Fermiamoci qui a Carmel. » A quel punto non fu più possibile evitarlo. Nick fermò la macchina proprio davanti all'albergo dove Kate era stata con Tom. Ma ormai non gliene importava più niente. Non esistevano più né punti di riferimento significativi per il passato, né luoghi sacri. Era troppo tardi. Troppo, troppo tardi, ormai. Tygue era addormentato fra le sue braccia; guardò Nick. Avrebbe voluto dirgli quanto lo amava, ma non sapeva come esprimersi. Nick si limitò a osservarla e infine sorrise. Ma anche nei suoi occhi c'era un'ombra di preoccupazione.

« Hai realmente intenzione di condurlo in quel posto? »

Lei rispose affermativamente. Ci era obbligata. Per il bene di tutti.

« Vuoi che venga anch'io? »

« Mi farebbe piacere che tu ci fossi. Ma non penso che lui dovrebbe vederti. Potrebbe impaurirlo. O confonderlo. Tygue sarà già abbastanza. »

« Vorrei che tu non dovessi passare attraverso un'esperienza del genere. »

« Andrà bene, non preoccuparti. »

Allora Nick la baciò e poi girò intorno alla macchina per prenderle Tygue dalle braccia. Fu lui a portare il bambino, che continuava a dormire, in albergo. Avvertirono la polizia di averlo ritrovato. Nick prese anche un appuntamento privato con il tenente per il lunedì successivo. Voleva assicurarsi che Kate non venisse tormentata dalle assistenti sociali o da ulteriori indagini di rito. Si trattava di una faccenda di famiglia, ma per il fatto di aver chiamato per ben due volte la polizia, la quale aveva diramato istruzioni per la ricerca immediata del bambino in tutto lo Stato, non poteva essere accantonata con disinvoltura. E Nick voleva risolvere anche quel lato della questione prima che gli avvenimenti gli prendessero la mano.

« Che cosa hanno detto? » Kate aveva l'aria inquieta, mentre sorseggiava una tazza di tè nella loro camera. Era appena andata a vedere se Tygue era sveglio, ma il bambino continuava a dormire e avrebbe proseguito così per tutta la notte. Era troppo stanco perfino per mangiare. Aveva percorso un lungo cammino in un tempo molto breve. E non erano forse stanchi anche loro? Kate soffocò uno sbadiglio.

« Hanno detto che va tutto bene. Non preoccuparti. Dovresti cercare di dormire un po'. »

« Oh, ma io sto bene! »

« A vederti, non si direbbe. » Era di un pallore cadaverico, completamente senza trucco, salvo qualche sbavatura di mascara sotto gli occhi. Nick andò a sedersi vicino a lei sul letto e la strinse fra le braccia. « Dio, come sono contento che tu sia tornata, Kate. Ero letteralmente angosciato quando pensavo a te. »

« Credevo che tu mi odiassi quando sono partita. »

« Infatti. » Abbassò gli occhi verso di lei e le sorrise. « Però ci ho ripensato. Quello che abbiamo è troppo speciale, troppo importante per rovinarlo. »

Dio santo, e lei per poco non aveva rischiato di farlo, con quel tipo strano a New York. Era inorridita al pensiero che, in quello stesso momento, sarebbe potuta essere a letto con lui se non l'avessero richiamata urgentemente a casa. In un certo senso, la fuga di Tygue era stata una benedizione! Chiuse gli occhi abbandonandosi fra le braccia di Nick. Solo per un momento. Voleva soltanto restare lì, stretta a lui, e sentirlo il più possibile vicino. Quando li riaprì, era mattino.

Si guardò intorno, stupita, mentre il sole si riversava nella stanza. « Nick? » Lui rise, guardandola dall'altro lato del letto. Stava già bevendo una tazza di caffè. « Che cosa è successo? »

« Sei crollata di schianto, Cenerentola. Zac! Partita, addormentata. »

« Dev'essere stato un bel divertimento. » Gli rivolse un sorriso e si stirò. Era stato Nick a spogliarla.

« Sì, uno spasso mai visto. » Si scambiarono un sorriso scherzoso e poi Kate si allungò per rubargli qualche sorso di caffè.

« Dove l'hai preso? »

« Tuo figlio e io abbiamo già fatto colazione, tesoro. »

« Quando? »

« Circa un'ora fa. »

« Cielo, ma che ore sono? »

« Sono quasi le nove. » Kate annuì e poi si fecero tutti e due molto seri. Sapevano ciò che li aspettava.

« Come sta Tygue? »

« Sta bene. È silenzioso. E aveva una fame da lupo. » Kate si chinò a dare un rapido bacio a Nick e poi passarono nell'altra stanza per cercare Tygue. Il bambino era seduto, molto tranquillo, vicino alla finestra con il suo orsacchiotto. Kate gli si avvicinò a passi lenti e silenziosi e gli si sedette accanto.

« Ciao, tesoro. Come sta Willie? »

« Oh, lui sta bene. Però stamattina aveva un po' fame! »

« Aveva fame, eh? » Sorrise e si strinse Tygue al cuore. Lo sentì tenero e tiepido fra le sue braccia. Le fece venire in mente tutti quegli anni in cui erano stati soli loro due, senza nient'altro che il loro reciproco affetto. « Sei pronto per questa giornata? » Lui capì quello che Kate intendeva. Si limitò a fare segno di sì con la testa, stringendosi forte al cuore Willie. « Non sarà molto divertente. Anzi... » lo costrinse a guardarla negli occhi « ... può darsi che sia la cosa più difficile che ti sia mai capitata di dover fare. Non assomiglia a un papà, Tygue. »

« Lo so. » Gli occhi di Tygue, sbarrati com'erano, erano diventati ancora più grandi di quelli di lei.

« È come una specie di bambino piccolo. Ma un bambino piccolo ammalato. Non può camminare. È seduto su una poltrona a rotelle e non ricorda niente. » Si rammaricò quasi di non avere portato Tygue a Carmel un po' prima, quando Tom aveva ancora l'aria abbronzata e piena di salute. In quei giorni, invece, sembrava sempre così stanco e triste. Sarebbe stato più duro per Tygue vederlo così. « E poi voglio che tu sappia... » esitò, sforzandosi di ricacciare indietro le lacrime. « Voglio che tu sappia adesso... che prima di diventare così, ti voleva molto bene. Prima ancora che tu nascessi. » Respirò profondamente e si strinse il suo bambino al petto ancora più forte. « E poi voglio che tu sappia che anch'io ti voglio bene, con tutto il cuore e... se dovesse essere troppo difficile per te, non saremo obbligati a restare. È una promessa, d'accordo? Sarai tu a dirmi quando vorrai venire via? »

Tygue fece segno di sì e le asciugò piano piano le lacrime che le bagnavano il viso mentre lei cercava di ricacciare indietro le altre. Poi non riuscì a fare altro che tenerlo stretto a sé.

« Viene anche Nick? »

Kate si staccò da lui per guardarlo. « Lo vuoi? »

« Può venire? » chiese Tygue, annuendo.

« Non potrà vedere T... papà, però può essere lì con noi. »

« Okay. » Poi, con uno sguardo implorante, alzò il faccino verso di lei. « Possiamo andare, adesso? »

« Fra un attimo. Prendo un po' di caffè e mi vesto. » Tygue annuì e rimase seduto dov'era.

« Ti aspetto qui. »

« Mi sbrigo in un momento. »

Quando rientrò nella stanza, Nick alzò gli occhi a guardarla. Sarebbe stata un'altra giornata brutale per lei. Ma, forse, l'ultima. Almeno così sperava. « Sta bene Tygue? »

« Sì. E vuole che ci sia anche tu. » Poi lo guardò di nuovo con quegli immensi occhi verdi, così profondi, che Nick aveva amato fin dal primo momento. « E anch'io. »

« Ci sarò. »

« Ci sei sempre. »

« È bello sentirtelo dire. » Le offrì una tazza di tè e un pezzo di pane tostato, ma Kate non riuscì a inghiottire neanche un boccone. Perfino il caffè le diede un vago senso di nausea. Si sentiva lo stomaco stretto da un nodo che le parve grosso e pesante come una noce di cocco. Riusciva a pensare soltanto a Tygue. E al suo papà.

34

NICK imboccò il viale di accesso alla casa di cura e si fermò nel punto che Kate gli aveva indicato, subito dietro la palazzina degli uffici.

« Dovrò aspettare qui? » Sembrava in preda allo stesso nervosismo di Kate. Tygue, seduto in grembo a sua madre, osservava ogni cosa con attenzione.

« Puoi venire anche più vicino al cottage. C'è altra gente in giro. Non darai troppo nell'occhio. » Nick annuì e scesero tutti dalla macchina. Kate prese Tygue per mano e gli ravviò i capelli. Il bambino continuava a tenere Willie stretto fra le braccia. Kate aveva telefonato con un po' di anticipo per avvertire il signor Erhard, il quale l'aveva informata che la salute di Tom era discreta. Quella era già una buona notizia.

In silenzio il terzetto seguì il sentiero; poi Kate indicò una piccola panchina bianca, in ferro battuto. « Perché non aspetti lì, tesoro? Puoi vedere il cottage. » Gliela mostrò di nuovo e lui la guardò con attenzione. Ecco come lei aveva passato tutti quegli anni. Al solo pensarci, Nick sentì che gli salivano le lacrime agli occhi.

Allora si chinò a guardare il bambino e gli accarezzò delicatamente una guancia. « Tutto bene, vero, Tigre? » Tygue annuì e Kate, prendendolo per mano, proseguì il cammino. Il signor Erhard li stava aspettando sulla soglia e rivolse subito a Tygue un sorriso di benvenuto. Kate aveva già dimenticato Nick: era entrata nel mondo di Tom e teneva stretto Tygue per mano. Voleva che il bambino riuscisse a capire quanto lo avevano amato, quanto si erano amati l'un l'altro. Voleva che vedesse qualcosa, in Tom, che già da tempo non esisteva più. Ma, soprattutto, voleva che Tygue uscisse senza troppa sofferenza da quell'esperienza. Gli circondò le spalle con un braccio e si impose di sorridere.

« Tygue, questo è il signor Erhard. Si occupa lui del tuo papà. È da molto tempo che lo cura. »

« Ciao, Tygue. Che bell'orsacchiotto. Come si chiama? »

« Willie. » Gli occhi del bambino sembravano diventati immensi. Lo sguardo del signor Erhard cercò quello di Kate.

« Anche noi abbiamo un Willie. Ti piacerebbe vederlo? » Tygue fece segno di sì, cercando di allungare un'occhiata alle sue spalle, nell'interno della villetta; allora il signor Erhard si fece di lato e Kate entrò lentamente. Per quanto fosse bel tempo, Tom non sarebbe uscito, quel giorno; quando lo guardò, Kate si accorse che, negli ultimi tempi, doveva avere passato in casa la maggior parte della giornata. Aveva il viso pallidissimo, emaciato, e pareva dimagrito di almeno dieci chili negli ultimi quindici giorni. Però i suoi occhi splendevano di una luce allegra e, non appena scorse Tygue, gli rivolse un sorriso che Kate non gli vedeva da anni. Fu costretta a stringere i denti per non mettersi a piangere. Fu Tom il primo a parlare.

« Anche tu hai un Willie! Ce l'ho anch'io! » Mostrò subito il suo orsacchiotto e Tygue sorrise. « Fammi vedere il tuo. » Allungò con molta delicatezza una grossa mano e Tygue gli lasciò prendere Willie; per qualche minuto confrontarono i loro orsacchiotti, mentre Tygue lanciava qualche occhiata di soppiatto a suo padre. Infine conclusero che l'orsacchiotto di Tygue era in condizioni migliori. « Vuoi qualche biscotto? » Ne aveva messi da parte un po' fin dalla sera prima e tirò fuori un piatto per Tygue mentre Kate e il signor Erhard restavano lì vicino a osservarli. I due « bambini » mangiarono i dolci e poi, mentre parlavano, Tygue si mise a sedere tranquillamente sulla poltrona a dondolo. « Come ti chiami? »

« Tygue. »

« Io mi chiamo Tom. E quella è Katie. » Lanciò una rapida occhiata a Kate, sorridendole con affetto, e lei si accorse di ricambiare istintivamente quel sorriso. « Lei viene a trovarmi tantissimo. È una signora simpatica. Le voglio bene. Le vuoi bene anche tu? » Tygue annuì in silenzio e Kate ebbe l'impressione che Tom si sforzasse di parlare come un bambino per mettere Tygue a proprio agio. Come se, volendo, potesse cambiare di colpo, comportandosi da persona adulta. « Vuoi vedere la mia barca? » Tygue alzò gli occhi stupito e sorrise.

« Certo! Ne ho una anch'io. » Parlarono delle loro barche per qualche minuto e poi il signor Erhard intervenne nel discorso.

« Volete che andiamo fino al laghetto? Potremmo provare a far navigare la barca di Tom. » Padre e figlio sembrarono entusiasti di quell'idea e Kate sorrise mentre si metteva a spingere fuori la poltrona a rotelle di Tom. Tygue si incamminò al suo fianco, orgoglioso di marciare così, vicino a suo padre. La mezz'ora che passarono intorno al laghetto fu divertentissima e tutti risero allegramente. Perfino Tom sembrava stare meglio di quando erano arrivati. Ma, a un certo momento, Kate si accorse che cominciava a stancarsi e il signor Erhard propose di rientrare.

Stranamente Tom non brontolò e, mentre riprendevano la strada del ritorno al cottage, cercò la mano di Tygue e gliela strinse. Stavolta era il signor Erhard a spingere la sua sedia a rotelle e Tygue si mise di nuovo al suo fianco. Mentre li guardava, Kate si accorse che il piccino si teneva letteralmente aggrappato alla mano dell'invalido. Allora si sentì felice di essersi lasciata convincere a farli incontrare. Quando arrivarono alla porta del cottage, Tom si chinò a raccogliere due fiorellini gialli. Uno per Kate e uno per suo figlio. Guardò a lungo, intensamente, il bambino mentre gli offriva quel fiore, continuando a stringergli la mano.

« Perché sei venuto a trovarmi? »

Kate ebbe l'impressione di sentirsi fermare il cuore in petto, ma Tygue guardò suo padre e non ebbe un attimo di incertezza.

« Avevo bisogno di vederti. »

« Anch'io avevo bisogno di vedere te. Mi raccomando, prenditi cura di Katie. »

Tygue annuì con aria molto seria e grave e Kate si accorse che, come i suoi, anche gli occhi del bambino si stavano colmando di lacrime. Tom non aveva mai detto niente di simile, prima.

« Lo farò. »

« E Willie? Mi raccomando, occupati di Willie. » Ma stavolta Tygue si limitò ad annuire e poi, all'improvviso, si chinò sulla poltrona a rotelle e diede un bacio su una guancia a Tom, che gli sorrise e lo strinse a sé per un momento.

« Ti voglio bene », furono le parole che pronunciò Tygue.

« Anch'io ti voglio bene. » Poi Tom scoppiò a ridere, con la risata limpida e schietta di un bambino, e Tygue lo imitò. Come se si fossero perfettamente compresi, come se avessero un segreto tutto loro, come se quel momento di spensieratezza fosse qualcosa che soltanto loro due potevano capire, e nessun altro. Erano due bambini. Tom stava ancora ridendo quando il signor Erhard sospinse la carrozzella nell'interno del cottage. « È ora di fare il sonnellino? » Il signor Erhard annuì, guardando Kate. Doveva bastare così. Meglio fermarsi a quel punto.

« Sì, proprio così. »

« Io odio i sonnellini. » Fece una smorfia e guardò Tygue.

« Anch'io. » Tygue ricambiò quella risata e andò a prendere il suo orsacchiotto. Tom, intanto, lo stava guardando con una curiosa espressione negli occhi ma sempre sorridendo.

« Vorrei fare un cambio con te. »

« Di che cosa? »

« I nostri due Willie. Vorrei darti il mio e tu potresti darmi il tuo. Ti va l'idea? Il mio Willie è così stanco di stare qui! » Il faccino di Tygue si illuminò tutto in quel momento, come se suo padre gli avesse offerto la cosa più preziosa del mondo.

« Certo. » Gli offrì il suo orsacchiotto con aria quasi intimidita e Tom, spingendo da solo la poltrona a rotelle, gli andò vicino e gli consegnò il proprio.

« Mi raccomando, occupati di lui come si deve. »

« Lo farò. » Tygue si chinò a baciarlo ancora e Tom sorrise.

« Ciao. » Tygue restò a guardarlo per un attimo lunghissimo, come se si stesse chiedendo che cosa dire oppure come concludere quella conversazione, ma poi sorrise anche lui e si avviò alla porta.

« Ciao. »

Kate avanzò verso Tom e gli si fermò vicino, posandogli una mano sulla spalla. Insieme, osservarono il loro bambino che sorrideva dalla soglia, con l'orsacchiotto stretto fra le braccia. Aveva visto suo padre. Aveva vinto.

Tom alzò gli occhi verso di lei con un sorriso stanco. Quella visita gli era costata molto. Però anche lui dava l'impressione di esserne uscito vincitore.

« Ciao, Katie. » Qualcosa, nel modo in cui lo disse, le fece provare una fitta al cuore, tanto che non riuscì a ricambiare quel saluto. Tygue continuava a osservarli dalla porta.

« Torno presto a trovarti. »

Lui si limitò ad annuire, ma con un sorriso tenue e felice. Continuava a guardare il bambino e Kate ebbe l'impressione che i suoi occhi li seguissero ancora, quando ormai erano già usciti e si trovarono fuori, nel caldo sole autunnale. Guardò Tygue e si asciugò gli occhi. « Sono contenta che tu sia venuto. »

« Anch'io. » Poi, con un sorriso, il bambino si avvicinò alla panchina dove avevano lasciato Nick. Kate si era completamente dimenticata di lui. Avanzò lentamente dietro Tygue, cercando di riprendersi dalla dura prova di quell'ora con Tom. « Ciao. » Tygue gli si fermò davanti con un sorriso felice. « Ho un nuovo Willie. »

« A me sembra uguale a quello vecchio. » Nick sorrise,

cercando di indagare e di leggere qualcosa negli occhi del bambino: non ci scoprì altro che serenità e affetto, oltre a una luce luminosa e calda. Quella visita non gli aveva fatto alcun male.

« Vuoi dire che ne ha uno anche lui? » Nick guardò Tygue con affetto mentre il bambino faceva segno di sì con la testa. « Che bellezza! » Poi alzò gli occhi su Kate, che li aveva raggiunti. Continuava a tenere stretti in mano i due fiori che Tom aveva regalato a lei e al suo bambino dopo la passeggiata. « Come ti senti? »

« Bene. Mi ero quasi dimenticata che tu eri qui. » Sorrise; aveva l'aria malinconica e triste, ma sollevata.

« Lo so. Però sono contento di esserci. »

« Anch'io. Nick... » Guardò un attimo verso terra e poi lo fissò di nuovo negli occhi. « Potremmo andare da me, in campagna, per qualche giorno? Tutti e tre insieme. Vorrei quasi... » Non sapeva come spiegarsi, ma era come se, in quel momento, avesse bisogno di tornare in quella solitaria casa di campagna. Come se le occorresse staccarsi dalla città, dal libro che stava scrivendo e da tutto ciò che era accaduto. « Potresti venir via? »

« Dovremo fermarci a comperare qualche maglietta e un paio di jeans, ma penso di riuscire a venire con voi. Credo che farebbe bene a tutti e tre. »

« Anch'io. »

« Senti un po' di nostalgia per la campagna, tesoro? » La guardò incuriosito mentre tornavano verso la macchina. Non aveva mai pensato che Kate potesse soffrire di una simile nostalgia.

« No. Non lo so. Forse ho soltanto bisogno di trovarmi lì. Solo per pochi giorni. »

« Va bene. » Mise un braccio intorno alle sue spalle, l'altro intorno a quelle di Tygue e insieme tornarono verso l'automobile. Kate si sentì serena e tranquilla mentre si allontanavano da Mead. Non voleva lasciare Tom, ma ormai era il momento di farlo.

35

TORNARE nella casa di Kate, fra le colline, per qualche giorno era stata una buona idea. Aveva permesso a tutti e tre di accettare quanto era successo nella settimana appena trascorsa e di meditarci sopra. Kate e Nick avevano bisogno di un po' di tempo per loro due e per Tygue. Il bambino era tornato quello di sempre; si sentiva finalmente in pace. Durante la prima giornata in campagna era rimasto seduto fuori, silenzioso, con l'orsacchiotto avuto in dono da Tom. Non era triste, solo pensieroso.

Il secondo giorno, Kate osservò suo figlio mentre erano seduti insieme al sole. Nick era occupato a fare qualcosa in casa.

« Forse avrei dovuto parlargli del mio cavallo », osservò Tygue.

« A dir la verità, i cavalli non gli sono mai piaciuti molto. » Kate aveva gli occhi rivolti alle colline e stava tornando col pensiero al passato. Per un attimo aveva quasi dimenticato il bambino. Tygue, incredulo, alzò gli occhi verso di lei.

« Non gli piacevano i cavalli? » Sembrava sbalordito e scandalizzato e Kate sorrise, abbassando gli occhi verso quel visetto così sereno. Aveva ripreso il suo solito aspetto. Adesso che era riposato e felice, le sembrava tornato il bambino di sempre, quello che aveva sempre conosciuto, non più quella specie di orfanello sperduto che avevano raccolto sotto gli alberi, sulla strada che portava a Carmel. « Come mai non gli piacevano i cavalli? »

« Adorava il football. Era tutta la sua vita. »

« Già, per questo è stato un campione così famoso! » Kate sorrise nel sentire l'orgoglio che vibrava nella voce del bambino.

« Sì, proprio così. »

« E tu, mamma, sei anche tu così celebre? »

Kate abbassò gli occhi a guardarlo con un sorriso. « No. Io ho scritto un libro che adesso tanta gente si è messa a comperare, ma non per questo sono diventata una campionessa così celebre. Nessuno mi conosce. » Si mise di nuovo comodamente distesa, supina, allungando le gambe da indossatrice. « Invece tutti sapevano chi era il tuo papà. Dovunque andassimo la gente chiedeva il suo autografo, volevano stringergli la mano e le signore cercavano di baciarlo. » Si mise a ridere e anche Tygue scoppiò in una risata.

« E lui? Glielo lasciavi fare? »

« Quando era con me, no. »

« Però dev'essere stato bello avere tanta gente che ti voleva bene. »

« Qualche volta. Qualche altra volta era molto faticoso. Perché, vedi, le persone si aspettano sempre troppo da te. Le persone non ti vogliono mai lasciare tranquillo. Non ti permettono di essere te stesso. »

« A me, questo non piacerebbe. » Afferrò una foglia e la osservò attentamente.

« Neanche a lui. È per questo che si è ammalato. Tutta quella gente pretendeva qualcosa. Mentre tutto ciò che tuo padre voleva era soltanto giocare a football. Per il resto della sua vita. »

« E non poteva? »

Kate scrollò il capo. « No, tesoro. Si può giocare a football, da professionisti, soltanto per qualche anno. Poi ti costringono a ritirarti.

« Che cosa vuol dire? »

« Smettere di giocare. »
« Per sempre? »
« Per sempre. »
« Ma è terribile! » Buttò via la foglia e la fissò.
« Era proprio quello che pensava anche il tuo papà. Non voleva fare nient'altro. E invece lo hanno obbligato ad andarsene. Allora c'è stato un sacco di gente che si è messa a dargli fastidio, proprio per questo. Come quelli che scrivono sui giornali e via dicendo. » Era la spiegazione migliore che Kate poteva dargli ed era la verità.
« Così lui ha perduto la ragione. Giusto? »
« Più o meno. »
« Si ricorda di quando giocava al football? »
« No. Non credo che si ricordi di niente salvo che del presente. Ricorda anche il signor Erhard e me, e adesso si ricorderà anche di te. » Gli sorrise con gli occhi offuscati dalle lacrime e, proprio in quel momento, vide Nick che usciva. Portava una coperta e tre mele. Ne offrì una a ciascuno di loro e li guardò con occhi pieni di affetto. « Grazie, amore. » Kate gli rivolse un sorriso che sembrava un bacio.
« Non vorreste sedervi qua sopra? »
« No! » Tygue guardò la coperta con aria sdegnata e poi gli tornò in mente qualcosa... La raccomandazione che suo padre gli aveva rivolto... « E tu, mamma, vuoi? »
« Certo. » Anche lei aveva ricordato quelle parole: « Abbi cura di Katie ».
Si sistemarono comodamente tutti e tre sul morbido *plaid* a colori vivaci e si misero a mangiare le mele. Kate e Nick divorarono la loro, un boccone a testa, e Tygue attaccò la propria con gusto. Erano mele freschissime, di campagna. Le avevano comprate al mercato il giorno prima.
« Non vorresti andare dagli Adams, più tardi, a vedere se hanno qualche nuovo cavallo? » Nick guardò il bambino, che stava mangiando a quattro palmenti, ma questi fece segno di no.
« No. Hanno cavalli migliori nel parco. »
« A San Francisco? » Nick parve sorpreso e Tygue annuì

ancora più insistentemente. Kate sorrise, ascoltandoli. Ormai questo posto non bastava più, a tutti e due. Si stupì al pensiero che, soltanto quattro mesi prima, suo figlio non era mai stato in città. E ricordò la prima gita a San Francisco in giugno... E quella che lei, da sola, aveva fatto il mese precedente...

« A che cosa stai pensando, Cenerentola? »

« Stavo pensando alla primavera scorsa. Nessuno di noi due era stato fuori di qui, allora. D'un tratto è cominciato a succedere di tutto. »

« Già, è sempre così che capita. »

« E tu, signor Waterman, che cosa stavi facendo la primavera scorsa? » Kate lo scrutò con un risolino incuriosito.

« Non sono affari tuoi. » Ricambiò quel sorriso e finì di mangiare la mela.

« Ah, a questi punti siamo? »

« Vai a... » disse piano piano, mentre le mordicchiava leggermente il collo. Non si preoccupavano più come prima che Tygue li osservasse. Si era abituato a vivere con loro. Ma Nick ebbe un'altra idea. « Hai voglia di andare a trovare Joey? » Anche stavolta Tygue scosse la testa. Lo aveva già salutato. Aveva nuovi amici, una nuova vita.

Passarono insieme un pomeriggio sereno e pieno di pace, come era stato il giorno prima. Avevano comprato delle bistecche in città e Nick, mentre il sole calava, le fece cuocere sulla griglia del *barbecue* all'aperto. Quella sera guardarono tutti la televisione e fecero i popcorn in una padella sulle braci del camino come le prime volte in cui Nick arrivava da Los Angeles. E come in quei giorni ormai lontani, aspettarono che Tygue andasse a dormire e poi si precipitarono in camera da letto, ridendo, avidi l'uno dell'altra, con un bisogno disperato di fare l'amore.

« Guarda guarda... come siamo ansiosi di amore, stasera! » La prese in giro Nick, mentre Kate gli baciava l'interno delle cosce e cercava di togliergli gli slip.

« Be', caro signor Waterman, mi sembra che neppure tu ti voglia tirare indietro! » Si mise a sedere sul pavimento, vicino a lui, in reggiseno e mutandine, alzando gli occhi a guardarlo, ridendo, mentre anche Nick le sorrideva. Da quando erano stati da Tom, Kate gli sembrava più giovane, più scanzonata.

« Kate? Sei contenta che siamo andati a trovarlo, vero? »

Lei annuì senza parlare, per un attimo. Poi disse: « Mi sento sollevata. Non ci sono più segreti da nascondere, perlomeno non a te né a Tygue. Adesso è tutto conosciuto, tutto chiaro. Mi sento di nuovo libera ».

« E che cosa ne sarà di lui, ora? » Di questo non avevano ancora parlato. Però c'erano sempre alcune domande che Nick si sentiva in dovere di rivolgerle.

« Che cosa vuol dire, Nick? » Kate aveva un'aria molto serena e tranquilla quando alzò gli occhi a guardarlo e Nick lentamente si inginocchiò vicino a lei.

« Voglio dire che cosa succederà a Tom, adesso? Non potrai smettere di andare a trovarlo dopo tutti questi anni, lo capisco, ma... ecco, mi sembra che richieda da parte tua uno sforzo enorme, Kate. »

« Non credo che sarà più così pesante come nel passato. Perché adesso non porto più da sola questo peso. Posso dividerlo con te e con Tygue. Ogni volta che andrò da lui, d'ora in avanti, potrò raccontarti ciò che provo, come si sono svolte queste visite, come vanno le cose per lui. » Ci fu un attimo di silenzio, poi Kate abbassò il viso e guardò, muta, la fede nuziale che portava al dito. Infine, lentamente, se la fece scivolare via dall'anulare e la tenne chiusa nella mano. « È tutto finito, Nick. Non ci andrò più così spesso come prima. Non sono neppure sicura se finirà per accorgersene o no. Forse, in principio; ma Tom ha uno scarsissimo senso del tempo. Credo che se continuerò ad andarci ogni quindici giorni, mi comporterò nel modo più giusto nei confronti di tutti. Che cosa ne pensi? » Si voltò a guardarlo con gli occhi lucidi di lacrime, senza tuttavia sembrargli triste o infelice.

« Penso che sei una donna straordinaria e che non ti ho mai amato più di ora. Adesso so di poter accettare tutto ciò che vorrai fare, Kate, e le tue decisioni per affrontare questa situazione in futuro. »

« Era quello che mi occorreva sapere. Tuttavia questo significa che non potremo sposarci fino a che lui sarà vivo. Non... non me la sento di fargli una cosa simile. So bene che non saprebbe neppure che ho divorziato da lui, ma non mi sembrerebbe giusto. »

« Non ci occorre nessun documento legale, Kate, abbiamo noi due. E quando verrà il momento, potremo sposarci. Nel frattempo... » Le rivolse un largo sorriso; Kate gli aveva appena offerto l'unico dono che avesse mai desiderato da lei: una promessa di matrimonio, anche se remota nel tempo. La guardò ancora con una luce sbarazzina negli occhi. « Tanto perché tu lo sappia, bella signora, al momento non immaginavo neppure che tu avessi preso in considerazione l'idea del matrimonio! Credevo che volessi continuare in questa tua indipendenza fino a novant'anni e oltre. »

« Be', perché no? » Lo squadrò per un attimo con aria vagamente imbarazzata e poi riprese a parlare in tono di sfida: « Non posso permettere che sia sempre tu a prendere tutte le decisioni per me. Anche se dovessimo sposarci, un giorno. Perché è ciò che ho fatto con Tom e adesso capisco che non era giusto ».

« D'accordo. Però mi pare che, finora, abbiamo risolto questo problema abbastanza bene. »

« Sì, lo penso anch'io. » Si addolcì di nuovo. « E non è la sola cosa che hai affrontato e risolto bene. »

« Come sarebbe? » I suoi occhi si illuminavano di nuovo di quella luce maliziosa e Kate scoppiò a ridere.

« No, libidinoso che non sei altro! Parlavo di Tygue. Sei riuscito a fargli superare molti grossi scogli. Tanto è vero che, secondo me, non prova più il minimo risentimento nei tuoi confronti. »

« Penso che gli sarà ancora più di aiuto rivedere suo padre. »

« Può darsi. In ogni modo tu hai fatto un ottimo lavoro con lui, tesoro. Mi spiace soltanto che in principio tu non abbia avuto dei rapporti molto facili con nessuno di noi due. »

« Mio Dio, una confessione! Presto, un registratore... »

« Oh, stai un po' zitto! » Allungò una mano e cominciò scherzosamente a tirargli i peli del petto. « Sai, ho deciso di chiudere la casa. »

« Quale casa? » La vita con Kate era sempre piena di sorprese. A sentirla, c'era da pensare che volesse chiudere la casa di San Francisco e trasferirsi con loro in qualche altro posto.

« Questa, sciocchino. Non mi serve più. »

« Vuoi dire che hai intenzione di rinunciare al tuo asso nella manica? A quella specie di rifugio dove potresti sempre ritirarti, fuggendo lontano da me? »

« Non è esattamente così che la consideravo. » Finse di essere offesa, ma le era già salita alle labbra una irrefrenabile risata. « Come avevi fatto a capirlo? »

« Perché non sono così stupido come ti piace credere. »

« Non avrei mai pensato niente di simile! »

« Bene. Allora, dimmi la verità: per quale motivo vuoi chiudere questa casa? E che cosa intendi con la parola 'chiudere'? Avresti intenzione di liberartene completamente? »

« Sì, completamente. Non ne abbiamo bisogno. Non ci veniamo mai né mai più ci verremo e poi, non la voglio in ogni caso. Rappresenta una parte della mia vita che considero chiusa. » Si fece di nuovo seria in volto, aprì lentamente la mano e osservò quella fede che qualche attimo prima si era tolta dall'anulare. « È chiusa, finita. Come questa. »

Quindi, senza aggiungere altro, posò l'anello su un tavolo e si abbandonò fra le braccia di Nick. Quella notte con lui fu libera e disinibita come non era mai stata. Era come se dentro di lei si fosse aperto lo sportellino di una gabbia e ne fosse uscito qualcosa; gli si concesse in tanti modi, come non aveva mai fatto prima, inarcando il corpo, fremendo di estasi sotto il tocco esperto delle mani e della lingua di Nick.

La mattina dopo fecero colazione da soli, tranquillamente, in cucina prima di svegliare Tygue e di annunciargli che sarebbe partito con Nick quel giorno stesso.

« Senza di te, mamma? » Kate si aspettava qualche protesta e rimase quindi molto sorpresa di fronte all'espressione estasiata che gli comparve sul faccino.

« Non avere quell'aria tanto disperata, brutto birbante! » Ma, in realtà, provava un immenso sollievo. Era come se i legami fra loro, nella piccola famiglia che avevano creato, si fossero fatti più solidi e stretti negli ultimi giorni.

« Per quanto tempo resteremo soli? » Gli occhi gli brillavano di gioia a quell'idea e Nick scoppiò a ridere.

« Quanto sarà necessario per chiudere definitivamente questa casa. Anzi, giovanotto, voglio che stamattina tu dia un'occhiata ai tuoi giocattoli e a tutte le tue altre cose, scegliendo quello che vuoi regalare e quello che preferisci portare a San Francisco. » Non restava più molto nei suoi armadi e nei suoi cassetti, ma sarebbe stato sufficiente a tenerlo impegnato per un paio d'ore.

Kate e Nick si rimboccarono quindi le maniche e cominciarono a fare i bagagli quella mattina stessa ma, verso sera, Kate rimase sola a fare quel lavoro. Dopo pranzo Nick e Tygue avevano caricato la macchina ed erano ripartiti per San Francisco. Kate si stupì nell'accorgersi di come trovasse piacevole restare sola in quella casa. Aveva avuto modo di meditare a lungo mentre riempiva gli scatoloni che si era fatta dare dal supermarket locale.

Nick aveva ragione: rinunciava effettivamente a qualcosa, andandosene di lì. Ma si trattava, comunque, di una cosa che non desiderava più: un'uscita di sicurezza, un luogo dove nascondersi e poter restare sola con se stessa, lontano da Nick. Le aveva fatto piacere l'idea di poterlo fare, di avere un posto simile, ma ormai non le occorreva più. Casomai avesse sentito la necessità di allontanarsi da lui, o di esprimere il proprio bisogno di indipendenza, avrebbe sempre potuto farlo scrivendo, o con una lunga passeggiata, oppure con un weekend in qualche posto, ma senza più tornare nel luogo dove era vissuta sette anni, in lutto per il passato. Perché non era rimasto più nulla da rimpiangere. E se in futuro si fosse sentita spaventata, preoccupata o stanca, sapeva che sarebbe riuscita ad affrontare e a superare anche quella difficoltà... senza scappare, senza fuggire. Era piacevole una tale sicurezza.

Furono necessari tre giorni per fare i bagagli e chiudere la casa. Regalò un mucchio di roba e lasciò in garage qualche scatolone chiuso, con il nome di Tillie scritto sopra. Poi radunò un sacco di cianfrusaglie e di oggetti da conservare che avrebbe spedito in città con un piccolo furgone. Dopo, non rimase più nulla. Mandò una lettera al padrone di casa per informarlo che se ne andava chiedendosi, fra l'altro, se non fosse ormai giunto il momento per lui di ritirarsi lì, in campagna, come si era sempre proposto in passato. Chissà, forse uno di quei giorni si sarebbe finalmente deciso a usare lui stesso la casa. A lei era risultata preziosa. Aveva custodito il suo segreto per tutti quegli anni. Ricordò come si era sentita felice la prima volta che l'aveva vista. Felice di essere finalmente lontana da quell'inferno in cui era vissuta, felice di potersi distendere sull'erba in primavera, sentendo Tygue che cresceva dentro di lei, straordinariamente felice quando il bambino era nato e lo aveva portato lì. Quell'ultima mattina si soffermò in camera da letto a ricordare come aveva contemplato quelle stesse colline, per tutti quegli anni, con Tygue fra le braccia. Poi si voltò in silenzio, con aria solenne e uscì per sempre da quella casa.

36

« SONO tornata! » Erano le quattro del pomeriggio. C'erano tutti, perfino Bert che scodinzolava nel giardinetto di fronte a casa, quando scese dalla piccola, brutta automobile presa a noleggio. Tygue stava correndo su un nuovo paio di schettini e Nick stava trafficando intorno alla macchina. Tutti si precipitarono contemporaneamente su di lei, fra risate, chiacchiere, abbracci e baci. Nick la strinse a sé così forte che le mancò il respiro.

« Ragazza mia, se avrai ancora il coraggio di andare in qualche altro posto nei prossimi sei mesi, diventerò pazzo a furia di aspettarti e, peggio ancora, ho deciso che », sorrise, « darò fuoco al tuo prossimo libro! »

« Bada, sai! Non osare... » Lo guardò inorridita. Aveva voglia di riprendere in mano anche quello: ne sentiva il bisogno. Erano settimane che non lo toccava.

« Se farai una cosa simile, io darò fuoco a tutti i tuoi slip e... »

« Che cos'è uno slip? » gridò Tygue con tutta la voce che aveva in corpo e loro scoppiarono a ridere. Continuarono a ridere per tutto il resto del pomeriggio. Nick insistette perché Kate si riposasse un poco e Tillie convinse Tygue ad arrivare fino in fondo all'isolato per acquisire maggior dimestichezza con i nuovi schettini. Quando tornò, Nick e Kate girellavano per casa in vestaglia e stavano preparando il tè.

« Vuoi venire alla trasmissione stasera, Kate? »

Lei lo guardò sorpresa. « In queste condizioni? »

« No, veramente pensavo che ti vestissi », rispose con aria sussiegosa e scandalizzata e Kate gli fece una smorfia.

« Voglio dire, mi vuoi proprio far partecipare allo spettacolo senza essere andata dal parrucchiere e via dicendo? » La sua espressione inorridita divertì Nick.

« Senti un po', signorina Io-Soltanto-Io, forse hai dimenticato che vivi con il produttore di quello spettacolo. Volevo semplicemente sapere se ti avrebbe fatto piacere venire a tenermi compagnia mentre registriamo la trasmissione. »

« Senza parteciparvi? » Dava l'impressione di essere scandalizzata, ma i suoi occhi brillavano di malizia.

« Si può sapere che cosa credi di essere... Una persona celebre o roba simile? »

« Accidenti! Sì, caro signor Waterman. Sono una autrice di best-seller! »

« Oh, davvero? » Insinuò una mano sotto la vestaglia di Kate e poi si sporse attraverso il tavolo a baciarla.

« Sei insopportabile. Ma dal momento che mi hai invitata... » lo guardò con un sorriso « ... sì, mi farebbe molto piacere tenerti compagnia durante la registrazione. Darà fastidio a qualcuno dei presenti? »

« È un problema che riguarda loro. Sono io che mando avanti la baracca. O te ne sei dimenticata? »

« Oh, già, sei tu! »

« Bella signora, ho la vaga impressione che, per te, sia venuto il momento di tornare a casa e di metterti un po' tranquilla. Forse ti sei dimenticata di come vanno le cose da queste parti! »

Kate gli sfiorò lentamente l'interno del braccio con una carezza e Nick si sentì accapponare la pelle e la guardò con un lampo negli occhi.

« Se continui così, credo che mi metterò d'impegno e farò

le cose molto più seriamente di quanto non fosse nelle tue intenzioni! »

« In cucina? » Kate stava ridendo di nuovo. Era stato con quel tono e in quel modo che avevano cominciato. Ricominciava la luna di miele.

« Sissignora, proprio in cucina! Cenerentola, farò l'amore con te in qualsiasi momento, in qualsiasi luogo, in qualsiasi modo, per il resto dei tuoi giorni. Ti amo. » Kate lo baciò dolcemente sulla bocca; e fecero l'amore in cucina, in fretta, prima che Tygue tornasse a casa. Poi, sempre ridendo come due bambini birichini e dispettosi, si infilarono rapidamente la vestaglia e cercarono di assumere l'aspetto di due persone serie che stavano bevendo il tè.

« Hai infilato la vestaglia a rovescio », gli sussurrò Kate ridendo convulsamente e Nick continuò a ridere, sempre più di gusto, notando che la cintura della vestaglia di Kate le penzolava fuori da una manica.

« Come ti sei conciata! »

Continuò così per settimane. Incontri clandestini in quella che Kate chiamava scherzosamente « la soffitta », momenti in cui facevano l'amore nella stanza dell'ultimo piano, lunghe e pigre prime colazioni che consumavano da soli, in cucina, passeggiate fino allo zoo con Tygue. Kate si abituò ad andare a fargli compagnia quasi sempre, quando registrava il programma di Jasper, e Nick prese l'abitudine di starsene pacificamente sprofondato nella sua poltrona di cuoio mentre Kate lavorava al nuovo libro. Era una specie di esistenza da fratelli siamesi, ma piaceva a tutti e due. Sapevano che non sarebbe potuto continuare così per sempre. Kate sarebbe stata occupata per il nuovo libro e a Nick si profilava una quantità di lavoro extra per il programma di Jasper. Ma, per il momento, avevano entrambi bisogno di quella pausa. Avevano bisogno l'uno dell'altra.

« Non ti stanchi mai di stare lì seduto mentre io pesto sui tasti della macchina per scrivere per mandare avanti questo stupidissimo libro? »

« Tesoro, una donna che riesce a guadagnare i soldi che

guadagni tu non può assolutamente scrivere un libro stupidissimo! »

« A che cosa devo questo rinnovato rispetto per il mio talento? »

« All'ultimo estratto conto dei tuoi diritti d'autore. L'ho visto sulla tua scrivania stamattina. Si può sapere che cosa te ne fai di tutti quei soldi? » Però era contento che Kate avesse tanto successo. Sapeva che aveva una grande importanza per lei. Le dava sicurezza per Tygue, la possibilità di comprare qualcosa per sé, di offrirgli dei regali. Non solo, ma significava anche che Kate si sentiva indipendente e sapeva quanto lei avesse bisogno di tutto questo.

Appoggiata allo schienale della sedia, Kate lo stava guardando, chiedendosi che cosa regalargli a Natale. Mancava soltanto un mese. « A proposito, che cosa vorresti per Natale? » Si accese una sigaretta e bevve un sorso di tè. Mentre lei lavorava, Nick si era messo a leggere il giornale.

« Lo sai che cosa mi piacerebbe realmente? »

« Che cosa? » Stava ridendo maliziosamente, credendo di intuire che cosa le avrebbe risposto Nick.

« Non fare quella faccia! Quello che mi piacerebbe realmente sarebbe vedere un po' di colore su quel tuo faccino pallido. Non avresti voglia di andare ad Acapulco o in qualche altro posto del genere per le vacanze? » Kate parve stupita a quel pensiero.

« Non ci sono mai stata. Potrebbe essere divertente. » Stava riflettendo su quell'idea mentre Nick la guardava. Però non rispose al suo sorriso.

« Kate? »

« Uhm? »

« Ti senti bene? » Un'ombra di preoccupazione gli era apparsa sul viso.

« Certo. Perché? » Ma lo sapevano tutti e due. Kate era sempre stanchissima, aveva poco appetito, era pallida. Le occhiaie profonde che le segnavano il viso erano ormai diventate abituali. Ma stava lavorando accanitamente al nuovo libro e attribuiva a questo la colpa di tutto.

« Non te la senti di andare dal dottore? » Era la prima volta che Nick glielo chiedeva; e Kate si spaventò nello scoprire che era così preoccupato.

« Dici sul serio? »

« Sì, certo. »

« Va bene. Vedrò. Quando avrò finito il libro. » Che cosa poteva dirle un medico che lei già non sapesse? Che era stata sottoposta a enormi pressioni di ogni genere? Che tutta la sua vita aveva subito un profondo cambiamento e che il suo bambino era scappato di casa due volte? Che stava per terminare di scrivere un libro di cinquecento pagine? Niente di tutto ciò era una novità per lei. E allora, a che cosa serviva vedere un dottore? « Non può dirmi niente che già non sappia. Può semplicemente osservare che lavoro troppo, oppure che i cambiamenti nella mia vita sono stati enormi, in questi ultimi tempi, o qualche altra balla del genere. Perché spendere i miei quattrini per ascoltare frottole simili? »

« È un piacere che ti chiedo! E se proprio vuoi risparmiare, prova a farlo su qualcos'altro. » La stava guardando molto seriamente. Si alzò in piedi. « Kate, credimi, non parlo a vanvera. Promettimi che ci andrai. Ma non fra sei mesi! »

« Sì, amore mio », rispose troppo dolcemente e Nick si accigliò.

« Me lo prometti? »

« Te lo prometto, ma soltanto se tu prometti a me di non preoccuparti troppo per questo. »

« Certo! » Due promesse parimenti vane. Kate non aveva nessuna simpatia per i medici e Nick si era abituato a una preoccupazione costante, affettuosa nei suoi confronti. Ma niente di tutto ciò contribuì a migliorare l'aspetto di Kate. Lo aveva notato perfino Felicia. Ma Kate, con lei, aveva minimizzato le cose.

« Che cosa fai oggi? »

« Mi trovo con Felicia per pranzo. Vuoi venire? »

« No. Devo trovarmi con un paio di persone al Circolo della stampa a pranzo. Poi abbiamo una riunione in ufficio. » Guardò l'orologio e si chinò a baciarla. « Anzi, adesso sono quasi in ritardo per il pranzo. Sarò a casa di nuovo per le tre. »

« Cercherò di rientrare anch'io per quell'ora. » Cercò infatti. Ma ci riuscì soltanto verso le cinque. Era andata a fare spese per un'oretta dopo aver pranzato al *Trader Vic's* con Licia e si era spinta lentamente fino da Saks. Solo per un minuto, per vedere che cosa c'era di nuovo. Ma il grande magazzino era affollatissimo, lei si era accorta di essere stanca, l'ascensore ci aveva messo un secolo ad arrivare e, quando finalmente era arrivato, Kate si era trovata scaraventata verso il fondo della cabina, sommersa dalla folla. Tanto che, quando si era fermato al terzo piano, l'avevano trovata accasciata sul fondo della cabina. Svenuta. Avrebbero voluto telefonare subito a casa sua ad avvertire qualcuno, ma Kate non lo aveva permesso. Così, era rimasta seduta lì da Saks per un'ora con un flaconcino di sali sotto il naso, sentendosi avvilitissima, poi aveva preso un taxi per rientrare a casa. Non se l'era sentita di guidare. Avrebbe detto a Nick che la macchina si era guastata. Accidenti. Ma quando rientrò si sentiva ancora frastornata, con la testa vuota e una vaga sensazione di vertigine. Comunque, era decisa a mostrarsi spiritosa, divertente, e a salire in camera il più presto possibile per andare a letto. Nick le aveva già chiesto di andare con lui ad assistere alla registrazione della trasmissione, ma gli avrebbe detto che non se la sentiva.

Infilò la chiave nella serratura e la girò. La porta si aprì subito e, per un attimo, Kate si augurò che Nick non fosse a casa. Invece era lì. Seduto nel soggiorno, ad aspettarla, con la faccia stravolta dal furore.

« È stato divertente il tuo pranzo? »

« Molto. Come è stato il tuo... » Ma si interruppe, non appena lo osservò da vicino. « Che cosa ti è successo? »

« Chi è Philip? »

« Cosa? »

« Mi hai sentito. » La guardò con due occhi colmi di collera e Kate si sentì girare la testa di nuovo. Lentamente si lasciò cadere su una poltrona. « Chi diavolo è Philip? »

« Come faccio a saperlo? Che cos'è, un nuovo gioco? »

Kate si accorse di essere debolissima ma, parlando, aveva dato l'impressionc di essere arrabbiata. In realtà era impaurita. Philip? Il Philip di New York?

« A dir la verità, stavo cominciando a chiedermi la stessa cosa. Cos'è questo, un gioco, forse? Ogni due mesi scopro su di te qualcosa di nuovo che non sapevo prima. »

« Che cosa vorrebbero dire queste parole? »

« Questo. » Nick attraversò la stanza e le scaraventò in grembo un foglio di carta. « Era in una busta bianca infilata sotto la porta di casa. In un primo momento ho pensato che tu mi avessi lasciato un messaggio. Mi sbagliavo. » La carta era di un color sabbia, l'inchiostro marrone scuro e la calligrafia ferma e singolare. Poi Kate vide le cifre in un angolo, in alto. PAW. Philip Anthony Wells. Le parve di sentire un tuffo al cuore. Dio santo! La lettera, poi, non faceva che complicare le cose.

Mi è spiaciuto che tu dovessi partire così, all'improvviso. Ma prima che scomparissi, il pranzo è stato bellissimo e bellissima anche la serata. La musica non mi è sembrata più la stessa, dopo. Eccomi finalmente venuto nell'Ovest, a veder mantenere due promesse. La tua e quella di uno zabaione da Vanessi. *Vuoi venirci con me stasera? Telefonami. Sono allo* Stanford Court. *Con affetto, P.*

Kate era rimasta quasi senza fiato.

« Oh, Gesù. » Alzò verso Nick due occhi immensi che si erano fatti immediatamente lucidi.

« È quello che ho detto io. Caspita, che letterina. E, per carità, tesoro, non permettere che io ti impedisca di andare a cenare con lui! » La voce di Nick era carica di rabbia e di dolore. Quando aveva letto quel messaggio, era stato come ricevere una scarica di pugni in pieno petto. « Si può sapere con esattezza che cosa è successo a New York? »

« Niente. Sono stata a cena con lui, per un puro caso, da *Gino's*. »

« Per un puro caso? » La guardò con aria torva e Kate balzò in piedi e si tolse il cappotto.

« Oh, per amor di Dio! All'aeroporto non sono riuscita a trovare neppur un taxi libero, così ne abbiamo preso uno insieme. Per un caso, avevamo prenotato la camera nello stesso albergo. Quella sera sono andata da *Gino's* per cena, sola, e lui era lì. Abbiamo cominciato a chiacchierare al bar, e poi abbiamo deciso... » Sembrava orribile da raccontare, in quel momento, e la faccia di Nick non si stava affatto rilassando. Tuttavia Kate decise di andare fino in fondo. « Così abbiamo preso la decisione di mangiare allo stesso tavolo. Tutto qui, che cosa credevi! E con questo? »

« E poi? »

« Che cosa vuoi dire? »

« E poi, in quale camera sei andata? »

« Nella mia, accidenti! E lui nella sua. Ma per chi mi hai presa, maledizione? Per una sgualdrina? »

« Se non erro, mi pare che, durante tutta quella settimana, non ci eravamo quasi rivolti la parola. »

« E con questo? Secondo te, allora, io sarei il tipo che se ne scappa di casa e va a letto col primo che capita ogni volta che c'è una discussione fra noi due? »

« No, ma a quanto sembra, però, sei proprio andata a cena con il primo che ti è capitato! »

« Accidenti, sei insopportabile! » Afferrò il cappotto e lo fissò con gli occhi sbarrati. Era furibonda. Che andasse al diavolo! Gli avrebbe raccontato tutta la verità e, se non gli piaceva, poteva andare a farsi benedire, lui e tutto il resto. « Già, sono stata a cena con lui. Non solo, ma dopo cena ho anche bevuto qualcosa con lui. E due giorni dopo, sono uscita a pranzo con lui. E se Tygue non fosse scappato di casa proprio quel giorno, probabilmente alla sera sarei andata a cena con lui. Ma questo è tutto ciò che ho fatto, accidenti! No, a dir la verità, adesso che ci penso, l'ho baciato. Caspita! Ho ventinove anni e l'ho baciato. Ma è tutto quello che ho fatto, brutto figlio di puttana, e non ho bisogno che tu mi faccia da cane da guardia. So benissimo da sola come comportarmi per non finire nel letto di qualche altro uomo. Anzi, se proprio vuoi sapere la verità, furbacchione, ti dirò che ho passato giorni e giorni a ringraziare il cielo che Tygue fosse scappato. Perché in quel momento ero tanto infelice e tanto incerta su di noi che, forse, avrei anche finito per andare a letto con lui. Invece non l'ho fatto. E com'ero contenta di non averlo fatto! Perché non avevo nessuna voglia di farlo. Perché amo te, brutto stupido figlio di puttana, e nessun altro! »

Si era messa a gridare, tremava da capo a piedi e singhiozzava a tal punto che non riusciva quasi più a parlare; tuttavia si alzò in piedi, agitando la lettera che stringeva in mano e avanzando a lunghi passi verso di lui. Nick, intanto, era rimasto sbalordito dell'effetto che le sue parole avevano avuto su Kate. Non l'aveva mai vista infuriata a quel modo. Mai e poi mai. Era stravolta, sembrava che fosse lì lì per avere un colpo apoplettico e cadergli morta davanti. Si vergognò del suo comportamento. Capì che Kate stava dicendo la verità; ma era rimasto troppo sconvolto quando aveva trovato quella lettera al suo ritorno a casa! Intuiva che Kate gli era sempre stata fedele, anche se la storia di quel bacio lo aveva sconvolto. Ma sapeva di poter sopravvivere a un semplice bacio e anche lui era molto felice che Kate non fosse andata più in là... Però in quel momento era troppo tardi per essere felice, perché Kate gli si era fermata davanti agitando la lettera: « E sai che cosa puoi fare di questa lettera? Puoi portarla a Philip Wells per cacciargliela in gola. E poi, perché non andate insieme da *Vanessi* a mangiarvi quel maledettissimo zabaione? Per quel che me ne importa! E allora, accidenti, esci dalla mia vita! » Infine, singhiozzando, Kate si voltò di scatto, scaraventò la lettera sul pavimento, afferrò cappotto e borsetta e uscì dalla stanza. Si fermò per un attimo sulla soglia, per il timore di svenire di nuovo, e Nick poté osservarla attentamente. C'era qualcosa che non andava in Kate, qualcosa di molto grave.

« Ti senti bene? »

« Occupati degli affari tuoi. » E così dicendo, uscì di casa richiudendosi la porta alle spalle con un tonfo. Tygue era ospite di un suo piccolo amico e quindi Kate sapeva di non essere costretta a restare lì per fargli compagnia. Non se la sentiva di avere Nick davanti agli occhi. Accidenti a Philip Wells. Si accorse di odiare sia l'uno sia l'altro. Poi, d'un tratto, ricordò di avere lasciato l'automobile in centro. Allora si incamminò verso la baia, a piedi, piangendo come una bambina. Perché Philip le aveva fatto una cosa simile? E perché Nick aveva letto la lettera? E lei, perché gli aveva dato un bacio, quel giorno a New York? Si sedette sul muricciolo di un giardino, in un punto deserto, a qualche isolato di distanza da casa e rimase lì per un po', con la faccia nascosta fra le mani a singhiozzare, desiderando di essere morta.

Intanto, a casa, Nick era rimasto seduto nel soggiorno a fissare la lettera che Kate aveva scaraventato sul pavimento, rammaricandosi di non aver affrontato quella situazione in un modo diverso. Non l'aveva mai vista così sconvolta. E quando si era fermata sulla porta, era letteralmente livida. Doveva assolutamente convincerla a farsi visitare. Forse era tutta colpa dei nervi! Lo squillo del telefono spezzò il filo dei suoi pensieri e, andando a rispondere, raccolse da terra la famosa lettera. La appallottolò e la buttò nel cestino della carta straccia vicino al telefono.

« La signora Harper? »

« No, mi spiace, è fuori. È... che cosa? Come sarebbe... se sta bene adesso? Se...? Oh, mio Dio... No, no, non si preoccupi. Penso io a tutto. » Rimase immobile dove si trovava per un attimo, poi chiamò Felicia. Ebbe la fortuna di trovarla, perché erano quasi le sei. Tuttavia Felicia acconsentì ad andare subito da loro. Aveva capito dalla voce di Nick che c'era qualcosa che non andava.

« Dov'è Tygue? » Si guardò in giro, appena entrata. La casa sembrava insolitamente silenziosa e buia.

« È andato da un suo amico e resterà lì a dormire. Non si tratta di Tygue, Licia. Ma di Kate. Temo che ci sia qualcosa che non va, in lei. Sono molto preoccupato. » Si mise a sedere di nuovo nel soggiorno e si prese la faccia fra le mani. Felicia sedette di fronte a lui e lo fissò per un minuto intero.

« Anche tu non mi sembri nella forma migliore. Che cosa è successo? »

« Mi sono comportato come un cretino. » Andò al cestino della carta straccia, vi frugò dentro, ritrovò la lettera e gliela tese. « L'ho trovata quando sono rientrato in casa, in una busta sulla quale non c'era scritto niente. Ho creduto che fosse per me. »

« Ohi, ohi. » Felicia alzò gli occhi a guardarlo con un sorrisetto forzato, ma Nick rimase serio.

« Quando Kate è tornata a casa, le ho chiesto una spiegazione, come un perfetto cretino. E lei mi ha raccontato tutta la storia. Non c'è niente. Ma la cosa che mi ha lasciato addirittura sconvolto è stato il modo in cui si è comportata. Dio santo, Licia, non l'avevo mai vista così. Ha perduto completamente ogni controllo. Si è messa a gridare, a tremare, sembrava che dovesse svenire da un momento all'altro. In questi ultimi tempi ha sempre avuto un bruttissimo aspetto, però non vuole sentirsi dire di andare da un dottore. Ha lavorato esageratamente, non dorme abbastanza, è sempre stanca, piange quando crede che io non la veda. Secondo me, è malata. O qualcosa del genere. Non riesco a capire che cosa accidenti è successo. » Poi guardò Felicia e tirò il colpo definitivo. « Ha appena telefonato l'ufficio Pubbliche relazioni di Saks. Era lì, nel pomeriggio, ed è svenuta in ascensore. Sono angosciato. »

« Allora devo concludere che in questo momento Kate non è in casa? » Anche Felicia stava cominciando a essere turbata.

Nick scrollò la testa. « No. È uscita come una furia... dopo questa faccenda qui... » Le fece vedere la lettera e poi la appallottolò di nuovo.

Felicia si accorse che non desiderava sapere di più, di quella storia. Kate non era assolutamente un'intrigante piena di misteri, anche se non le aveva confidato niente di quello che era successo a New York. Però, d'un tratto, ricordò un lampo negli occhi di Kate quando le aveva domandato che cosa ne pensava di *Gino's*. Ma questo non bastava a spiegare una scenata del genere e lo svenimento. « È possibile... che Kate adesso sia andata da quest'uomo? »

Nick scosse la testa di nuovo. « Neanche da pensarlo, nello stato in cui era quando è uscita di casa. E... no, so che non è andata da lui. »

« È quello che penso anch'io. Kate è una donna adulta. Forse ha pensato che la cosa migliore fosse quella di andare da un dottore. Non ha mangiato niente a pranzo. Però non è dimagrita. » D'un tratto si appoggiò indietro sulla poltrona e socchiuse gli occhi.

« Che cosa c'è? » Nick sembrava più inquieto che mai. C'era qualcos'altro che non sapeva?

« C'è qualcosa che mi insospettisce. » Lo guardò fisso negli occhi, di nuovo. « Mi spiace di non avere esperienza personale in merito, tuttavia mi sembra che qualcosa di simile sia già accaduto a Kate. Ma, allora, avevo pensato che la spiegazione fosse in tutto ciò che le stava succedendo... per Tom. » Felicia aggrottò le sopracciglia, incerta. Che sollievo sarebbe stato!

« Nervi, vuoi dire? »

« No. Non esattamente. » Lo guardò con un lieve sorriso. « Cerca di credermi se ti dico che non ho nessun interesse a ficcare il naso nella vostra vita privata, ma non è possibile che Kate sia incinta? »

« Kate? » Nick parve sbalordito.

« Be', non certamente Tillie! » A quel pensiero, anche Nick riuscì a ridere con lei.

« Non so. Non ci ho mai pensato. Ho sempre creduto che, se doveva succedere qualcosa di simile, lei lo avrebbe capito e... »

« Su questo, non devi fidarti troppo. Molte delle donne che conosco non se ne convincono mai, finché non sono incinte di tre mesi. Una pensa sempre che sia stato il viaggio in aereo a New York a provocare qualche irregolarità, o quello che ha mangiato, o la sua vita sessuale, o Dio sa che cosa. Comunque, qualunque possa essere la ragione, sembra che le persone non stiano più molto attente a queste cose, oggigiorno. » Santo cielo! La sola idea di « non starci più attenta » le faceva venire i sudori freddi. Ma Kate non era di quel genere.

« Non credi che potrebbe trattarsi di questo? Quando era incinta di Tygue, ricordo che faceva certe scenate... terribili! Generalmente, se la prendeva con i giornalisti e, almeno apparentemente, quegli accessi di collera erano più che giustificati. Ma a ripensarci, in seguito, lo si sarebbe dovuto capire che erano scenate eccessive. Che aveva perduto il controllo. Fra l'altro, ricordo che è anche svenuta un paio di volte. Non solo, ma nei primi due mesi della gravidanza aveva un aspetto spaventoso. Però », guardò Nick con aria grave, « stava passando un periodo tremendo. »

« Ha passato momenti terribili anche in questi ultimi due mesi. » Si appoggiò indietro, nella poltrona, e cercò di riflettere. Stava ancora cercando di liberarsi dal pensiero che Kate fosse sull'orlo di un collasso nervoso o che fosse malata di cancro all'ultimo stadio. Incinta? Non ci aveva pensato, ma d'un tratto gli venne in mente qualcosa. « Dio! Me ne ero dimenticato. Quella notte, la prima volta che Tygue scappò di casa... eravamo talmente sconvolti... che Kate si dimenticò il diaframma. » Guardò Felicia con aria di scusa, perché era costretto a metterla al corrente di simili particolari. « Comunque, è senz'altro possibile. Sono successe talmente tante cose da allora, che dobbiamo essercene dimenticati tutti e due. Io, perlomeno, me ne ero dimenticato. Pensi realmente che Kate non ci abbia più fatto caso? » Sembrava estasiato all'idea.

« Forse è così. Ma non eccitarti troppo. Potrei anche sbagliare. Non hai niente da bere? » Si accese un'altra sigaretta e si alzò in piedi. « È stata una di quelle giornate... »

« Certo! » Anche per lui era stata una giornata terribile e la capiva; quindi si diresse verso il bar. Tenevano sempre a portata di mano il necessario per prepararle un Martini, casomai passasse da loro senza preavviso. « E adesso, che cosa faccio? »

« Aspetta che torni a casa e prova a domandarglielo. »

« E se non torna a casa? Se è andata fuori con quel tizio? » Impallidì al solo pensiero che Kate potesse aver fatto qualcosa del genere e poi arrossì violentemente mentre mescolava con esagerata energia il Martini di Licia.

« Ehi, Nick, non prendertela con il mio Martini! Tornerà. Ma, la macchina? » Che domanda sciocca! Certo che aveva la macchina. Ma Nick la stava guardando di nuovo con una espressione curiosa.

« Già, proprio così. È tornata a casa in taxi, deve avere lasciato la sua macchina in centro. » A Felicia questa notizia piacque molto poco. Doveva essersi sentita molto male per arrivare a una decisione simile.

« Non ti resta nient'altro da fare che aspettare e chiederglielo. E poi, ti prego... » Si bevve il Martini fino all'ultima goccia e depose sul tavolo il bicchiere « ... vuoi farmi sapere qualcosa? Perché se Kate sta male, vorrei esserne informata. » Lui fece segno di sì, con aria afflitta, e Felicia si alzò. « Mi spiace, ma devo andarmene. Mi vengono a prendere alle otto e ho un grosso lavoro di restauro da fare prima di quell'ora! » Andava a un concerto sinfonico. Con un nuovo accompagnatore.

« Certo. Ti telefono. » Poi guardò l'orologio. « Accidenti. Fra un momento devo andarmene anch'io per la trasmissione. »

« Chissà, forse, quando tornerai, sarà già qui a casa. » Felicia gli allungò un colpetto sulla spalla, con aria incoraggiante, mentre Nick la accompagnava alla macchina, e si domandò in cuor suo come potesse essere, a letto, quell'uomo. Bello e forte. Lo aveva già stabilito da un pezzo. Kate era una creatura fortunata. Lo guardò e sorrise. « Vedrai che Kate si sistemerà. Andrà tutto bene. E poi, diavolo! Potresti anche finire per diventare papà! »

« Dio mio, Felicia, come mi piacerebbe! »

« Solo, ti prego, fammi un piacere: non squagliartela. Non credo che me la sentirei di ripetere il mio numero in sala parto una seconda volta! » Malgrado il tono brusco della voce, Nick comprese che, invece, Felicia sarebbe stata dispostissima a farlo. Per amore di Kate.

« Non ti preoccupare, Licia, stavolta non ci sarai costretta. Spero soltanto che si tratti di questo. » Mentre tornava verso casa si scoprì a ripensarci e, d'un tratto, ne fu quasi sicuro. Tanto che, se avesse almeno avuto la sicurezza che Kate stava bene e si era calmata, si sarebbe quasi sentito in vena di festeggiare quella notizia, mentre raggiungeva in macchina gli studi della televisione. Ma quando se ne era andata di casa, Kate era talmente fuori di sé che avrebbe potuto commettere qualsiasi sciocchezza. Qualsiasi sciocchezza.

Invece tutto ciò che Kate aveva fatto era stato sedersi su quel muricciolo, trovato per caso sulla sua strada, e mettersi a piangere. A un certo momento, dopo essere rimasta seduta lì per un bel po', fu presa dai brividi. Sarebbe voluta tornare a casa, ma solo dopo essere stata ben sicura che Nick ne era uscito. Alle sette e venti rientrò, salì in camera, si spogliò e andò a letto. Era esausta. E non si svegliò fino a quando Nick non cominciò a scuoterla delicatamente per una spalla.

37

« KATE? » Si accorse che Nick la stava scuotendo delicatamente per una spalla e, quando aprì gli occhi, fuori era ancora buio. Era quasi buio anche nella stanza. C'era soltanto una lampada accesa, nell'angolo più lontano, che diffondeva un tenue chiarore. « Ehi, piccola. » Le accarezzò lievemente la schiena e lei richiuse gli occhi. Era bello il tocco delle mani di Nick. Però era ancora furibonda con lui. Se ne ricordò mentre si stava svegliando.

« Che cosa vuoi? »

« Parlarti. »

« Di che cosa? » Kate si rifiutò di aprire gli occhi pur accorgendosi che c'era un fuoco che bruciava nel camino.

« Apri gli occhi. »

« Va' via. » Ma già cominciava a sorridere e Nick se ne accorse. Si chinò a baciarle una guancia.

« Piantala! »

« Vorrei chiederti una cosa. »

Kate aprì un occhio. « Non sarà ancora quella! » Aveva aggrottato le sopracciglia.

« No, non quella. »

« E allora che cosa? »

« Che cosa è successo da Saks, oggi? » Le sorrideva e le parlava molto dolcemente, ma i suoi occhi erano ancora angosciati. Non era riuscito a ragionare per tutta la sera, mentre registravano la trasmissione. E poi era tornato a casa rapidamente per vedere se Kate era lì. Aveva quasi gridato di sollievo nello scorgere la sua sagoma rannicchiata sotto le coperte. Non gliene importava se Kate lo odiava; perlomeno era a casa: non era morta chissà dove, o malata, non era stata aggredita da qualcuno nella notte e non era neanche in preda a una crisi isterica. Ma lei non gli aveva risposto. « Raccontami di Saks. »

« C'è ancora qualcosa della mia vita che tu non sai? » Si mise a sedere bruscamente sul letto e lo guardò stupita. « Mi hai fatto pedinare? » Sembrava profondamente meravigliata, ma Nick fece segno di no con un lieve sorriso un po' triste.

« No. Hanno telefonato loro. Volevano assicurarsi che tu fossi tornata a casa sana e salva! E allora... che cosa è successo? »

« Niente. »

« Veramente non hanno detto esattamente questo, loro! »

« E va bene, mi sono sentita male. Sono svenuta. Avevo mangiato troppo a pranzo. » Non coincideva con l'ipotesi di Felicia, ma non voleva che Kate si sentisse messa con le spalle al muro e preferì lasciar correre.

« Ne sei sicura? » Delicatamente, le prese la faccia fra le mani. Gli occhi di Kate si riempirono subito di lacrime ma, a poco a poco, sotto le sue dita il suo viso cominciò ad assumere un'espressione più distesa.

« Che cosa pensi che sia stato, Nick? »

« Penso che forse... spero... » La guardò con una tale tenerezza che le lacrime di Kate si intensificarono. Nick sorrise. « Non è possibile che tu sia incinta, Cenerentola? » La osservò attentamente e Kate si sottrasse piano alle sue mani.

« Per quale motivo dovrei essere incinta? » Ma, proprio come aveva fatto Felicia poco prima, Kate assunse un'espressione curiosa, come se stesse facendo scorrere mentalmente sotto le dita i cartellini di uno schedario, cercando di ricordare e di confrontare determinati avvenimenti... D'un tratto, alzò gli occhi a guardarlo con un sorrisetto imbarazzato. « Potrebbe darsi. Non ci avevo neppure pensato. »

« È solo un sospetto o ti sembra una possibilità più concreta? » Nick la stava guardando pieno di speranza.

« Sì, forse è qualcosa di più di un sospetto. Non riesco proprio a capire come ho fatto a non pensarci. » Aveva addirittura cominciato a chiedersi se per caso non fosse stata colpita da qualche strana malattia. Gli rivolse un luminoso sorriso e Nick la baciò, prima dolcemente, poi avidamente, accarezzandole piano il seno sotto la camicia da notte. « Dovrei essere incinta da quasi due mesi. È stato la notte che Tygue... vero? »

« Non so. È troppo presto per sapere se lo sei veramente? »

« No. È, più o meno, il momento giusto. »

« Vuoi provare di nuovo? » Kate rise mentre Nick si allungava vicino a lei sul letto.

« Provare di nuovo, eh? »

« Certo. Perché no? »

Ma non ce ne fu bisogno. Kate era incinta. Il giorno dopo il test di gravidanza diede una risposta positiva.

« Sei sicura? » Era seduto vicino a lei quando Kate riattaccò dopo avere saputo i risultati. La voce dell'infermiera era stata fredda, indifferente. « Harper? Oh, eccolo qui. Positivo. »

« Sei incinta? »

« Sì, sono incinta, è sicuro. È quello che mi ha detto adesso l'infermiera. » Gli buttò le braccia al collo. Nick la fissò raggiante.

« Oh, Kate, ti amo. »

« Anch'io ti amo », sussurrò con la voce soffocata fra le braccia di lui. « Mi spiace di New York. » Non glielo aveva detto la sera prima, per quanto lo avesse desiderato.

« Lascia perdere. Non è successo niente. Ma casomai tu dovessi tornare laggiù, ti mando dietro una guardia armata. » Poi la guardò con aria seria sempre stringendola dolcemente fra le braccia. « Non voglio più che tu faccia questi viaggi durante la gravidanza. Assolutamente. Sono stato chiaro? »

« Sissignore. »

« E il tuo nuovo libro? Sei disposta ad aspettare prima di andare in qualsiasi posto ti chiedano? Anche se tu aspettassi qualche mese, non credo che la tua carriera ne risentirebbe. »

« Comunque, non potrebbe venire pubblicato prima di un anno. Un tempismo perfetto. » Gli sorrise e gli arruffò i capelli. Nick stava prendendo quella faccenda troppo sul serio, ma lei non si sentiva inquieta e nervosa per la gravidanza come le era successo quando aspettava Tygue. Del resto, era passato tanto tempo! Sotto certi aspetti, le sembrava tutto nuovo, anche questo. E sarebbe stato piacevole avere Nick vicino. Lo strinse forte a sé per qualche istante e sorrisero tutti e due, immersi nei propri pensieri. Poi Nick la guardò di nuovo.

« Promettimi che non ti stancherai durante la gravidanza. »

« Ma... che cosa vuoi che faccia? » chiese, cercando di dare un tono scherzoso alle proprie parole.

« Kate, ti prego... » Desiderava questo figlio più di qualsiasi altra cosa. Kate lo comprese.

« Calmati, tesoro. Te lo prometto. » Le parve di sentirlo più rilassato, mentre lo stringeva di nuovo a sé. In quel momento, si mise a suonare il telefono. Kate lo guardò con un sorriso. « Chissà, forse hanno cambiato opinione. »

« Rispondi che è troppo tardi. Abbiamo accettato la prima risposta. » Kate gli sorrise e rispose al telefono, ma la sua faccia si rabbuiò immediatamente.

« Ciao, Stu. » Si accorse che Nick si irrigidiva al suo fianco.

« Che bella sorpresa. Quando... non lo so. » Guardò Nick e sorrise, ma lui si stava già lasciando prendere dal panico. Cominciò a camminare avanti e indietro per la stanza con un'espressione disperata. Tutto ricominciava come prima. Weinberg e i suoi maledettissimi viaggi promozionali.

« Hai promesso! »

« Calmati! » gli sussurrò Kate mettendo una mano sul ricevitore e cercando contemporaneamente di continuare la conversazione con Weinberg. La concluse con un vago: « Vedrò ». Ma, a un tratto, Nick non riuscì più a controllarsi. Le strappò il ricevitore e ci mise una mano sopra.

« Digli che la persona che sta cercando di sfruttare è incinta, e che può prendere il suo prossimo maledettissimo viaggio promozionale, o come diavolo lo chiama, e cacciarselo... lui sa benissimo dove! » La guardò stravolto, ma Kate stava ridacchiando quando riuscì a recuperare il telefono.

« Scusami, Stu. » Sorrise a Nick che si rasserenò non appena le sentì pronunciare quelle parole. « Non giocherà in torneo con te. È convinto che vuoi cercare di sfruttarlo. E poi è incinto. Quindi il suo umore è molto variabile. » Nick alzò gli occhi al cielo e si lasciò cadere di schianto su una seggiola, scoppiando a ridere. « No, ha detto che potevi cacciartelo... sai bene dove. Ecco quello che ha detto... D'accordo, glielo riferisco » Riattaccò e rimase a fissare Nick. « Ti preoccupi troppo, signor Waterman. » Rideva apertamente, in quel momento.

« Sei una mocciosa viziata, Cenerentola. Non te lo ha detto nessuno di recente? »

« È da stamattina che non me lo sento ripetere. A proposito, quando credi che mi vedrò regalare l'altra scarpina di vetro? » Gli sorrise mentre andava a sedersi sulle sue ginocchia.

« Quando mi avrai promesso di non partire per nessun viaggio pubblicitario per il tuo libro e quando mi avrai garantito che non ti stancherai troppo durante la gravidanza. Basta che tu mi prometta questo e avrai tutto ciò che vorrai. »

« Guarda che ci conto! »

« Non hai risposto alla mia domanda. »

« Era una domanda? A dire la verità, mi sembrava piuttosto un ordine. » Alzò un sopracciglio e gli passò un dito intorno all'orecchio.

« Parlo sul serio, Kate. Ha una grande importanza per me, questo. »

« Anche per me! Ma non occorre arrivare alle minacce o alle proibizioni per convincermi a non affannarmi troppo. Fidati un pochino! »

« Non ne sono capace quando si tratta del tuo lavoro... o del nostro bambino. » La considerò vagamente accigliato. « Sarà molto duro per te, Kate? Mandare avanti tutt'e due le cose, voglio dire? »

Lei fece segno di no con la testa, ma non rispose subito. « No. » Perlomeno era ciò che sperava; ma, in caso contrario, ci avrebbero pensato e avrebbero trovato una soluzione.

« Hai riflettuto? Non credi che magari potresti... potresti... »

Ma Kate lo interruppe prima che Nick riuscisse a pronunciare quelle parole. « No, non lo farei assolutamente. » Poi lo prese di nuovo fra le braccia. « Desidero avere il tuo bambino, Nick! Credo di averlo sempre desiderato. Tygue è qualcosa di speciale ed è sempre stato soltanto mio. Non l'ho mai diviso con nessuno, come non ho diviso con nessuno l'attesa, la nascita e tutti quei momenti così preziosi che venivano dopo. Non ho mai avuto nessuno per dividere tutto questo. Stavolta, con questo bambino, per noi ogni cosa sarà differente. »

« Incluso il fatto che non siamo sposati. » Sembrava un po' imbarazzato a pronunciare queste parole e subito le frugò in faccia con gli occhi. « Sarà una cosa difficile da superare questa, per te e per Tygue? »

« No, assolutamente! Tygue è troppo giovane perché possa importargli, e credi davvero che a me possa interessare quello che pensa la gente? E poi, un giorno o l'altro ci sposeremo. » Abbassò gli occhi su quel segno più chiaro che era rimasto sul dito della mano sinistra dove, un tempo, aveva portato la fede nuziale. « Per il momento, non ha una grande importanza. A meno che... abbia importanza per te! Per il tuo lavoro, voglio dire. Può crearti qualche problema? » Perché c'era anche quello a cui pensare. La reputazione di Kate non era l'unica in gioco, ma Nick stava già ridendo per tutta risposta.

« In quel mondo assurdo e pazzesco nel quale io lavoro? Stai scherzando? Anzi, in quell'ambiente, sembrerebbe strano che noi aspettassimo un bambino essendo sposati. E poi, senti che cosa ho pensato stanotte. » Per un attimo sembrò piuttosto imbarazzato ma poi, evidentemente, prese la decisione di confidarle la sua idea. « Se questo non dà fastidio a te, né a Tygue, potremo dire alla gente che siamo sposati. Chi vuoi che sappia che non è vero? Potremo dire che ce ne siamo andati di nascosto, da qualche parte, a sposarci. E così... più avanti... un giorno, potremo proprio fare così. Nessuno è obbligato a sapere se noi siamo realmente sposati o no. » Ma lei stava già scuotendo la testa con aria decisa.

« Niente da fare. Così non va, signor Waterman, non sono d'accordo. »

« Perché no? »

« Perché, caro signore, quando finalmente ci sposeremo, io non ho nessuna intenzione di farlo andandomene chissà dove, zitta zitta. Ho intenzione di farlo con una cerimonia sfarzosa e una pompa incredibile e voglio che la notizia faccia un enorme scalpore e che tutto venga organizzato in grande stile... Non riesci neanche a immaginare che cosa ho in mente! Perché lo dovrà sapere il mondo intero. Come ti sembra la mia idea? »

« Vuoi sapere che cosa ti dico, Cenerentola? »

« Sì, cosa? » Il sorriso di Kate era radioso, come quello di Nick.

« Per quello che hai detto, ti meriti l'altra pantofolina di vetro. »

Kate gli rivolse un caldo sorriso e gli posò le labbra sulla bocca in un lungo, tenero bacio. « Riesci ad avere un'idea di quanto io ti voglia bene, Nicholas Waterman? »

« Vuoi venire disopra a mostrarmelo? »

« In qualsiasi momento, signor Waterman. In qualsiasi momento. »

FINE

Finito di stampare nel gennaio 1996
dalla Tip.Le.Co. - Via S. Salotti, 37 - Piacenza
Printed in Italy